MW00343490

Mario Bunge

A LA CAZA DE LA REALIDAD

Serie Cla•De•Ma
Filosofía de la ciencia

A LA CAZA DE LA REALIDAD

La controversia sobre el realismo

Mario Bunge

Traducción de
Rafael González del Solar

Esta obra ha sido publicada con una subvención de la Dirección General del Libro, Archivos y Bibliotecas del Ministerio de Cultura.

Título del original inglés:
Chasing Reality: Strife over Realism

Traducción: Rafael González del Solar

Rafael González del Solar es biólogo por la Universidad Nacional de Córdoba (UNC, Argentina) y Máster en Iniciación a la Investigación en Filosofía por la Universidad Autónoma de Barcelona (UAB), donde cursa el Doctorado en Filosofía. Ha realizado investigación empírica en ecología y estudiado filosofía de la ciencia con Mario Bunge en McGill University (Montreal, 2000), de quien ha traducido otros dos libros. Actualmente es profesor de epistemología y metodología de la investigación y miembro del Grupo de Investigación en Ecología de Comunidades de Desierto (ECODES-IADIZA/CONICET) y del Grupo de Estudios Humanísticos sobre Ciencia y Tecnología (GEHUCT-UAB).

Ilustración de cubierta: Edgardo Carosia

Primera edición: enero de 2007, Barcelona
Primera reimpresión: septiembre de 2008, Barcelona

© Editorial Gedisa, S.A.
Avda. Tibidabo, 12, 3°
08022 Barcelona (España)
Tel. 93 253 09 04
Fax 93 253 09 05
correo electrónico: gedisa@gedisa.com
http://www.gedisa.com

ISBN: 978-84-9784-123-8
Depósito legal: B. 41440-2008

Impreso por Sagrafic, S.L.
Plaza Urquinaona, 14 7° 3ª Barcelona

Impreso en España
Printed in Spain

En agradecido recuerdo de mis maestros
GUIDO BECK (1903-1988),
quien me inició en la investigación científica,
y KANENAS T. POTA (1890-1957),
quien me enseñó cómo filosofar.

Índice

Prefacio

En la actualidad, miles de millones de seres humanos nos pasamos largas horas mirando pantallas de todo tipo. Pero, desde luego, todos sabemos que los hechos y las ideas más interesantes e importantes se encuentran detrás de las pantallas. Este es el motivo de que busquemos hechos objetivos detrás de las apariencias, causas o azar debajo de los eventos, mecanismos tras los comportamientos, y sistemas y patrones detrás de los particulares. Todas estas tareas exigen una imaginación rigurosa; en particular, requieren de la ficción disciplinada antes que de la fabricación de mitos. Aunque estamos sumergidos en la realidad, nuestro conocimiento de ella no es inmediato.

Los antiguos atomistas y los fundadores de la ciencia y la filosofía modernas, especialmente Galileo y Descartes, sabían que eso que los sentidos proveen son apariencias superficiales, en lugar de realidades profundas. Estos pensadores iban tras cosas reales, con propiedades primarias o independientes de la mente, y algunos de ellos utilizaban ficciones matemáticas, tales como funciones y ecuaciones, para explicar los hechos.

No quiere esto decir que las propiedades secundarias o qualia, tales como color, sabor y olor, carezcan de importancia para los organismos; muy por el contrario. Pero los qualia residen en los sistemas nerviosos, no en el mundo físico que los rodea: el universo es incoloro, insonoro, insípido e inodoro. Además, la investigación científica de los qualia, en particular su explicación en términos de propiedades primarias, tuvo que esperar hasta la emergencia de la neurociencia cognitiva, en el siglo XX. Por ejemplo, solo recientemente se ha sabido que las ilusiones ópticas y auditivas son disfunciones de los subsistemas cerebrales correspondientes.

A pesar de ello, algunos de los filósofos modernos de mayor influencia, a saber Berkeley, Hume y Kant, así como sus herederos neokantianos, positivistas, neopositivistas, fenomenistas, hermenéuticos, convencionalistas y constructivistas-relativistas han enseñado exactamente lo opuesto. Así pues, los fenomenistas afirman que lo único que cuenta son las apariencias y los hermenéuticos o textualistas (o semióticos generales) sostienen que lo único que importa son los símbolos. Por cierto, los primeros repiten el punto de vista de Ptolomeo, según el cual el objetivo de la ciencia es «salvar los fenómenos»; los textualistas afirman que «la palabra es la morada del Ser» (Heidegger), de ahí que «nada hay fuera del texto» (Derrida) y los hechos, o al menos los hechos sociales, «son textos o como textos» (Charles Taylor). Ni fenomenistas ni textualistas saben dónde poner los objetos matemáticos, por los cuales, de todos modos, sienten desagrado. Dadas estas graves lagunas en la filosofía contemporánea, está claro que la naturaleza de hechos, apariencias y ficciones merece una mayor investigación.

Esta obra trata de hechos puros y duros, de apariencias superficiales y de ficciones controladas, como en el caso del número π, así como desbocadas, tal el caso del País de Jauja. Los conceptos de hecho, apariencia y ficción constituyen una familia, puesto que ninguno de ellos tiene sentido íntegro de forma aislada de los otros miembros de la tríada. En efecto, las apariencias son los hechos tal como son percibidos por los seres sensibles y las ficciones son o bien grandes distorsiones de los hechos o bien invenciones sin relación con los hechos. Estos últimos, a su vez, suceden haya o no alguien que los perciba o fantasee acerca de ellos. Este es un postulado realista presupuesto por todo el mundo, pero que solo unos pocos filósofos adoptan explícita y consistentemente. Sostendré que este postulado subyace, aunque en la mayoría de los casos de manera tácita, a la exploración y modificación deliberada del mundo real. También afirmaré que, paradójicamente, ninguna de estas exploraciones tiene éxito sin el auxilio de algunas ficciones, en particular las propias de la matemática.

La tríada hecho-apariencia-ficción está presente en todos lados. En efecto, cuando intentamos comprender o controlar una parte del mundo, a menudo debemos distinguir e interrelacionar tres estratos: hecho, apariencia y ficción. Por ejemplo, algunos políticos y medios de comunicación inventan ficciones acerca de la vida pública y estas ficciones contribuyen a dar forma a nuestras percepciones de la sociedad. Mientras tanto, los cursos político y económico continúan fluyendo debajo de esas ficciones y apariencias, en gran medida sin ser afectados ni detectados y, por lo tanto, más allá de nuestro control. El ciudadano incauto puede convertirse inadvertidamente en víctima de lo que se ha dado en llamar «armas de engaño de masas». En contraposición, los ciudadanos alertas y responsables son escépticos constructivos: comienzan por quitar las cáscaras superficiales de la realidad, de modo tal de desvelar los mecanismos sociales ocultos y, de ese modo, ser capaces de actuar sobre ellos. Son realistas filosóficos.

De manera nada sorprendente, por tanto, la tríada hecho-apariencia-ficción está en el núcleo de algunos de los problemas filosóficos más antiguos y difíciles. Por ejemplo, ¿cómo podemos saber que hay cosas fuera de nuestras mentes?, ¿cómo debemos pasar del hecho observable a la causa conjeturada?, ¿cómo resolvió Newton el llamado problema de la inducción, consistente en saltar de los datos a las hipótesis y que habitualmente se atribuye a Hume?, ¿difieren las apariencias de la realidad? y, si es así, ¿de qué manera?, ¿son los «sentimientos crudos» (o qualia), tales como aromas y sabores, irreducibles a procesos que pueden describirse en términos de propiedades primarias, tales como los de moléculas aromáticas y receptores olfativos?, ¿pueden ser reales la posibilidad y la disposición?, ¿cuál es el estatus ontológico de los objetos matemáticos, si es que poseen alguno?, ¿en qué se diferencian de los personajes míticos y artísticos?; ¿son reales la causalidad, la posibilidad y el azar pese a ser inobservables?, ¿la probabilidad es una medida de la intensidad de nuestras creencias o, más bien, una medida de la posibilidad real? y, finalmente, ¿hay leyes objetivas o sólo cúmulos de datos?

Además de los problemas ontológicos y gnoseológicos ya mencionados, abordaremos los siguientes problemas metodológicos. ¿De qué manera podemos averiguar cómo funcionan realmente las cosas que hay detrás de las apariencias? ¿De qué sirve especular sobre mundos alternativos? ¿Por qué preguntarse por el valor de verdad de los enunciados contrafácticos? ¿Cuál es el mejor modo de tratar problemas inversos tales como ir del resultado deseado al insumo [*input*] y al mecanismo necesarios? ¿Hay algo más en una explicación que la subsunción de particulares en generalidades? ¿Se pueden confrontar las teorías científicas directamente con los hechos? ¿Cuál es el estatus de indicadores tales como los signos vitales y las lecturas de un dial? ¿Por qué resulta respetable todavía que algunos filósofos cuestionen la realidad independiente del mundo externo, al mismo tiempo que los científicos descubren capas más y más profundas de ella y los hombres prácticos la modifican para bien o para mal?

Preguntaremos también si tiene algún sentido expandir el realismo hasta incluir los valores y principios morales. En otras palabras, preguntaremos si hay valores objetivos y hechos y verdades morales. Además, preguntaremos cuánto puede desarrollarse el realismo sin hacer algunas suposiciones acerca de la naturaleza de las cosas. En general, ¿la gnoseología es independiente de la ontología? En particular, ¿puede prosperar el realismo independientemente del materialismo? ¿Y puede su síntesis —que llamo *hilorrealismo*— dar razón de la matemática y otros objetos culturales imperceptibles?

Finalmente, en el transcurso de nuestra investigación encontraremos unos cuantos problemas históricos. En particular, preguntaremos si es verdad que, como la mayoría de los historiadores de la filosofía nos aseguran, Hume y Kant fueron los filósofos de la revolución newtoniana. A continuación, preguntaremos si los subjetivistas de nuestros días han agregado algo a las enseñanzas de Berkeley y si los constructivistas sociales han tenido éxito en la construcción de algo que se parezca a la vida real. Otra pregunta emparentada es si el amor que los positivistas lógicos sentían por la ciencia era retribuido por esta y si aquellos resolvieron alguno de los problemas filosóficos suscitados por la ciencia y tecnología contemporáneas. En relación con ello, ¿mejoró las maneras de «cazar» la realidad alguna de las otras escuelas filosóficas contemporáneas, en particular el materialismo dialéctico, la fenomenología y la filosofía del lenguaje? Si no lo hicieron, ¿por qué no reaprender las lecciones que los antiguos atomistas griegos e hindúes enseñaron hace dos milenios y medio: que lo familiar se explica mejor mediante lo que no es familiar, los datos a través de constructos y los hechos por medio de ficciones, en lugar de hacerlo al revés? Resumiendo, ¿por qué no ir a la caza de la realidad, en lugar de darla por sentada o intentar eludirla?

Esta obra es parte del esfuerzo de toda una vida de actualizar la filosofía con el auxilio de la ciencia y de desenmascarar la falsa filosofía que se hace pasar por ciencia. Lo que me inició en este camino, cuando acababa la escuela secundaria, fue la lectura de algunos de los libros de vulgarización de la ciencia más vendidos en la década de 1930, los de los famosos astrofísicos sir Arthur Eddington y sir James Jeans. Eddington, el primero en confirmar la teoría gravitatoria de Einstein, era un idealista subjetivo: sostenía que sólo descubrimos lo que ya está en nuestras mentes. Jeans era un idealista objetivo: enseñaba que el universo es un texto matemático escrito por Dios. Yo deseaba refutar estas ideas, pero no podía hacerlo a causa de que carecía del necesario conocimiento: he ahí el motivo por el cual decidí estudiar física. Sin embargo, al comienzo de mi trabajo de investigación en física cuántica, a principios de la década de 1940, me tragué la interpretación estándar o de Copenhague, que es operacionista y, por ende, semisubjetivista. Mi epifanía realista llegó una década más tarde, durante un descanso en una de las reuniones de la Asociación Física Argentina: de pronto me di cuenta de que, cuando se describe un electrón libre o se calculan los niveles de energía de un átomo, solamente se utilizan variables que describen las propiedades de una cosa que no está siendo observada por nadie, vale decir una cosa en sí. Esta experiencia me sugirió la idea de que muchos de los pretendidos resultados filosóficos de la ciencia constituyen, en realidad, una filosofía ya rancia, que tiene un papel únicamente decorativo en la investigación científica.

Agradezco a Joseph Agassi, Carlos F. Bunge, Eric R. Bunge, Silvia A. Bunge, Marta C. Bunge, Carmen Dragonetti, Bernard Dubrovsky, Michael Kary, Richard L. Hall, Martin Mahner, Michael Mattews, al fallecido Robert K. Merton, Greg Mikkelson, Martin Morgenstern, Storrs McCall, Andreas Pickel, Héctor Vucetich, Sérgio V. Volchan y Per-Olof Wikström sus interesantes preguntas, perspicaces comentarios, agudas críticas o pertinente información. Estoy especialmente en deuda con Martin Mahner, quien leyó íntegramente una versión anterior del trabajo y presentó un gran número de quejas, muchas de las cuales he atendido. También estoy agradecido a John St James por su paciente corrección del original y a Lennart Husband y Frances Mundy por su diligente trabajo de edición.

A la caza de la realidad: la controversia sobre el realismo

Introducción

El tema central de este libro —la búsqueda de la realidad—, puede presentarse por medio de tres breves historias. La primera es esta. El Sol se hundió más allá del horizonte y toda la vida animal pareció cesar. La pequeña preguntó: ¿realmente el Sol se hundió y todos los animales murieron? Maestro: no, solamente pareció que ocurría eso. Lo que realmente sucedió es que la Tierra continuó su rotación hacia el Este haciendo que perdiésemos de vista al Sol. También ocurrió que, a causa de la consecuente oscuridad, los animales diurnos se fueron a dormir. En suma, la caída del sol, así como su salida, está en los ojos de quien mira: el Sol no se percata de la rotación de la Tierra. Dicho sea de paso, ¿sabía el lector que los aztecas creían que debían matar personas para asegurar que los dioses hicieran salir el sol la mañana siguiente? ¿Y cree el lector que los aztecas hubiesen abandonado esta costumbre si hubiesen sabido la verdad? Un momento. Antes de responder, permítaseme advertir que alguna gente famosa aún cree que todo lo que podemos saber es cómo se ven las cosas, jamás cómo son realmente.

La segunda historia se relaciona con un niño que, una noche de verano, intentaba atrapar una luciérnaga entre destellos luminosos. Es posible conjeturar que, sin haber oído hablar de Berkeley, Kant, Bohr o los positivistas lógicos, el niño supusiese que, entre los destellos, el insecto continuaba moviéndose. Al ser no solamente un realista espontáneo, sino también un niño curioso, persiguió a la luciérnaga con una linterna para poder observarla entre los destellos. En un momento dado, el niño consiguió su objetivo y llevó el insecto a la escuela. El maestro le dijo que la emisión de luz intermitente está involucrada en el ritual de apareamiento de la luciérnaga. Y su tío el químico intentó explicarle la reacción química que incluye una enzima y que produce luz. Pero, desde luego, ni siquiera el escolar más listo sabe suficiente química orgánica como para entender esa reacción.

Nuestra tercera y última historia está basada en hechos reales y concierne a las ambigüedades y engaños de la vida social. Cuando los nazis se hicieron con el poder, Max Planck, el abuelo de la física cuántica, conservó su puesto como máximo funcionario de la ciencia alemana. Una vez, durante una ceremonia estatal, se le vio levantar tímidamente su brazo derecho haciendo el saludo nazi (Heilbron, 1986). Es verdad, Planck nunca se unió al partido nazi y jamás denunció la «ciencia judía». Más aún, protegió lo poco que los nazis habían dejado de la buena ciencia alemana y defendió la racionalidad así como el realismo. Con todo, Planck amonestó a Einstein por renunciar a la Academia Prusiana de Ciencias y, durante la guerra, ofreció conferencias a través del país y en los territorios ocupados. Por lo tanto, legitimó el régimen con su sola presencia en lugares visibles. En suma, Planck, junto con millones de sus compatriotas alemanes, parecía casi negro desde fuera, pero parece haber sido casi blanco por dentro. ¿De qué color fue, entonces, Planck de verdad, de hecho, en realidad? ¿O se trata de una pregunta mal formulada, puesto que el color, lejos de ser una propiedad primaria, se haya en el ojo de quien mira? En cualquier caso, todos sabemos que la apariencia, la simulación y el disimulo, así como la percepción errada y el autoengaño, son parte de la realidad social.

Los relatos anteriores no solo involucran los conceptos ontológicos de apariencia y realidad, sino también una mal disimulada preferencia por el realismo científico frente al fenomenismo. Los primeros dos relatos también incluyen los conceptos metodológicos de observación, supuesto, contrastación de la realidad y explicación por medio del descubrimiento de mecanismos. Todo esto es bastante normal entre los niños listos, los artesanos, los científicos y los tecnólogos. Es necesario ser un filósofo con la cabeza en las nubes para afirmar que la observación es innecesaria (Platón, Leibniz, Hegel), que nada hay detrás de los fenómenos (Berkeley, Hume, Kant, Renouvier), que jamás han de formularse hipótesis (Bacon, Comte, Mach), que no es necesario poner a prueba las conjeturas (Bergson, Husserl, Goodman) o que explicar consiste en subsumir lo particular en lo general (Mill, Popper, Hempel).

Puede objetarse que me propongo reflotar una discusión ya obsoleta, puesto que la mayoría de los filósofos son al menos tan listos como un niño que persigue luciérnagas. Sin embargo, tal optimismo no estaría justificado, ya que el antirrealismo aún está vivo y prospera en la Academia. La siguiente muestra al azar de ciertas concepciones muy respetadas hoy en día debería dejar claro por qué:

1. En una obra muy citada, Bas van Fraassen (1980) nos dice que el objetivo de la ciencia es «salvar los fenómenos [las apariencias]» en lugar de dar razón de una realidad que existe de modo independiente, idea que Van Fraassen incluye en el «bagaje metafísico» del cual deberíamos deshacernos. De manera parecida, David Lewis (1986), un influyente filósofo, famoso por suponer una pluralidad de mundos reales, adoptó la perspectiva de Hume de que no hay relaciones objetivas ni leyes propiamente dichas, de que el universo es un vasto mosaico de fenómenos inconexos.

2. Las fantasías sobre «hacer mundos» de Nelson Goodman (1978), y en particular la de «hacer estrellas», han sido comentadas respetuosa y profusamente, aunque a veces de manera crítica, como si se tratara de importantes aportaciones al conocimiento y como si Berkeley hubiese escrito en vano.

3. La mayoría de los libros de texto sobre la mecánica cuántica aún alaban de boca para afuera la interpretación de Bohr-Heinsenberg o de Copenhague, según la cual esa teoría se refiere solo a hechos bajo control experimental, en particular a fenómenos. Como ha dicho en forma aprobatoria el físico D'Espagnat (1981, p. 22), una de las consecuencias de esta perspectiva es que destruye lo que Copérnico había logrado: «Ha puesto al hombre otra vez en el centro de su propia representación del universo, de la cual Copérnico lo había expulsado».

4. La mayoría de los biólogos, psicólogos y científicos sociales enseñan que los proyectos científicos comienzan con la observación libre de teoría, que únicamente los datos guían la investigación, que de ellos rezuman las hipótesis y que la especulación teórica es peligrosa.

5. El premio Nobel Gerard Debreu (1991) ha afirmado que, en el mismo instante en que axiomatizó la teoría del equilibrio económico general, esta teoría se convirtió en parte de la matemática y

que, por lo tanto, es invulnerable a los datos empíricos. La moraleja práctica es obvia: se ha de confiar en los economistas de igual modo que en Euclides, sin importar la realidad económica.

6. Los estadísticos y filósofos bayesianos creen que toda atribución de probabilidades debe ser subjetiva, de modo tal que de ninguna de ellas puede decirse que sea verdadera o falsa. De hecho, sostienen que un valor de probabilidad es una medida de la fortaleza de la creencia en algo de alguien, en lugar de o bien un número puro o bien una medida de la posibilidad real, tal como la probabilidad de que un átomo brinque entre estados dados en el próximo minuto, ya sea que alguien lo observe, ya sea que no.

7. La mayoría de los matemáticos cree la tesis de Platón de que los objetos matemáticos, tales como números, conjuntos y funciones, y los enunciados acerca de ellos existen por sí mismos y son, en consecuencia, descubiertos en lugar de inventados.

8. Los constructivistas-relativistas sociales niegan la diferencia entre cosa e idea, hecho y ficción, ley y convención, investigación y conversación, prueba empírica y negociación con los colegas. De modo semejante, los hermenéuticos sostienen que todo lo social es un texto o «como un texto» que debe ser interpretado, en lugar de ser un hecho que debe ser observado, descrito, explicado o modificado. Obviamente, estas escuelas rechazan los conceptos complementarios de verdad y error, sin los cuales la investigación científica no tendría sentido.

9. «Influido por las ideas de Ludwig Wittgenstein, el Círculo [de Viena] rechazó tanto la tesis de la realidad del mundo externo como la de la su irrealidad, considerándolas seudoenunciados» (Carnap, 1950b, pp. 32-33). A pesar de ello, Wittgenstein sigue siendo tan influyente como siempre.

10. Los relativistas, ficcionistas y convencionalistas radicales niegan la existencia de verdades objetivas y, en consecuencia, transculturales, tales como las de la matemática, la química y la genética. La idea misma de puesta a prueba objetiva les es ajena, lo que les permite afirmar lo que les plazca.

La muestra anterior debería servir para convencer a cualquiera de que la ontología y la gnoseología se hallan en medio de una crisis (véase Bunge, 2001). ¿Y qué se puede hacer en una crisis sino huir o luchar? Tras abandonar la esperanza de resolver ciertos problemas filosóficos decisivos, el famoso filósofo de Harvard Hilary Putnam (1990, p. 118) escribió: «Ha llegado el momento de una moratoria en ontología y gnoseología». Dewey, Wittgenstein y Heiddeger coincidían (Rorty, 1979, p. 6). Prefiero mantenerme haciendo ontología y gnoseología porque creo que una filosofía sin ellas es como un cuerpo sin tronco ni cabeza.

La filosofía puede y debe ser objeto de una incesante crítica y reconstrucción. Con la crítica nunca es suficiente porque, si nos interesa la verdad, necesitamos ideas constructivas además de encontrar y eliminar las falsedades. He aquí algunas de las tesis que desarrollaremos y defenderemos en este libro:

1. El realismo científico —la tesis de que el universo existe por sí mismo, puede ser explorado y la mejor manera de hacerlo es científicamente— no es solo una gnoseología más entre muchas otras: es la gnoseología presupuesta y confirmada por la investigación científica y tecnológica. En contraposición, el fenomenismo, vale decir la concepción de que «el mundo es una suma de apariencias» (Kant, 1787, p. B724) o que, al menos, estas son lo único que podemos conocer, es superficial y falsa. De hecho, la emisión de luz, las reacciones químicas, las infecciones, la evolución biológica, las intenciones, los engaños políticos y casi todo lo demás ocurren aun cuando sean imperceptibles. No es una casualidad, por ende, que Galileo y Descartes, dos de los fundadores de la ciencia moderna, hicieran hincapié en la diferencia entre propiedades primarias y secundarias y pusieran el énfasis en que la ciencia privilegiara las primeras. De modo irónico, si se los hubiese tomado en serio, los fenomenistas —de manera notable Hume, Kant y los positivistas y positivistas lógicos— habrían acabado también con la ciencia en su afán por refutar el sobrenaturalismo y la metafísica especulativa.

2. Si bien las apariencias son solo superficiales, son parte de la realidad, en lugar de ser algo opuesto a ella, ya que ocurren en el cerebro del sujeto, el cual es parte del mundo. Las experiencias internas (qualia), tales como tener frío, ver azul, oír un crujido u oler menta, no son básicas sino derivadas: son procesos del sistema nervioso central, no del mundo externo. Con todo, no se los debe descartar, porque son reales y, además, indispensables para la vida animal.

3. Una fenomenología inteligible, científica y útil como la esbozada una generación antes de Kant por el polígrafo Johann Heinrich Lambert (1764) explicaba las propiedades secundarias (sensoriales) en términos de propiedades primarias. De hecho, esta es una de las tareas que actualmente lleva a cabo la neurociencia cognitiva: ha comenzado a explicar las apariencias de una manera científica, entendidas como procesos cerebrales.

4. Explicar un hecho es exhibir el mecanismo legal (o los mecanismos legales) que causaron ese hecho, como cuando el sonrojo se explica como el último eslabón de la cadena causal Estímulo-Percepción-Concepción-Activación de un órgano de la emoción como la amígdala-Estimulación de la banda motora en la corteza cerebral-Relajamiento de los músculos faciales-Dilatación de los capilares que irrigan las mejillas. El llamado modelo de explicación científica por cobertura legal, si bien no es incorrecto, es solo parcial, ya que solo da razón del aspecto lógico de la explicación. La causa es que pasa por alto el mecanismo.

5. La causalidad y el azar, aunque no son manifiestos, son modos de cambio objetivos y, si bien ninguno de ellos se puede reducir al otro, ambos están relacionados entre sí, como cuando el aumento de la presión de un gas se explica como el incremento de la frecuencia de los impactos moleculares aleatorios sobre las paredes del recipiente.

6. Las ciencias y las tecnologías utilizan la interpretación realista (a menudo mal llamada «propensionista») de la probabilidad, a saber la que la entiende como una medida de la posibilidad real. En contraposición, el bayesianismo, el cual interpreta la probabilidad como crédito, es conceptualmente difuso y no tiene apoyo empírico en la psicología. Además, la interpretación realista de la probabilidad exige una ampliación del determinismo de tal modo que incluya las leyes probabilísticas.

7. Los problemas inversos, tales como «inferir» (conjeturar) los axiomas a partir de los teoremas, las causas a partir de los efectos y los mecanismos a partir de las funciones, han sido descuidados por la literatura filosófica, con la sola excepción del llamado problema de Hume (Dato-Hipótesis). Sin embargo, resultan mucho más desafiantes y ofrecen mayor recompensa que sus correspondientes problemas directos. La estrategia más prometedora para abordar

los problemas inversos es la de intentar transformarlos en problemas directos, como cuando Newton postuló sus leyes del movimiento para deducir las órbitas de los cuerpos.

8. La inducción no lo es todo, pero tampoco es despreciable. Aparece en las generalizaciones de bajo nivel (empíricas), así como en la confrontación de las predicciones teóricas con los datos pertinentes. Esta confrontación involucra una cuota de procesamiento estadístico, pero no hay nada parecido a una lógica inductiva probabilista (o una gnoseología probabilista), porque a las proposiciones, por no ser elementos aleatorios, no se les puede atribuir probabilidades, excepto de manera arbitraria, y también porque la generación de hipótesis no es una actividad dirigida por reglas, sino un arte.

9. Las teorías científicas raramente, si es que alguna vez, se contrastan de manera directa con los datos empíricos pertinentes: se las debe enriquecer primero con indicadores como la fiebre, que indica una infección, y el PIB que es un indicador de actividad económica. Los indicadores son hipótesis controladas de manera independiente que relacionan variables hipotéticas con observables. Para que resulten confiables, hay que desvelar el mecanismo subyacente. Esta es la razón de que los amperímetros y los tomógrafos sean confiables, en tanto que las bolas de cristal y los almanaques de sueños no lo sean. Con todo, los indicadores se examinan rara vez en la literatura filosófica.

10. Si bien la ficción no es un hecho, paradójicamente, necesitamos algunas ficciones, en particular ideas matemáticas y modelos altamente idealizados, para describir, explicar y predecir hechos. La causa de ello no es que el universo sea matemático, sino que nuestros cerebros inventan o utilizan ficciones legales, no solo para nuestro placer intelectual, sino también para construir modelos conceptuales de la realidad. De aquí el ficcionismo matemático moderado, la concepción de que, si bien los objetos matemáticos no tienen existencia independiente, podemos fingir que la tienen. Esta versión restringida del ficcionismo no está relacionada con el instrumentalismo y es inconsistente con el realismo ingenuo, pero compatible con el realismo científico.

Las diez tesis mencionadas pueden comprimirse como se hace en la figura I.1. Esto bastará como aperitivo.

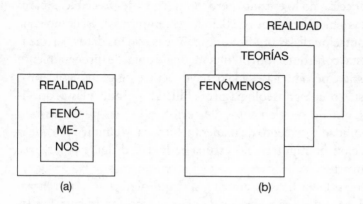

Figura I.1. (a) Perspectiva ontológica: los fenómenos (apariencias) constituyen solo una pequeña parte de la realidad. Los teóricos son parte de la realidad, pero las teorías que construyen no se hallan en el mundo externo si se las piensa en sí mismas, o sea, aparte de los procesos de pensarlas y aplicarlas. (b) Perspectiva gnoseológica: la realidad puede comprenderse y modificarse de manera eficiente únicamente a través de teorías inspiradas por fenómenos y controladas por medio de ellos.

1

Realidad e hilorrealismo

Tratamos con hechos todo el tiempo, pero así y todo no hay consenso acerca del significado de la propia palabra "hecho", en especial si se parte de que en lenguaje corriente a menudo se confunde "hecho" con "dato" o "verdad". Es posible que esta confusión derive del sánscrito, cuya palabra *satya* significa tanto «existente» como «verdadero». En consecuencia, hay lugar para los enigmas. ¿Las leyes y las reglas son hechos? ¿Las construcciones sociales tales como los códigos legales son hechos? ¿Es un hecho que 2 + 2 = 4? ¿Cómo se relacionan las proposiciones con los hechos del mundo externo? ¿Y qué quiso decir Wittgenstein (1922, 1, p. 13) cuando escribió que «los hechos del espacio lógico [?] son el mundo»?

Estos enigmas acerca del significado del término "hecho" no son solo juegos de palabras lexicográficos, porque la manera correcta de tratar con un elemento X depende de manera decisiva de la naturaleza de X. Si X está en el mundo externo, quizá tengamos que actuar sobre X, en tanto que si de un constructo se trata, tal vez tengamos que someter a X a un análisis conceptual. En este capítulo solo trataremos algunos de los numerosos problemas cuyo núcleo es el concepto de hecho, algunos de los que se relacionan con el tema central del libro. (Más sobre ontología y semántica en el *Treatise* del autor, 1974a, 1974b, 1977a, 1979a). Más precisamente, examinaremos brevemente los conceptos de cosa, propiedad, estado, cambio de estado, ley y apariencia, así como las doctrinas materialista y realista y sus opuestas.

1. Cosa

Al tratar con los hechos debemos comenzar por examinar el concepto de cosa, porque un hecho es todo lo que involucra una cosa. He aquí la razón, tal como la enunciara el gran sociólogo Durkheim (1988, p. 78): «todo objeto científico es una cosa, con excepción quizá de los objetos matemáticos». En una cosmovisión científica, entonces, el mundo está constituido por cosas. Esta fue también la concepción de los antiguos atomistas griegos e hindúes, de los nominalistas medievales y de los materialistas de la Ilustración.

El enunciado de que el mundo es una colección de cosas es difícilmente controvertible. Sin embargo, no hay palabra más vaga que "cosa". En consecuencia, resulta aconsejable elucidarla. Comencemos con el más amplio de todos los sustantivos, el término neutral *objeto*. Se admite, por lo general, que los objetos pueden ser o bien materiales (concretos), como los pájaros y las escuelas, o bien inmateriales (abstractos), como los conceptos y las teorías. A los objetos concretos también se les llama "cosas" o "existentes" y a los objetos abstractos se les llama "[objetos] ideales" o "constructos". De modo correspondiente, de las propiedades de los objetos concretos, como por ejemplo la viscosidad y la productividad, puede decirse que son *sustantivas*, en tanto que de las pertenecientes a los objetos ideales, como por ejemplo la consistencia y la transitividad, puede decirse que son *formales*.

Con todo, las distinciones cosa/constructo y sustantivo/formal pueden interpretarse más como diferencias metodológicas que como diferencias ontológicas. La razón de ello es que, en una filosofía no platónica, los constructos son creaciones humanas y, en consecuencia, son dependientes de las cosas concretas llamadas "pensadores". Además, en tanto que los constructos como deidad, caballero demediado y universo paralelo son ficciones desbocadas, otros como los conceptos de conjunto y función son ficciones controladas y, más aún, ficciones indispensables para comprender y manipular las cosas concretas. Por ejemplo, las clases naturales, como las especies químicas y biológicas, pueden interpretarse como conjuntos y muchas propiedades de cosas concretas, tales como la velocidad y el tamaño poblacional, pueden analizarse en términos de funciones. Así pues, nos enfrentamos a la paradoja de que necesitamos ficciones (del tipo controlado) para dar razón de las cosas concretas, así como podemos usar las ficciones desbocadas para crear la ilusión de escapar de la realidad. (Más sobre la ficción en el capítulo 8).

Hasta aquí hemos utilizado la palabra "cosa" como si designara una idea clara y distinta, pero no es así, ya que a menudo se la confunde con "objeto". Por lo tanto, debemos intentar definirla con alguna precisión. La perspectiva tradicional es, desde luego, la de Descartes: una cosa concreta, a diferencia de una abstracta, es una *res extensa*. Pero mientras que la extensión espacial puede predicarse de los cuerpos sólidos, no es pertinente para electrones, campos, biopoblaciones, familias, empresas y muchas otras cosas. Ninguna de ellas tiene posición, volumen o forma precisos. Además, en una teoría relacional del espacio físico, este último es la estructura de la totalidad de las cosas. En cuanto a la caracterización vulgar de «material» en términos de forma, masa y solidez es aún menos apropiada, porque en el universo los sólidos son algo excepcional.

Sostengo que Platón tenía razón en este caso. Según él, en tanto que las ideas son inmutables (cuando se las considera en sí mismas), las entidades materiales son «corruptibles» (mudables). Pero, por supuesto, Platón estaba equivocado al restringir la mutabilidad al mundo sublunar: el cambio es universal. En otras palabras, sostengo que la mutabilidad es la única propiedad compartida por todas las cosas concretas, ya sean naturales o artificiales, físicas o químicas, biológicas o sociales, perceptibles o imperceptibles. En otras palabras, supongo el

— *Postulado 1.1.* Para todo x: (x es material = x es mudable).

Nótese que la materialidad no se predica exclusivamente de las cosas o entidades: las propiedades también quedan incluidas. Por ejemplo, puede decirse que la posición en el espaciotiempo, la densidad y la productividad son propiedades materiales porque son propiedades de objetos concretos. De modo semejante, puede decirse que las relaciones, ya sean vinculantes como la «atracción», ya sean no vinculantes como «encima», son materiales y los que las mantienen son objetos materiales. Sin embargo, las propiedades y relaciones solo pueden ser materiales de manera derivada, vale decir en virtud de la materialidad de las cosas involucradas: no hay propiedades ni relaciones en sí mismas, salvo como abstracciones.

Lo mismo vale para eventos y procesos: puede decirse que estos tipos de cambios son materiales si tienen lugar en cosas materiales. Así pues, la propagación del calor, el metabolismo y la ideación han de admitirse como materiales puesto que son procesos de cosas materiales. En contraposición, la consistencia lógica, la conmutatividad y la diferenciabilidad únicamente pueden predicarse de los objetos matemáticos, al igual que la omnipotencia, omnipresencia y omnisciencia solo puden predicarse de ciertos dioses.

Sin embargo, en tanto que una entidad es o bien material o bien ideal, algunas propiedades están presentes en entidades de ambos tipos. Así pues, la finitud y la contabilidad se aplican tanto a los conjuntos abstractos como a las colecciones de guijarros y la continuidad es una propiedad de ciertas funciones así como de las trayectorias de los cuerpos. En otras palabras, el conjunto de propiedades materiales se superpone parcialmente al de las propiedades formales. De manera equivalente: en tanto que los dominios de ciertos predicados son homogéneos, los de otros predicados consisten en uniones de conjuntos de objetos materiales e ideales.

Dicho sea de paso, Joseph Dietzgen (1906, pp. 300 y ss.), el curtidor y filósofo autodidacta tan elogiado por Marx, sostenía que el pensamiento es material. Lenin (1947, p. 251) criticó esta afirmación, arguyendo que, si fuese verdadera, entonces no habría diferencia entre el materialismo y el idealismo. Este argumento puede haber tenido su origen en la confusión de Lenin de materialidad con realidad: puesto que definía «material» como todo lo que existe independientemente de un sujeto, no podía aceptar que el pensamiento, que es privado, también fuese material.

La crítica de Lenin a Dietzgen parece haber sido la raíz de la filosofía de la mente dualista oficial en todo el Imperio Soviético. Esta sorprendente desviación de la tradición materialista fue añadida a la otra división dualista de la sociedad en su infraestructura material y su superestructura ideal postulada previamente por Marx y Engels (por ejemplo, Engels, 1954). Este doble dualismo podría haber sido evitado si los marxistas se hubiesen molestado en pensar claramente, en lugar de imitar la retorcida prosa de Hegel. Así tal vez se hubiesen percatado de que es posible distinguir los procesos del pensamiento y la cultura de otros procesos sin desmaterializar los primeros. Sin embargo, volvamos a la peculiaridad compartida por todas las entidades materiales.

Como todos los universales, la mutabilidad (o materialidad) puede conceptuarse por extensión. O sea, podemos definir «materia» como el conjunto de todos los objetos materiales presentes, pasados y futuros.

Definición 1.1. Materia = $\{x \in \Omega \mid x$ es material$\}$ = $\{x \in \Omega \mid x$ es mudable$\}$, donde Ω denota la colección de objetos de todo tipo.

Por ser una colección «materia» (el concepto) es inmaterial. Lo mismo vale para «hidrógeno», la colección de todas las moléculas de hidrógeno y «humanidad», el conjunto de todos los humanos. (Más sobre las especies en el capítulo 9.)

Puesto que la palabra técnica para "mutabilidad" es energía, la fórmula (1) puede reescribirse como el

— *Postulado 1.2.* Para todo x: (x es material = x posee energía).

Dependiendo de la escala, que es convencional, un valor de energía puede ser positivo, negativo o nulo. Además, hay muchas clases de energía: mecánica y térmica, cinética y potencial, eléctrica y magnética, nuclear y atómica, gravitatoria, química, elástica y así sucesivamente. Esta variedad es tal que sobrepasa cualquier capítulo de la física. En efecto, la física no define el concepto general de energía. Este es el motivo de que Richard Feynman afirmara que la física no sabe qué es la energía. Lo cual sugiere que el concepto general de energía, como los conceptos generales de cosa, hecho y ley, es ontológico (Bunge, 2000a).

Dicho una vez más, la energía no es solo una propiedad entre muchas otras, es *la* propiedad universal, el universal por excelencia. Más aún, la energía es un universal *in re*; es inherente a las cosas, en lugar de ser *ante re* (anterior a ellas) o *post rem* (posterior a ellas). Mi perspectiva, pues, no es la de los idealistas (en particular los platónicos) ni la de los nominalistas (o materialistas vulgares). En la Edad Media se la hubiese caracterizado como realismo inmanentista. (Más sobre ello en el capítulo 9.)

Entre paréntesis, la energía, la propiedad que poseen todas las cosas, no debe confundirse con los diferentes conceptos (predicados) que se utilizan en la ciencia y la tecnología para representarla en el plano conceptual. Regresaremos a la distinción entre propiedad y predicado en la sección 4.

Puesto que la energía es un universal, resulta tan insuficiente como «ser», «existente» o «cosa» para caracterizar una cosa en particular. Para hacerlo son necesarias otras propiedades. De hecho, cada vez que describimos una cosa en particular hacemos una lista de algunas de sus propiedades, como cuando caracterizamos ciertas frutas como redondeadas, jugosas y de color naranja cuando se las ilumina con luz blanca.

Más aún, las propiedades no se combinan de modo azaroso. Así pues, en el ejemplo anterior, la redondez y la jugosidad van con la solidez: las frutas líquidas o gaseosas son imposibles. De modo semejante, la democracia funciona mejor con igualdad y libertad y no funciona para nada en condiciones de desigualdad extrema y tiranía. Resumiendo, las propiedades forman grupos. Más precisamente, cada propiedad se combina con algunas otras propiedades. En otras palabras, las propiedades se presentan en paquetes o sistemas.

Con todo, las propiedades dentro de un grupo de propiedades no están todas en el mismo nivel: en tanto que algunas son esenciales, otras son accidentales; mientras que algunas son fundamentales, otras son derivadas (o dependientes de propiedades fundamentales) y en tanto que algunas propiedades son primarias (o inherentes a las cosas), otras son secundarias (o dependientes de un ser sensible). Por ejemplo, tener cilindros y transmisión son propiedades esenciales de un coche estándar, en tanto que el color y el precio son ambas propiedades accidentales y secundarias, ya que se las puede modificar sin que la cosa deje de ser un coche. En otras palabras, las propiedades accidentales de una cosa, a diferencia de sus propiedades esenciales, pueden agregarse o quitarse una a una. Una vez más, las propiedades esenciales de una cosa constituyen un sistema; se presentan en paquetes. De manera equivalente, toda propiedad esencial está relacionada con otra propiedad de su clase. De allí que cualquier cambio en una de ellas con seguridad modificará alguna de las otras.

Otra distinción interesante desde el punto de vista filosófico es la que se hace entre propiedades invariantes (o absolutas) y no invariantes (o relativas). Las primeras son las mismas para todos (de manera relativa a todos) los marcos de referencia, tales como laboratorios y constelaciones de estrellas. En consecuencia, estas propiedades también son las mismas para todos los observadores que se mueven unos con respecto a otros. Ejemplos paradigmáticos de ellas son la existencia real, la carga eléctrica y la entropía de una cosa física, y la composición y estructura de un sistema.

Otras propiedades como la masa y la frecuencia, así como la posición y la velocidad, dependen del sistema de referencia. Por ejemplo, la masa de un cuerpo aumenta con su velocidad y la frecuencia de la luz disminuye a medida que su fuente se aleja del marco de referencia (efecto Doppler). La dependencia del marco de referencia es objetiva: ocurre tanto si el marco de referencia en cuestión está habitado por un ser sensible como si no lo está.

Más aún, si bien algunas propiedades cuantitativas son relativas al marco de referencia, sus correspondientes cualidades no lo son. Así pues, estar localizado, en movimiento o tener masa y cierta edad son cualidades absolutas. Solo tener ciertas coordenadas, moverse a cierta velocidad y poseer una masa y una edad determinadas son cualidades relativas; pero la relación en cuestión se da con un marco físico, no con un observador. En forma resumida, la relatividad no implica la subjetividad.

¿Tener diferentes velocidades relativas a diferentes marcos de referencia ha de considerarse como otros tantos hechos o como un único hecho? Si nos decidimos por la primera alternativa, habremos de admitir una innecesaria multiplicación de los hechos. Parece más razonable relativizar el hecho al marco de referencia y decir, por ejemplo, que mi caminata por el barrio es un único hecho con tantas proyecciones como marcos de referencia, por analogía con las sombras que proyecta un cuerpo sobre diferentes superficies al ser iluminado por diferentes haces de luz.

Por otro lado, las propiedades secundarias, tales como el sabor, el olor y el color son dependientes del sujeto: el mundo en sí mismo no es ni coloreado ni caliente, ni tiene sabor ni olor. Otro obvio ejemplo es el orden social, el cual es «percibido» de manera diferente por personas diferentes, aun cuando algunas de sus características, tales como la distribución de la riqueza y el grado de participación ciudadana, sean perfectamente objetivos. De manera semejante, los valores son dependientes del sujeto, aun cuando algunos de ellos poseen raíces objetivas. Por ejemplo, la belleza «está en el ojo de quien mira», pero el poder nutricional y la paz, no.

Con los cambios de las propiedades ocurre algo semejante: en tanto que algunos cambios, tales como el desplazamiento y la mezcla, son cuantitativos, otros como la combinación química y la formación de nuevas organizaciones son cualitativos. De modo equivalente, estos cambios involucran la emergencia (adquisición) o extinción (pérdida) de ciertas propiedades. Lamentablemente, la mayoría de los diccionarios nos informan erróneamente que "emergencia" significa la imposibilidad de explicar la novedad cualitativa en términos de los constituyentes de la totalidad en cuestión y sus relaciones. De hecho, esta es solo la versión irracionalista (en particular, la versión holista e intuicionista) de la doctrina emergentista.

Tal pesimismo epistémico, por cierto, no goza del apoyo del físico que investiga las transiciones de fase (tales como de la líquida a la sólida y de la magnética a la no magnética), del químico que estudia la formación o disociación de moléculas, del neurocientífico que desea entender la génesis y la muerte de las neuronas, ni del historiador cuya intención es explicar la emergencia o disolución de los sistemas sociales y de las normas que les son propias. Todos estos casos apuntan a la promesa del emergentismo como el correctivo y el complemento (no necesariamente el enemigo) del reduccionismo (Bunge, 2003a).

Ahora bien, las leyes de la naturaleza y las normas sociales son relaciones invariantes entre las propiedades y sus cambios. Aquí «invariantes» significa tanto constantes en el tiempo como independientes de cualquier elección particular de marco de referencia. (En términos estrictos, únicamente las leyes fundamentales son las mismas de manera relativa a todos los marcos de referencia de algún tipo; véase Bunge, 1967b). De allí que decir que las propiedades esenciales de toda cosa se presentan en paquetes o constituyen sistemas equivalga a decir que todas y cada una de ellas están relacionadas legalmente con otras propiedades. Y, puesto que las leyes vinculan propiedades, ellas mismas son propiedades (complejas). Es de esperar, por ende, que se las formalice como proposiciones más o menos complejas, tales como los postulados de la electrodinámica, que relacionan propiedades del campo electromagnético, como, por ejemplo, sus intensidades eléctrica y magnética y la intensidad de las cargas y corrientes eléctricas que acompañan dicho campo.

A causa de que las propiedades forman paquetes, se ha sugerido a veces que las cosas no son más que haces de propiedades. Esta concepción, que recuerda la teoría de las ideas (o formas) platónica, es errónea por dos razones. La primera es que, tal como Aristóteles objetara a su maestro, no hay propiedades sin sustratos: toda propiedad es una característica, rasgo o aspecto de algún objeto. Esta es la razón de que midamos la tasa metabólica *de* los organismos, las densidades poblacionales *de* las ciudades y así sucesivamente. Es también la razón de que el energismo, la doctrina que afirma que todo es energía y nada es material, sea falsa.

Lo mismo vale para el informacionismo,* la tesis que afirma que el mundo es el ordenador supremo, que toda cosa concreta está hecha de bits (Wheeler, 1996). En efecto, todo sistema de procesamiento de información, tal como un ordenador, es material. En contraposición, los bits

---

* O, también, informativismo, computacionismo o «computacionalismo». [*N. del T.*]

—la cantidad de contenido de información— son propiedades de las señales y los símbolos, no de las entidades. Esta es la razón de que el hardware informático se diseñe con el auxilio de la física y no de la teoría de la información. De aquí que la encantadora máxima de Wheeler, "cosas a partir de bits",* sea tan errónea como el subjetivismo tradicional (individualista) ("cosas a partir de mí") y el constructivismo social ("cosas a partir de nosotros"). (Más sobre este tema en Deutsch, 2004.)

La segunda razón de que la teoría de las cosas entendidas como haces de propiedades sea falsa es que sugiere la escritura de fórmulas tales como $P\{P, Q\}$, donde P y Q simbolizan dos propiedades (sustantivas), tales como el precio y la cantidad. Esta fórmula no está bien construida porque el conjunto $\{P, Q\}$ posee únicamente propiedades matemáticas, tales como la de tener dos elementos. Los conjuntos no poseen propiedades sustantivas, como, por ejemplo, la de ser capaz de moverse.

La manera habitual de caracterizar una cosa en particular es hacer una lista de sus propiedades más conspicuas, tales como el sexo, la edad y la ocupación en el caso de las personas. (En realidad, lo que listamos cuando individuamos o identificamos un individuo son casos de propiedades o «tropos», tales como 30 años de edad.) Este procedimiento se opone a la celebrada fórmula de Quine «No hay entidad sin identidad». Esta fórmula es apropiada para los conjuntos y para los objetos matemáticos construidos con ellos, por el axioma de extensión: «Dos conjuntos son idénticos si y solo si poseen los mismos miembros». Pero la fórmula de Quine no es pertinente para el estudio y la manipulación de objetos materiales, puesto que no es posible que haya dos cosas exactamente iguales, aun cuando las partículas elementales sean intercambiables. Este resultado no debería sorprendernos, porque la lógica, incluso cuando se la ha enriquecido con la teoría de conjuntos, es insuficiente para construir una ontología a causa de que no describe el mundo.

Resumiendo, una ontología razonable debe comenzar en los conceptos de cosa y sus propiedades. Y si ha de ser compatible con la ciencia y tecnología modernas, tal ontología conceptuará las cosas concretas como mudables. En consecuencia, será capaz de explicar razonablemente los hechos, tal como una cosa que está en un estado dado o que va hacia un estado diferente.

---

* Las versiones originales de esta y las siguientes máximas son: *"it from bit"*, *"it from me"* e *"it from us"*. [*N. del T.*]

2. Hecho

En el lenguaje corriente la palabra "hecho" denota más o menos cualquier cosa. Hasta algunos filósofos famosos la han utilizado de manera descuidada. Por ejemplo, el idealista Husserl propuso el lema «*Zurück zu den Sachen*», o sea «De vuelta a los hechos». Pero puesto que Husserl (1931) ponía «entre paréntesis» el mundo externo y consideraba que el realismo es absurdo, lo que quería decir con "hechos" era, presumiblemente, fenómenos, tales como visiones y olores, en lugar de objetos físicos tales como los átomos o sociales como las familias. En todo caso, dada la ambigüedad de la palabra "hecho", será conveniente elucidar su significado.

Supóngase que un gato está de hecho (realmente, verdaderamente) sobre la estera. El que el gato se halle sobre la estera es un hecho que incluye al menos tres cosas concretas (o materiales): el gato, su estera y el suelo que está debajo. (Si el entorno no cambia de manera apreciable durante el tiempo de interés o si esos cambios no tienen ninguna consecuencia significativa para el gato, la estera o el suelo, no es necesario referirse a ellos de manera explícita.) Un momento después, el gato se levanta y se va. El primer hecho, el gato está sobre la estera, gira alrededor del estado del gato, en tanto que el segundo hecho orbita alrededor del movimiento del animal, el cual es un cambio de estado particular. Llamamos a estos cambios *eventos* [sucesos o acontecimientos] si son rápidos, *procesos* si se dilatan.

En resumen, de manera corriente distinguimos hechos de dos tipos:

— Hecho estático = cosa(s) en un estado dado.
— Hecho cinético = cambio(s) en el estado de la(s) cosa(s).

Nótese que en ambos casos los hechos en cuestión consisten o bien en estados o bien en cambios de estado de *cosas concretas*. Sin cosas no hay hechos. Así pues, el análisis de todo hecho debe comenzar con la identificación de la(s) cosa(s) involucrada(s), como en los casos de los reactivos en una reacción química y del cerebro en un proceso mental.

Lo que vale para el análisis empírico también vale para el análisis conceptual, en particular para el análisis semántico. Este último se inicia con la identificación de los referentes de los constructos en cuestión. Vale decir, se comienza estableciendo de qué se está hablando. Por ejemplo, los referentes de la afirmación «Los edificios son más altos que las personas» son los edificios y las personas. Y la afirmación describe un hecho o, mejor dicho, toda una colección de hechos, aun cuando la relación «más alto que» no sea vinculante.

En general, la afirmación de que la cosa b se halla en relación R con la cosa c o, abreviando, Rbc, describe un hecho si la afirmación es verdadera. Ni la relación ni los correspondientes elementos relacionados son reales de manera independiente: lo que es real es el hecho Rbc. Parafraseando a Hegel, en casos como este, *das wirkliche ist das Ganze*: lo real es la totalidad. Todo esto no debe tomarse como una profesión de fe holista, sino como una advertencia contra la tentación de reificar las relaciones y los individuos no relacionados: estos son únicamente artilugios analíticos.

Con todo, la distinción hecho-cosa es solo un instrumento analítico, puesto que, como se ha dicho antes, en realidad no hay estados ni cambios de estado en sí mismos. No hay cosas que no se hallen en algún estado o que no sufran cambio alguno. (El hecho de que muchas cosas, tales como una cuerda de guitarra que haya sido pulsada o un electrón, puedan hallarse en una superposición de estados elementales, tales como los armónicos y los autoestados (o eigenestados) respectivamente, no constituye ningún contraejemplo. Ya sea simple, ya sea complejo, todo estado lo es de una cosa concreta.)

De manera semejante, la distinción entre hechos estáticos y cinéticos es bastante tosca, ya que nada permanece siempre en el mismo estado. Por ejemplo, el gato mencionado anteriormente experimenta miles de procesos químicos y fisiológicos mientras duerme en su estera y esta última también cambia al interactuar con el gato, el suelo y el aire, tal como descubrimos en el momento de limpiarla.

Otra distinción que no debe confundirse con una dicotomía es la que hay entre hechos naturales y sociales o entre lo «bruto» y lo «institucional», según Searle (1995, p. 27). Es verdad, hay hechos puramente naturales, como los terremotos, que ocurren independientemente del estado de la sociedad y ya sea que los percibamos o no. De igual modo, hay hechos puramente sociales, como las depresiones económicas y las cruzadas. Todos estos hechos son macrosociales, más aún, son «brutos» en el sentido de que se hallan más allá del control de los individuos involucrados. Pero en el nivel del individuo solo hay (a) hechos naturales, tales como respirar y comer, y (b) hechos biosociales, tales como caminar por una calle pública y comprar un diario. En la acción de un individuo podemos distinguir los aspectos biológicos de los sociales, pero no debemos separarlos, porque vienen juntos, por la simple razón de que todo lo social es producido por animales.

Finalmente, la distinción entre evento y proceso, si bien se presenta clara en el conocimiento común, no es obvia en ciencia. En esta se intenta analizar los eventos en términos de procesos. En principio, aun los saltos cuánticos pueden considerarse rapidísimos procesos.

En suma, un hecho es el ser de una cosa concreta en un estado determinado o que cambia de un estado a otro. No hay ni estados ni eventos en sí mismos, por la sencilla razón de que, por definición, todo estado (o estado de cosas) es un estado de alguna cosa y que todo evento es un cambio del estado de un individuo concreto. En consecuencia, a pesar de Armstrong (1997), el concepto de estado de cosas no es una categoría independiente. Lo hemos sabido desde que Aristóteles formulase su crítica a Platón por escribir sobre el movimiento en sí mismo en lugar de hacerlo sobre los cuerpos en movimiento.

Todo lo anterior puede resultar suficiente para una ontología de la vida cotidiana y el conocimiento común, pero es demasiado impreciso para la ciencia, la tecnología y la metafísica científica. En estos dominios necesitamos conceptos de estado, evento y proceso más precisos. Ahora bien, el análisis más preciso y general de tales conceptos es el propio del enfoque del espacio de estados (o fases), que resulta familiar a los científicos naturales e ingenieros (por ejemplo, Bunge, 1977a). Este enfoque es el más general porque, por ser independiente de la materia particular de que se trate, puede ser utilizado en cualquier disciplina que tenga que vérselas con hechos, de la física a la ecología, la sociología y la ontología. Con todo, el lector que no esté interesado en los asuntos formales puede saltarse el resumen de esta sección, en tanto que el lector interesado por aprender más acerca de ello tal vez desee consultar el apéndice.

Para presentar el enfoque del espacio de estados, considérese el caso más sencillo posible: el de una cosa con solo dos propiedades conspicuas, tales como la posición y el momento, la presión sanguínea y el ritmo cardíaco, el tamaño poblacional y el PIB o la cantidad y el precio. Llamemos a estas propiedades P_1 y P_2 y representémoslas por medio de las funciones matemáticas, o "funciones de estado", F_1 y F_2 respectivamente. Para conseguir mayor precisión, consideraremos que estas funciones dependen únicamente de la variable temporal t. A continuación, formamos el par ordenado $F(t) = <F_1(t), F_2(t)>$. Esto puede representarse gráficamente mediante el ápice de un vector en un espacio cartesiano

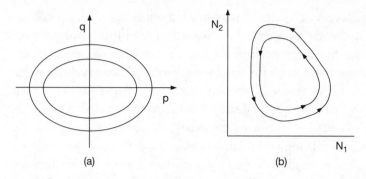

(a)   (b)

Figura 1.1. (a) El espacio de estados (o fases) para un oscilador lineal clásico con posición q y momento p. Cada elipse representa un movimiento posible con energía constante. (b) Los posibles espacios de estados de un sistema compuesto por una presa de tamaño poblacional N_1 y un depredador de tamaño poblacional N_2.

bidimensional, a saber el producto cartesiano de los codominios de F_1 y F_2. Con el transcurso del tiempo, $F(t)$ se mueve en ese espacio, originando una trayectoria que resume la historia de la cosa representada. Este movimiento está constreñido por la(s) ley(es) que relaciona(n) F_1 con F_2.

Por ejemplo, si la cosa es un oscilador lineal, tal como el extremo de un péndulo, el punto abstracto «posición, momento» en el espacio de estados representa un estado posible. El espacio de estados es $S = \{F(t) \mid t \in \mathbb{R}\}$, donde $\mathbb{R}$ designa la línea real. El espacio de estados legal correspondiente es el propio subconjunto S_L de S de todos los puntos que satisfacen el constreñimiento "Energía = constante". Para cada valor de la energía, S_L es una elipse. O sea, $S_L = \{<q(t), p(t)> \mid E(q, p) = \text{constante}\}$. Véase la figura 1.1a. La figura 1.1b representa los estados posibles de un ecosistema constituido por dos poblaciones de organismos, una de las cuales depreda sobre la otra. Advertencia: puesto que el espacio de estados es abstracto, la trayectoria que se representa en él también lo es; es la representación de un proceso, no de una trayectoria en el espacio físico.

La generalización de lo dicho a cosas con n propiedades, donde $n > 2$ es directa: $S_L = \{F_1(t), F_2(t), \ldots, F_n(t) \mid \in \mathbb{R}\}$. En física hay tantos espacios de estados como marcos de referencia. Por ejemplo, dado que las cosas en caída libre no tienen peso, no puede tomarse esta propiedad como una variable de estado relativa a dicho marco de referencia. Los espacios de estados de la teoría cuántica son los engendrados por las funciones de estado ψ, las cuales no se construyen propiedad por propiedad, sino como un todo. Cada uno de estos espacios abstractos (de Hilbert) posee infinitas dimensiones. Sin embargo, la idea básica es la misma: un espacio de estados es el conjunto de todos los estados *realmente posibles* (vale decir, legales) de una entidad material (partícula, campo, ecosistema, compañía, economía nacional o lo que se desee). Esta descripción de hechos realmente posibles (estados, eventos y procesos) en términos de espacio de los estados hace que la lógica modal, así como la ontología de los mundos posibles, resulten redundantes. La razón es que ninguna de ellas incluye la fundamental noción de ley. (Véanse detalles en Bunge, 1977a, 2003a.)

La tabla siguiente resume el análisis anterior.

Elemento ontológico	*Contraparte conceptual*
Cosa	Modelo de la cosa
Propiedad	Atributo: predicado *n*-ario, espacio de estados
Estado	Punto en el espacio de estados
Evento	Par ordenado de puntos en el espacio de estados
Proceso	Trayectoria en el espacio de estados legal
Ley, regla o norma	Constreñimiento en el espacio de estados

Nótese el orden lógico: comenzamos con las cosas porque ellas son las que poseen las propiedades; luego vamos a los estados y sus cambios y finalizamos con las pautas del ser y el devenir (leyes). Este es el orden de análisis, pero lo que encontramos en la realidad son las cosas con todas sus propiedades cambiando de modos legales. Y las modelamos en términos de atributos (predicados), tales como funciones o variables de estado, que definen un espacio de estados.

Nótese asimismo que hemos evitado la habitual confusión entre hecho y dato, confusión que el lenguaje corriente alienta. Un dato empírico no es un hecho, sino una proposición que informa de un hecho, por ejemplo que la edad del lector es esta o aquella.

Otra diferencia entre hechos y datos es la que sigue. En tanto que los hechos «obedecen» las leyes de la naturaleza o las normas sociales, los datos, al ser proposiciones, se rigen por la lógica. Hay proposiciones negativas, disyuntas y generales, pero no hay hechos negativos, disyuntos y generales. Por ejemplo, el que el mastín de los Baskerville no ladrara aquella aciaga noche no es un hecho negativo, sino una proposición. Lo que no llega a ocurrir no es un hecho; de manera similar, un agujero en un trozo de queso no es un trozo de queso negativo. Y que todos los perros adultos ladran es una generalización empírica, no un hecho general. Todos los hechos son singulares y «positivos».

Puesto que los datos son proposiciones, pueden incluir conceptos teóricos, vale decir pueden estar «cargados de teoría». Este es el caso de todos los datos que aparecen en los informes científicos, tales como los datos acerca de pesos específicos, secuencias de ADN y desigualdad en los ingresos. (Un indicador de dependencia de teoría que está a la mano es la presencia de sustantivos abstractos.) Pero, desde luego, los hechos informados no están cargados de teoría. Más aún, incluso los datos científicos más sofisticados no son resultado de procedimientos diseñados con el auxilio de algunas teorías únicamente, sino también con el de observaciones libres de teoría, tales como un brillo amarillo, el dial de un instrumento y un rastro en una placa sensible.

La aclaración anterior tiene como objeto refutar la tesis, bastante difundida, de que no hay diferencias entre los términos observacionales y teóricos porque toda observación estaría teñida por alguna teoría. En realidad, solo algunas observaciones científicas están cargadas de teoría y aun estas deben ser completadas mediante observaciones libres de teoría, tales como la posición de un dial. Hasta Einstein (1950a, p. 62), el architeórico y antipositivista, hizo hincapié en la necesidad de relacionar los conceptos teóricos con los «conceptos primarios», es decir aquellos que «están directa e intuitivamente relacionados con los complejos típicos de la experiencia sensible».

3. El mundo: ¿la totalidad de los hechos o la cosa suprema?

Los astrónomos equiparan el universo con el sistema de todas las cosas. En contraposición, al comienzo de su famoso *Tractactus*, Wittgenstein (1922) escribió: «El mundo es la totalidad de hechos, no de cosas» (1.1). Lamentablemente, Wittgenstein no se molestó en aclarar los términos clave "hecho" y "totalidad", a consecuencia de lo cual pronto cayó en la circularidad. Así pues, nos dice que «un hecho atómico [simple] es una combinación de objetos (entidades, cosas)» (2.01), solo para añadir: «Es esencial para una cosa que pueda ser un constituyente de un hecho atómico». De tal modo, un hecho es una combinación de cosas, pero a su vez una cosa es parte de un hecho. En ningún lugar ofrece Wittgenstein ejemplos que faciliten la comprensión y muestren que sus reflexiones son útiles para analizar los problemas científicos.

Aunque aún se discute mucho en la literatura filosófica y ha sido recientemente puesta al día por Armstrong (1997), la miniontología de Wittgenstein es errónea por las siguientes razones:

1. No está claro cómo ha de leerse la ambigua palabra "totalidad" (*Gesamtheit*) en la expresión "totalidad de hechos": si como totalidad (sistema) o como colección (conjunto). La primera interpretación no parece correcta, puesto que los hechos no se ensamblan, solo las cosas lo hacen. Y si se adopta la segunda interpretación (conjunto), resulta que el universo es un elemento conceptual, no una cosa concreta. Esto puede estar bien en una ontología idealista, pero es erróneo en cualquier otro sitio, aunque solo fuere porque la cosmología física trata el mundo (universo) como una cosa concreta y, por lo tanto, cambiante, no como una idea. Lo mismo vale, desde luego, para toda ontología materialista.

2. La cosas pueden interactuar, en tanto que los hechos no. Por ejemplo, el hecho de que el ordenador del lector se halle sobre el escritorio no interactúa con el lector. Pero el lector, su ordenador y su escritorio (cosas todas ellas) interactúan de diferentes maneras. Otro ejemplo, el hecho de que el reloj del lector señale que es mediodía, no interactúa con nada más. Pero el que el lector lo perciba como un evento puede estimularlo a salir a almorzar. Todos estos son procesos que están ocurriendo en el lector, su reloj, su oficina, su calle, su restaurante y sus alrededores; todos ellos son cosas, no hechos.

3. Todos los enunciados legales y normas sociales tratan de (se refieren a) cosas, tales como perros y naciones, no a hechos como ladrar y negociar. Por ejemplo, la cosmología trata de estrellas y otros objetos «celestes». Pero, desde luego, todas las cosas se hallan en algún estado (un hecho) y pueden saltar a otro estado (otro hecho). Sin cosas no hay hechos. Si las leyes del movimiento de Newton no se refiriesen a cuerpos, no las podríamos utilizar para describir un hecho como que la Tierra está actualmente a una dis-

tancia determinada del Sol o que cierto meteorito se mueve peligrosamente en dirección a nuestro planeta.

4. El mundo es un sistema de cosas porque todas las cosas que lo componen interactúan con algunas otras cosas. Si el mundo fuera un montón de hechos o estados de cosas no constituiría un sistema, puesto que no se mantendría unido gracias a interacciones. Con todo, esto no es cuestión de optar entre dos ontologías, una de cosas y otra de hechos: necesitamos una sola ontología de cosas involucradas en hechos* o, lo que es lo mismo, una ontología de hechos que involucren cosas. Sin embargo, en bien de la lógica, debemos comenzar por las cosas: necesitamos el concepto de cosa antes de poder formar la idea del estado de una cosa. Esta es la razón por la cual la mereología, que trata de las cosas, resulte fundamental para la ontología. (La mereología es la teoría de las relaciones parte-totalidad y de la operación de adición física, como en «La población del territorio *A* más el territorio *B* equivale a la suma de las poblaciones parciales».)

5. La idea de que el mundo es un montón de hechos puede haber sido aceptada por Berkeley, Hume y Kant, suponiendo que "hecho" se hubiese restringido a "fenómeno" o "apariencia". Pero, puesto que las apariencias no se ensamblan a través de relaciones objetivas y legales, tal montón de hechos no constituiría un mundo o sistema. Con todo, las apariencias merecen una sección aparte.

En resumidas cuentas, el mundo no es la totalidad de los hechos, sino de las cosas. Y todas las cosas son mudables y toda cosa está relacionada con alguna otra.

4. Ingresa el sujeto

Hasta aquí no ha aparecido el ser sensible o sujeto que conoce y actúa. Cuando decidimos incluir en nuestra reflexión los intereses y puntos de

---

* En el original se agrega el comentario *or facting things* expresión imposible de traducir al castellano sin hacer violencia al idioma, ya que el castellano, a diferencia del inglés, no permite verbalizar los sustantivos con igual flexibilidad. Lo mismo vale para la frase siguiente, tras la cual se agrega *or thinged facts*. [*N. del T.*]

vista, tendremos que agregar tres categorías más a las de cosa y hecho. Se trata de los conceptos de fenómeno (apariencia), constructo (tales como conceptos y proposiciones) e intención.

Ha de incluirse al sujeto en toda ontología comprensiva, también en una ontología objetivista y materialista. La razón de ello es que en tanto que algunos hechos son perceptibles, otros no lo son. Así pues, es posible experimentar las colisiones entre automóviles, pero no las colisiones entre átomos. Además, si es perceptible, un hecho puede parecer diferente a diferentes observadores, porque la percepción depende no solo de los estímulos externos, sino también del conocimiento, atención y expectativas del sujeto. O sea, un único hecho externo puede evocar diferentes apariencias o fenómenos o aun ninguno.

Casi lo mismo vale, mutatis mutandis, para nuestros modelos conceptuales de los hechos y para nuestros planes de acción. Esto no equivale a suscribir el relativismo, ya que incluimos una importante cláusula adicional: las apariencias pueden ser engañosas, los modelos conceptuales inexactos y los planes no factibles o injustos. En consecuencia, todo informe y decisión subjetivos (centrados en el sujeto) deben ser considerados, en el mejor de los casos, como esbozos preliminares que deberán ser perfeccionados o rechazados.

En todo caso, nuestras representaciones del mundo pueden tener componentes de tres clases: de percepción, conceptuales y praxiológicas (o relacionadas con la teoría de la acción). Esto es así porque hay tres puertas al mundo exterior: la percepción, la comprensión y la acción. Sin embargo, corrientemente solo es necesario abrir una o dos de estas puertas: las combinaciones de las tres, como al construir una casa según lo indicado en un plano, son la excepción. Podemos contemplar un paisaje sin formar un modelo conceptual de él ni un plan de acción para modificarlo. También podemos construir un modelo teórico de una cosa imperceptible, tal como un planeta extrasolar invisible, sobre el que no podemos actuar.

En otras palabras, las cosas perceptibles evocan apariencias; las cosas interesantes, ya sean perceptibles o no, son entendidas a través de modelos conceptuales y las cosas útiles requieren planes de acción. Nótense en lo anterior los conceptos relacionados con el sujeto: «perceptible», «interesante» y «valioso». Estos conceptos constituyen puentes entre el sujeto y el objeto, entre el conocedor y lo conocido, entre el actor y la cosa sobre la cual desea actuar. Abreviando, son puentes entre el mundo interior y el mundo exterior. Siguiendo en este estilo metafórico, añadiremos que la acción —en particular el trabajo, la ciencia, la tecnología, el arte y la política— construye esos puentes.

Así pues, una sola cosa puede evocar diversas apariencias, diferentes modelos conceptuales de ella o diferentes planes de acción respecto de ella, dependiendo de las capacidades e intereses del sujeto. O sea, distinguimos con Kant la *cosa en sí* de las diversas *cosas para nosotros* concomitantes, pero no seguimos a Kant al afirmar que la primera es incognoscible y mucho menos inexistente. Véase la figura 1.2.

Pero esto no es todo: el observador ingenuo puede ser acompañado o desplazado por el científico, tecnólogo o filósofo que busca analizar o evaluar las cosas para nosotros que acompañan a algunas cosas en sí. Véase la figura 1.3.

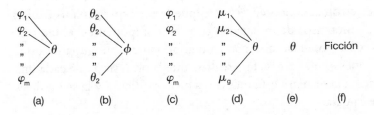

Figura 1.2. (a) Diversas apariencias φ_i de una cosa θ. (b) Diversas cosas θ_j parecen ser la misma para el observador sin entrenamiento. (c) Diversos fenómenos, pero sin cosa subyacente, como en las ilusiones. (d) Modelos alternativos m_k de una única cosa θ. (e) Cosa desconocida: ni apariencias ni modelos de ella, como en el caso del Incognoscible de Spencer. (f) Ficción: un constructo que no tiene contraparte real ni fenoménica, como en el caso del gato de Cheshire o la línea «real» en matemática.

Figura 1.3. Las cosas para nosotros (apariencias o modelos) pueden analizarse o evaluarse (en busca de su verdad, utilidad, belleza, etcétera).

La ilusiones constituyen un caso particularmente interesante que ha sucitado el interés de los psicólogos, neurocientíficos y artistas (véase, por ejemplo, Gregory y Gombrich, eds., 1973). Se trata de hechos, pero ocurren en el cerebro en lugar de en el mundo exterior. Considérense, por ejemplo, las experiencias de hallarse fuera del cuerpo que los espiritualistas invocan como prueba empírica de la posibilidad de separarse del cuerpo y la mente. Estas ilusiones pueden ser inducidas por medio de la estimulación eléctrica de la circunvolución angular derecha del cerebro. El sujeto informa que se ve a sí mismo desde arriba o con sus piernas acortadas o moviéndose rápidamente (véase, por ejemplo, Blanke *et al.*, 2002). Los «viajes» de las personas adictas a las drogas son similares: se trata solamente de engaños que monta el cerebro.

Un caso más sofisticado de la diferencia en cuestión es la que hay entre propiedad y predicado. En principio, cada propiedad de una cosa puede ser conceptuada y analizada de maneras alternativas. Por ejemplo, un campo electromagnético en el vacío puede ser representado o bien por medio de un tensor de intensidad con seis componentes o bien mediante un vector potencial con cuatro componentes. Ninguna de estas representaciones es más correcta o realista que la otra, sino que cada una tiene su ventaja: la primera está más cerca de la medición y la segunda es más fácil de calcular.

¿Cuál es la representación o formalización correcta de un predicado que representa una propiedad perteneciente a una cosa concreta? Sostengo que los predicados deben interpretarse como funciones, operadores o elementos de un algebra, dependiendo de la teoría. Así pues, en la física clásica las energías se interpretan como funciones y en mecánica cuántica se las interpreta como operadores. Los espines se formalizan como elementos algebraicos (o como matrices).

Tómese, por ejemplo, la edad: se trata de una propiedad de las estrellas, rocas, células, estrellas de rock, sistemas sociales y otras cosas. Tras medir, calcular, estimar o conjeturar la edad de una cosa θ, escribimos "La edad de θ es tantas unidades de tiempo" o, abreviando, "$E(\theta, u) = t$". Esto muestra que E es una función de la forma $E: \Theta \times U \to \mathbb{Q}^+$, donde Θ simboliza el conjunto de las cosas que envejecen, U el conjunto de las unidades de tiempo y $\mathbb{Q}^+$ el conjunto de las fracciones positivas.

El sentido del ejercicio anterior es enfatizar que, en tanto que las propiedades son poseídas por las cosas, los predicados se atribuyen correcta o erróneamente a ellas. No es que los atributos sean necesariamente subjetivos; por el contrario, en ciencia y tecnología se espera que sean objetivos, pero algunos de ellos pueden estar errados. Por ejemplo, podemos confundir el puntaje obtenido en una prueba de inteligencia con una medida de la inteligencia o un índice de la bolsa con una medida de la salud de una economía.

5. Separabilidad sujeto/objeto

El conocimiento de los hechos se ha considerado tradicionalmente como un caso particular de la relación sujeto/objeto, a saber la relación entre el explorador y lo explorado. En otras palabras, la cognición empírica involucra un ser sensible capaz de detectar señales que provienen de un objeto de conocimiento. Por ejemplo, se puede ver un libro siempre y cuando este refleje algo de luz que llegue a la retina del observador. Así pues, la adquisición de conocimiento depende de las posibilidades de (a) diferenciar el conocedor o sujeto de lo cognoscible u objeto y (b) utilizar o establecer una interacción entre el sujeto y el objeto, preferentemente por medio de la modificación a discreción de la interacción, como en un experimento.

La primera condición, posibilidad de distinguir entre sujeto y objeto, depende de la posibilidad de separarlos, puesto que si los términos de la interacción no son separables, es imposible saber cuál es la contribución de cada uno. En efecto, si los constituyentes del sistema sujeto/objeto estuviesen ligados de manera demasiado estrecha, el sujeto podría pensar que él es el creador (idealismo) o que es una criatura inerme (empirismo). En el primer caso, no se preocuparía por controlar sus ideas, en tanto que, en el segundo, no se atrevería a tener ninguna idea que fuese más allá de aquellas sugeridas por su experiencia sensorial.

El problema de la separabilidad, que a primera vista parece trivial, es en realidad bastante complejo. La teoría de la gravitación universal de Newton mostró que el universo es el sistema supremo: que cada componente de este sistema interactúa con todos los demás. La emergencia de la teoría del campo electromagnético de Faraday-Maxwell, a mediados del siglo XIX, reforzó esta perspectiva. Las razones de ello son dos: porque introdujo un nuevo tipo de cemento entre las cosas y porque un campo actúa como una unidad: una perturbación en uno de sus puntos se propaga a través de todo el campo.

Con todo, también se sabía o, mejor dicho se suponía, que todos lo vínculos se debilitan con la distancia. Esto hace posible el estudio de sistemas casi aislados, tales como el sistema solar, rayos de luz en el vacío y átomos a temperaturas muy bajas. En resumen, aunque el universo es un sistema, es posible analizarlo en términos de partes casi autocontenidas. Aun cuando esta compartimentación resulta imposible, como en el caso de un ecosistema, habitualmente es posible reconocer unos cuantos factores sobresalientes, tales como la humedad y la temperatura, y considerar los otros factores como un trasfondo que, a grandes rasgos, se mantiene más o menos constante.

La existencia de sistemas concretos estrechamente tejidos («entrelazados») suscita el problema de la realidad de sus constituyentes, en particular cuando la intensidad de sus vínculos no disminuye con las distancias mutuas. Antes de la refutación experimental de las desigualdades de Bell, a principios de la década de 1980, se presuponía que si los componentes de un sistema están distantes uno de otro son separables en sistemas mutuamente independientes. A partir de entonces, sabemos que este no es el caso: «una vez que se es un sistema, se es un sistema para siempre».

Este entrelazamiento se ha considerado a menudo como una prueba que refuta el postulado de «realidad local». Lo que realmente ocurre es que los componentes de un sistema real son reales, pero no lo son *de manera independiente*: lo que ocurre *en* o *a* uno de ellos afecta al estado del otro (u otros), incluso si está en un lugar remoto. Esto es válido para todas las escalas, no solo para átomos y fotones. Así pues, los bebés son reales a pesar de que no pueden separarse de quienes los cuidan. En resumen, la no-localidad no implica la irrealidad, solo implica que la realidad no se rige por la física clásica (véase Bunge, 1979a).

La emergencia de la mecánica cuántica parecía haberlo cambiado todo al mostrar que los constituyentes de un sistema microfísico están entrelazados y son, en consecuencia, inseparables, salvo que sean objeto de una fuerte perturbación proveniente del entorno. Afortunadamente para nosotros, sin embargo, este entrelazamiento no ocurre en los seres sensibles, a causa de que se trata de entidades macrofísicas, así como de que interactúan intensamente con el entorno. Así pues, la popular afirmación de que el sujeto cognoscente y los objetos microfísicos que estudia constituyen una unidad sellada es falsa. En consecuencia, la física cuántica no es una amenaza para la objetividad. Aún es verdad que el mundo está hecho de protones, fotones y cosas por el estilo, ya sea que actuemos sobre ellas o no.

De igual modo, enfrentamos el siguiente dilema: sin interacción sujeto-objeto no hay conocimiento, pero la interacción no debe ser tan intensa como para llevar a la confusión de los dos términos de la misma. Más precisamente, esta interacción debe ser tal que el sujeto reciba una señal clara, de modo que la acción Señal → Objeto sea mucho más débil que la reacción Objeto → Sujeto. La satisfacción de esta condición depende de manera crítica de la competencia y el ingenio del experimentador. Su equipo puede incluir blindajes, instalaciones de vacío, micromanipuladores y otros artilugios diseñados para evitar perturbar el objeto sin bloquear sus señales.

6. Materialismo

Los materialistas e idealistas filosóficos han venido batallando unos contra otros desde hace más de dos milenios. Mientras que los idealistas como Platón sostienen la existencia independiente de las ideas, los materialistas y los aristotélicos la niegan. Más aún, los idealistas o bien niegan la existencia independiente de las cosas fuera de la mente (el caso de Berkeley) o bien, como Platón y Hegel, admiten que hay cosas concretas, pero sostienen que todas ellas derivan de las ideas o son gobernadas por ellas.

Esta controversia ha sido tan acre que el materialismo filosófico ha sido ignorado o vilipendiado como «tosco» o incluso inmoral, aun en la enseñanza universitaria. Como consecuencia, esta ontología ha sido generalmente ignorada, mal comprendida o demonizada. En particular, aún se identifica ampliamente el materialismo con el fisicismo de los atomistas griegos, el amoralismo de algunos de sus contemporáneos hindúes, la desconfianza por las ideas propia del nominalismo medieval, el materialismo vulgar (y brutal) de Nietzsche o el reduccionismo genético de los sociobiólogos. En resumen, raramente se reconoce que hay una vasta familia de doctrinas materialistas. Pero, desde luego, todas ellas comparten los principios de que el mundo está constituido exclusivamente por entidades concretas o materiales y que los pensamientos son procesos cerebrales.

Si embargo, la lucha entre el materialismo y el idealismo es, en parte, asunto de definición, porque no hay consenso acerca del significado de los términos "material" e "ideal" o de sus respectivos sinónimos "concreto" y "conceptual". Por ejemplo, algunos materialistas como Steven Weinberg (1992, p. 3) afirman que la materia ha perdido su papel central en la física a causa de que se adhieren a la definición tradicional de «material» como algo que se caracteriza por poseer masa (o inercia); como si los fotones, que no tienen masa, fuesen inmateriales. Otros, de manera conspicua defensores de la filosofía de la mente y la ontología computacionista (o del procesamiento de la información), sostienen que la materia ya no importa, que todo lo que hay son bits y algoritmos para procesarlos (véase, por ejemplo, Barrow, Davies y Harper, 2004).

Como se recordará de la sección 1, sostengo que todo lo que es capaz de cambiar de manera legal, desde un electrón hasta un campo gravitatorio, una persona y una sociedad, es material. Además, puesto que ser mudable es lo mismo que poseer energía, el predicado «es material» es coextensivo (pero no «cointensivo») con el de «posee energía». En contraposición, los elementos que no son mudables, tales como los conjuntos, números y funciones, son ideales porque no poseen energía. Así pues, dado que los campos electromagnéticos poseen energía y «obedecen» leyes físicas, son materiales aun cuando no posean masa y sean sutiles en lugar de sólidos. Por el contrario, una teoría sobre esos campos, o sea, una electrodinámica, es inmaterial porque no posee energía, aun cuando pueda ser modificada por los físicos. La teoría, como cualquier otro constructo, es un objeto conceptual (ideal).

La tesis materialista no consiste únicamente en que hay objetos materiales, sino que el mundo contiene solamente cosas materiales. De modo más preciso, una ontología materialista incluye las dos suposiciones fundamentales siguientes:

— *Postulado 1.2.* Todo objeto es o bien material o bien conceptual y ninguno es ambas cosas.
— *Postulado 1.3.* Todos los constituyentes del mundo (o universo) son materiales.

Un corolario del primer postulado es que, al contrario del hilomorfismo atribuido a Tomás de Aquino, no hay compuestos de materia y «formas» (ideas). Dado nuestro amplio concepto de materia, el segundo postulado no es fisicista: no excluye cosas materiales suprafísicas, tales como los organismos y sistemas sociales, todos los cuales están caracterizados por poseer propiedades emergentes. En otras palabras, esta teoría evita el reduccionismo radical. Este es el motivo por el cual puede llamársele *materialismo emergentista* (véase, por ejemplo, Bunge, 1977a, 2003a).

Esta versión del materialismo no elimina lo mental, solo niega la existencia autónoma de las ideas. Tampoco proscribe todas las ficciones. Lo que hace es ubicar la mente en el cerebro e intentar mostrar por qué en ocasiones necesitamos ficciones, especialmente ideas matemáticas, para entender los hechos. (Más acerca de las ficciones en el capítulo 8.) Más aún, el materialismo emergentista se combina fácilmente con el realismo para constituir lo que puede llamarse *hilorrealismo*. Sin embargo, antes de ensalzar el realismo, debemos caracterizar la realidad.

7. Realidad

No hemos definido "material" como todo lo que existe independientemente de nuestras mentes porque esto es lo que "real" quiere decir. Más precisamente, proponemos lo siguiente:

— *Definición 1.1.* Las cosas reales son aquellas que existen independientemente de cualquier sujeto.

Desde luego, los idealistas objetivos como Platón, Leibniz, Hegel, Bolzano y Dilthey han afirmado que las ideas existen de manera objetiva, no solo en la privacidad de las mentes humanas. Pero estos pensadores no se han molestado en justificar esta hipótesis. Más aún, no es pasible de prueba empírica, a causa de que la única manera de que disponemos para averiguar si un objeto existe realmente o no es observar sus actividades físicas. Pero claro, los objetos ideales no pueden realizar tales actividades.

A su vez, «realidad» puede definirse como el conjunto de todas las cosas reales, en cuyo caso la realidad es irreal o, como en el caso de la cosa real suprema, es la que está constituida por todas las cosas. En el primer caso, resulta que la realidad, por ser un conjunto, es irreal. Puesto que no es este el uso normal del término, hemos de optar por equiparar la realidad con la suma física (o mereológica) de todas las cosas, o sea con el universo.

El término "existen" que aparece en la definición anterior es ambiguo, puesto que la existencia puede ser o bien concreta (material) o bien abstracta (ideal). Los lógicos modernos, desde Russell a Quine y otros, han afirmado que esta imprecisión se resuelve utilizando el llamado cuantificador existencial ∃. Por ejemplo, «Hay números primos» se simbolizaría "∃x (x es un número primo)". Este dispositivo funciona, por cierto, en la matemática, que trata exclusivamente con objetos ideales (o abstractos o conceptuales). Pero no funciona allí donde se trata con objetos ideales y materiales a la vez, como ocurre tan a menudo en el lenguaje corriente, la ciencia y la religión.

Por ejemplo, un ateo no encuentra ningún problema en el aserto de que algunos ángeles son ángeles de la guarda, en tanto y en cuanto no se afirme separadamente la existencia independiente de estos seres sobrenaturales. Un ateo preferirá añadir la negación explícita de la existencia real de los ángeles. O sea, decide afirmar algo así como «Algunos ángeles son ángeles de la guarda, pero en realidad no hay ángeles». Este enunciado contiene el cuantificador «algunos» formalizado por ∃, así como el predicado E "existen". Vale decir que un ateo afirmaría que $\exists x\,(Ax\,\&\neg\,E_R x)$, donde R simboliza el conjunto de todas las cosas reales. El predicado de existencia ha sido definido en otro sitio (Bunge, 1977a, pp. 155-156).

(El predicado de existencia E puede definirse del modo siguiente. Sea Ω un universo de discurso y S un subconjunto adecuado de Ω. A continuación, considérese la función característica χ_S de S, o sea la función χ_S: $\Omega \to S$ tal que $\chi_S(x) = 1$ si x está en S y 0 si no lo es. Ahora definimos el predicado de existencia E_S de la manera siguiente: $E_S x = (\chi_S(x) = 1$. Si $S = R$, se trata de la existencia real, en tanto que si $S = C$, se trata de la existencia conceptual (o ideal). Los científicos utilizan diversos criterios de existencia real, tales como la posibilidad de observación y la reactividad. En la matemática pura se usan criterios de existencia completamente diferentes, tales como el de la posibilidad de definición, de construcción y la ausencia de contradicción.)

Dado que las cosas se presentan con sus propiedades y sus correspondientes cambios, estos también son reales. De tal modo, de las expresiones "La propiedad X es real" y "El proceso Y es real" debe entenderse que afirman la realidad de la(s) cosa(s) subyacente(s).

Los materialistas identifican la realidad con la materialidad. Es decir, el principal supuesto del materialismo es el

— *Postulado 1.4.* Todas las cosas materiales y solamente ellas, junto con sus propiedades y cambios, son reales.

En otras palabras, se postula que los conceptos de existencia real, materialidad y posesión de energía son coextensivos, aun cuando posean diferentes sentidos o connotaciones, tal como muestran sus definiciones. Los *Postulados 1.1* y *1.3* en conjunto implican el

— *Teorema 1.1.* Todos los elementos mudables son materiales y viceversa.

Expresado de manera algo paradójica: ser (material, real) es devenir. Esta identificación de la realidad con la materialidad no es una extravagancia filosófica, sino algo normal en la ciencia fáctica. Por ejemplo, al criticar el subjetivismo de Mach, Ludwig Boltzmann (1979, p. 112) equiparaba el realismo con el elemento más conspicuo del materialismo, a saber la llamada teoría de la identidad de la mente: «Los procesos mentales son idénticos a ciertos procesos materiales del cerebro (realismo)». Los neurocientíficos cognitivos de hoy en día probablemente coincidirán.

Con todo, es posible adherirse, tal como hicieron Platón y Leibniz, al realismo y al inmaterialismo a la vez. O sea, es posible sostener que las cosas concretas son solamente sombras, copias o degeneraciones de las ideas existentes por sí mismas. Que esta tesis sea, en el mejor de los casos, imposible de poner a prueba y, en el peor de ellos, falsa no está en discusión. Mi interés está en que el realismo es lógicamente independiente del materialismo y que resulta vulnerable a menos que se sostenga juntamente con este. Sin embargo, el asunto del realismo merece una sección aparte.

8. Realismo

El realismo es la tesis de que hay cosas reales. Sin embargo, como todo otro sistema filosófico comprensivo el realismo posee siete componentes: ontológico, gnoseológico, semántico, metodológico, axiológico (concerniente a la teoría de los valores), moral y praxiológico (concerniente a la teoría de la acción). Además, cada uno de sus constituyentes se presenta en diferentes matices: ingenuo, crítico y científico. De allí que se puedan distinguir en total 21 tipos posibles de realismo.

Una manera de distinguir estas diversas doctrinas es enunciar y analizar los principios del realismo científico, la forma más restrictiva y, por ende, más compleja de realismo. Esta doctrina puede resumirse en siete principios reunidos en el siguiente

— *Postulado 1.4.* El realismo es el sistema filosófico constituido por las siguientes siete tesis:

1. *Realismo ontológico*: el mundo exterior existe independientemente del sujeto cognoscente.
2. *Realismo gnoseológico*:

   (a) Es posible conocer el mundo.
   (b) Todo conocimiento de hechos es incompleto y falible y mucho de él es indirecto.

3. *Realismo semántico*:

   (a) Algunas proposiciones se refieren a (tratan de) hechos;
   (b) algunas de estas proposiciones (fácticas) son aproximadamente verdaderas;
   (c) en principio, toda aproximación es perfectible.

4. *Realismo metodológico*: la mejor estrategia para explorar el mundo es el método científico (cientificismo).
5. *Realismo axiológico*: hay valores objetivos, tales como la salud, el conocimiento, la seguridad, la paz, la protección ambiental y la equidad.
6. *Realismo moral*: hay (a) hechos morales, tales como las acciones generosas y egoístas, y (b) principios morales verdaderos, tales como «Los derechos, para ser justos y respetados, deben estar equilibrados con los deberes» y «La solidaridad y la democracia favorecen la coexistencia».
7. *Realismo práctico*: hay pares «medios-fines» objetivos, tales como «trabajo, bienestar», «conocimiento, eficiencia» y «participación, democracia».

Centrémonos ahora en los realismos ontológico, gnoseológico y semántico. Los restantes componentes del sistema se examinarán más a fondo en el capítulo 10. El realismo ingenuo sostiene las tesis (1), (2a) y (3a). El realismo crítico consiste en las primeras tres tesis completas.

La tesis 4, también llamada "cientificismo", es propia del realismo científico. Planck (1933, p. 82) hizo hincapié en la subtesis (2b), que enunciaba como sigue: «El mundo exterior real no es directamente observable». Esta fue su respuesta a la tesis positivista de que las impresiones de los sentidos proveen conocimiento directo y que son la única fuente de conocimiento. Un contraejemplo conocido de la tesis positivista es el que sigue: la luz provista por una fuente de luz como el Sol no indica de manera directa la composición y estructura de la fuente, únicamente plantea el problema de conjeturar esas características; por ejemplo, que nuestra estrella está constituida mayormente de hidrógeno, que el átomo de hidrógeno posee un único electrón, que este último puede estar en cualquiera de infinitos estados y que toda transición entre estados va acompañada de la emisión o absorción de un fotón cuya frecuencia es proporcional a la diferencia entre las energías características de esos estados.

Contrariamente a la difundida opinión, el realismo científico no afirma que nuestro conocimiento del mundo externo sea preciso: es suficiente que ese conocimiento sea parcialmente verdadero y que algunas de las falsedades de nuestro conocimiento puedan descubrirse eventualmente y ser corregidas, de manera parecida a como corregimos el rumbo al navegar por nuevos mares. Así pues, el falibilismo de la tesis (2b) está equilibrado con el meliorismo de la tesis (3a). Las comprobaciones con la realidad (las puestas a prueba empíricas) mostrarán una y otra vez que incluso las teorías más precisas son, en el mejor de los casos, aproximaciones más o menos cercanas que pueden ser mejoradas. Rescher (1987) llama a esta tesis *aproximacionismo*; yo la considero un componente del realismo científico (por ejemplo, Bunge, 1967a).

La frecuente aparición del error, quizá mejor que el ocasional hallazgo de la verdad, prueba la existencia del mundo real (Bunge, 1954). En efecto, en tanto que un subjetivista podría argumentar que los científicos construyen el mundo tal como lo perciben o conciben, no podría explicar las discrepancias respecto de la verdad, en particular puesto que las falsedades y verdades aproximadas aparecen con mayor frecuencia que las verdades completamente precisas. Especialmente los intuicionistas, tales como Bergson y Husserl, no pueden dar razón del error a causa de que sostienen que poseen un acceso instantáneo a verdades completas.

Finalmente, el antirrealismo es, desde luego, lo opuesto al realismo. Como este último, el primero consiste en siete ramas, cada una de las cuales se presenta en diferentes versiones. La versión más popular del antirrealismo es el subjetivismo de tipo fenomenista, de Kant al positivismo lógico. Lo examinaremos en la sección siguiente.

9. Objetividad e imparcialidad

Hasta aquí hemos hecho hincapié en algunas nociones ontológicas, en particular en la de objetividad ontológica o existencia independiente. Pasemos ahora a la objetividad gnoseológica y sus parientes. Se dice que una proposición fáctica es *objetiva* si se refiere a existentes reales de un modo impersonal y los describe según el leal saber y entender del autor de la proposición (véase Rescher, 1997). Idealmente, las proposiciones objetivas son verdaderas; en la práctica, la mayoría de las proposiciones, especialmente las cuantitativas, son aproximadamente verdaderas, en el mejor de los casos.

La imparcialidad, si bien está relacionada con la objetividad, difiere de ella: un juicio imparcial es el que no toma partido en un conflicto. Sin conflicto de intereses no hay parcialidad ni su contrario. Con todo, la parcialidad es compatible con la objetividad. Por ejemplo, la seguridad social universal no solo puede defenderse con fundamentos morales, sino también porque una población saludable es algo del interés de todos: piénsese nada más en las enfermedades infecciosas y en las ingentes cantidades de recursos dilapidados a causa de la enfermedad.

Max Weber (1988 [1904]) exigía, como todo el mundo sabe, que las ciencias sociales y políticas fuesen objetivas. Deseaba purgar estas disciplinas de los juicios de valor, todos los cuales Weber consideraba (de manera errónea) inevitablemente subjetivos. Weber deseaba, especialmente, impedir la contaminación ideológica de los estudios sociales. Esta meta es loable, puesto que la investigación científica es, por definición, la búsqueda de verdades objetivas, en tanto que las ideologías son tendenciosas y, a menudo, mendaces. Pero ¿son posibles la neutralidad respecto de los valores y la imparcialidad? Los posmodernos lo niegan: sostienen que, puesto que la ciencia es poder y puesto que habitualmente la investigación es financiada por los poderes de turno, el poder acecha detrás de cada proyecto de investigación, al menos en el ámbito de los estudios sociales.

En particular, Habermas (1970) y otros miembros de la escuela de Frankfurt (o de la «teoría crítica»), junto con cierto número de activistas de la década de 1960, incurrieron en dos falsas identificaciones. Estas eran la de «Ciencia = Tecnología» y «Ciencia (o tecnología) = Ideología del capitalismo tardío». Estos autores no comprendieron que, en tanto que la ciencia básica es la búsqueda desinteresada de la verdad, los tecnólogos diseñan artefactos y la ideología es el componente intelectual de un movimiento social. Regresemos, sin embargo, a Weber.

Sostengo que Weber confundió tres conceptos diferentes: los de objetividad, imparcialidad y desinterés. Peor aún, no fue objetivo cada vez que puso en práctica el dogma neokantiano de que el objetivo de las ciencias sociales es «comprender» o «interpretar» la vida interior o subjetiva, en lugar de describir las llamadas condiciones materiales de existencia, tales como los medios de subsistencia, la seguridad laboral y la libertad para unirse a sindicatos que luchen por un mínimo de justicia social.

Sin duda, un estudioso de la sociedad objetivo prestará atención a las actitudes y evaluaciones subjetivas. Pero el énfasis en el «área subjetiva» y el descuido de las condiciones objetivas de existencia no solo son un desliz metodológico, sino también un ejemplo de partidismo ideológico. No fue ninguna coincidencia que el primer trabajo empírico de Weber, en 1892, fuera su participación en una encuesta sobre las condiciones de los trabajadores rurales realizada por el *Verein für Sozialpolitik* [Sociedad para la Política Social]. «Su núcleo era un grupo de profesores universitarios que estaba preocupado por el creciente antagonismo de los trabajadores alemanes, organizados en sindicatos socialistas, hacia el Estado alemán» (Lazarsfeld y Oberschall, 1965, p. 185).

Otro hecho que alarmó a Weber fue que, al importar trabajadores polacos, los terratenientes de Prusia Oriental ponían en peligro «el carácter alemán y la seguridad nacional» de la frontera oriental del Reich alemán (*ibíd.*, p. 186). Así pues, en esa ocasión, Weber puso su ciencia al servicio de su ideología liberal y nacionalista. Por qué se considera generalmente a Weber más científico que Marx y Engels, el colaborador de Marx que describiera objetivamente las condiciones materiales de la clase obrera inglesa fundándose en investigación de primera mano, así como en informes realizados por los inspectores industriales designados por el Gobierno de Su Majestad, es algo que aún ha de ser explicado de manera objetiva.

En todo caso, la tesis de la objetividad de Weber era poco original. De hecho, es lo que Tucídides y Aristóteles habían practicado en la antigüedad, Ibn Khaldûn en la Edad Media, Nicolás Maquiavelo en el Renacimiento y Leopold Ranke a comienzos del siglo XIX. Adam Smith, David Ricardo, Alexis de Tocqueville, Karl Marx y Émile Durkheim no estaban menos comprometidos con la búsqueda de la verdad en asuntos sociales, aun cuando cada uno de ellos tenía sus propios motivos privados, como Weber los suyos.

En resumen, la objetividad, aunque a menudo es difícil de lograr, particularmente en los asuntos sociales, es tanto posible como deseable. Más aún, es obligatoria en cuestiones de cognición. Sin embargo, la objetividad no debe confundirse con la neutralidad respecto de los valores, porque la búsqueda de ciertos valores, tales como el bienestar, la paz y la seguridad, es objetivamente preferible a la búsqueda de otros, tales como el placer derivado de emborracharse o presenciar una ejecución pública. La objetividad también es desable en los campos de la tecnología, la planificación pública y la lucha por el poder, ya que en estos casos una representación falsa de la realidad llevará con seguridad al fracaso en la práctica. Abreviando, la objetividad es deseable y alcanzable en todos los ámbitos, menos en el arte. En otras palabras, el realismo es la filosofía del conocimiento inherente a la ciencia, la tecnología y la praxis exitosas.

10. Comentarios finales

Hemos intentado elucidar las nociones de cosa y hecho porque están lejos de ser claras en la literatura filosófica. Además, contrariamente a ciertas tradiciones, ni hemos confundido el realismo con el materialismo ni los hemos mantenido separados. Tras distinguirlos, los hemos unido en una doctrina que puede llamarse *hilorrealismo*.

Una de las razones para el matrimonio del realismo con el materialismo es que la idea de materialismo irrealista es un oxímoron, ya que el enunciado de que el universo es material equivale a afirmar que se sabe que lo que no es conceptual es material en lugar de ser, digamos, espectral. Otra razón es que el materialismo sin el realismo es a la vez fútil e ineficaz. En efecto, ¿qué sentido tendría explorar un universo material puramente imaginario o completamente incognoscible? ¿Y cuán firme sería el realismo sin el supuesto de que todas las cosas reales, sin importar cuán efímeras o artificiales sean, se rigen por leyes que son físicas o están arraigadas, no importa cuán remotamente, en las leyes físicas?

En general, la gnoseología y la ontología, si bien son distinguibles, son inseparables. Por ejemplo, el racionalismo radical (o dogmático) exige una ontología idealista, porque solo las ideas abstractas pueden conocerse (inventarse o aprenderse) sin el auxilio de la experiencia. Y el empirismo radical (o dogmático) requiere una ontología fenomenista, porque la experiencia trata con qualia, no con propiedades primarias, las cuales son las que caracterizan a las cosas en sí.

Quienquiera que admita la existencia de cosas en sí rechaza tanto el racionalismo dogmático como el empirismo dogmático y adopta, en su lugar, el racioempirismo (o empiriorracionalismo), una síntesis según la cual la cognición humana utiliza tanto la razón como la experiencia. Esto es así por dos razones. Una es que la enorme mayoría de los hechos son imperceptibles y, por lo tanto, solo accesibles por medio del entendimiento. La otra razón es que el cerebro humano normal es activo e inventivo así como reflexivo: en especial, busca ideas o acciones detrás de las palabras, razones detrás de las afirmaciones y mecanismos detrás de las apariencias. Sin embargo, el concepto de apariencia o fenómeno es tan resbaladizo y, con todo, tan fundamental para tantas filosofías influyentes que requiere todo un capítulo. El que sigue.

2

Fenómenos, fenomenismo y ciencia

La diferencia entre sujeto y objeto o entre explorador y territorio es de sentido común. Esta distinción es ensalzada por el realismo ingenuo, la gnoseología tácita de casi todo el mundo. Más aún, la distinción parece esencial para la vida animal: no hay más que imaginar las oportunidades que tendría una gacela si no reconociese instintivamente la existencia real de los leones en el mundo externo. A pesar de ello, un famoso filósofo de Harvard (Putnam, 1990, p. 122) proclamó una vez que «la idea de objetos independientes del discurso [...] se ha desmoronado bajo el peso de la crítica filosófica»; especialmente la de Wittgenstein, Carnap y Quine. Por ende, no te preocupes gacela, el león está en tu mente; vete a ver a un psiquiatra. (Hay que decir en beneficio de Putnam (1994) que, poco tiempo después, abandonó el antirrealismo).

La filosofía irrealista más antigua se halla en los *Upanishads* (hacia 800 a.C.). Según estos textos teológico-filosóficos, el mundo es ilusorio; solo Brahma, la deidad, sería real. Tres siglos más tarde, el Buda enseñaba que hay una realidad incognoscible oculta detrás de las apariencias y que no hay dioses. Aproximadamente en la misma época se atribuía a Protágoras, si bien erróneamente, la idea de que no hay cosas independientes del sujeto y, por ende, no hay verdades objetivas. El ilusionismo sigue siendo popular en la India aun hoy, pero no prosperó en Occidente. De hecho, en Occidente, la inmensa mayoría de los antiguos pensadores griegos, medievales y de comienzos de la modernidad han sido objetivistas (realistas). El subjetivismo solo se tornó importante a comienzos del siglo XVIII, en parte como expresión del surgimiento del individualismo y como reacción contra la ciencia moderna. Recuérdese a Berkeley y sus seguidores hasta los constructivistas sociales. Solo Hamlet, un ocioso príncipe, podía darse el lujo de pensar la posibilidad de que la vida fuera un sueño: Shakespeare y sus contemporáneos europeos estaban muy ocupados construyendo la modernidad.

Las antiguas preguntas —si todas las cosas son como parecen ser y si podemos conocer algo más allá de las apariencias— han reaparecido de manera intermitente en la filosofía y la ciencia modernas: préstese atención a las discusiones gnoseológicas de Galileo, Descartes y Locke; Berkeley, Hume y Kant; Comte, Mill y Mach; y sus seguidores del siglo XX, desde Russell, Bridgman, Carnap y Reichenbach a Nelson Goodman, Thomas Kuhn, Paul Feyerabend y David Lewis. Las mismas preguntas, junto con similares respuestas, volvieron a surgir en relación con las controversias acerca de la interpretación de la mecánica cuántica, a mediados de la década de 1920. Aparecen, incluso, en la famosa obra de Michael Frayn *Copenhagen*.

Todas estas ideas están incluidas en una de las más antiguas disputas filosóficas: la que hay entre el fenomenismo y el realismo. ¿Qué razones se han aducido en favor de cada una de estas concepciones y por qué es importante cuál de los extremos del dilema fenomenismo/realismo se elija? Estos son algunos de los temas que se discutirán en este capítulo.

1. Fenómeno y noúmeno

En el lenguaje corriente, los términos "fenómeno" y "hecho" son sinónimos. No así en filosofía, donde la palabra griega "fenómeno" (apariencia) quiere decir «un hecho o evento observable [...], un objeto o aspecto conocido a través de los sentidos en lugar de por medio del pensamiento o la intuición no sensorial» (*Webster's New Collegiate Dictionary*). Así pues, los colores, sonidos, sabores, olores y texturas son propiedades sensoriales o fenoménicas, en tanto que las longitudes de onda, pesos atómicos, composiciones químicas, órbitas planetarias, pensamientos de otras personas y crisis políticas no son sensoriales o fenoménicas.

Las propiedades fenoménicas o «sentimientos crudos» [*raw feelings*], tales como el olor de la menta y el tacto de la piel amada, son rasgos de la experiencia sensorial. También se les llama *qualia*. Todos los organismos sensibles experimentan algún tipo de qualia, en tanto que las máquinas no los poseen, ni siquiera los robots. Ni los zombis, si es que existen. Las cosas no sensibles solo poseen y detectan propiedades físicas (o químicas, biológicas o sociales).

Aprendemos estas diferencias muy pronto y las olvidamos cuando nos exponemos a una filosofía irrealista. En efecto, presumiblemente, comenzamos la vida como fenomenistas espontáneos: probablemente, el mundo que rodea a un humano recién nacido se vea y sienta como una masa de apariencias bastante caótica: sensaciones táctiles, imágenes visuales, sonidos, sabores y olores. En otras palabras, es plausible pensar que los bebés describirían el mundo y a sí mismos en términos de propiedades secundarias, tales como «blando», «húmedo», «cálido», «viscoso», «maloliente», «estrecho», «brillante», «sonoro» y «atemorizador». A medida que nos alejamos a gatas del parque de juegos y aprendemos, agregamos propiedades primarias a nuestro repertorio: «largo», «redondo», «pesado», «veloz» y así sucesivamente. O sea, llegado el momento nos convertimos en realistas, primero de la clase ingenua y más tarde, al reflexionar en mayor medida, en realistas críticos. Mucho después, con suerte y más aprendizaje y evitando los encuentros con las filosofías subjetivistas, podemos acabar siendo realistas científicos.

Es ampliamente sabido que Kant llamó *noúmenos* a las cosas no fenoménicas o cosas en sí, en contraposición con las cosas para nosotros, *fenómenos* o cosas tal como son percibidas. Sin embargo, como veremos, no consiguió decidirse acerca de si los fenómenos pueden existir sin los subyacentes noúmenos. Muchos filósofos contemporáneos debaten aún el estatus de los qualia. Los fisicistas (materialistas vulgares) niegan su existencia, en tanto que los empiristas radicales sostienen que los qualia son el origen de todo lo demás. Mientras tanto, los biólogos y los neurocientíficos cognitivos dan por sentado que los fenómenos se constituyen con noúmenos e intentan averiguar cómo emergen los qualia a partir de los procesos de la interfaz organismo/entorno. En la medida que tienen éxito en esta empresa, confirman el materialismo emergentista (por ejemplo, Sellars, 1922; Bunge, 1979a; Blitz, 1992). Se trata de la vertiente del materialismo que adopta la tesis central de Spinoza: *una sustancia, muchas propiedades*. Esta doctrina combina el monismo acerca de la sustancia con el pluralismo acerca de las propiedades. En consecuencia, admite las limitaciones del reduccionismo radical (Bunge, 2003a). Por la misma razón, los materialistas emergentistas rechazan el fisicismo o materialismo eliminativo, el cual niega la novedad cualitativa y, en consecuencia, empobrece tanto la experiencia humana como su ciencia, vale decir la psicología.

Los novatos enfrentan el mismo problema cuando el viejo nogal les pregunta burlonamente ¿hace ruido el árbol que cae en un bosque remoto donde no hay quien pueda oírlo? Si son listos, responderán que hubo un sonido (más precisamente una onda de choque) sin sonoridad: un noúmeno sin fenómeno. La interpretación estándar o de Copenhague de la mecánica cuántica hace la afirmación opuesta: sostiene que los electrones y otras cosas parecidas no tienen propiedades inherentes, sino que adquieren cualquier propiedad que el experimentador decida otorgarles. Argumentaremos que esta extraordinaria afirmación deriva de confundir la realidad con las pruebas para controlar la realidad de las entidades que conjeturamos, la fuente del operacionismo.

Este problema, como la mayor parte de las indagaciones ontológicas, posee antiguas raíces. Por ejemplo, el Buda era fenomenista. El primer fenomenista occidental parece haber sido Protágoras de Abdera y el primer tratado sobre la materia el de Sexto Empírico, *Esbozos pirrónicos* [*Hypotyposes*]. El primero de ellos es famoso por haber formulado el principio de que «El hombre es la medida de todas las cosas». Y Sexto es bien conocido por haber confiado de manera consistente en los datos de los sentidos y por haber debatido minuciosamente, si bien a menudo de manera sofista, con todos los estudiosos que le eran conocidos. Muchos filósofos eminentes que vinieron después, como Hume y Kant, y algunos científicos cuando estaban de humor filosófico, como Mach y Bohr, han afirmado que lo único que cuenta son las apariencias. Una tesis parecida es la que sostiene que las propiedades secundarias o qualia —tales como brillo, sonoridad, calidez, suavidad, dulzura, aspereza y coloración— son fundamentales ya sea ontológica o gnoseológicamente. Sin embargo, la diferencia entre las dos clases de propiedades merece una nueva sección.

2. Propiedades primarias y secundarias

Los realistas sostienen que hay dos tipos de propiedades: primarias o independientes del sujeto y secundarias o dependientes del sujeto. Por ejemplo, la longitud de onda de la luz es primaria, en tanto que el color es secundario porque emerge en el cerebro. En contraposición, según el fenomenismo, todas las propiedades primarias u objetivas, tales como la velocidad, energía, entropía, enlace químico, energía de disociación, tasa metabólica, densidad poblacional, PIB y orden social, serían derivadas o, incluso, imaginarias, ya que no son aprehendidas por los órganos de los sentidos. Véase la tabla 2.1.

Tabla 2.1. Muestra de propiedades primarias (u objetivas) y secundarias (o subjetivas). En tanto que algunas de las primeras están en el mundo exterior, todas las segundas se hallan en el cerebro.

Propiedades primarias	Propiedades secundarias
Posición	Lugar
Tiempo	Sucesión percibida
Tamaño	Volumen percibido
Velocidad	Rapidez
Longitud de onda	Color
Frecuencia de sonido	Tono
Temperatura	Sensación térmica
Viscosidad	Desplazamiento
Engrama	Recuerdo
Activación de la amígdala	Temor
Privación	Insatisfacción
Masa atómica	—
Espín	—
Carga eléctrica	—
Entropía	—
Valencia	—
Energía de disociación	—

Un modo equivalente de trazar la misma distinción es hablar de proposiciones o enunciados fenomenistas y realistas (o fisicistas; por ejemplo, Kaila, 1979). El fenomenista sostiene que las proposiciones fenomenistas son primarias, mientras que el realista afirma que son secundarias, en el sentido de que, en cierto modo, derivan de las primeras. Desde luego, tal derivación no puede ser directa: las proposiciones fenomenistas y fisicistas están separadas por un abismo en tanto y en cuanto los predicados que aparecen en ellas permanezcan separados el uno del otro. Con todo, puede construirse un puente sobre este abismo mediante suposiciones o definiciones que contengan conceptos de las dos clases. Un claro ejemplo de estos puentes es la definición de cosa, de Kant (y Mill, Mach, Carnap y Husserl), como una posibilidad de las experiencias o sensaciones. Un problema con esta pretendida reducción es, por supuesto, que la psicología es la única ciencia que estudia las sensaciones; más aún, intenta explicarlas como procesos del cerebro, los cuales se describen, a su vez, en términos de propiedades primarias. Otro problema de esta perspectiva es que, de manera demostrable, la física es irreducible a la psicología: nada más inténtese explicar el electromagnetismo y la física nuclear en términos, digamos, de la percepción, la memoria, la emoción o algo parecido.

3. Los fenomenismos: ontológico y gnoseológico

La doctrina filosófica que solamente admite fenómenos, o sea apariencias para alguien, se llama *fenomenismo*. Los fenomenistas no admiten los noúmenos, tales como las cosas o eventos que evocan nuestras sensaciones o los elementos que, aunque se considera que existen, nadie puede percibir. Piénsese, por ejemplo, en la colisión de las placas terrestres que causó el último terremoto, en los electrones que circulan por el ordenador del lector, en los disparos de las neuronas involucrados en la observación de la pantalla de su ordenador o en las oleadas de codicia y miedo detrás de las últimas fluctuaciones de la bolsa. Todas estas cosas —y muchas otras— se hallan más allá de las posibilidades del fenomenista, al igual que el universo como totalidad.

Sin embargo, han de distinguirse dos clases de fenomenismo: el ontológico y el gnoseológico. El fenomenista ontológico afirma que solamente *hay* fenómenos, en tanto que el fenomenista gnoseológico sostiene que solo podemos *conocer* los fenómenos. En otras palabras,

— *Fenomenismo ontológico: Existente = aparente*
— *Fenomenismo gnoseológico: Cognoscible = aparente*

El fenomenismo ontológico, tal como el de Berkeley, Renouvier, Avenarius, Mach, Ostwald, Carnap y Bohr, coloca al hombre en el centro del universo: es antropocéntrico. En contraposición, el fenomenismo gnoseológico, como el de Platón, Tolomeo, Hume, Duhem y Spencer, es menos radical. En efecto, este último nada dice acerca de la realidad, excepto que la declara incognoscible; restringe el conocimiento únicamente a la percepción. (Recuérdese la alegoría de la caverna de Platón: solo podemos ver las sombras proyectadas por las cosas reales, las cuales habitan el Reino de las Ideas.) Kant, como se verá más adelante, iba y venía entre las dos clases de fenomenismo, sosteniendo el primero en una página y el segundo en la siguiente.

El principal sucesor de Kant, Hegel, dejó los fenómenos a la ciencia y conservó para sí los noúmenos. En efecto, les dijo a los científicos que se limitaran a los fenómenos y las generalizaciones inductivas. Entre estas contaba las leyes de Kepler, que no entendió; más aún, afirmó que implicaban las leyes del movimiento de Newton (Hegel, 1969, sec. 270). Él, el Profesor Hegel, se encargaría de las cosas en sí, para revelarnos, por ejemplo, que «el aire *en sí mismo* es fuego» (1969, sec. 283) y que «el imán representa de forma simple e ingenua la naturaleza del concepto y en su forma desarrollada la de la deducción» (*ibíd.*, sec. 312). La salud mental de Hegel es dudosa. Lo que es cierto es que él, junto con Fichte y Schelling, adoptaron los peores componentes del apriorismo de Kant y fueron los primeros modernos en hacer pasar con éxito retorcidos sinsentidos por filosofía profunda.

Claramente, el fenomenismo ontológico implica el fenomenismo gnoseológico. En efecto, si solo hay fenómenos, entonces únicamente los fenómenos pueden conocerse. Además, ambos tipos de fenomenismo se oponen al realismo, la concepción de que el mundo externo existe por sí mismo y es cognoscible en cierta medida. Véase la figura 2.1.

4. Los qualia en el materialismo

Los realistas científicos y los materialistas emergentistas no niegan la existencia de los qualia. Además, saben que estos son bien diferentes de los objetos físicos y sus propiedades primarias. Por ejemplo, en tanto que las longitudes de onda que causan las sensaciones de color están ordenadas en un continuo lineal, los colores correspondientes pueden ordenarse en un círculo: véase la figura 2.2. Los realistas y lo materialistas emergentistas solo sostienen que los qualia emergen en un sistema ner-

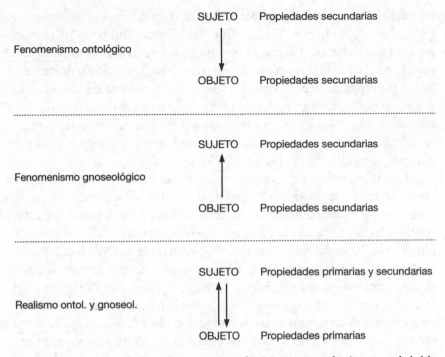

Figura 2.1. Los dos fenomenismos —ontológico y gnoseológico— y el doble realismo. Fenomenismo ontológico: el sujeto cognoscente construye el objeto, el cual es totalmente sensorial. Fenomenismo gnoseológico: el objeto, que es fenoménico, induce los fenómenos. Ninguno de los fenomenismos necesita las propiedades primarias. Realismo: los fenómenos emergen en la interfaz sujeto-objeto, como cuando percibimos una colina con césped de color verde o un caramelo de sabor dulce. Tanto el objeto como el sujeto poseen propiedades primarias, pero, desde luego, el sujeto cognoscente también percibe las propiedades secundarias además de las primarias.

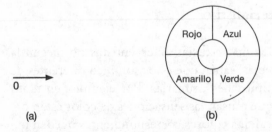

Figura 2.2. (a) La línea de longitud de ondas de la luz. (b) El círculo de los colores.

vioso, como resultado de estímulos externos. En consecuencia, proponen que los qualia sean estudiados por la psicología, en particular por la psicofísica y la neurociencia cognitiva, en lugar de por la filosofía apriorística. Tal como dice Clark (1993, p. viii), los académicos que apoyan este proyecto de investigación «no sostienen que las explicaciones actuales sean completas o, siquiera, verdaderas, sino solamente que el enfoque no contiene errores conceptuales y puede dar respuesta a las diferentes objeciones a priori. En resumen, podría tener éxito. Este hallazgo debería ser suficiente para derrotar al escéptico o, al menos, posponer el inicio de la melancolía».

Las personas como nosotros, acostumbradas a pensar en entidades inobservables tales como los átomos, campos de fuerza, moléculas de ADN, neuronas, dinosaurios, naciones y el universo como totalidad, pueden hallar difícil comprender cómo pensadores tan eminentes como Hume, Kant, Mill, Mach, Russell en una época, Bohr, Heisenberg y Born, por solo mencionar unos pocos, pudieron abrazar el fenomenismo. Esto es especialmente desconcertante en el caso de escépticos como Hume y los físicos atómicos como Bohr y su círculo. Tal vez esta incongruencia pueda entenderse poniendo la doctrina en cuestión en perspectiva histórica. Después de todo, el fenomenismo se ha usado a veces para poner en duda lo sobrenatural y para poner freno a la desbocada imaginación de los metafísicos. Viajemos, pues, unos pocos siglos atrás.

5. De la Revolución Científica a Locke

La historia de la Revolución Científica del siglo XVII ha sido contada miles de veces. Aquí solo recordaremos tres características filosóficas del gran movimiento que resultan pertinentes para nuestra materia. Estas características son las ontologías contra las cuales aquellos revolucionarios lucharon, la distinción entre cualidades primarias y secundarias y el concepto de ley de la naturaleza —o de conexión objetiva y necesaria— sin las cuales el mundo parece, según la frase de William James, «una confusión floreciente y zumbante».

Sostengo que, en tiempos de Galileo, Descartes, Harvey, Boyle y los otros pioneros de la ciencia moderna, había cuatro principales cosmovisiones: (a) la concepción mágica, que imagina el mundo atestado de seres sobrenaturales, (b) la ontología de sentido común o de conocimiento vulgar, centrada en los datos provistos por los sentidos, (c) el aristotelismo, que intenta dar razón de todo en términos de percepción, cualidades ocultas y clases de cuatro tipos (formal, material, final y eficiente) y (d) la emergente cosmovisión mecanicista, según la cual solo hay cuerpos y sus componentes microscópicos, junto con causas de una sola clase: eficientes.

Los héroes de la Revolución Científica no se preocuparon por criticar la concepción mágica del mundo: escribían para un público instruido. Las ontologías que los héroes de la Revolución Científica buscaban socavar eran la de sentido común y la de la versión escolástica de la física aristotélica. Los científicos llevaron a cabo su empresa de dos maneras: formulando una crítica de estas concepciones y reemplazándolas por hipótesis claras y pasibles de puesta a prueba —si bien no siempre verdaderas— acerca de las entidades materiales en movimiento, tales como el modelo del sistema solar de Copérnico, las ley de los gases de Boyle, la teoría de la luz de Huygens y la teoría del sistema cardiovascular de Harvey.

Pero la Revolución Científica fue mucho más que una colección de descubrimientos científicos: incluyó también una nueva cosmovisión, el mecanicismo, y una nueva gnoseología, el realismo científico. La raíz de ambas es la distinción entre propiedades primarias y secundarias. Las primeras son cualidades geométrico-mecánicas inherentes a las cosas y, por ende, objetivas. En contraposición, las propiedades secundarias son subjetivas: son las sensaciones y sentimientos causados por los objetos externos en seres sensibles como nosotros. Sin embargo, se entendía que esta diferencia era provisional, puesto que se suponía que, a fin de cuentas, las cualidades secundarias eran reducibles a las cualidades primarias, como cuando se explica la percepción en términos de átomos que penetran los órganos de los sentidos (Dijksterhuis, 1986, pp. 431-433).

Galileo propuso la distinción clave entre propiedades primarias y secundarias en *Il saggiatore* [*El escrutador*] (1953 [1623], p. 312). Allí sostenía que los sabores, olores, colores y otras sensaciones parecidas «residen únicamente en el cuerpo sensible, de tal modo que si un animal es eliminado, todas aquellas cualidades son eliminadas y aniquiladas». Por ejemplo, si alguien toca ligeramente la suela de nuestros pies, sentiremos unas cosquillas, una «condición que es solamente nuestra y no de la mano».

Siguiendo a Galileo (aunque sin citarlo), Descartes clarifica la distinción primario-secundario en diversos lugares de su obra. Por ejemplo, comienza *Le monde* [*El mundo*] (1664 [1663], pp. 7-10) con una discusión sobre la diferencia entre nuestras sensaciones y las cosas que las producen, precisamente la diferencia que los fenomenistas niegan. Allí, Descartes intenta —aunque lo hace en vano— dar razón de la combustión de un tronco en términos de "movimientos muy rápidos y violentos" de sus minúsculas partes. Descartes contrapone esta explicación mecánica a la verborrea vacía de los escolásticos que lo hacían en términos de la «forma» del fuego, la «cualidad» del calor y la «acción» que pretendidamente quema la madera, como si el fuego no fuera suficiente. Descartes añade que las sensaciones que causa el fuego en nosotros —tales como la calidez y el dolor— no son propiedades del fuego, aunque sí son causadas por él. Así pues, Descartes advierte contra la confusión de las cualidades secundarias con las primarias.

Crucemos ahora el Canal y adelantemos el calendario unas seis décadas para dar un breve vistazo a John Locke. También él adoptó la distinción de Galileo: era un realista ontológico y, más aún, ocasionalmente fue tentado por el materialismo, como cuando se preguntaba si la materia podía pensar. Locke pensaba que el que los cuerpos exteriores existiesen por sí mismos era algo obvio. Más aún, afirmaba que las cualidades primarias «son completamente inseparables del cuerpo, cualquiera sea el estado en que se encuentre» (Locke, 1690, libro II, sec. viii, p. 9). En contraposición, las cualidades secundarias tales como los colores, sonidos, sabores, etcétera, «no son nada que pertenezca a los propios objetos».

Con todo, también sostenía que «no podemos tener conocimiento distinto» de los movimientos de los cuerpos más allá de la experiencia, porque no comprendemos cómo causan las sensaciones que ocurren en nosotros, salvo por la intercesión de «un Agente infinitamente sabio». Por lo tanto, «somos completamente incapaces de alcanzar un conocimiento universal y cierto» de los cuerpos que nos rodean (*ibíd.*, libro IV, sec. iii, p. 28).

Poco sospechaba Locke que su escepticismo respecto de las capacidades de la ciencia estaba atrasado respecto de su época, ya que la Revolución Científica se encontraba por entonces bien avanzada. En particular, no sabía que la magna obra de Newton (1687), la cual contenía precisamente algunas de las leyes del movimiento que Locke había decretado incognoscibles, aparecía el mismo año que él acababa su *Essay* [*Ensayo*]. (Ambos hombres interactuaron, si bien solo brevemente y sobre asuntos de gobierno.) Afortunadamente, ni siquiera la gran autoridad intelectual de Locke pudo impedir la marcha triunfal del newtonianismo. Con todo, su escepticismo con respecto a la ciencia eclipsó la importante obra de su casi contemporáneo Thomas Willis, el neuroanatomista de comienzos de la modernidad que consideraba el cerebro como el órgano de la emoción, percepción y memoria (Zimmer, 2004). Este es un ejemplo más del daño que pueden causar los filósofos arrogantes.

¿Si Locke hubiese conocido la obra de Newton y sus sensacionales éxitos, hubiera adoptado una posición menos escéptica respecto del poder del intelecto para lograr conocer «las influencias mecánicas de los cuerpos»? Lo dudo por las siguientes razones. Primero, Locke no sabía suficiente matemática como la exigida para comprender y apreciar las fórmulas de Newton. Segundo, quienquiera que acepte la mecánica newtoniana debe abandonar el empirismo de Locke, a causa de que la primera incluye conceptos que como los de masa, aceleración e interacción gravitatoria no aparecen en los datos empíricos que se utilizan para contrastar la teoría. De manera irónica, Leibniz (1703) refutó el empirismo de Locke, pero rechazó la mecánica de Newton.

Sea como fuere, el escepticismo de Locke respecto de la ciencia, junto con su creencia de que solo Dios podía producir alteraciones en las conexiones entre las cosas, abrió de manera inadvertida la puerta a la filosofía subjetivista de Berkeley, de la cual diremos más a continuación.

6. La Contrarrevolución, fase 1: Berkeley

No todo el mundo aceptó la cosmovisión mecanicista que reemplazó el organicismo de Aristóteles. Después de todo, la concepción de que el mundo es un reloj parecía opaca y gris al excluir todo aquello que hace que la vida merezca ser vivida, desde los colores, sabores, texturas y perfumes, hasta los sentimientos, pasiones, ideas y valores. En consecuencia, era seguro que la mayoría de los artistas, teólogos y humanistas iban a reaccionar vehementemente contra el mecanicismo.

En general, se cree que la primera reacción antimecanicista y antirrealista fue el Romanticismo, desde Rousseau, Vico y Burke, hasta Goethe, Schelling, Fichte, Hegel, Schopenhauer y Coleridge. En realidad, la primera reacción tuvo lugar mucho antes y provenía de un flanco inesperado: se trataba del fenomenismo radical de Berkeley, Hume y Kant. En este sentido, los filósofos mencionados fueron los primeros románticos. Pero, desde luego, ellos eran pre-posmodernos, como diría Merton, en el hecho de que preconizaban la racionalidad, aun cuando defendiesen las doctrinas más estrafalarias.

La animadversión de Berkeley hacia el mecanicismo se reconoce, por lo general, a causa de sus explícitos e inteligentes ataques a la física y matemática de Newton. Pero a causa de que Hume ignoró la doctrina newtoniana y Kant la ensalzó de la boca para afuera y a causa de que ambos filósofos eran agnósticos, tendemos a olvidar que ambos eran tan subjetivistas como Berkeley. Peor aún, a menudo se nos dice que Hume y Kant fueron los filósofos de la nueva ciencia, en tanto que en realidad la socavaron sin entenderla en lo más mínimo Veamos por qué.

Como Locke, George Berkeley sostenía que conocer es percibir. Pero a diferencia de Locke, afirmaba también que existir es percibir o ser percibido, a lo cual más tarde añadió «actuar». En consecuencia, consideraba que la materia, con sus supuestas propiedades primarias, era una ficción de la imaginación. De hecho, Berkeley (1901, p. 260-261) afirmaba que «todo el coro del cielo y el moblaje del mundo, en una palabra todos los cuerpos que componen el poderoso marco del mundo, no poseen sustancia alguna sin una mente; que su ser es ser percibido o conocido; que, como consecuencia, en tanto y en cuanto no son efectivamente percibidos por mí o no existen en mi mente o en la de otro espíritu creado, o bien no poseen ningún tipo de existencia o bien subsisten en la mente de algún Espíritu Eterno».

Sin este supuesto, que puede confiarse en Dios para que mantenga el mundo funcionando mientras el sujeto está ausente o dormido, la filosofía de Berkeley no hubiese sido intelectualmente respetable. O sea, una versión secular de la filosofía de Berkeley hubiera sido aun más extravagante. Este es el caso de la fenomenología de Husserl, según la cual el mundo de las cosas «solo es una realidad presunta» en tanto que yo mismo (vale decir, el profesor Husserl) soy una realidad absoluta (Husserl, 1931, p. 145). Mientras que para Berkeley el mundo es una colección de perceptos humanos y divinos, para Husserl es "una idea infinita, [...] una síntesis completa de experiencias posibles" (Husserl, 1960, p. 62). Y, en tanto que la prosa de Berkeley es clara como el agua y lógicamente coherente, la de Husserl no es ninguna de las dos cosas. Por ejemplo, Husserl (1960, p. 86) afirma que la prueba del idealismo trascendental (no empirista) es la propia fenomenología. Y si bien sostiene que el mundo real es dependiente del sujeto, también asevera que se debe «volver a las cosas en sí mismas». Sin embargo, lo que quiere decir con "cosa" es complejo de sensaciones.

Más aún, Husserl sostiene que para captar la esencia de una cosa se ha de comenzar por fingir que la cosa no existe: se ha de realizar la *epochē* u operación de puesta entre paréntesis. De este modo, cierra sus *Meditaciones cartesianas* con una cita de San Agustín: «No deseéis salir; regresad a vosotros mismos». O sea, mirar hacia adentro, no alrededor de sí. Sin embargo, volvamos al maestro subjetivista, a quien tantos han copiado sin otorgarle el debido crédito.

El fenomenismo de Berkeley es ontológico así como gnoseológico. Y afirma que su perspectiva es de sentido común, pues a diferencia de las concepciones de los académicos y de los nuevos científicos, invoca únicamente los datos de los sentidos. Prefigurando a Hume y Kant, Berkeley también sostiene que no hay conexiones objetivas (independientes del sujeto) ni leyes: «Nada hay necesario o esencial [acerca de los cuerpos]: todo depende de la voluntad del Espíritu Gobernante» (1901, p. 316).

El subjetivismo de Berkeley es único en su fuerza, claridad y elegancia literaria. Es por ello que pasa por ser irrefutable, así como obviamente falso. Sin embargo, la filosofía de Berkeley es difícil de refutar únicamente si se admite su premisa —que conocer está restringido a percibir— y, como consecuencia, el poder de la teoría científica es puesto en tela de juicio. En efecto, el éxito de la mecánica newtoniana provee la refutación buscada, ya que si los astrónomos pueden utilizar esta teoría para predecir que Venus aparecerá ante nosotros primero como la Estrella de la Mañana y, hacia el final del mismo día en algún otro sitio, como la Estrella de la Tarde, entonces se debe admitir que conocen algo acerca de la materia que va mucho más allá del primitivo conocimiento de las cualidades secundarias que proveen los sentidos. Es decir, el pensamiento puede superar los límites de la percepción: esta es la razón por la cual las teorías, no los datos, constituyen la coronación de la ciencia moderna.

Con todo, un argumento aún más firme contra la identidad de las ideas y la realidad proviene no de los éxitos de la ciencia, sino de sus fracasos (Bunge, 1954). En efecto, el idealismo subjetivo queda refutado cada vez que una teoría no consigue dar razón de la conducta de algo. Únicamente el realismo científico da un lugar al error fáctico, o sea la discrepancia entre idea y hecho. Tal discrepancia no puede ser explicada por el subjetivismo, el intuicionismo o el empirismo. Y, con todo, el descubrimiento del error es uno de los grandes estímulos para sumarse a la investigación científica: una teoría completamente verdadera induce la complacencia y, así, el estancamiento. He aquí el motivo por el cual Rita Levi-Montalcini, la gran neurocientífica, titulara su autobiografía *Elogio de la imperfección*.

¿Qué pudo haber llevado a Berkeley a su estrafalaria teoría? No el empirismo *per se*, ciertamente, porque un empirista debe hacer lugar a la existencia autónoma del mundo externo, como en el caso de Sexto, Bacon, Locke y Hume. La fuente de la teoría de Berkeley puede ser la confusión de la existencia con los criterios para determinar si algo existe o no, una confusión de la ontología con la metodología. Así pues, ¿cómo sé que hay un rosal en el jardín? Porque puedo tocar, ver y oler esa planta. Parecería, pues, que efectivamente ser es ser percibido; hasta que el botánico examina la planta al microscopio y la somete a pruebas que muestran que posee muchas más propiedades primarias que secundarias, tales como la capacidad de absorber la luz, sintetizar azúcar y crecer por medio de la división celular.

La confusión entre la existencia y los criterios para determinar la existencia de Berkeley es la fuente de tres influyentes filosofías del siglo XX: el operacionismo, la teoría del significado por verificación y el constructivismo. El operacionismo (Bridgman, 1927) es una versión del positivismo lógico que puede resumirse en dos fórmulas: (a) el principio ontológico que afirma que *ser es ser medido* y (b) el principio semántico de que los conceptos científicos se «definen» (u obtienen su significado) por medio de operaciones en el laboratorio. Esta fue la filosofía de la ciencia dominante en la primera mitad del siglo XX. Sorprendentemente, era también la filosofía que subyacía a la llamada interpretación de Copenhague de la mecánica cuántica, según la cual los átomos y otras entidades parecidas no existen mientras nadie los «observe» (por ejemplo, Bohr, 1958; Heisenberg, 1958, y Bunge, 1959b).

La falsedad del principio (a) se ve claramente al reflexionar sobre los siguientes contraejemplos. Hay diversas maneras de medir el tiempo, pero solo hay un concepto (clásico) de tiempo. En cuanto al principio (b), en una teoría dada no todos lo conceptos son definibles: algunos de ellos, los definidores, son básicos o primitivos. Además, definir es una operación conceptual, no empírica. Por ejemplo, el velocímetro mide el valor de la velocidad, que en física clásica se define como distancia sobre tiempo. Dicho sea de paso, el diseño mismo de un instrumento como el mencionado involucra fragmentos de teoría física, entre ellos la definición de velocidad.

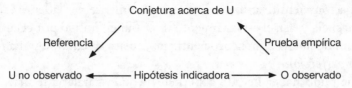

Figura 2.3. Una conjetura acerca de una característica inobservable *U* se pone a prueba por medio de una hipótesis indicadora de la forma *U = f(O)*, donde *O* es un rasgo observable.

La teoría del significado por verificación (véase, por ejemplo, Ayer, 1959) afirma que el significado de un enunciado no lógico consiste en las operaciones a través de las cuales ese enunciado es verificado. Según esto, la puesta a prueba precedería el significado, lo cual es falso, desde luego, ya que debemos comprender (el significado de) un enunciado antes de siquiera imaginar cómo ponerlo a prueba. Nada más piénsese en la empresa de poner a prueba, digamos, la ley fundamental de la electrostática, vale decir «$\nabla^2\varphi = 4\pi\rho$», antes de averiguar lo que estos símbolos significan y antes de disponer de indicadores observables o «definiciones operacionales» del gradiente potencial $\nabla\varphi$ y la densidad de carga eléctrica ρ. La secuencia correcta es Significado-Puesta a prueba, no al revés (véase Bunge, 1974b). Además, tal como hemos mencionado antes, las puestas a prueba empíricas involucran hipótesis indicadoras, o sea puentes entre los inobservables, tales como los desórdenes nerviosos, y los observables, tales como los desórdenes de la conducta. Véase la figura 2.3.

Finalmente, el constructivismo se presenta en cuatro variantes: (a) ontológico o propio de Berkeley, que afirma que las cosas son cúmulos de percepciones; (b) social, que afirma que los hechos científicos son construcciones sociales en lugar de hechos que ocurren en el mundo externo; (c) psicológico o piagetiano, que sostiene que, a medida que crecen, los niños por sí mismos construyen los conceptos de objeto, tiempo, conservación del número, etcétera, y (d) pedagógico, es decir el que sostiene que ha de permitirse al alumno aprender por sí mismo, con una guía mínima.

Ya hemos tratado del constructivismo ontológico y concluimos que se trata de la doble alucinación de que el sujeto es el centro del universo y que puede haber observaciones sin cosas observadas o fenómenos sin noúmenos. Este es el constructivismo clásico o individualista. Su sucesor contemporáneo es el constructivismo social (por ejemplo, Beger y Luckman, 1966; Latour y Woolgar, 1986; Knorr-Cetina, 1981; Collins, 1998). Se trata de la opinión de que (a) las comunidades científicas —no los investigadores individuales— descubren e inventan y (b) esos grupos no solo construyen ideas y experimentos, sino también los objetos que estudian. Así pues, Woolgar (1988, p. 65) afirma que: «La representación hace surgir el objeto». ¿La representación de qué? ¡Del objeto, por supuesto! Por falta de rigor lógico, la sociología del conocimiento que fuera una vez una prometedora disciplina (Merton, 1973) se ha convertido en una extravagancia.

Esto no equivale a negar que los científicos estén incluidos en redes sociales de varias clases, de tal modo que cada uno se halla en deuda con varios otros. Tampoco equivale a negar que las ideas científicas sean construcciones activas y sofisticadas, en lugar de respuestas automáticas a los estímulos ambientales. Pero también es difícil negar que los únicos que pueden pensar son los individuos y que los científicos naturales y sociales estudian solamente elementos externos, tales como los terremotos y las emociones que nuestros congéneres humanos sienten. Entre los muchos hechos que vale la pena estudiar, están los graves problemas sociales de la ciencia, tales como la escasez de financiamiento, la declinación del reclutamiento en los programas científicos, la distorsión de problemas y resultados causados por la influencia de intereses económicos y políticos y el atractivo popular de las seudociencias y las filosofías anticientíficas. Pero los constructivistas sociales pasan por alto estos problemas: están mucho más interesados en criticar la ciencia que en defenderla.

Echemos un vistazo, finalmente, a las dos restantes variedades de constructivismo: psicológico y pedagógico. El primero es una importante teoría científica. Su interés filosófico radica en que se opone a la concepción empirista de que todos los constructos son destilaciones de la experiencia. Es cierto, cuando escribía sobre «la construcción de la realidad por el niño» Piaget sonaba como si hubiese adoptado el subjetivismo de Berkeley. Pero su investigación muestra que se trataba de un realista. Trataremos el constructivismo pedagógico en la sección 9 del capítulo 3. Aquí bastará decir que es tan extravagante como el de Berkeley, solo que aun más destructivo, porque implica que los maestros son prescindibles.

Ahora volvamos a las fuentes, en el siglo XVIII, de todas estas extravagancias filosóficas.

7. La Contrarrevolución, fase 2: Hume

Como Locke y Berkeley antes de él, David Hume fue un empirista radical. Pero a diferencia de Berkeley, Hume (1888 [1734], p. 168] admitía que «las operaciones de la naturaleza son independientes de nuestro pensamiento y razonamiento». Sin embargo, negaba la diferencia entre las cualidades primarias y secundarias. En efecto, afirmaba que «los colores, los sonidos, el calor y el frío, en tanto y en cuanto aparecen a los sentidos, existen de la misma manera que el movimiento y la solidez» y que «la diferencia entre ellos no está fundada ni en la percepción ni en la razón, sino en la imaginación» (*ibíd.*). En consecuencia, Hume pensaba que no tenemos una idea satisfactoria de materia (*ibíd.*, p. 229). Así, su fenomenismo, como el de Protágoras, era gnoseológico, no ontológico: la materia bien puede ser que exista, pero no podemos conocerla porque los órganos de los sentidos son los únicos órganos de cognición y todo el conocimiento proviene de la percepción.

A pesar de que Hume escribe sobre las leyes de la naturaleza, las considera inducciones a partir de observaciones y, como tales, superficiales y contingentes: «La naturaleza nos mantiene a una gran distancia de sus secretos y nos ofrece únicamente el conocimiento de unas pocas cualidades superficiales de los objetos» (Hume, 1902 [1748], sec. IV, pt. II). Hume va tan lejos como para cuestionar explícitamente la mecánica newtoniana, dado que esta va más allá de los datos de los sentidos: «La vista o la sensación transmiten una idea del movimiento real de los cuerpos, pero en lo referente a esa maravillosa fuerza o poder que mantendría un cuerpo en movimiento en un continuo y eterno cambio de sitio; y que los cuerpos nunca pierden sino que la comunican a otros; de esto no podemos formarnos ni la más remota idea» (*ibíd.*).

Si las leyes de la naturaleza no son necesarias, entonces puede ocurrir cualquier cosa. Esto es lo que Hume afirma en el pasaje más famoso de su *Enquiry* [*Indagación*]: «Lo contrario de toda cuestión de hecho es siempre posible y, como nunca puede implicar contradicción, el espíritu lo concibe tan distinta y tan fácilmente como si se conformara en todo a la realidad. "*El sol no saldrá mañana*" no es una proposición menos inteligible ni implica mayor contradicción que "*el sol saldrá mañana*". En vano intentaríamos, pues, demostrar su falsedad» (Hume, 1902, sec. IV, pt. I). No sorprende que David Lewis (1986), un paladín de la metafísica de la pluralidad de mundos, fuese también humeano. (Más acerca de esto en el capítulo 8, sección 9 y en el capítulo 9, secciones 4 y 5.)

¡Qué lejos está esto de la tesis de los fundadores de la ciencia moderna, todos los cuales confiaban profundamente en la legalidad y buscaban leyes constantes y mecanismos imperceptibles detrás de las fugaces apariencias! Recuérdese, por ejemplo, cómo pensaba Descartes (1664) acerca de la creación: Dios creó la materia, le impuso las leyes del movimiento y, en adelante, se mantuvo apartado. No puede haber milagros en su mundo o en el de Galileo, mientras que en el de Hume puede ocurrir cualquier cosa. En tanto que Galileo, Descartes y Newton concebían el universo como un reloj que se daba cuerda a sí mismo, Hume lo veía como un mosaico de impresiones sensoriales, que es también, presumiblemente, la manera en que los primitivos humanos lo veían.

Los científicos, a diferencia de los escritores de ficción y los metafísicos de la pluralidad de mundos, distinguen claramente entre las posibilidades real y conceptual. Un hecho es realmente posible únicamente en el caso de que sea compatible con las leyes de la naturaleza (sean estas causales, probabilísticas o mixtas). De otro modo, ese hecho es realmente imposible, salvo en la ficción. De ahí que los científicos se abstengan de poblar el universo con entidades completamente ficticias. Porque, como escribió Saki alguna vez, «cuando se ha admitido lo Imposible en los cálculos, sus posibilidades se vuelven prácticamente ilimitadas».

La cosmovisión de Hume admite los milagros: en este sentido, el justamente celebrado escéptico es casi tan crédulo como el piadoso religioso al que criticaba. La peculiaridad de los milagros de Hume es que son seculares, no religiosos. Presumiblemente, habría tolerado la creencia de que, llegado el caso, podrían observarse cerdos voladores, ya que serían visibles. Del mismo modo, Hume hubiese alentado la investigación del "des-revolverse" espontáneo de los huevos y de la telepatía, ya que hubiese puesto en duda que alguna ley de la naturaleza pudiese «prohibir» tales procesos. Resulta tentador especular que Hume hubiese sido atraído por muchos de los proyectos seudocientíficos que se llevaban a cabo en la Academia de Lagado de Jonathan Swift.

Es verdad, como se sabe, que Hume caracterizó los milagros como violaciones de las leyes de la naturaleza. Sin embargo, adoptó la concepción primitiva de las leyes, vale decir la de que son sucesiones regulares de fenómenos, tales como la secuencia de los días y las noches, sin pista alguna del mecanismo y, como consecuencia de ello, carentes de capacidad explicativa. Este es exactamente el modo en que los hombres primitivos y antiguos veían las regularidades naturales: «[Para los hombres primitivos y antiguos,] los cambios pueden explicarse de manera muy simple como dos estados diferentes, de uno de los cuales se dice que surge a partir del otro sin insistencia alguna en un proceso inteligible; en otras palabras, a modo de una transformación, una metamorfosis» (Frankfort *et al.*, 1949, p. 27). De tal modo, «el programa fenomenista de dar razón de la sucesión invariable de manera puramente descriptiva, sin indagar el "mecanismo" de cambio, es, de hecho, característico de una cultura poco desarrollada en lugar de ser propia de la etapa "positiva" de la humanidad» (Bunge, 1959a, p. 73).

Las leyes dinámicas que subyacen a las *fluxus formae** se hallaban fuera del alcance de Hume, a causa de que se referían a hechos detrás de las apariencias, así como porque su comprensión exige un poco de matemática, la cual estaba por encima de las posibilidades de comprensión de Hume. Las ecuaciones del movimiento de Newton-Euler, que Hume no podía ni leer ni aceptar, son un ejemplo de ello. Una consecuencia particular de estas ecuaciones es que el espín de un objeto en rotación, sin fricción, como por ejemplo nuestro planeta, es una constante del movimiento. A su vez, esta invariación implica que la sucesión regular de los días y las noches es necesaria, no contingente, suponiendo, claro, que nuestro planeta no sea impactado por un meteorito de gran tamaño. En consecuencia, que el Sol saldrá mañana no es solo un frágil pronóstico basado en una mera generalización inductiva a partir de un número finito de observaciones: es un rasgo de un proceso necesario «gobernado» por leyes.

Hume excluyó lo sobrenatural solo porque es inaccesible a los sentidos: «La hipótesis religiosa, por lo tanto, ha de considerarse únicamente como un método particular para dar razón de los fenómenos visibles del universo; pero ningún pensador cabal presumirá jamás de haber inferido a partir de esta hipótesis ni un solo hecho singular, o modificar o añadir a los fenómenos ni lo más mínimo» (1902, sec. XI). La religión es, en el mejor de los casos, inútil para comprender la experiencia. Sin embargo, el fenomenismo no nos protege de la superstición secular. Más aún, coloca las fuerzas y los átomos en el mismo nivel que los dioses y los fantasmas. Así, irónicamente, el fenomenismo mata a la ciencia y a la reli-

---

* Cuerpos en movimiento. [*N. del T.*]

gión con la misma piedra. Y por esta razón, por su escepticismo religioso, se considera a Hume un miembro de la Ilustración, a pesar de su escepticismo científico. Lo mismo vale para Kant, a quien volveremos ahora nuestra mirada.

8. La Contrarrevolución, fase 3: Kant

Es bien sabido que Kant comenzó siendo realista: tanto que se preguntaba acerca de la evolución de las «nebulae» (nuestras galaxias), un problema original en aquella época. De hecho, en 1755 Kant publicó su *Historia general de la naturaleza y teoría de los cielos*, la cual contenía la valiosa hipótesis de Kant-Laplace, así como la conjetura falsa de que el sistema solar es estable a causa de que la fuerza gravitatoria es equilibrada por una fuerza repulsiva que no tenía sitio en la astronomía estándar. (Kant, como Hume, no pudo leer a Newton porque no sabía matemática superior.)

Sin embargo, su ambición de hacerse un nicho académico llevó a Kant a empaparse del sistema especulativo de Christian Wolff. Esta fue la perdición de Kant, no a causa de que Wolff fuese un filósofo sistemático, como se ha dicho, sino porque era un seguidor de segunda línea del gran Leibniz. Al desechar el bagaje metafísico de Leibniz, en particular su doctrina de las mónadas, Kant probablemente pasó por alto los *Nouveaux essais* [*Nuevos ensayos*] del gran hombre, publicados en 1756, pero escritos en 1704, los cuales, en mi opinión, constituyen la refutación definitiva de la gnoseología empirista de Locke. Al mismo tiempo, Kant dejó de interesarse por la historia natural y solo leyó a otros filósofos, una costumbre que ha continuado hasta nuestros días.

Kant nos dice que la lectura de Hume lo despertó de lo que llamó «letargo metafísico». Lo que se sabe menos es que su fenomenismo es aun más radical que el de Hume. En algunas partes era, en efecto, ontológico así como gnoseológico y, por lo tanto, más cercano al de Berkeley. (Recuérdese la diferencia entre las dos variedades de fenomenismo: sección 3.) De hecho, Kant (1787, p. B724) aseveraba que «*die Welte ist eine Summe von Erscheinungen*», o sea «el mundo es una suma de apariencias».

Permítaseme repetirlo: según Kant, el mundo está hecho de apariencias, vale decir de hechos tal como son percibidos por un sujeto, no de hechos en sí mismos. Como consecuencia, la existencia del mundo dependería de la de los seres sensibles. Abreviando: sin seres sensibles no hay universo. Como ha dicho Norbert Elias (2000, p. 475), el sujeto de conocimiento kantiano, encerrado en su concha apriorística, jamás puede abrirse camino hasta la cosa en sí: el suyo es un *homo clausus*. Esta ficción, central en el individualismo, se ha difundido por toda la gnoseología moderna desde Descartes y a los estudios sociales desde alrededor de 1870, cuando fue utilizada y popularizada por los microeconomistas neoclásicos. Aparece también en la filosofía neokantiana del influyente sociólogo Max Weber, aunque no en su obra científica, que es rigurosamente realista.

Con todo, Kant es un hueso duro de roer, dado que a veces vacila y se desdice. En efecto, en la misma página B724 de su gran trabajo admitió que hay cosas en sí, diferentes de nuestras experiencias y, más aún, que estas son los «fundamentos y causas» de los fenómenos. Como ha dicho Torretti (1967, p. 490), el efecto es unas veces patético y otras casi cómico.

En todo caso, cuando Kant admite la existencia de cosas fuera de nuestra mente, lo hace de un modo reticente, pensando que tal admisión debe hacerse como un acto de fe en lugar de como un acto fundado ya sea en la experiencia o la razón. En efecto, en el prefacio de la segunda edición de su primera *Crítica*, Kant afirma que es «un escándalo para la filosofía y para el entendimiento humano en general que debamos admitir basándonos solo en la fe [*bloss auf Glauben*] la existencia de cosas fuera de nosotros» (1902, p. B xxxix). Pero es incongruente, puesto que en otras partes de la misma obra nos dice que el espacio y el tiempo están en la mente y, puesto que también afirma que todas las cosas están en el tiempo y en el espacio, de ello se sigue que todas las cosas están en la mente.

9. Conclusión de Kant: ni naturaleza ni Dios

Un realista da la naturaleza por sentada y puede preguntarse cómo es posible el conocimiento de ella. En contraposición, Kant, el subjetivista, pregunta cómo es posible la propia naturaleza y responde en sus *Prolegomena* (2002, p. 110): «por medio de la constitución de nuestra sensibilidad». En consecuencia, las leyes de la naturaleza son solo las leyes de las conexiones de las apariencias (*ibíd.*, p. 111). Además, «*el entendimiento no obtiene sus leyes (a priori) de la naturaleza, sino que las pres-*

cribe a la naturaleza» (*ibíd.*, p. 112, el énfasis es de Kant). Si el lector tiene dudas acerca de la existencia autónoma de las cosas no sensibles, consulte a Natorp (1912, p. 94), uno de los neokantianos más prominentes. Natorp nos asegura que para Kant la cosa en sí es solo «una experiencia posible». En consecuencia, sin perceptor no hay cosa, exactamente lo que había sostenido Berkeley.

Lo anterior no es solo una divertida excentricidad académica, es escandaloso, tal como dijera Kant, porque la realidad independiente del mundo es presupuesta por todo aquel, sea un gatito o sea un científico, que se propone explorar el mundo que lo rodea, ya sea que esté motivado por la pura curiosidad o por sobrevivir. El animal que no es curioso no aprende mucho y no tiene muchas oportunidades de percatarse de los depredadores o las potenciales parejas, o de descubrir comida o un refugio. En otras palabras, ya sea que podamos comprobar la existencia del mundo exterior, ya sea que no, debemos reconocer que tal existencia es nada menos que una precondición de la supervivencia y una presuposición de la investigación. Volvamos, sin embargo, al argumento fenomenista.

Al no ser perceptibles, el espacio, el tiempo y la causalidad son otras tantas víctimas de la reducción fenomenista. De hecho, Kant las declara subjetivas, aunque necesarias para la experiencia y, por ende, previas a ella. En efecto, según Kant, no podemos experimentar sonidos, olores, colores o texturas salvo con esas categorías a priori como trasfondo. Asimismo, el plan de Kant no admite las leyes de la física y la química, puesto que estas solo interrelacionan propiedades primarias de entidades materiales. (En verdad, hasta hace algunas décadas los químicos enumeraban las propiedades «organolépticas» o secundarias de las sustancias, pero solo como indicadores prácticos útiles para identificarlas rápidamente en el laboratorio.)

De este modo Kant completaba la radical contrarrevolución de la filosofía iniciada por Berkeley y continuada por Hume, salvo que, paradójicamente, él le llamó "revolución copernicana". Nótese que Kant construyó su filosofía centrada en el sujeto un siglo después de la gran obra de Newton, la cual coronó la concepción del mundo como el reloj supremo. También había pasado más de un siglo y medio desde que Galileo y Descartes ofreciesen sus argumentos de que el mundo está compuesto exclusivamente por cosas materiales y que las cualidades secundarias están en nosotros, no en el mundo externo. Poco podía sospechar

Kant que su subjetivismo sería reinventado dos siglos más tarde en combinación con el sociologismo y con el nombre de "constructivismo social" por académicos que difícilmente lo hayan leído alguna vez (recuérdese la sección 6).

La ciencia moderna no es la única víctima de la masacre fenomenista de Kant. Irónicamente, otra víctima es la religión, ya sea teísta o deísta. En efecto, Kant afirma que «el concepto de una inteligencia superior es una mera idea [*eine blosse Idee*]» (p. B698); y una vez más: la idea de un «ser superior y causa suprema» es solo «un mero algo en la idea, de la cual no tenemos idea de qué es en sí» (p. B707). Ahora bien, normalmente se considera ateo a todo aquel que, como Kant, sostiene que Dios es una idea en lugar de un ser real. Pero Kant iba y venía entre el ateísmo y el agnosticismo, del mismo modo que iba y venía con respecto a la existencia de las cosas en sí. En efecto, antes, en el mismo libro (p. B 481 y ss.) había afirmado que no podemos decidir entre la tesis de que el mundo contiene un ser necesario, vale decir Dios, y su antítesis.

En verdad, pocos años después, en su *Crítica de la razón práctica* (1788), Kant sostuvo que la creencia en la existencia de Dios es un postulado de la razón práctica; quizá sea esta una manera de decir que aun cuando Dios no existiese, sería prudente fingir que sí existe. De este modo, Dios entró en la filosofía de Kant por la puerta de atrás y nunca pasó más allá de la cocina. Más aún, Kant trazó una sólida línea entre el conocimiento y la creencia, especialmente la creencia religiosa. El sujeto cognoscente, no Dios, era el centro del mundo de Kant. Fichte llevó esta blasfemia todavía más lejos: sostuvo aun más claramente que el yo es la fuente de la realidad y añadió que la ventaja de esta perspectiva es que garantiza la libertad de la voluntad (suponiendo, es de presumir, que esta sea lo bastante fuerte como para mantener alejados al acreedor y al verdugo).

El escepticismo religioso de Kant no pasó desapercibido en su propia época. De hecho, su soberano, Federico Guillermo II, Rey de Prusia, le escribió el 1 de octubre de 1794 que la publicación de semejantes ideas constituía una abdicación de su responsabilidad como maestro (Kant, 1913, 3, pp. 48-49). En consecuencia, el rey exigió a su súbdito que se abstuviese de formular más expresiones de esa clase y amenazó con que, si Kant insistía, sería sometido a «procedimientos desagradables». El 12 de octubre del mismo año, el profesor, como funcionario público que era, prometió humildemente a su rey abstenerse de formular más expresiones acerca de la religión. Kant mantuvo su palabra durante el resto de la vida del rey. Pero no engañó a sus contemporáneos: algunos de ellos lo consideraban el primer ateo alemán. Solamente algunos historiadores de la filosofía han tenido la impudicia de sostener que el Kant adulto mantuvo el fideísmo de sus padres.

10. Comentarios finales

El fenomenismo restringe la realidad a una minúscula porción de ella, es decir a la colección de apariencias o experiencias preanalíticas. En consecuencia, deja fuera —ya sea de la existencia (fenomenismo ontológico), ya sea del conocimiento (fenomenismo gnoseológico)— la mayor parte del universo. Por ejemplo, un fenomenista dirá que el césped *es* verde, en tanto que un realista dirá que *se ve* verde *a nuestros ojos, cuando está iluminado por la luz blanca*. Además, el realista puede explicar por qué esto es así: porque el césped absorbe la luz de todas las longitudes de onda, excepto de aquellas que causan la sensación de verde en el sistema visual primario de una persona normal. El realista puede también formular ciertas preguntas interesantes que el fenomenista no puede, tales como: ¿en qué etapa de la evolución emergió la percepción (como algo diferente de la mera sensación o detección)? y ¿cómo es posible para la física y la química estudiar un único universo nouménico (material), tan completamente diferente del universo fenoménico?

Más aún, en tanto que el realista supone un único universo nouménico, el fenomenista debe vérselas con tantos mundos fenoménicos como organismos sensibles haya, a menos que se trague la píldora solipsista. Por ejemplo, dirá que aquello que el lector ve como un conejo, él lo ve como un pato y que esta ambigüedad no puede resolverse a causa de que la naturaleza no contiene ninguno de estos animales: ambos están solamente en la mente del sujeto. Pero, desde luego, el cazador, el granjero, el carnicero, el cocinero y el zoólogo seguramente se reirán del aprieto en que se halla el fenomenista: saben que hay conejos y patos reales allí fuera.

Un correlato metodológico del fenomenismo es el descriptivismo. Se trata de la perspectiva que sostiene que ha de preferirse la descripción a la explicación, porque (a) esta última va necesariamente más allá de los fenómenos y (b) no puede haber enunciados legales porque no hay conexiones ni patrones objetivos, solo conjunciones constantes y secuencias regulares. Según esta concepción, las generalizaciones tales como que la noche sucede al día, beber agua calma la sed o los pellizcos duelen no necesitan explicación; se trata de inducciones bien confirmadas. En contraposición, el realista considera estas generalizaciones empíricas como datos (dados) que deben ser explicados por medio de leyes de nivel superior que incluyan conceptos transfenoménicos, tales como los de campo, gen y nación. Puesto que la investigación científica en su máxima expresión es la búsqueda de leyes objetivas, el fenomenismo es inconsistente con la ciencia. Por suerte, algunos fenomenistas no se han percatado de esta contradicción y han producido buena ciencia.

Afortunadamente, la ciencia natural ya había alcanzado su madurez y prestigio a mediados del siglo XVIII, de tal modo que no fue mutilada ni por el idealismo subjetivo de Kant ni por el idealismo objetivo de Hegel. Pero los estudios sociales estaban aún en un estado embrionario y fueron gravemente distorsionados por las filosofías idealistas de Kant y Hegel, especialmente por la de Dilthey. Ello puede verse, por ejemplo, en la tesis, común al individualismo metodológico y la hermenéutica, de que la tarea del científico social no es estudiar sistemas sociales, tales como familias, escuelas, empresas y organizaciones políticas, sino intentar «comprender» o «interpretar» los valores e intenciones de agentes individuales racionales aislados. (Acerca de la furtiva convergencia entre la hermenéutica y la teoría de la decisión racional, véase Bunge, 2003a.)

Una consecuencia del enfoque idealista e individualista es, desde luego, que las grandes transformaciones sociales, tales como la industrialización, militarización, colonización, secularización, feminismo, sindicalismo, concentración de capital y globalización, se pierden de vista. Así pues, no se trata de una coincidencia que Max Weber, quien pasa por ser el fundador de la sociología moderna, se haya perdido todas las grandes transformaciones de su propio tiempo, tales como el surgimiento del imperialismo y la democracia. También se perdió el surgimiento de la ciencia y la tecnología, las cuales son los motores culturales de la sociedad moderna. En su lugar, estaba obsesionado con la religión, los líderes carismáticos y la legitimidad del poder político. En contraposición, el materialismo histórico —una vez que se lo hubo purgado de la dialéctica, el economicismo y el determinismo laplaceano— ha ejercido un papel decisivo y una influencia saludable en la historiografía (véase Barraclough, 1979), la antropología (véase Harris, 1979) y la arqueología (Trigger, 2003b).

Hay varias razones que sustentan la superioridad de la concepción realista-materialista de la sociedad respecto de la concepción subjetivista-idealista. Una de ellas es que las personas deben trabajar para comer y que han de haberse alimentado antes de que puedan pensar. Otra razón es que, siguiendo la exhortación de Durkheim (1901, p. 77), «los hechos sociales deben tratarse como cosas», o sea de manera objetiva. La tercera razón es más sutil: «En historia solo hay una cosa absolutamente *segura*: todo lo particular es más o menos dudoso» (Tocqueville, 1985, p. 351). Por ejemplo, todos sabemos que la Gran Depresión ocurrió, pero nadie sabe con certeza qué la desencadenó y mucho menos qué fatídicas decisiones tomaron sus principales protagonistas.

En resumen, el antirrealismo no solo es falso, también obstaculiza el estudio de la realidad. Con todo, esto no ha impedido su difusión, a causa de que el valor de una filosofía rara vez se mide por su contribución al avance del conocimiento. En efecto, si hay algo que el antirrealismo tiene es que se ha hecho más popular en nuestros días de lo que era tres siglos atrás. Sin embargo, este tema merece un nuevo capítulo.

3

El antirrealismo en la actualidad: el positivismo, la fenomenología y el constructivismo

Las historias de la filosofía ortodoxas sugieren que la línea de Kant se extinguió con los ahora olvidados filósofos neokantianos, tales como Lange, Vaihinger, Natorp, Cohen, Windelband, Rickert (el mentor filosófico de Weber), Cassirer y Bauch (quien fuera director de tesis de Carnap). Sostengo, en cambio, que el subjetivismo de Kant fue una fuente de la que abrevaron varias escuelas más, algunas de las cuales han sido mucho más influyentes que el neokantismo ortodoxo. Estas escuelas son el subjetivismo radical de Fichte y Schopenhauer, las doctrinas positivistas clásicas de Comte y Mill, la combinación de pragmatismo y relativismo de Nietzsche, el pragmatismo (o instrumentalismo) desde William James (pero no el de Charles S. Peirce) y John Dewey en adelante, el ficcionismo de Vaihinger, la fenomenología de Husserl y la sociología fenomenológica de Schutz, el positivismo lógico desde Mach hasta el Círculo de Viena y sus sucesores y el constructivismo-relativismo que Kuhn y Feyerabend revivieron y pusieron de moda en la década de 1960.

Más aún, Kant, junto con Hegel, ejerció una fuerte influencia sobre el movimiento hermenéutico, el cual incluye a Dilthey, Husserl, Heidegger, Gadamer, Habermas, Ricoeur y Derrida, entre otros (véase Mueller-Vollmer, ed., 1989). Este movimiento aprovechó la dicotomía entre mundo natural y cultural de Kant. Dilthey, especialmente, deseaba que los estudios sociales cambiaran el foco de su atención de los hechos sociales objetivos a los actores involucrados en estos hechos, del comercio a los comerciantes, de la guerra a los guerreros y de la organización política a los políticos. Este es el motivo de que los hermenéuticos afirmen que el mundo cultural (social) ha de comprenderse de manera muy diferente a la del mundo natural, vale decir a través de la *Verstehen* (comprensión, interpretación) de las acciones individuales.

Esta peculiar operación consistiría en captar el «significado» (intención, objetivo) de la conducta y los textos. En consecuencia, el estudio de la vida social sería una *Geisteswissenschaft*, o sea una ciencia del espíritu (o ciencia de la cultura). De ello proviene, también, la indiferencia de los hermenéuticos hacia todo lo que se halle fuera del triángulo Mundo-Significado-Interpretación. De este modo, el ambiente, el trabajo manual, la escasez, la pobreza, la opresión, la segregación y la guerra caen fuera de la incumbencia de la hermenéutica. Únicamente *das Höhere*, el Supremo, es digno de la atención de *Herr Professor*. Déjense las miserias de la vida cotidiana a los seres inferiores. (Más sobre ello en Bunge, 1996.)

En resumen, la filosofía de Kant engendró tres líneas principales: el neokantismo, el positivismo clásico —que a su vez dio origen al positivismo lógico— y la filosofía romántica alemana, la cual, a su debido tiempo, engendró la hermenéutica filosófica: véase la figura 3.1.

Todas las filosofías anteriormente mencionadas rechazaron las tesis hilorrealistas de que el mundo externo es material y existe por sí mismo y que la ciencia puede captar la realidad. Sin embargo, de todas las filosofías descendientes de la de Kant, el positivismo fue la única que no hizo concesiones al irracionalismo y que proclamó su amor a la ciencia. Más aún, algunos de los positivistas, tales como Mill, Mach, Parson, Duhem, Bridgman y Bohr, eran científicos sobresalientes que dejaron mar-

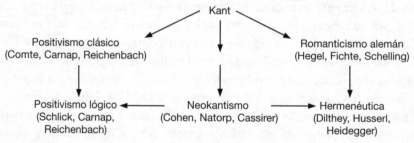

Figura 3.1.

cas mucho más profundas en la ciencia y su filosofía y aun en la cosmovisión predominante, que los autoproclamados filósofos neokantianos, lo cuales, a excepción de Ernst Cassirer, jamás llegaron al público.

La mayor parte de este capítulo estará dedicada a reanalizar el positivismo lógico, también conocido como empirismo lógico, neopositivismo o solo positivismo. Un realista científico como este autor puede entablar un diálogo fructífero con un positivista a causa de que ambos comparten dos importantes principios: los de racionalidad y cientificismo. El primero afirma que todas las ideas son pasibles de discusión racional, en tanto y en cuanto sean lo bastante claras. El segundo principio sostiene que la mejor manera de estudiar los hechos, sean estos naturales o sociales, consiste en usar el método científico.

Una buena razón para examinar el positivismo nuevamente es que todavía es la filosofía explícita de la mayoría de los científicos experimentales. En efecto, cuando se hallan en vena didáctica, estos afirman que lo que guía la investigación son los datos. Olvidan, desde luego, que no apilan los datos de un modo descuidado, sino que siempre utilizan hipótesis más o menos explícitas. De ordinario, los datos se buscan o producen a la luz de algunas hipótesis y estas, a su vez, son controladas mediante las pruebas empíricas pertinentes. Así pues, ni los datos ni las hipótesis tienen la última palabra.

Otra razón para examinar una vez más el positivismo es que a menudo se lo confunde con el realismo o incluso con el materialismo. De hecho, aproximadamente entre las décadas de 1870 y 1930 lo que se tenía por positivismo era en realidad una mezcolanza de positivismo propiamente dicho, cientificismo, evolucionismo (el de Spencer o el de Haeckel más que el de Darwin), materialismo, naturalismo y energismo. Todo aquel que admiraba la ciencia y rechazaba la religión organizada se llamaba a sí mismo positivista. Todo esto vale para México, Río de Janeiro y Buenos Aires tanto como para Londres, París y Berlín (véase Biagini, ed., 1985).

Todo esto cambió en 1927, con la fundación del Círculo de Viena, el cual reclamó la herencia de Hume y Mach. (Kant no se podía mencionar a causa de sus desatinos matemáticos y científicos, pero su fenomenismo fue adoptado de manera íntegra.) Los miembros del Círculo, los positivistas lógicos, sostenían haber superado los dilemas realismo/antirrealismo y materialismo/idealismo. En particular, sostenían que la pregunta sobre la existencia autónoma del mundo externo era un seudoproblema (Schlick, 1959). Poco sospechaban que este agnosticismo gnoseológico sería resucitado por los posmodernos hacia finales del siglo. De este modo, el autoproclamado psicólogo posmoderno Gergen (2001, p. 806) declara que «los argumentos acerca de lo que es realmente real son fútiles».

Sin embargo, en la práctica, la mayoría de los positivistas lógicos se adhirieron al realismo, ya que consideraban que las cosas físicas eran o bien posibilidades de la sensación o bien construcciones lógicas provenientes de los perceptos (por ejemplo, Carnap, 1967). Más tarde, bajo la influencia de Wittgenstein, adoptaron el glosocentrismo o idealismo lingüístico. Así pues, Carnap (1950b) sostenía que «aceptar la cosa mundo [la realidad objetiva] no significa nada más que aceptar una forma de hablar determinada». O sea, para Carnap, ser es ser objeto del lenguaje o participar en un «juego de lenguaje». Irónicamente, Heidegger (1987, p. 11), a quien Carnap despreciaba con razón, sostenía una perspectiva parecida: que la palabra es la morada del ser. Moraleja: falsedad más lógica (como en Carnap) o menos lógica (como en Heidegger) es igual a falsedad.

Las características más conocidas del positivismo lógico son su semántica y su gnoseología empiristas, la defensa del análisis lógico, un amor no correspondido por la ciencia y una supuesta posición antimetafísica. Además, los positivistas lógicos, al igual que Kant, intentaron combinar el empirismo con el racionalismo. Sin embargo, se puede afirmar que Kant combinó la parte equivocada del empirismo, vale decir el fenomenismo, con la parte errada del racionalismo, o sea el apriorismo. En contraposición, el empirismo lógico mantuvo el fenomenismo, pero lo combinó con el mejor componente del racionalismo, vale decir la lógica moderna. De tal modo, mientras que los escritos de Kant estaban plagados de oscuridades e inconsistencias —tal como hemos visto en el capítulo anterior— los de los empiristas lógicos constituyeron los trabajos filosóficos más claros y más consistentes de su época, especialmente si se los compara con sus principales rivales: los intuicionistas, fenomenólogos, existencialistas, tomistas, neohegelianos y materialistas dialécticos. Esta es la razón de que se pueda aprender mucho más discutiendo con aquellos que criticando a sus rivales.

A causa de la duradera influencia de los positivistas lógicos, debatir con ellos no es un mero ejercicio académico. Baste un par de ejemplos para ilustrarlo. El primero será el fiasco de las agencias de «inteligencia» norteamericana a comienzos de este siglo, las cuales gastaron muchos millones infructuosamente porque no sabían qué hacer con su enorme montaña de datos: no formularon hipótesis fundadas en estudios sociales serios y, en consecuencia, tampoco pusieron a prueba ninguna hipótesis. Como ha afirmado Charles Darwin, para descubrir cualquier cosa interesante y plausible es necesario formular algunas conjeturas y ponerlas a prueba. Pero para formular conjeturas razonables acerca de los hechos políticos, tales como la producción de armas de destrucción masiva o el planeamiento de un ataque terrorista, es necesario utilizar el ABC de la psicología social y las ciencias políticas además de hacer «inteligencia», la cual, de todos modos, consiste en su mayoría en chismorreos no confirmados.

Nuestro segundo ejemplo es la teoría cuántica. A menudo se olvida que el empirismo acechaba detrás de la interpretación estándar o de Copenhague de la formalización matemática de la mecánica cuántica, especialmente a partir de 1935. En consecuencia, una interpretación realista de esta teoría debe ir precedida de un eficaz análisis crítico del positivismo lógico. Además tal análisis no debe ignorar la metafísica fenomenista del empirismo lógico, la cual a menudo se pasa por alto, aunque se trate de nada menos que de la raíz de su gnoseología.

Después de todo, la gnoseología debe considerarse una aplicación de la ontología al proceso cognoscitivo: dime lo que hay y te diré qué puedes conocer y cómo. Si el mundo es o bien una idea o bien una masa de apariencias, sencillamente, hay que mirar hacia el interior; pero si es concreto, hay que salir y explorarlo y si lo único que podemos hacer es percibir, simplemente hay que recolectar las impresiones de los sentidos; pero si también podemos pensar, hay que prepararse para pensar esforzadamente.

1. El positivismo lógico

El nombre original del Círculo de Viena (1929-1936) era *Ernst Mach Verein* [Sociedad Ernst Mach] (véase, por ejemplo, Feigl, 1943; Kraft, 1953 y Ayer, ed., 1959). Esta sociedad académica estaba constituida por filósofos, tales como Moritz Schlick y Rudolf Carnap, científicos como Philipp Frank y Otto Neurath y matemáticos tales como Karl Menger y Richard von Mises. Su objetivo expreso era actualizar y divulgar la filosofía de Ernst Mach, quien se había considerado un heredero de Hume y Kant en lo referente al fenomenismo. Mach había sido un notable físico experimental y psicólogo fisiológico, así como un popular historiador y filósofo de la ciencia. Estaba orgulloso de haber inventado la «economía del pensamiento», el pintoresco principio de que el objetivo de la ciencia no es comprender la realidad, sino ahorrarnos experiencias por medio de su reproducción, reunión e interpretación mental (Mach, 1910, p. 238; 1942 [1893], p. 578).

A Mach no le importaba que su nombre fuese asociado al positivismo clásico de August Comte y John Stuart Mill. Pero, de hecho, se hizo cargo de su fenomenismo y descriptivismo, así como de su rechazo a la metafísica y la religión. En particular, siguiendo a Kant, Mill había definido las cosas como «una posibilidad de las sensaciones», una idea que casa con la metafísica popular según la cual la existencia fáctica equivale a su criterio de conocimiento ordinario, vale decir la posibilidad de ver, tocar, oler y otras por el estilo.

Mach (1914) adoptó la definición de cosa de Mill, considerándola «un complejo de elementos estable», donde "elemento" era sinónimo de "sensación" y el sustituto de Mach para el átomo físico. Advertía que "cosa" es una abstracción, «el nombre de un símbolo, para un compuesto de elementos [sensaciones] a partir de cuyos cambios abstraemos» y que el concepto de cosa en sí es algo absurdo, puesto que «las sensaciones no son los signos de las cosas sino, por el contrario, una cosa es un símbolo de pensamiento para una sensación compuesta de relativa fijeza» (*ibíd.*, p. 580). También adoptó la concepción de Kant de que «los elementos que componen la naturaleza son las sensaciones» (Mach, 1942 [1893], p. 579).

(En un libro famoso, Lenin [1908] criticó con razón a Mach y a otros por haber revivido el idealismo subjetivo de Berkeley, el cual lamentablemente no intentó refutar. Casi medio siglo más tarde, Popper [1953] confirmó el diagnóstico de Lenin: Mach fue un seguidor de Berkeley. Es cierto, el líder del Círculo de Viena (Schlick, 1959, p. 85) rechazó esta caracterización y afirmó que Mach y sus herederos no tomaron parte en la controversia entre realismo y subjetivismo. Pero no citó ni una palabra que le apoyara en su afirmación.)

Mach no explicó cómo calzaba su fenomenismo con su propio estudio pionero acerca de balas moviéndose a velocidades supersónicas, las cuales fue el primero en fotografiar. Seguramente, ni las balas ni las ondas de choque que ellas producían podían haber sido sensaciones, no solo porque no se encontraban en el cerebro de nadie, sino también porque no pueden ser vistas en forma directa. De seguro, las balas en movimiento pueden tocarse, pero la sensación subsiguiente habría sido un dato para el médico, no para el físico.

Casi todos los miembros y asociados del Círculo de Viena, en particular Rudolf Carnap, Hans Reichenbach y Philipp Frank, adoptaron el fenomenismo de Mach. Esto les valió un inesperado y silencioso, aunque nada bienvenido, aliado: la Inquisición. En efecto, Reichenbach (1951, p. 107) sostenía que «el sistema copernicano solo difería del propuesto por Ptolomeo en que se trataba de otra manera de hablar». De tal modo, los modelos heliocéntrico y geocéntrico del sistema solar son «descripciones equivalentes», ya que en su época ambos daban razón con igual corrección de las pruebas empíricas. Además, Frank (1957, p. 352) sostenía que la teoría copernicana era matemáticamente más simple y poseía mayor valor heurístico. La verdad no estaba en cuestión. El cardenal Bellarmino, el acusador de Galileo, debe de haberse frotado las manos en el Hades.

Se han aducido dos razones en apoyo de la mencionada equivalencia. La primera es que todos los sistemas de coordenadas son equivalentes, en particular un sistema de coordenadas rectangular centrado en el Sol es equivalente a un sistema de coordenadas esféricas centrado en la Tierra. Pero esta equivalencia geométrica es irrelevante porque todos los movimientos son relativos a marcos de referencia, no a sistemas de coordenadas (Bunge, 1967b). Este punto es importante porque (a) las transformaciones de Galileo y Lorentz relacionan marcos de referencia, no sistemas de coordenadas: los primeros pueden moverse, ya que se trata de entidades físicas, en tanto que los segundos no pueden hacerlo a causa de que son objetos matemáticos; y (b) la Tierra, al estar acelerada, no es un sistema inercial: vale decir, las ecuaciones de la mecánica (ya sea clásica o relativista) no son satisfechas de manera exacta relativamente a nuestro planeta.

La segunda razón ofrecida en relación con la supuesta equivalencia es que, puesto que todo movimiento es relativo a un marco de referencia, no hay diferencia si el marco de referencia es el Sol (sistema heliocéntrico) o la Tierra (sistema geocéntrico). Pero sí la hay. De hecho, de los dos cuerpos cercanos, el que tenga menor masa está forzado a orbitar alrededor del que tenga mayor masa, a causa de que este último es la fuente del campo gravitatorio más intenso. (Más razones, se ofrecen en Bunge, 1961, pp. 139-140.) Abreviando, las órbitas planetarias son real y objetivamente elípticas o aproximadamente elípticas.

El fenomenismo metafísico defendido por Mach no era sistemático. La primera tentativa de construir una teoría fenomenista fue la de Whitehead (1919) y tuvo tan poco éxito que muy pronto su autor regresó a su metafísica de procesos, la cual se hallaba más cercana a la de Hegel que a la de Mach. El siguiente esfuerzo del proyecto fenomenista fue *Logical Construction of the World* [*La construcción lógica del mundo*] (1967 [1928]), de Carnap. El dogma fundamental de este sistema era que en principio «todos los objetos físicos pueden ser reducidos a objetos psicológicos» y viceversa (*ibíd.*, p. 92). Aunque resulte asombroso, este principio fue el resultado de una generalización a partir de un único ejemplo: un ejemplo errado. Considérese lo siguiente: «Los enunciados acerca de objetos físicos pueden ser transformados en enunciados acerca de percepciones (es decir, acerca de objetos psicológicos). Por ejemplo, el enunciado de que cierto cuerpo es rojo se transforma en un enunciado muy complicado que dice, grosso modo, que en determinadas circunstancias ocurre cierta sensación en el sentido de la vista ("rojo")» (*ibíd.*). Carnap no se percató de que lo que hacía era expandir un enunciado fenomenista acerca de ver rojo.

Si los objetos y enunciados psicológicos y físicos fueran, en efecto, equivalentes o reducibles unos a otros, ¿por qué habríamos de preferir la traducción Fisicista → Fenomenista en lugar de la inversa? Presumiblemente, solo a causa de nuestra adhesión a la tradición empirista. Pero una de las razones propuestas por los fundadores de la ciencia moderna en favor de la preferencia recíproca era que las propiedades primarias son independientes respecto del sujeto y, por lo tanto, se prestan a las generalizaciones universales impersonales (recuérdese el capítulo 1).

En todo caso, las teorías científicas no contienen conceptos que denoten qualia, a menos que se refieran a los qualia, en cuyo caso pertenecen a la psicología, no a la física, la química o la biología. Considérense, por ejemplo, las siguientes miniteorías o modelos teóricos de dos elementos: el modelo clásico de un oscilador lineal y el modelo estándar de un circuito metálico de corriente continua con un resistor R y un inductor L conectados en serie.

Oscilador lineal clásico	Circuito R-L
$m\, d^2x/dt^2 = -kx$	$V - L\, di/dt = Ri$
$\Downarrow$	$\Downarrow$
$x = a.\cos \omega t,\ \omega = \sqrt{(k/m)},$	$i = V/R + a\, e^{-(R/L)t},$

donde

x = posición	V = diferencia potencial impresa
m = masa, k = tensión	i = intensidad de corriente
a = amplitud, ω = frecuencia	R = resistencia, L = autoinductancia
	t = tiempo

Si bien las cosas descritas por estos dos modelos —resortes y circuitos— pueden ser perceptibles, los predicados que se emplean para describirlas denotan propiedades primarias, no qualia. La medición de m, k, ω, V, i y R exige instrumentos que materializan hipótesis indicadoras, tales como la relación entre la intensidad de la corriente y el ángulo de la aguja en el dial de un amperímetro. De tal modo, las premisas de los modelos teóricos precedentes no implican observaciones, al contrario de lo afirmado por análisis muy difundidos de las teorías científicas tales como el de Van Fraassen (1980). Regresaremos a este asunto en el capítulo 7.

Cuatro décadas después del infructuoso intento de Carnap de eliminar los términos teóricos dejando únicamente los observacionales, Donald Davidson (1970), uno de los últimos positivistas, ha convertido la supuesta prueba de Carnap en la piedra angular de su difundida filosofía de la mente. Para «probar» que los eventos mentales y físicos son mutuamente intercambiables, decidió un ejemplo ligeramente diferente: dos estrellas chocan en el espacio al mismo tiempo que Jones se percata de que un lápiz comienza a rodar por su escritorio. «La colisión ha sido captada como una descripción mental y debe ser considerada un evento mental» (1970, p. 211). Veamos esta estrategia. Se discute un único caso en términos de conocimiento común y se salta dos veces seguidas: primero a una generalización desmesurada («Todo evento físico puede ser descrito en términos mentales y viceversa»), luego del sentido común a la ciencia (la física y la psicología).

2. Hacer mundos

A primera vista, el positivismo y el idealismo alemán poskantiano tienen poco en común: el primero es procientífico y claro, en tanto que el segundo no es científico y, por añadidura, a menudo es hermético. Sin embargo, dado que comparten el origen, vale decir Berkeley, Hume y Kant, sus coincidencias no deberían sorprendernos. De hecho, ambas facciones coincidieron en rechazar el realismo y el materialismo, aunque los combatían en campos diferentes. Mientras que los positivistas se especializaron en las ciencias naturales, los hermenéuticos pusieron su atención en los estudios sociales. En particular, en tanto que los positivistas hicieron hincapié en el fenomenismo y criticaron el atomismo, los hermenéuticos pusieron el énfasis en el papel de las ideas en la vida social en desmedro de los hechos macrosociales y de los llamados factores materiales, tales como los recursos naturales y el trabajo. Así pues, cada facción bloqueó el desarrollo del conocimiento a su propio modo: los positivistas vedando la microfísica o distorsionando sus consecuencias filosóficas y los hermenéuticos rechazando los estudios macrosociales o intentando reducirlos a la «interpretación» (*Verstehen*) de las intenciones de los agentes individuales.

El sitio por el que el idealismo ingresó en los estudios sociales es la tesis ontológica de que la sociedad no existe: solo habría individuos y estos actuarían siguiendo libremente sus propios intereses, creencias e intenciones. Esta tesis ontológica suscita un individualismo metodológico, la tesis de que el objetivo de los estudios sociales debería ser averiguar cómo surgen los hechos sociales exclusivamente a partir de las elecciones y acciones individuales. El proyecto individualista suena atractivo en comparación con la tesis holista de que los individuos no son más que peones de instancias superiores, tales como Dios, el destino, la nación, la raza, la iglesia o el partido. Pero el proyecto no es realista y es, incluso, insostenible desde el punto de vista lógico, a causa de que no es posible definir los roles sociales excepto por alusión a los sistemas sociales. Por ejemplo, un guerrero es, por definición, alguien de quien se espera que combata en la guerra. Las guerras, por su parte, lejos de constituir un asunto privado consisten en choques armados entre grupos de individuos, caracterizados por rasgos supraindividuales, tales como imperial o colonial, rico en petróleo o necesitado de petróleo, de derechas o de izquierdas, etcétera.

Lo mismo que con los roles sociales ocurre con los rangos sociales. Por ejemplo, la clase terrateniente no es solo una colección de personas que poseen tierras cultivadas por otros, estas personas están apoyadas por el Estado que impone ese privilegio. Y un Estado o gobierno no es reducible a elementos o rasgos individuales; se trata de un sistema social caracterizado por propiedades emergentes, tales como detentar el monopolio para exigir impuestos y ejercer la violencia legal. Además, el individualismo metodológico niega la existencia misma de los sistemas sociales, entidades supraindividuales que han emergido en el transcurso de la historia para superar las limitaciones de los individuos.

Así pues, el antropólogo, economista, sociólogo, politólogo o historiador idealista-individualista intentará «interpretar» (formular hipótesis sobre) las acciones individuales exclusivamente en términos de creencias personales e intenciones. (En particular, si se trata de un partidario de la teoría de la elección racional, centrará su atención en las utilidades y probabilidades subjetivas.) En consecuencia, o bien pasará por alto o bien equivocará gravemente su comprensión de todos los eventos y procesos macrosociales que han modelado nuestras sociedades, entre ellos el capitalismo, el imperialismo, el nacionalismo, la guerra, la democracia, el secularismo, el socialismo, el fascismo, el feminismo, la tecnología y la ciencia. (Más críticas en Bunge, 1996, 1998 y 1999.)

Max Weber, uno de los dos padres de la sociología moderna, es un caso pertinente. En efecto, pasó por alto todos los desarrollos macrosociales mencionados, mientras insistía correcta y vehementemente en que las ciencias sociales tenían que ser objetivas (véase Bunge, 2005a). Esta incongruencia fue una consecuencia inevitable de la adopción por parte de Weber de la hermenéutica filosófica de Dilthey, la cual era idealista e individualista a la vez. En el mejor de los casos, este enfoque puede arrojar alguna luz sobre los productos de la cultura, tales como los textos, pero dejando las comunidades culturales y sus sociedades como totalidad en la oscuridad. En general, la mayor parte de la realidad seguramente escapará a las posibilidades de un idealista-individualista y las razones de ello son diversas: la realidad es un sistema de sistemas (Bunge, 1979a), las ideas no poseen existencia salvo en los cerebros y toda persona pensante es un componente de diversos sistemas sociales que le han precedido. Una moraleja del fracaso de Weber en comprender la sociedad en que vivió es que el idealismo atrofia el realismo. El realismo solo puede florecer cuando está aliado con el materialismo (recuérdese el capítulo 1).

La fenomenología constituye una retirada aún más drástica de la realidad. Su fundador les reprochaba a Galileo y Descartes el distinguir las propiedades primarias de las secundarias y considerar que la naturaleza estaba despojada de características mentales (Husserl, 1970 [1936]). Antes, Husserl había afirmado que «un Objeto real que pertenece a un

mundo o, con más razón, *un mundo en sí mismo, es una idea infinita* [...]
*una idea relacionada con infinidades de experiencias armoniosamente
combinables* [...], *una síntesis completa de experiencias posibles*» (Husserl, 1960 [1931], p. 62). Resumiendo, el mundo sería dependiente del
sujeto y conseguiríamos conocerlo a través de la experiencia común, en
lugar de por medio del experimento, el análisis o el modelado.

De manera característica, Husserl no ofreció prueba alguna en apoyo
de su extravagancia subjetivista: la consideraba, como a todas sus opiniones, «autoevidente a priori». Tampoco mencionó Husserl ninguna de
sus fuentes, en particular Berkeley, Kant, Fichte, Mill, Mach y Dilthey.
La originalidad y la preocupación por la prueba no son precisamente las
marcas que caracterizan al idealismo moderno, especialmente a la fenomenología. En su lugar, lo son la obsolescencia, el dogmatismo, la hostilidad hacia la ciencia y la opacidad (véase, por ejemplo, Kraft, 1957).

En la sección anterior hemos recordado un intento paralelo de reducir el mundo a lo que Mach había llamado «un complejo de sensaciones», o sea *Logical Construction of the World* (1928), de Carnap. Esta
obra fue ignorada, en general, hasta que Nelson Goodman la desenterró
y la actualizó con ayuda de la mereología de Lesniewski. Su *Structure of
Appearance* [*La estructura de la apariencia*] (1951) es un sistema formalmente más refinado, fundado en los supuestos de que la corriente de la
experiencia está a la vez estructurada y constituida por qualia indivisibles (atómicos). Con todo, a diferencia de Carnap, Goodman admitía en
aquella época que el problema de dar razón del mundo físico partiendo
de una base fenomenista estaba aún abierto y que él no ofrecía ninguna
pista para su solución. Sin embargo, su fe en que, a su debido tiempo, se
conseguiría la mencionada reducción era inamovible (*ibíd.*, p. 304-306).

Luego de intentarlo en vano durante tres décadas, Goodman adoptó
una estrategia más sencilla: la arbitraria estrategia de «hacer mundo» o
constructivismo subjetivista (Goodman, 1978). No nos preocupemos
acerca de cómo descubrir nuevos planetas extrasolares, dinosaurios voladores, eslabones perdidos o el órgano de la conciencia, puesto que disponemos de la libertad de imaginarlos. Cuando un colega filósofo le dijo que
no podemos hacer estrellas del mismo modo que hacemos ladrillos, Goodman (1996, p. 145) se tornó más cauto: «este hacer mundo no es hacer con
la manos, sino con las mentes o, más bien, con los lenguajes u otros sistemas de símbolos. Con todo, cuando digo que los mundos se hacen, es eso,
efectivamente, lo que quiero decir». En otras palabras, cuando se le pre-

siona, admite que los «mundos» que afirma poder hacer son sistemas simbólicos. A pesar de ello, Goodman se rehúsa a diferenciarlos del único mundo que existe. Ahora bien, si alguien afirma que sabe cómo hacer una estrella, uno tiene derecho a decirle ¡muéstrame cómo o cállate! También está en su derecho si pregunta ¿por qué se ha de obligar al contribuyente a pagar por los observatorios astronómicos, si podemos hacer que los filósofos nos hagan cualquier estrella que deseemos?

El de Goodman parece haber sido el último, si bien infructuoso, intento de reducir las propiedades primarias (o predicados fisicistas) a las propiedades secundarias (o predicados fenomenistas o qualia). Si su tentativa ha fracasado incluso en el nivel del conocimiento común de los cuerpos sólidos, tales como las sillas, ¿hay alguna razón para esperar que tenga éxito con los cuantos o las galaxias, las células o las naciones? Pista: comience el lector por intentar reducir algunos enunciados legales clásicos, tales como la ley de Fourier para la conducción del calor o la de Maxwell para la inducción electromagnética. Advertencia: no se olvide de incluir la traducción de expresiones tan elementales como "seno de wt" a datos de los sentidos. Pista: no pierda su tiempo.

Además del constructivismo individualista de Berkeley, Kant, Fichte, Schopenhauer, Avenarius, Mach, Husserl, Carnap, Goodman y otros pocos, está el constructivismo colectivista o constructivismo-relativismo social. Esta doctrina, de moda entre los sociólogos del conocimiento desde mediados de la década de 1960, sostiene que todos los hechos, sean sociales o no, son construcciones sociales, o sea productos de grupos sociales (véase, por ejemplo, Fleck, 1979; Latour y Woolgar, 1986; H. M. Collins, 1981; Barnes, 1983; Knorr-Cetina, 1983; Knorr-Cetina y Mulkay, eds., 1983, y Fiske y Shweder, eds., 1986).

Desde luego, hay algo de verdad en el constructivismo social: la tautología de que todos los hechos humanos sociales, desde saludar y negociar hasta criar niños y hacer la guerra, son hechos sociales. Pero nadie comienza de cero y nadie construye la realidad social por sí mismo. De seguro, los humanos se hacen a sí mismos e inventan, mantienen o reparan sistemas sociales pero, tal como añadiera Marx, lo hacen comenzando a partir de una realidad social preexistente y con la ayuda de otros humanos. Solo los filósofos y los internos de un asilo psiquiátrico piensan que alguien puede crear, en lugar de modificar, la realidad.

Corrección: un asesor del presidente George W. Bush le dijo a un veterano periodista que los tíos como él estaban «en lo que llamamos comunidad fundada-en-la-realidad [...] No se trata del modo en que el mundo funciona realmente [...] Ahora somos un imperio y cuando actuamos creamos nuestra propia realidad [...] Somos los actores de la historia [...] y lo que hagamos nosotros, todos nosotros, quedará para ser estudiado por otros» (Suskind, 2004).

Las afirmaciones de los constructivistas sociales son igualmente espectaculares. Por ejemplo, según Fleck, la sífilis fue construida por la comunidad médica. Latour y Woolgar han afirmado que la TRF, una hormona cerebral, ha sido «construida» por sus descubridores. Pierre Bourdieu sostenía que «las diferencias visibles entre los órganos sexuales masculinos y femeninos son una construcción social». La tesis del movimiento antipsiquiátrico es que las enfermedades mentales son un invento de los psiquiatras. Finalmente, algunos filósofos feministas han afirmado que las leyes científicas e incluso los conceptos de objetividad y verdad son solo herramientas de dominación de los varones. Desde luego, no hay pruebas que apoyen ninguna de estas atroces aseveraciones. Pero sí hay pruebas en favor de la hipótesis de que se originaron a partir de la confusión entre hecho e idea (o cosa y modelo), típica del pensamiento mágico. (Véanse más críticas en Bunge, 1991 y 1992; Gross y Levitt, 1994; Sokal y Bricmont, 1998, y Brown, 2001.)

En resumidas cuentas, el constructivismo social es flagrantemente falso: la abrumadora mayoría de los hechos son independientes de las mentes y las ideas solamente aparecen en los cerebros humanos. Esto no equivale a negar que los pensadores, sin importar cuán originales sean, están intelectualmente endeudados con otras personas, ni que todos los sistemas sociales y las normas que los regulan son construidas por grupos sociales, aunque no siempre de manera consciente. La idea de los realistas es que, si bien todos los organismos —no solo los humanos— construyen sus nichos, para hacerlo utilizan materiales y se rigen por leyes cuya existencia es anterior a ellos.

3. El fenomenismo y los cuantos

John Dalton puso a trabajar la teoría atómica en química una generación después de que Kant escribiera su obra maestra. La mayoría de los químicos la adoptaron ansiosos a causa de que parecía explicar las composiciones y reacciones químicas. En contraposición, la mayoría de los físicos se resistió a la teoría atómica durante la mayor parte del siglo XIX porque no había habido ninguna prueba directa de la existencia de los átomos previamente a 1905. Una razón adicional era que los físicos estaban ansiosos por seguir la senda positivista trazada primero por August Comte y John Stuart Mill y luego por Ernst Mach, Pierre Duhem, Karl Pearson y Wilhem Ostwald, una línea que en aquella época parecía separar la ciencia de lo que no lo era (en particular, la religión y la metafísica). La línea en cuestión era, desde luego, la que comprende a los hechos observables de manera directa. En otras palabras, la afirmación era que la ciencia solo trata de lo observable.

El intento de acomodar la ciencia moderna en este lecho de Procusto dio surgimiento a una extraña paradoja: entre 1925 y 1935, Heisenberg (1947), Bohr (1958), Born (1949), Weizsäcker (1951), Pauli (1961) y otros pocos eminentes físicos ensalzaban el dogma fenomenista de boca para afuera, al mismo tiempo que construían las primeras teorías (exitosas) acerca de cosas transfenoménicas como los electrones, los átomos y los fotones. En efecto, sostenían que sus teorías trataban únicamente de observaciones. De tal modo, el artículo fundacional de Heisenberg, en 1925, proclamaba la construcción de una teoría cuántica «fundada exclusivamente en relaciones entre cantidades que son observables en principio».

Pero la observación, aun cuando se realice mediante dispositivos automáticos, involucra observadores en algún momento. Además, no es posible observar electrones y otras cosas semejantes; solo podemos observar las manifestaciones macrofísicas de los eventos microfísicos, tales como los clics de un contador Geiger. En cualquier caso, la física no explica la percepción. Además, uno podría preguntar inocentemente ¿observaciones de qué? Con lo cual recibiría una amonestación, a causa de que la pregunta presupone la existencia de cosas observadas y distintas de los medios de observación, como es el caso de los átomos en el cerebro del experimentador o el interior del Sol.

El fenomenismo no estaba restringido a las entidades microfísicas: Bohr, Heisenberg y sus seguidores afirmaban confiadamente que las cosas macrofísicas, tales como los tranvías, eran el resultado de repetidas observaciones. Incluso medio siglo más tarde se nos decía que la física cuántica nos ha enseñado que «la Luna no está allí cuando nadie mira» (Mermin 1981, p. 405). El universo como totalidad estaría en una situación aún peor, puesto que no puede haber observadores externos respecto del universo. Pero si ello es así, ¿por qué siguen explorándolo los cosmólogos? ¿Y qué han de hacer los seguidores de Berkeley y los kantianos de los últimos días con el reciente descubrimiento de que la mayor parte de la materia del universo es «oscura», o sea que está allí pero no puede ser estudiada?

¿Practicaron los padres de la física cuántica el subjetivismo que predicaban? Por supuesto que no. De hecho, cuando calculaban niveles de energía, probabilidades de transición, secciones transversales de dispersión y otras cosas parecidas, todos los físicos cuánticos daban por supuesto de manera tácita que todas estas medidas eran propiedades objetivas de objetos mecánico-cuánticos; tanto es así que en esos cálculos no aparece ninguna referencia a los dispositivos de medición y mucho menos a la mente del observador. Que esto es así, que las leyes fundamentales de la mecánica cuántica y sus principales aplicaciones no se refieren a ningún instrumento de medición, por no mencionar a los observadores y sus estados mentales, se ve mejor al axiomatizar la teoría (Bunge, 1967b; Pérez-Bergliaffa, Romero y Vucetich, 1993 y 1996). La razón de ello es que, cuando se trabaja en una teoría axiomática, no está permitido contrabandear elementos extraños a medio camino, como cuando se interpretan los autovalores como resultados posibles de mediciones en lugar de como valores precisos de propiedades objetivas, las varianzas estadísticas como perturbaciones causadas por el instrumento de medición en lugar de como la borrosidad inherente y así sucesivamente.

La axiomatización de la mecánica cuántica muestra que los supuestos de esta teoría, como los de toda otra teoría científica, son de dos tipos: en tanto que algunos son fórmulas matemáticas, los restantes son supuestos semánticos (las viejas «reglas de correspondencia») que estipulan los elementos fácticos que esos símbolos representan. Estos elementos fácticos son cosas en sí, tales como electrones y sus propiedades (primarias), por caso, su energía. Por ejemplo, la axiomatización en cuestión, al mostrar que la mecánica cuántica trata, en realidad, de objetos cuánticos, ayuda a interpretar correctamente las llamadas relaciones de incertidumbre de Heisenberg. Estas desigualdades afirman que la varianza de la posición está relacionada inversamente con la del momento. (En rigor, las fórmulas en cuestión involucran la raíz cuadrada de la varianza, vale decir la desviación estándar.)

El propio Heisenberg lanzó, en 1927, la popular interpretación de que estas varianzas miden las perturbaciones causadas por el instrumento de observación. De modo irónico, la mayoría de los positivistas y los realistas ingenuos están de acuerdo en este punto. Los positivistas pasan por alto el hecho de que esta interpretación presupone que el microobjeto en cuestión posee una posición y un momento precisos en cada momento dado, cuando deberían decir que es el acto de observación el que origina ambas propiedades. Los realistas ingenuos, por su parte, olvidan que la mecánica cuántica no contiene variables de posición y momento clásicas, con valores precisos en cada instante dado. (En otras palabras, las fórmulas como $x(t) = f(t)$ y $p(t) = g(t)$ pertenecen a la mecánica clásica, no a la teoría cuántica estándar.) Solo la reformulación de Bohm de la teoría contiene tales variables clásicas superpuestas a las mecánico-cuánticas).

Otro punto que las dos partes en pugna olvidan es que las desigualdades de Heisenberg se derivan en toda generalidad sin ninguna suposición sobre los instrumentos de medición. En efecto, no se mencionan instrumentos de medición en las premisas que implican las fórmulas en cuestión (véase Bunge, 1967b). La verdad es que las desigualdades de Heisenberg muestran que, en general, la posición y el momento de los microsistemas son difusos en lugar de precisos. En otras palabras, los cuantones son difusos tanto en su aspecto espacial como dinámico. Los casos límite, en los que una de las dos variables es nula (localización puntual y onda plana infinita) son idealizaciones extremas.

En todo caso, la teoría cuántica general describe noúmenos, es decir, cosas físicas, no fenómenos, vale decir procesos mentales. Más aún, cuando hay un instrumento de medición involucrado, la teoría general se muestra insuficiente, precisamente porque es general. Por lo tanto, se la ha de enriquecer con suposiciones referentes al mecanismo del aparato, tales como la condensación de gotas de agua alrededor de las partículas ionizadas. A causa de que todo aparato es macrofísico, se lo puede describir mayormente, si bien no completamente, en términos clásicos, tal como Bohr (1958) ha insistido correctamente.

Aun Heisenberg (1958, p. 55) admitió en su momento que «ciertamente, la teoría cuántica no contiene características genuinamente subjetivas, no incluye la mente del físico como parte del evento atómico». Dos décadas después, Heisenberg me dijo que, como Newton, había intentado explicar las cosas, no solo dar razón de los datos (Bunge, 1971). De tal modo, Planck (1933), Einstein (1950a) y Schrödinger (1935) estaban en lo correcto al criticar la interpretación positivista de la mecánica cuántica. En lo que algunos de ellos se equivocaban era en su nostalgia por la física clásica. Sobre esto Einstein estaba errado y Bohr acertado. El realismo no conlleva el clasicismo (Bunge, 1979c).

Para entender por qué la mayoría de los creadores de las teorías cuánticas pudieron enamorarse de una filosofía tan rudimentaria como el fenomenismo se debe admitir que en su locura hay método. El elemento de método es que la producción y medición de eventos microfísicos típicos, tales como la transmutación artificial de elementos, exige elaborados dispositivos experimentales (aunque no más elaborados que los involucrados en las mediciones ópticas). De tal modo, es verdad que, como León Rosenfeld (1953) dijera una vez, el experimentador «conjura» los hechos cuánticos. Pero la Madre Naturaleza hace lo mismo todo el tiempo y sin ofuscación filosófica.

Así pues, durante el tiempo de realización del experimento, el objeto cuántico y su instrumento de medición están íntimamente acoplados el uno con el otro. Puesto que los instrumentos de medición son instalados y manipulados por los experimentadores, se puede hablar del supersistema objeto-aparato-observador. Sin embargo, al contrario de lo afirmado por el dogma de Copenhague, no es esta una totalidad indivisible: conexión no implica imposibilidad de distinción. En efecto, se puede ajustar un instrumento sin abrir el cerebro del experimentador. Además, la enorme mayoría de los hechos cuánticos, tales como reacciones nucleares, colisiones atómicas y reacciones químicas, ocurren fuera de los laboratorios todo el tiempo. Más aún, cada observación cuántica se refiere a un objeto cuántico, como por ejemplo un fotón, no a un aparato, mucho menos a un experimentador. Por ejemplo, los físicos miden la longitud de onda de la luz emitida por un gas ionizado, no su efecto sobre el cerebro del experimentador. Finalmente, los experimentos pueden automatizarse, permitiendo al experimentador ir a casa por la noche, cesando así toda influencia sobre el objeto. Véase la figura 3.2.

Regresemos a la razón que se podría invocar para rehusarse a hablar de cuantos en sí mismos. Bridgman (1927, pp. 150-153), un soberbio experimentalista y el sistematizador del operacionismo, razonaba del siguiente modo con respecto a la luz. Comenzó recordándonos, correctamente, que no vemos la luz: todo lo que vemos son las cosas iluminadas. En particular, vemos los emisores de luz, tales como fogatas y lámparas, y los detectores de luz, tales como las células fotoeléctricas y los ojos. Por ende, razonaba Bridgman, debemos reconocer que decir que la luz viaja entre la fuente y el sumidero «es pura invención» (*ibíd.*, p. 153).

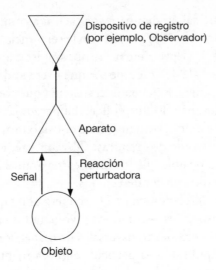

Figura 3.2. El objeto medido, el aparato de medición y el dispositivo de registro (ya sea un observador o automatizado) están interconectados, pero son distinguibles. Tanto es así que cualquiera de los componentes puede ser desconectado de los otros dos.

Bridgman pasaba por alto el hecho de que las ecuaciones de Maxwell describen la propagación de la luz en el espacio intermedio, de modo tal que serían «violadas» si se las interrumpiese arbitrariamente a mitad del espacio. Más aún, estas ecuaciones contienen la constante universal c, que denota la velocidad de la luz en el vacío, cantidad que Rømer midió por primera vez en 1676. Claramente, si admitiésemos que solo existen los fenómenos, deberíamos abandonar forzosamente toda esperanza de entender cómo la luz emitida por una estrella o, incluso, por un cercano foco de iluminación, puede llegar hasta nosotros, aun en el caso de que la fuente de luz haya dejado de existir hace millones de años. Más aún, tal como Einstein ha enfatizado repetidamente, el reconocimiento de que los campos electromagnéticos existen por sí mismos (en lugar de hallarse a caballo del mítico éter) y al igual que los cuerpos, constituye un hito en la historia de la ciencia, ya que coincidió con el desmoronamiento definitivo de la cosmovisión mecanicista.

El mismo año en que apareció el libro de Bridgman, Heisenberg publicó su famoso —aunque errado— artículo sobre el microscopio de rayos gamma, donde afirmaba que los electrones no poseen trayectorias continuas, sino que saltan de una observación a otra: un ejemplo de la confusión operacionista de la prueba con la referencia. Esto llevó a Hans Reichenbach (1944), el prominente neopositivista, a escribir acerca de «interfenómenos», vale decir lo que sea que pretendidamente haya entre los eventos observables. Reichenbach sostenía que tomarse en serio los interfenómenos llevaba a lo que él llamaba paradojas mecánico-cuánticas, tales como que un electrón interfiere consigo mismo después de pasar por un dispositivo de dos ranuras. Obviamente, Reichenbach no se preguntó cómo era posible que los fotones viajaran el largo camino desde el Sol hasta sus ojos sin ser detectados.

Reichenbach, como Bridgman y Heisenberg antes que él, pasaron por alto los enunciados legales —como los involucrados en el cálculo de los tiempos de viaje y secciones transversales de dispersión— que describen el viaje ininterrumpido de una partícula entre la fuente y el objetivo. Si admitimos que estos enunciados legales son aproximadamente verdaderos, también debemos admitir que los «interfenómenos» son tan reales como los fenómenos. Además, a menos que admitamos que hay hechos reales entre observaciones, no podemos esperar entender cómo funciona un televisor, ya que lo que vemos son destellos en la pantalla causados por los impactos de los electrones emitidos por el tubo de rayos catódicos que se halla detrás de la misma. Los técnicos que reparan televisores lo saben, puesto que se ganan la vida mirando tras las pantallas.

El realismo, pues, no es opcional para el físico experimental y el ingeniero electrónico: ellos dan por supuesta la existencia de electrones, fotones y otras cosas, aun cuando no estén siendo medidas. Tampoco es opcional para los administradores de los aceleradores de partículas y otros dispositivos de gran tamaño, quienes deben reunir miles de millones de dólares para financiar la investigación de problemas como el de si las cuerdas, gravitones y bosones de Higgs existen. Únicamente un filósofo ha podido persuadirse de que es posible desechar el problema del realismo (Fine, 1986; Teller, 1995), lo cual suena parecido a la negación de que haya algo fuera de los textos propia de los hermenéuticos. ¿De quién, si no de los científicos, se espera que descubra qué existe? ¿Y de quién, si no de los filósofos de la ciencia, puede esperarse que saquen a la luz los presupuestos filosóficos de la exploración científica de la realidad?

En resumen, los componentes subjetivistas de la interpretación de Copenhague de la mecánica cuántica son inconsistentes con la manera en que la teoría es realmente aplicada y puesta a prueba. Estos componentes no son más que contrabando filosófico: por eso cuestan menos y son difíciles de controlar. (Más en Bunge, 1959b y 1973; Jammer, 1966 y Beller, 1999.)

4. Ptolomeo redivivo

El conocido filósofo Bas van Fraassen (1980) también ha adoptado el fenomenismo, afirmando que las teorías científicas exitosas «salvan los fenómenos», o sea que describen de manera correcta los hechos observables. La frase «salvar los fenómenos» había sido acuñada cerca de dos milenios antes por el gran astrónomo Ptolomeo. Duhem (1908) la adoptó como divisa de su propia línea de fenomenismo, al cual consideraba el núcleo de la «física cualitativa» que preconizaba, como buen cristiano y enemigo de Galileo, a quien llamaba despectivamente «*le mécanicien florentin*». Pero, desde luego, no hay más rastro de los fenómenos (apariencias para un ser sensible) en las fórmulas de la teoría cuántica de lo que lo hay en cualquier otra teoría física: ninguna de ellas contiene variables que denoten propiedades secundarias o qualia.

Un empirista menos radical sostiene que las pruebas en favor de las teorías microfísicas están constituidas por características macrofísicas perceptibles, tales como los ángulos de las agujas en los diales de los instrumentos de medición y las huellas en las cámaras de niebla. Este argumento es erróneo a causa de que ignora el hecho de que todas esas pruebas son indirectas: funcionan únicamente gracias a las hipótesis que sirven de puente entre los eventos microfísicos (tales como las trayectorias de partículas cargadas) y los eventos macrofísicos (tales como la condensación de moléculas de agua resultantes de la ionización causada por esas partículas). Es verdad, muchos libros de textos sobre la teoría cuántica discuten experimentos tales como las difracciones de ranura doble y el de Stern-Gerlach. Pero los describen en términos generales y con pocas fórmulas (si es que se incluye alguna), glosando el hecho de que en ambos casos es necesario «leer» los resultados finales, tales como los impactos sobre las placas sensibles, con auxilio de hipótesis indicadoras que establecen puentes entre los niveles micro y macro. (Más acerca de los indicadores en el capítulo 7, sección 9.)

De manera interesante, en otras ciencias, los lugares de las pruebas y la referencia a menudo se encuentran invertidos. Por ejemplo, lo que resulta observable en las ciencias sociales es la conducta del individuo. Así pues, los datos sobre el PIB, la desigualdad de ingresos y la tasa de nacimiento son agregados de datos individuales. En otros casos, los datos macrosociales, tales como los documentos acerca de fortalezas, caminos y tumbas, indican de manera ambigua las características de inobservables vidas individuales. En las ciencias históricas, desde la biología evolutiva hasta la arqueología, los únicos observables son cosas, tales como fósiles, puntas de flechas, hogares, terraplenes y huellas, las cuales constituyen rastros dejados por los referentes de esas ciencias. Afirmar que las teorías de estas disciplinas «describen correctamente lo que es observable» es una grave distorsión. En este caso, lo observable son solo las pruebas en favor de las hipótesis acerca de los referentes inobservables. Por ejemplo, la paleontología describe organismos extintos cuyos restos fósiles son descritos por una disciplina diferente, vale decir la tafonomía.

En todos los casos, los datos nunca «hablan por sí mismos»: deben ser «interpretados» mediante hipótesis indicadoras, tales como las que vinculan las lecturas del barómetro con las presiones atmosféricas o el número de permisos de construcción nuevos con la prosperidad económica. Estos indicadores establecen puentes entre los hechos objetivos y las pruebas pertinentes en relación con las teorías acerca de esos hechos:

$$\begin{array}{ccccc} & Observación & & Hipótesis\ indicadora & \\ \text{Hecho} & \rightarrow & \text{Dato} & \rightarrow & \text{Pruebas} \end{array}$$

Desafortunadamente, la mayoría de los filósofos pasa por alto los indicadores, en tanto que raramente dejan de interesarse por las experiencias personales, como muestra el persistente interés en los qualia. Echemos un vistazo a estos últimos.

5. Hacia los fenómenos a través de los noúmenos

El conocimiento humano se presenta en diversas variedades: desde el de la experiencia o egocéntrico, como en «tengo calor», al impersonal y teórico, como en «el calor es el movimiento molecular aleatorio». De modo correspondiente, nuestros conceptos se ubican en un amplio espectro, desde lo particular y fenoménico, como en «dulce», «doloroso» y «exultante», hasta lo universal y abstracto, como en «extendido», «vivo» y «justo». Sin embargo, los empiristas encuentran los primeros más fundamentales y confiables que los segundos, en tanto que los racionalistas tradicionales consideran que los universales son previos e inmediatamente aprehensibles. Sostendré que necesitamos ambas categorías, cada una para un propósito diferente: los conceptos fenoménicos para la autodescripción y los universales para las explicaciones en tercera persona, en particular las descripciones y explicaciones objetivas de las sensaciones, sentimientos, humores y cosas parecidas.

Los qualia son experiencias preanalíticas, tales como ver azul o saborear chocolate, sentir lujuria o dolor de muelas. Los qualia son también llamados experiencias, «sentimientos crudos» e, incluso, como se siente, como en «¿Cómo se siente ser un murciélago?», pregunta imposible de responder que le hizo ganar la celebridad a Thomas Nagel de manera instantánea. Los qualia han desconcertado a los filósofos por más de dos milenios. En particular, su solo acaecimiento ha sido considerado como una refutación del materialismo, puesto que no se pueden describir en términos físicos (véase, por ejemplo, Block, Flanagan y Güzeldere, eds., 2002). Unos pocos filósofos, como Berkeley, Kant, Mill, Mach, Avenarius, Carnap y Goodman, han considerado los qualia como cualidades primarias e incluso como los constituyentes últimos del universo; pero no han logrado mostrar cómo se construyen conceptos físicos a partir de conceptos fenoménicos. Otros pocos filósofos, como Dennett y Rorty, han negado la existencia de los qualia. Sin embargo, la mayoría de los filósofos los admite, aunque sostienen que están más allá de las posibilidades de la física, por lo cual consideran insostenible el materialismo. Esto, desde luego, supone la ilegítima identidad del materialismo con el fisicismo.

Con toda seguridad, el fisicismo o materialismo vulgar no puede abordar los qualia, a causa de que estos ocurren en los cerebros, los cuales son entidades suprafísicas. Tampoco es capaz el fisicismo de dar razón de muchas otras cosas, tales como las peculiaridades de la vida (por ejemplo, la evolución) y la sociedad (por ejemplo, la cultura). Con todo, el fisicismo es solo la versión primitiva del materialismo y no es aceptada por los psicólogos materialistas como Hebb (1980) o los científicos sociales materialistas como Trigger (2003a). La alternativa al fisicismo es el materialismo emergentista y sistemista, disponible al menos desde los tiempos de Holbach. Esta ontología da lugar a niveles suprafísicos (pero no "afísicos"; véase, por ejemplo, Bunge, 1959c, 1977c y 2003a). En efecto, según esta ontología, un quale es solo un proceso subjetivo y, por ende, un proceso de un cerebro. Como tales, los qualia solo pueden ser estudiados en profundidad por la neurociencia cognitiva.

En otras palabras, si bien los qualia son procesos en primera persona, pueden ser estudiados por terceras personas, aunque conceptual y experimentalmente en lugar de introspectivamente. Desde luego, los qualia no son transferibles: por ejemplo, aunque yo pueda sentir empatía con el lector, no puedo sentir ni su alegría ni su dolor. Pero los psicobiólogos han dado enormes pasos en la descripción y explicación de «cómo se siente» el tener experiencias tales como oler café y sufrir dolor por un miembro fantasma. De hecho, los qualia siempre han estado entre los objetos de estudio de la psicología y la neurociencia. Hemos aprendido, por ejemplo, que el sabor es una larga cadena causal de eventos que comienza en las papilas gustativas y acaba en diferentes regiones del neocórtex. También sabemos que el gusto se puede refinar, así como atrofiar (por causa de, por ejemplo, la repetida exposición a comidas muy condimentadas, algunas de las cuales matan las papilas gustativas).

Resumiendo hasta este punto: no hay qualia en el mundo físico, a causa de que están ubicados en la interfaz sujeto-objeto. En efecto, todo qualia posee dos fuentes: el cerebro y algo más, ya sea de fuera del cuerpo, ya sea de dentro del mismo (por ejemplo, en el nervio de un diente). En otras palabras, en tanto que algunas propiedades físicas (como la composición química) son intrínsecas, todas las propiedades fenoménicas (qualia) son relacionales: son todas para nosotros, ninguna existe en sí misma. Sin embargo, la subjetividad no excluye la objetividad: todo lo que hace es desafiar al neurocientífico o al psicólogo pidiéndole que intente una descripción en tercera persona de experiencias en primera persona. Con todo, este punto merece una nueva sección.

La primera de las Reglas de Razonamiento en Filosofía de Newton (1947 [1687], p. 398) reza así: «No hemos de admitir más causas de las cosas naturales que aquellas que resultan a la vez verdaderas y eficientes para explicar sus apariencias». Abreviando, los noúmenos han de explicar los fenómenos. Este es el motivo por el cual las leyes de Newton solo concernían las propiedades primarias de la materia, como la masa y la fuerza; también es la razón de que sus axiomas fueran leyes del movimiento y no descripciones de experiencias subjetivas.

Los psicólogos contemporáneos siguen el consejo de Newton e intentan explicar los fenómenos según las líneas bosquejadas por el gran Hermann von Helmholtz, polígrafo y pionero de la psicología fisiológica. Entre las muchas contribuciones de Helmholtz se encuentra la idea de que las percepciones son signos (indicadores), no imágenes (*Abbildungen*), de los hechos del mundo exterior: «Solo podemos aprender cómo interpretar estos signos a través de la experiencia y la práctica» (Helmholtz, 1873, p. 274). En otras palabras, la estimulación sensorial dispara complejos procesos cerebrales que involucran la cognición y la memoria y, algunas veces, también expectativa y emoción. Más breve: la capacidad de tener sensaciones es innata, en tanto que la capacidad de percibir es aprendida. Leonardo lo había dicho siglos antes: debemos aprender a ver. Dicho sea de paso, Lenin (1947) tomó a Helmholtz por un subjetivista. En realidad, Helmholtz era un realista sofisticado, quien no hubiese aceptado la «teoría de conocimiento del reflejo» de Lenin o la «teoría figurativa del lenguaje» de Wittgenstein, dos nombres para el realismo ingenuo.

Helmholtz pensaba que, para comprender los fenómenos, es necesario estudiar no solo los estímulos externos, sino también el órgano de la percepción. Su prescripción se perdió con los conductistas, de Watson a Skinner, quienes eran materialistas, pero ignoraron los órganos que transducen los insumos [*inputs*] en productos [*outputs*]. La exhortación de Helmholtz tampoco fue recogida por los fenomenólogos, quienes denunciaron al realismo como «absurdo» y afirmaron haber superado el estudio objetivo de la subjetividad con su disciplina «absolutamente subjetiva», la fenomenología, la cual se encuentra en «el más extremo contraste respecto de la ciencia en el sentido hasta aquí aceptado» (Husserl, 1960, p. 30).

No sorprende que ningún fenomenólogo haya encontrado un solo hecho nuevo acerca de los fenómenos y mucho menos una ley acerca de ellos. Gran parte de lo dicho vale también para la psicología cultural, una escuela cercanamente emparentada, inspirada por Wilhelm Dilthey, un seguidor tanto de Kant como de Hegel (véase, por ejemplo, Ratner, 1997). Los miembros de esta escuela también rechazan el positivismo, el cual confunden con el método científico; prestan mucha atención a la *Verstehen* (la interpretación arbitraria tanto de la conducta como de las expresiones) y elogian los procedimientos cualitativos y no experimentales. Esta es la causa de que no puedan presumir de ningún descubrimiento, en tanto que la psicología científica, en particular la ciencia de la percepción, ha hecho sensacionales avances en el transcurso de las pocas últimas décadas (véase, por ejemplo, Gazzaniga, ed., 2004).

Algunas apariencias pueden explicarse en términos puramente físicos o químicos. Por ejemplo, un eclipse de Sol se explica por la interposición de la Luna. La diversidad de colores que presentan el cuarzo, el berilo, el diamante y otras gemas se explica por la presencia en ellos de pequeñas cantidades de impurezas químicas. Por ejemplo, las esmeraldas son piedras de berilo que se ven verdes bajo la luz blanca a causa de que incluyen pequeñas cantidades de cromo, el cual absorbe las ondas de luz de todas las longitudes de onda excepto aquellas que causan la sensación de verde. Las esmeraldas pueden perder su color al ser calentadas intensamente o al ser expuestas a la acción de ácidos, pero no de manera espontánea. De allí que la vergonzosa esmeralda imaginaria «verdul» [*grue*] (o «azurde» [*bleen*]) de Goodman (1954), verde antes de cierta fecha arbitraria y azul a partir de esa fecha, sea una fantasía ociosa. En efecto, las esmeraldas no pueden cambiar de color de modo espontáneo en ninguna fecha, a menos que se las caliente intensamente o se modifique su composición química. De tal modo, el valor de la paradoja «*grue*» para echar luz sobre la inducción es el que sigue: cuidado con las apariencias y ejemplos artificiales urdidos solo para apoyar o socavar las especulaciones filosóficas (Bunge, 1973b).

Sin embargo, la explicación científica de la mayoría de las apariencias exige la inclusión del cerebro. Por ejemplo, percibimos más fácil y vívidamente los eventos que valoramos (tal vez a causa de su importancia para la supervivencia) que los eventos que nos son indiferentes. Esto sugiere que la emoción colorea intensamente la cognición, hasta el grado de que recordamos mejor los elementos que encontramos por primera vez asociados al placer o el dolor, el gozo o la pena, la sorpresa o el embarazo. Nada de esto debería sorprendernos dadas las conexiones anatómicas entre las regiones cortical (cognitiva) y límbica (emotiva) del cerebro. Lo que sí resulta asombroso es la persistencia de la mayoría de los psicólogos cognitivos —en particular de aquellos que sostienen la concepción de procesamiento de la información— en intentar dar razón de la cognición sin los sentimientos y las emociones, la motivación y la espontaneidad, como si nuestros cerebros fuesen ordenadores secos y fríos e incapaces de imaginar (véase Damasio, 1994; LeDoux, 2003).

Los filósofos de la mente no científicos sostienen que las cualidades fenoménicas o qualia son inaccesibles para la investigación científica e incluso, tal vez, para el conocimiento común, porque son privadas: no puedo sentir tu dolor o el sabor de las fresas del mismo modo que tú.

Pues sí, las experiencias mentales no son transferibles, pero sí se las puede describir y algunas descripciones pueden ser comprendidas porque los adultos no solo comparten aproximadamente la misma organización cerebral fundamental, sino también miles de experiencias similares. En todo caso, las experiencias subjetivas se están estudiando de manera objetiva como procesos neurofisiológicos influidos por las tradiciones culturales y las circunstancias sociales. (Por ejemplo, es sabido que muchos gustos son adquiridos y se ha descubierto que la gente del Himalaya tiene un umbral de dolor mucho más elevado que la gente del Mediterráneo.) Es decir, los fenómenos están siendo explicados mediante los noúmenos.

¿Y qué ocurre con las actitudes sociales como el egoísmo y el altruismo? Los sociobiólogos afirman que el altruismo es «egoísmo disfrazado», tal como lo ha expresado Dawkins (1976, p. 5) copiando la antigua máxima utilitaria. Esto vale, por cierto, para el altruismo recíproco («Yo rasco tu espalda y tú rascas la mía»). Pero ¿qué hay del altruismo auténtico, como cuando se da sin esperar recompensa? Los sociobiólogos sostienen que, si es que ello ocurre, se ofrecen tales dádivas únicamente a los parientes, porque los genes son egoístas y nos fuerzan a comportarnos de manera tal de propagarlos. Sin embargo, hay numerosas pruebas etológicas en favor de la existencia de cooperación entre individuos no emparentados biológicamente, aun entre individuos de diferentes especies (por ejemplo, Cockburn, 1998; Clutton-Brock, 2002; Griffin, 2001; Hammerstein, ed., 2003).

Por lo tanto, necesitamos una explicación alternativa para el altruismo. Ella proviene del estudio de los primates (por ejemplo, De Waal, 1996) y las personas (por ejemplo, Bateson, 1991). Estos estudios han mostrado que los humanos y los grandes simios somos empáticos y que la realización de acciones generosas nos hace sentir bien (Rilling *et al.*, 2002). Otros estudios han hallado una significativa reducción de la mortalidad entre la gente mayor que ayuda a los demás (Brown *et al.*, 2003). Aun otras investigaciones han mostrado que las emociones sociales, en particular el altruismo y el miedo al «otro», pueden ser manipuladas según el interés de organizaciones políticas, hasta el punto de que «los auténticos ingenieros sociales son, hoy en día, los consultores políticos» (Massey, 2002, p. 21).

En resumidas cuentas, el altruismo es a veces lo que parece ser, o sea ausencia de egoísmo. Las moralejas gnoseológicas son obvias. Una de ellas es que negar un hecho no es parte de la operación de explicarlo. Otra es que buscar explicaciones de hechos sociales a nivel molecular o incluso celular es temerario. Todo esto tiene ciertas consecuencias para el problema de la reducción, que examinaremos a continuación.

6. Interludio: la reducción

Considérense los siguientes supuestos ejemplos de reducción:

(1) Agua = H_2O.
(2) Estrella de la tarde = Estrella de la mañana.
(3) Comprensión del habla = Actividad específica del área cerebral de Wernicke.

Un antimaterialista podría presentar una objeción a (1), argumentando que esta supuesta identidad no explica propiedades conocidas del agua, tales como su capacidad de fluir, congelarse y ser vertida, mucho menos de sentirse húmeda al contacto. Y tendría razón. El materialista bien informado también negaría (1), si bien con diferente fundamento. El materialista emergentista afirmaría en cambio que

(1') Agua = un cuerpo compuesto exclusivamente por moléculas de H_2O.

El materialista emergentista añadiría que la fluidez y la capacidad de evaporarse y congelarse son propiedades emergentes que están ausentes de las moléculas componentes, aunque están arraigadas en los enlaces de hidrógeno que hay entre ellas. También afirmaría que, en tanto que la física puede explicar las primeras tres propiedades, solo la psicología podrá explicar (llegado el caso) la sensación de humedad, como un proceso del cerebro disparado por un proceso de la piel y transmitido al cerebro por ciertos nervios periféricos.

El ejemplo (2) resalta la diferencia entre los objetos físicos y fenoménicos. El referente físico de las dos descripciones es el mismo, a saber el planeta Venus. Pero mientras que la primera descripción se refiere a Venus cuando se lo ve al atardecer, la segunda se refiere a Venus cuando se lo ve al amanecer: un único objeto físico detrás de dos objetos de la experiencia. Las dos percepciones son diferentes por dos razones. Primero, por lo común el aire está más fresco y menos contaminado al amanecer que al atardecer, de tal modo que una imagen de la Estrella de la Mañana es más brillante y nítida que una de la Estrella de la Tarde. Segundo, la mayoría de la gente está más cansada por la tarde que por la noche. Abreviando, las percepciones y descripciones de un mismo objeto físico visto en diferentes circunstancias probablemente serán diferentes. Pero esta diferencia, lejos de ser inefable y misteriosa puede expresarse de manera bastante clara y desmitificarse con la ayuda de la ciencia.

El caso de la supuesta identidad (3) es diferente de los anteriores, dado que se trata de una identidad genuina en el contexto de la neurolingüística. Se trata de una identidad contingente (o no lógica), al igual que «Calor = movimiento molecular aleatorio» y «Luz = radiación electromagnética de una longitud de onda entre tantos y tantos angstroms» son identidades reductoras en física. Ciertamente, la comprensión del habla tiene otras propiedades como provocar placer o temor, admiración o aburrimiento, etcétera. Pero algunas de estas propiedades son efectos del procesamiento del habla en diferentes subsistemas cerebrales.

La identidad que aparece en (3) es ontológica, no gnoseológica. O sea, el materialista no afirma que una persona sordomuda de nacimiento pueda obtener conocimiento de primera mano o conocimiento por familiaridad del habla. Todo lo que afirma es que la comprensión del habla es esencialmente una actividad cerebral. Pero también admite que únicamente las personas con experiencia en el habla pueden hacer neurolingüística y no porque el habla tenga un componente inmaterial, sino porque la neurolingüística estudia el órgano del habla, que es defectuoso en un sordomudo. En otras palabras, el conocimiento por descripción puede dar razón del conocimiento por familiaridad, pero ninguno puede reemplazar al otro. La neurociencia por sí sola no puede explicar de manera comprensiva ninguna experiencia de habla, pero los neurocientíficos cognitivos tienen la esperanza de conseguirlo. (Véase un argumento similar en Churchland, 1989, y Lewis, 2002.)

En resumen, la identidad psiconeural ontológica no implica la identidad gnoseológica. El problema requiere la fusión de la neurociencia con la psicología en lugar de la reducción de la última a la primera (Bunge y Ardila, 1987).

7. Apariencias psicológicas y sociales

Es bien sabido que cada uno de nosotros es «percibido» de manera diferente por los demás. También es sabido que algunas características personales se conceptúan de modo diferente en sociedades diferentes en épocas diferentes. De tal modo, si bien ser pelirrojo, zurdo, jorobado o «melancólico» (depresivo) no son construcciones sociales, sino características biológicas objetivas e inofensivas, han sido estigmatizadas hasta hace no mucho. La enfermedad mental pasó de ser una temida señal de maldición divina o genética, una manifestación de un «complejo de Edipo no resuelto» o aun una construcción social, a ser una condición pasible de tratamiento médico en pie de igualdad con otras enfermedades (Shorter, 1997).

Parte de lo que vale para las personas vale también, mutatis mutandis, para los sistemas, instituciones y normas sociales. En efecto, algunos de ellos son «percibidos» (conceptuados) de modo diferente por diferentes personas, en unas ocasiones a causa de sesgos ideológicos y en otras porque realizan más de una función. El estatus social es un ejemplo pertinente: la mayoría de los obreros norteamericanos se «ven» a sí mismos como miembros de la clase media, no de la clase obrera, y perciben sus salarios como si fueran significativamente más elevados de lo que realmente son.

Con la religión ocurre algo similar. Denunciada por algunos sociólogos como un manto que oculta la opresión y elogiada por los religiosos como la experiencia espiritual más sublime, en realidad es tanto una herramienta de control social como una concepción del orden cósmico y social. A causa de que puede ser adoptada voluntariamente por grandes segmentos de la población, la religión no se debe descartar considerándola únicamente un intrumento de las clases gobernantes, al igual que la policía. En particular, en las primeras civilizaciones «el cosmos se conceptuaba como un reino, pero se trataba de un reino en el cual los poderes de las clases más elevadas estaban más fundados en el consentimiento de los gobernados y menos en el ejercicio de la coerción que en muchas sociedades preindustriales» (Trigger, 2003a, p. 491).

Esto no equivale a negar que haya auténticas construcciones sociales. Todas las instituciones y prácticas sociales son construcciones sociales y, como tales, no se las puede explicar en términos puramente biológicos. También lo es el movimiento posmoderno que conceptúa todo, incluso la naturaleza y la enfermedad, como una construcción social. En particular, no es por azar que el movimiento antipsiquiatría, que afirma que la enfermedad mental es una invención y ha denunciado la psiquiatría y los asilos para enfermos mentales por considerarlos instrumentos de control social, fuese lanzado en 1960, en una época de cuestionamientos radicales del *establishment* por autores tan populares como Michel Foucault, Thomas Szasz, Ronald Laing y Erving Goffman. Poco sospechaba Foucault que, en su momento, el sida, que él describiera como una construcción social, acabaría con su vida.

Los neurocientíficos cognitivos y afectivos intentan explicar las apariencias en términos de propiedades primarias: las del sistema nervioso central. Para ellos, como para los físicos y químicos, una apariencia solo presenta el problema de su origen. Este problema se resuelve buscando el mecanismo a través del cual un noúmeno se transforma en fenómeno, el cual a su vez se describe en estrictos términos nouménicos.

Por ejemplo, la percepción, como la visión en colores, se va explicando gradualmente en términos de procesos que tienen lugar en diversos sistemas neuronales de la neocorteza (véase, por ejemplo, Zeki, 1993). Asimismo, las emociones como el miedo están siendo explicadas en términos de procesos de la amígdala cerebral y otros componentes del sistema límbico (véase, por ejemplo, Rugg, ed., 1997; Squire y Kosslyn, eds., 1998, y Gazzaniga, ed., 2000).

En resumen, los eventos mentales van siendo explicados como procesos de sistemas neurales que involucran sinapsis, neurotransmisores y cosas por el estilo, de manera muy semejante a como la corriente de un cable se explica en términos de electrones y campos electromagnéticos. Con todo, a causa de que los cerebros humanos están incluidos en una sociedad, la neurociencia no basta para explicar lo mental: esta es la razón de que la psicología tenga un componente social. Sin embargo, la psicología social también intenta explicar las interacciones entre cerebro y sociedad en términos de propiedades primarias: las de la sociedad, además de las propias del cerebro. Un famoso ejemplo es el de la ilusión del céntimo: los niños pobres tienden a percibir las monedas de un tamaño más grande que los niños ricos.

En las cuestiones sociales, la relación noúmeno-fenómeno es muchísimo más compleja que en otros ámbitos. La razón de ello es el llamado teorema de Thomas: no reaccionamos a los hechos sociales, sino al modo en que los «percibimos» (en realidad, al modo en que los imaginamos, conceptuamos y evaluamos; Merton, 1976, p. 174-176). Por ejemplo, muchos de nosotros compramos comida basura bien publicitada y votamos por corruptos de aspecto amigable. De manera análoga, en todas las primeras civilizaciones los gobernantes eran considerados o bien seres sobrenaturales o bien intermediarios entre las deidades y la gente común y, en consecuencia, eran reverenciados y temidos. Se suponía que la propia continuidad del cosmos dependía de la estricta observancia de las convenciones sociales y religiosas. Esto puede explicar por qué el conflicto de clases no fue un rasgo importante de las primeras civilizaciones (Trigger, 2003a, p. 671).

Otro ejemplo pertinente es el de la valoración de sí mismo, la cual depende del grupo de referencia. Por ejemplo, un afroamericano estadounidense que se queja de que su salario es magro está comparando sus ingresos con los de los otros miembros de su lugar de trabajo, no con los afroamericanos estadounidenses desposeídos y mucho menos con los ingresos de nivel de subsistencia de la tierra de sus antepasados. Su «percepción» de privación relativa es, pues, perfectamente objetiva, de tal modo que su queja es legítima y puede rastrearse hasta la discriminación racial. Del sociólogo se espera que trate esa percepción social como un hecho tan objetivo como el grupo de referencia elegido y la discriminación que la origina.

Lo mismo, más o menos, vale para la nueva percepción que emerge cuando el agente adopta un grupo de referencia alternativo (o cuando actúa en un círculo social distinto), como el personal de otra compañía que está en la misma industria. En resumen, un único agente combina una situación social objetiva con un grupo de referencia para producir una percepción de la situación. Si se cambia el agente, el grupo de referencia o ambos, probablemente también cambiará la percepción.

Esto explica por qué las personas pueden reaccionar de manera diferente ante un mismo hecho social: la cadena real no es el proceso directo en dos pasos del conductista *situación → acción*; sino, más bien, la cadena indirecta: *<situación, grupo> → percepción → decisión → acción*. Desde luego, todo enriquecimiento de la explicación se paga con las incertidumbres asociadas a la inclusión de percepciones y decisiones. Sin embargo, los psicólogos experimentales han diseñado una batería completa de indicadores objetivos de esos procesos mentales.

Así como el psicólogo estudia la ilusión y la alucinación, además de la percepción normal, el científico social estudia la creación deliberada de apariencias engañosas. Muchos animales, como ciertas mariposas, peces y cefalópodos, presentan mimetismo. Los humanos y otros primates engañan de diferentes maneras, que van desde la simulación hasta el disimulo, pero, a diferencia de otros animales, también somos capaces de engañarnos a nosotros mismos. ¿Qué sería de la vida social sin un mínimo de disimulo e hipocresía?

¿Qué hay, pues, con la clásica exhortación metodológica de Durkheim (1988), que afirma que los sociólogos han de describir los hechos sociales de la misma manera objetiva que los físicos, porque aquellos son tan reales como los hechos físicos? Hemos de conservarla, pero con la advertencia de que también algunos procesos que ocurren en el cerebro del sujeto —en particular sus creencias, actitudes, evaluaciones, intenciones y decisiones— son del interés del sociólogo. En particular, los fenómenos sociales, o sea el modo en que el individuo «percibe» los hechos sociales que tienen lugar a su alrededor, deben estudiarse desde el exterior como tantos otros hechos objetivos. Después de todo, ocurren en el mundo externo del investigador.

Así pues, aquello que el sujeto considera un fenómeno, el estudioso de la sociedad lo considera un noúmeno. Sin lugar a dudas, esta expansión del dominio de los hechos a ser estudiados por el científico social a fin de incluir la experiencia subjetiva del agente exige técnicas que sobrepasan el mero registro de la conducta observable. Pero si se realiza de manera científica, este estudio llevará a hipótesis pasibles de puesta a prueba, no a imágenes literarias que dicen más sobre el investigador que sobre sus sujetos. (Véase Burawoy [2003] para una crítica del tan de moda «giro interpretativo» que reemplaza los hechos sociales por textos y los artículos científicos por ensayos literarios.)

En resumen, las apariencias son parte de la realidad de muchos animales, en particular de nosotros mismos. Esto contradice la opinión popular de que la apariencia es lo opuesto de la realidad. Las apariencias son reales, pero solo son superficiales y lo son de manera literal, puesto que se producen en la interfaz sujeto-objeto. Por ser superficiales, requieren ser explicadas en términos de cosas y propiedades inobservables (aunque pasibles de ser escrutadas), en lugar de explicar, ellas mismas, otras cosas. Con todo, este punto merece una sección separada.

8. ¿Científicos en la cuna?

Chomsky (1965, p. 27) atribuyó extraordinarias capacidades lingüísticas a los recién nacidos. Según este autor, todo niño nace sabiendo una teoría lingüística universal que le permite «determinar cuál de los lenguajes (humanos) posibles es el de la comunidad en el que se encuentra». Esta extraordinaria hipótesis del lingüista instantáneo ha sido expandida recientemente. Los bebés piensan, construyen teorías, buscan explicaciones y realizan experimentos de manera muy semejante a como lo hacen los científicos. En particular, «los niños crean y corrigen teorías del mismo modo en que los científicos crean y corrigen teorías [...] Pensamos que hay grandes similitudes entre algunos tipos particulares de aprendizaje temprano —acerca de los objetos y la mente, especialmente— y el cambio de teoría científica. De hecho, pensamos que no son solo semejantes, sino idénticos. No solo pensamos que los ordenadores bebés poseen la misma estructura general que los ordenadores científicos adultos [...] Pensamos que los niños y los científicos realmente utilizan la misma maquinaria» (Gopnik, Meltzoff y Kuhl, 1999, p. 155).

La primera reacción ante esta asombrosa afirmación es que, en las oraciones anteriores, no hay modo de que las palabras "teoría" y "experimento" tengan sus significados habituales. En efecto, una teoría propiamente dicha es un sistema hipotético-deductivo que, más aún, no contiene predicados fenoménicos (u observacionales), a menos que se trate de una teoría psicofísica. Por su parte, un experimento no consiste únicamente en cualquier viejo proceso de prueba y error, sino que se trata de un proceso cuidadosamente diseñado y controlado. Lashley, Tolman y Krechevsky han conjeturado que, al explorar su entorno, las ratas formulan hipótesis y las controlan. Krechevsky (1932) y otros científicos pusieron a prueba y confirmaron esta conjetura, pero no sostenían que las ratas construyen hipótesis *científicas* y realizan experimentos *científicos* o, siquiera, que son conscientes de esas operaciones. Esta es la razón de que su rata preferida no apareciese como coautora de sus artículos.

Es de suponer que las «teorías» que Gopnik y sus otros colegas atribuyen a los bebés sean corazonadas vagas y tácitas (no explícitas) como «Cuando succiono sale algo rico». De igual modo, los «experimentos» del bebé probablemente sean pruebas tales como balbucear o llorar para llamar la atención de quien lo cuida. ¿Cómo podrían ser los procesos mentales de los bebés idénticos a los de adultos entrenados o, siquiera, a los de adultos no entrenados si las arquitecturas neurales correspondientes son tan diferentes, tal como ha sido revelado por el análisis microscópico hace más de un siglo? (Véase Conel, 1939-1967.) ¿O hemos de creer, con Tomás de Aquino, que el Espíritu Santo insufla un alma completamente formada a los embriones o los fetos?

Las teorías a las que se refieren los psicólogos «teóricos de la teoría» son aun más primitivas que la concepción de teoría científica sostenida por los positivistas lógicos como Carnap (1936-1937). Este influyente autor sostenía que las teorías científicas están compuestas de enunciados de dos clases: observacionales, como por ejemplo «esta cosa roja está caliente y sisea», y teóricos, como «la absorción de un fotón causó la eyección de un electrón de un átomo». Los positivistas lógicos afirmaban también que únicamente los primeros eran cabalmente significativos, en tanto que los últimos solo estaban «parcialmente interpretados» y adquirían un significado vicario a través de sus asociaciones con los primeros.

Sin embargo, incluso un examen superficial de las teorías y diseños experimentales científicos mostrará que estos elementos están hechos de conceptos y proposiciones, no de perceptos y sentimientos. Además, no hay pruebas de que un bebé pueda formar conceptos, como por ejemplo el de madre, en lugar de tener una imagen visual, táctil, olfativa y auditiva bastante borrosa de su madre particular. Por otra parte, el balbuceo de los bebés posee una fuerte carga emocional y observacional (o fenoménica). En contraposición, las teorías científicas carecen de términos emotivos y observacionales, especialmente de términos que denoten qualia, a menos que se refieran a la percepción sensorial (recuérdese la sección 1).

Otra objeción a la hipótesis del «científico en la cuna» es que resulta dudoso que los bebés conozcan otras propiedades diferentes de las fenoménicas, tales como «dulce», «cálido», «sonoro», «áspero», «pinchudo» y «húmedo». Por añadidura, sus indagaciones no son desinteresadas como las de los científicos básicos: los bebés solo sienten curiosidad acerca de su entorno inmediato presente y ello únicamente porque necesitan conocer para sobrevivir. Además, al ser de mentes prácticas, probablemente pongan juntas cosas bastante dispares solo porque se presentan juntas en su experiencia, como la madre y la leche o los pañales y la orina.

Las habilidades analíticas de los bebés probablemente sean muy limitadas, no solo a causa del primitivo estado de desarrollo de sus cerebros, sino también porque su pensamiento está orientado a la acción antes que a la contemplación. Respecto de lo anterior, es probable que un bebé y Rakmat, el adulto centroasiático sin instrucción y analfabeto estudiado por Luria (1979, p. 69-71), perciban sus entornos de maneras similares. Así pues, Luria mostró una vez una fotografía a Rakmat y le dijo: «Mira, aquí tienes tres adultos y un niño. Ahora bien, el niño, claramente, no pertenece a este grupo». Rakmat respondió, «Oh, ¡pero el muchacho debe quedarse con los otros! Los tres están trabajando, lo vemos, y si tienen que seguir saliendo en busca de cosas, nunca conseguirán acabar la tarea, pero el muchacho puede correr para ellos... El muchacho aprenderá: eso será mejor, entonces podrán trabajar bien todos juntos». Al parecer, la cosmovisión de Rakmat era holista, dinámica y, sobre todo, pragmática.

Además, lo que los bebés pueden llegar a saber es muy limitado, aunque solo fuese porque no tienen cerebros iguales a los de los adultos y mucho menos de los científicos. De hecho, los patólogos han mostrado que los circuitos neurales de los bebés son muy rudimentarios. (En particular, la corteza prefrontal, la cual es crítica para la cognición, valoración, planificación y decisión, no se halla activa en la niñez temprana y su mielinización completa toma dos décadas.) Más aún, a partir de los experimentos, que hicieran época, de Hubel y Wiesel (1962), se sabe que el cerebro de los mamíferos se desarrolla con la experiencia. Nacemos con capacidad para saber, no sabios. Incluso es probable que los científicos se esculpan sus cerebros a medida que aprenden a hacer ciencia y que, en consecuencia, sus cerebros difieran de maneras significativas de aquellos que se esculpen los músicos o los administradores.

La tercera reacción ante la tesis en cuestión es la que sigue. Si los bebés y los científicos poseen fundamentalmente las mismas capacidades cognitivas, ¿por qué la ciencia es tan difícil de aprender para la enorme mayoría de las personas de todas las edades? Hay muchas que han tomado cursos de ciencias y, pese a ello, tienden a pensar de maneras no científicas, en particular de maneras mágicas ¿Y por qué emergió la ciencia en tiempos tan recientes como 2.500 años atrás, solo para sumergirse unos pocos siglos después y volver a emerger de manera precaria hace 400 años? Una razón puede ser que trata de propiedades primarias, las cuales no son accesibles a los sentidos. Otra razón puede ser que la ciencia supone leyes, en particular invariancias, que no se encuentran en la experiencia. La tercera razón puede ser que el trabajo científico se realice en el seno de comunidades científicas que se regulan según el exigente *ethos* científico identificado por primera vez por Merton (1968): desinterés, comunismo epistémico y escepticismo organizado. En resumen, la ciencia es cualitativamente diferente del conocimiento común. Más precisamente, es mucho más racional y menos derrochadora que los acertijos de ensayo y error. Tal como lo ha expresado Wolpert (1992), la ciencia es bastante poco natural.

Si la investigación científica ha comenzado en la cuna, deberá de florecer en la escuela primaria y, con mayor razón, en la escuela secundaria. Que eso es lo que ocurre, es la tesis de los constructivistas pedagógicos, una escuela cada vez más influyente, especialmente en las ciencias de la educación (véase Fensham, ed., 2004). Esta doctrina, especialmente en la versión de Von Glasersfeld (1995), es tan errónea desde el punto de vista filosófico como lo son sus principales fuentes, a saber la doctrina de Berkeley, el kantismo y el operacionismo, todas las cuales son orgullosamente reconocidas por Von Glasersfeld. El constructivismo pedagógico también es falso desde el punto de vista psicológico a causa de que la ciencia moderna es tan antiintuitiva que aprenderla resulta difícil y es imposible para un individuo reinventarla. Por ejemplo, la mayoría de los maestros de física sabe que los alumnos novicios tienen opiniones aristotélicas, en lugar de newtonianas, acerca del movimiento. En particular, quienes comienzan sus estudios de mecánica encuentran la inercia difícil de captar, tal como le ocurrió a Kant. En consecuencia quedan desconcertados ante el hecho de que las órbitas planetarias sean perpendiculares a la atracción gravitatoria.

Pero el constructivismo pedagógico no solo es falso. También es perjudicial a causa de que niega la existencia de la verdad objetiva, elimina la crítica y el debate y hace prescindibles a los docentes. ¿Es posible que haya docentes que sostengan que los adolescentes normales pueden redescubrir (o, mejor dicho, reinventar) por sí mismos el cálculo o la teoría de la evolución? ¿Hay algún académico serio que pueda afirmar que jamás se ha de contradecir a los demás porque no hay tal cosa como la verdad? ¿La falta de debate, no es acaso la marca característica del dogmatismo? ¿Y no es el relativismo una tácita confesión de falta de capacidad o de deseo para aprender cómo poner a prueba la verdad? (Más críticas en Matthews, ed., 1998.)

Aun así, un autoproclamado constructivista, si es un docente sagaz, puede tener más éxito que otro realista pero tedioso, que cree que hay que dar de comer en la boca a los estudiantes, en lugar de motivarlos a estudiar por sí mismos. Este será el caso si el docente constructivista alienta a los estudiantes a pensar por sí mismos, en tanto que su colega realista les exige un parloteo sin juicio. La razón de su éxito será que, como afirmaron hace mucho tiempo María Montessori y John Dewey, la exploración estimulada por la curiosidad es más interesante y, por ende, mucho más motivadora y grata que la repetición de fórmulas que se entienden a medias. Con todo, se espera que los instructores de ciencias ofrezcan alguna guía, aunque solo fuera para evitar las pérdidas de tiempo y el correspondiente desaliento que caracteriza las empresas que consisten en el ciego ensayo y error. También se espera de los docentes que controlen si sus estudiantes dan las respuestas correctas y si estiman de manera apropiada el error de medición. O sea, el docente constructivista, si es mínimamente competente y responsable, tendrá que admitir que, después de todo, el error y por ende también la verdad importan.

9. La ciencia y la tecnología son realistas

El filósofo fenomenista, al igual que el vendedor de coches usados, nos asegura que lo que nos llevamos es tal cual lo vemos. En contraposición, el filósofo realista, como el comprador de coches con experiencia, supone que siempre hay más de lo que se ve, a causa de que las cualidades (secundarias) perceptibles constituyen solo la minúscula punta del iceberg de los hechos. A causa de este presupuesto ontológico de la ciencia, todo proyecto de investigación científica empírica que no sea trivial tiene como objetivo descubrir qué hay debajo de lo que se ve. La mayoría de nosotros puede ver, pero solo unos pocos pueden comprender lo que ven. Tal como dijera una vez Szent-Györgyi, «el descubrimiento consiste en ver lo que todos han visto y pensar lo que nadie ha pensado».

La naturaleza supuesta de la realidad —que está compuesta de hechos y eventos que se hallan más allá del alcance de la percepción— determina la naturaleza del método científico de indagación. En efecto, el primer movimiento del científico es salir de su burbuja preanalítica, la de los qualia, sentimientos, habla interna y otras cosas por el estilo. Vale decir, el científico da por sentado el mundo exterior y mantiene para sí sus propias percepciones, sentimientos y razonamientos bajo estricto control: solo son el comienzo. Más aún, intenta descubrir las cualidades primarias que subyacen a las secundarias, por ejemplo, los procesos moleculares y celulares que se sienten como una sensación placentera. En resumen, el procedimiento del científico es exactamente el opuesto al del poeta, el músico y los filósofos idealistas: allí donde los últimos pueden dar rienda suelta a su imaginación desbocada, el primero debe disciplinar la suya para mantenerse en contacto con la realidad. Por supuesto, lo mismo vale para las exploraciones y diseños del tecnólogo. Sin contrastación con la realidad, no hay ciencia ni tecnología.

La imaginación de los científicos es disciplinada, pero al mismo tiempo es mucho más rica que la del artista, porque este último, incluso si se trata de un entusiasta del arte abstracto (no representacional), está atado a la experiencia sensorial. Hasta un artista plástico ciego modela cosas visibles y hasta un músico sordo crea sonidos, en tanto que los físicos, químicos, biólogos o científicos sociales teóricos crean sistemas conceptuales. Más aún, el teórico, al contrario del artista, piensa sobre elementos y propiedades que no poseen concomitantes en la experiencia, como por ejemplo los campos de fuerza, los cuantos, los núcleos atómicos, los agujeros negros, los genes, los virus, los presupuestos gubernamentales y la decadencia de los imperios.

Y lo que es más, los científicos construyen predicados que representan propiedades primarias y eventos de dos clases: superficiales —como la temperatura y la agudeza visual— y profundas —como el efecto túnel cuántico y la plasticidad neuronal—. De tal modo, la ciencia contemporánea ha enriquecido del siguiente modo la dicotomía entre propiedades primarias y secundarias introducida por Galileo:

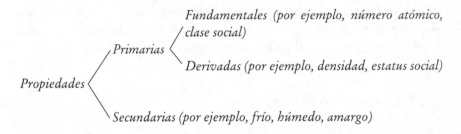

Fundamentales (por ejemplo, número atómico, clase social)

Primarias

Derivadas (por ejemplo, densidad, estatus social)

Propiedades

Secundarias (por ejemplo, frío, húmedo, amargo)

El procedimiento del científico es también lo opuesto al método fenomenológico de Husserl, el cual pretendidamente prescinde de toda presuposición y «pone entre paréntesis» el mundo. Se hace esto para concentrarse en la corriente de las propias percepciones, recuerdos, sentimientos, esperanzas, imaginaciones y otras cosas semejantes (Husserl, 1970). En qué difiere esto de la mística contemplación del propio ombligo es algo que no se nos explica. Tampoco se nos muestra ninguna lista de los maravillosos descubrimientos que, según se dice, este antiguo «método» ha acumulado. El fenomenólogo ocupa todo su tiempo preparándose para la investigación, promoviendo su programa como si se tratara de ciencia rigurosa y denigrando la ciencia estándar y el objetivismo. Se entrena para una carrera que jamás correrá.

El objetivo supremo del método científico es conseguir verdades objetivas, vale decir datos e hipótesis que sean adecuados a sus objetos o referentes, sin importar el humor o preferencia del investigador. La utilización de este método implica ir más allá de los datos de los sentidos y la construcción de sistemas conceptuales, tales como clasificaciones y teorías, que contienen únicamente predicados que representan propiedades primarias, a menos que se trate de teorías que se refieran a fenómenos del tipo de los sabores, olores, colores y sentimientos, como es el caso de ciertas teorías neurocientíficas y psicológicas.

Dado que las teorías científicas son sistemas conceptuales en lugar de montones de datos de los sentidos, esperar que unos niños sin guía o un aldeano analfabeto creen una teoría científica fundándose puramente en sus experiencias cotidianas es mostrar una fe ingenua en el poder de la más rudimentaria de las filosofías, el fenomenismo. Sin embargo esto es precisamente lo que los constructivistas ontológicos, sociales y pedagógicos nos piden que creamos: que cada uno «construye» el mundo por sí mismo.

En resumidas cuentas, el subjetivismo contemporáneo no solo es absurdo y constituye un obstáculo para la exploración de la realidad, también carece totalmente de originalidad. Berkeley lo había dicho todo mucho antes y, por añadidura, con una prosa clara y elegante.

10. Comentarios finales

El gran matemático, físico, ingeniero y filósofo *amateur* Leonhard Euler (1846, 1, p. 323) fue llamado con razón «superado únicamente por Newton». Euler llamaba a los filósofos irrealistas «payasos» y decía que su motivación no era la esperanza de descubrir verdades, sino solamente llamar la atención. Hoy en día, el duro juicio de Euler para con el antirrealismo sería considerado una muestra de malos modales en la academia contemporánea, donde todas las doctrinas filosóficas y seudofilosóficas, aun las más absurdas, menos originales, más estériles, nocivas y aburridas «reciben el mismo tiempo» que las escuelas de pensamiento serias. En particular, se considera que el antirrealismo es académicamente mucho más sofisticado y respetable que el realismo científico, el materialismo o el cientificismo.

El antirrealismo está desfasado en relación con la ciencia y la tecnología, las cuales están orientadas a la exploración o modificación de la realidad. El antirrealismo no solo es erróneo, es completamente destructivo, a causa de que declara el vacío total: ontológico, gnoseológico, semántico, metodológico, axiológico, ético y práctico. Tal nihilismo o negativismo integral, con reminiscencias del budismo, desalienta no solamente la evaluación objetiva y la acción racional, sino también la exploración del mundo. Se trata, en el mejor de los casos, de un juego académico.

4

La causalidad y el azar: ¿aparentes o reales?

Las apariencias no exhiben conexiones causales: todo lo que percibimos son los eventos, simultáneos o sucesivos, contiguos o distanciados, externos o internos, reales o ilusorios. Por ejemplo, oímos el retumbar de un trueno después de ver el destello de un relámpago, pero no percibimos la relación causal entre los dos eventos: solo conjeturamos que el último causó el primero. Esta es la razón de que los fenomenistas, desde David Hume (1888 [1734]) hasta David Lewis (1998) hayan rechazado la noción objetiva de causalidad, aun cuando, presumiblemente, ellos eran parte de miles de cadenas causales. Esta es, a su vez, la razón de que la palabra "causalidad" casi haya desaparecido del vocabulario de los filósofos positivistas entre 1880 y el momento en que fue rescatada del olvido (Bunge 1959a).

Afortunadamente, la *fatwah* positivista contra la causalidad no desalentó a los científicos en su búsqueda de relaciones y explicaciones causales. Por ejemplo, en el siglo XIX la hipótesis relámpago-trueno fue confirmada en el laboratorio mediante la producción de chispas eléctricas y la detección de las consecuentes ondas de choque, y los neurocientíficos han comprobado que las lesiones cerebrales pueden causar discapacidades mentales. Durante la primera mitad del siglo XX los físicos atómicos mostraron que la causa de la emisión de luz es el paso de los átomos o moléculas desde estados excitados a estados de menor energía; los genetistas han comprobado que algunas mutaciones causan cambios fenotípicos; los científicos sociales han comprobado que el costo de mantener las colonias acaba siendo mayor que el beneficio que deriva de explotarlas y así sucesivamente. Las pruebas científicas en favor de la causalidad son abrumadoras.

El determinismo causal dominó las ciencias casi sin disputa durante más de dos milenios, hasta la emergencia de la mecánica cuántica en 1925. Desde entonces, ha tenido que luchar con el determinismo probabilístico, a menudo llamado de modo engañoso «indeterminismo». Más aún, frecuentemente se afirma que la causalidad es un caso particular de la aleatoriedad, a saber cuando las probabilidades involucradas son igual a la unidad. Sin embargo, como se verá más adelante, se trata de un error: los conceptos de causalidad y azar son mutuamente irreductibles. Resulta interesante, sin embargo, que a veces se combinen, como cuando se calcula la probabilidad de que un evento dado cause otro.

En todo caso, todavía necesitamos los tradicionales conceptos de causalidad eficiente y final, aun cuando actualmente admitimos que su extensión o posibilidad de aplicación es limitada. Por ejemplo, el principio causal no vale para las partículas o fotones que viajan en el espacio exterior, puesto que nada las empuja ni las arrastra. Tampoco vale para la aparición espontánea de sensaciones y pensamientos en ausencia de estimulación externa. En resumen, no todos los hechos requieren explicaciones causales: solo algunos de ellos, a saber los cambios y ni siquiera todos ellos. Por ejemplo, la presencia de este libro en el escritorio del lector es un hecho pero no un evento, de lo que se sigue que no requiere una explicación causal. Lo que sí requiere una explicación causal es por qué el libro llegó a ocupar ese sitio inusual. Aquí pueden invocarse diversas causas: tal vez porque el lector lo colocó allí (causa eficiente) para consultarlo (causa final). Abreviando, la causalidad implica cambio, pero el cambio no implica causalidad.

¿Y el azar, cuál es su estatus ontológico, si es que tiene alguno? La concepción más antigua y popular acerca del azar es que no es real: que es solo un nombre para nuestra ignorancia de las causas correspondientes. Esta ha sido una concepción fértil, porque ha alentado la búsqueda de relaciones causales. Esta búsqueda ha dado tantos frutos que hasta hace poco el determinismo causal ha sido considerado parte esencial de la cosmovisión científica (por ejemplo, Bernard, 1952, p. 92). George Boole (1952, p. 249), haciendo eco a Leibniz y Kant, fue aún más lejos. Creía que «la idea de causalidad universal parece estar entretejida en la textura misma de nuestras mentes». Mucho después, Jean Piaget descubrió que los niños de edad temprana aprenden a atribuir los cambios a causas y los etólogos hallaron que lo mismo ocurre con los simios y los córvidos cuando están haciendo o utilizando instrumentos tales como palitos y ganchos.

Sin embargo, ciertos avances científicos del siglo XIX, de manera notable la invención del cálculo del error accidental de observación y la mecánica estadística, sugirieron que el azar es tan real como la causalidad. La emergencia de la mecánica cuántica, la genética, la biología molecular y la ingeniería de comunicaciones en el siglo XX confirmó el sólido sitio del azar en el mundo y el correspondiente papel de la teoría de probabilidades en la ciencia fáctica. Piénsese en los saltos cuánticos, las mutaciones aleatorias y los ruidosos canales de comunicación. Con todo, ninguno de ellos ha probado que el azar sea fundamental o irreducible, solo han probado que los conceptos en cuestión son ingredientes necesarios del conocimiento científico en ciertos niveles de análisis. Por lo tanto, debemos indagar si el azar es o no es parte de la trama del mundo y si pueden atribuirse probabilidades a los hechos o si únicamente son una medida de la intensidad de nuestras creencias. En este capítulo echaremos una mirada a los conceptos de causalidad y azar y discutiremos algunos de los problemas filosóficos que suscitan. Sin embargo, aquí el azar se llevará la parte del león, ya que es el más resbaloso de los dos conceptos. La conclusión será que la ciencia necesita ambos conceptos, a consecuencia de lo cual los metafísicos deberían actualizar el determinismo con el fin de incluir tanto las leyes probabilísticas como las causales.

1. La causalidad

Caractericemos brevemente las nociones de relación causal, principio causal y determinismo causal. Las limitaciones de este último también serán señaladas. (Más detalles en Bunge 1959a y 1982.)

El análisis estándar de la causalidad se da en términos de condiciones necesarias y suficientes: X causa Y si y solo si Y. Aunque es correcto, este análisis no es lo bastante satisfactorio en ontología y ello por dos razones: primero, porque las nociones de necesario y suficiente aparecen en el análisis de equivalencia lógica, no en el de los procesos reales; segundo, porque en el bicondicional «X si y solo [si] Y», los eventos llamados X e Y

son intercambiables, en tanto que en la realidad las causas no pueden intercambiarse con sus efectos: la relación causal es asimétrica.

En ontología necesitamos un concepto de causalidad que se ajuste a los hechos, como por ejemplo el proceso cerebral que va de oír el grito «¡Cuidado!», mirar hacia su origen, imaginar y evaluar el inminente acontecimiento peligroso, tomar la decisión de evitarlo y saltar lejos de él. Este complejo proceso entre el estímulo auditivo y la respuesta muscular es una cadena causal: una sucesión de eventos de un sistema material, un cuerpo humano. Necesitamos, pues, un análisis de causalidad en términos de eventos y flujos de energía.

Comenzamos por afirmar los habituales, si bien a menudo tácitos supuestos de que la relación causal se da entre eventos (cambios de estado en el transcurso del tiempo), no entre las cosas o sus propiedades. Un ejemplo sencillo, ya clásico, es el de la ley de Hooke. La tensión o deformación de un cuerpo elástico es proporcional a la tensión o carga aplicada. Dado que solamente los eventos pueden causar, debemos declarar inválidas las expresiones como «el gen G causa la característica C» y «el cerebro causa la mente». Deberíamos decir, en cambio, que la expresión o activación del gen G causa su intervención en las reacciones bioquímicas que en su momento dan como resultado la emergencia de la característica fenotípica C.

De modo semejante, debemos decir que el evento mental M es idéntico al evento cerebral B, con la única diferencia de que, por lo común, M es descrito en términos psicológicos, en tanto que B es descrito en términos neurocientíficos. Afirmar que «los procesos cerebrales causan la conciencia», tal como hace Searle (1997, p. 7), equivale a sostener que los cuerpos causan movimientos o que el estómago causa la digestión. Las cosas no causan procesos, sino que las cosas experimentan procesos: y los procesos, a su vez, causan cambios (eventos o procesos) en otras cosas. Más brevemente: la relación causal vale únicamente entre cambios (eventos o procesos).

Ahora estamos preparados para nuestra primera convención:

— *Definición 4.1.* El evento C en la cosa A causa el evento E en la cosa B si y solo si el acontecimiento de C genera una transferencia de energía desde A hacia B que tiene por resultado el acontecimiento de E.

(Puede construirse una definición más precisa con auxilio del concepto de un espacio de estados presentado en el capítulo 1, sección 2 [Bunge, 1977a, 1982].) Sean A y B dos cosas diferentes o dos partes distintas de la misma cosa, tales como la corteza prefrontal y la amígdala del cerebro humano. Llamemos $h(A)$ y $h(B)$ a las historias de las cosas A y B respectivamente en el transcurso de cierto intervalo de tiempo y el espacio de estados total de A y B. Además, llamemos $h(B \mid A)$ a la historia de B cuando A está presente o, mejor dicho, activa. Entonces podemos decir que A actúa sobre B si $h(B) \neq h(B \mid A)$, o sea si los cambios de A inducen cambios en B. La acción total (o efecto) de A sobre B, puede entonces definirse como la diferencia conjuntista entre la trayectoria forzada de B, vale decir $h(B \mid A)$ y su trayectoria libre $h(B)$. En símbolos, $\mathcal{A}(A, B) = h(B \mid A) \cap h(B)^c$ donde $h(B)^c$ es el complemento de $h(B)$. Lo mismo vale para la reacción de B sobre A. Finalmente, la intensidad de la interacción entre las cosas A y B es la unión conjuntista de $\mathcal{A}(A, B)$ y $\mathcal{A}(B, A)$.

Un ejemplo conocido es el de la cascada de energía involucrada en el disparo de una flecha: Energía química almacenada en las moléculas de ATP de las células musculares → Energía cinética del brazo al tensar el arco → Energía elástica (o tensión) almacenada en el arco → Energía cinética de la flecha → Energía mecánica y térmica absorbida por el blanco y la atmósfera. Otro ejemplo conocido es este: la actividad de la amígdala que llamamos «temor» estimula la corteza prefrontal, la cual a su vez «ordena» a la banda motora activar las piernas. Más brevemente: el temor causa la huida.

La transferencia de energía mencionada en la *Definición 4.1* es despreciable en dos casos: cuando el «paciente» se encuentra en un estado inestable («tocar y salir»)* y cuando el flujo de energía es una señal, como en el caso del movimiento de un neurotransmisor a través de una sinapsis o la orden de disparar un misil o despedir a un empleado. La vida social está llena de eventos causados por señales. Por ejemplo, los consumidores «envían una señal» de sus intenciones al mercado (comprando o absteniéndose de hacerlo), el cual «envía una señal» en respuesta (al exhibir los precios) acerca de lo que los consumidores pueden comprar. Esto es obvio, pero la dirección de la flecha causal no lo es y tan es así que hay dos escuelas de pensamiento en relación con este asunto. Echémosles un breve vistazo.

---

* En el original, *"touch and go"*. [N. del T.]

Los teóricos neoclásicos afirman que la oferta genera su propia demanda (la «ley» de Says): o sea, tú produce, que alguien comprará, porque el mercado aborrece los desequilibrios. La Gran Depresión refutó ese dogma y John Maynard Keynes (1973) sugirió que la flecha, en realidad, apunta en la dirección opuesta. La razón es que la demanda, lejos de ser un hecho original, es un efecto de las decisiones de gasto. Esta perspectiva no solo es más realista que el supuesto de que no hay exceso de producción, también relaciona el nivel microsocial de las decisiones individuales con el nivel macrosocial de la oferta y la demanda. En todo caso, la controversia acerca de la flecha causal en cuestión puede resumirse como sigue:

Teoría neoclásica
Nivel macrosocial   Oferta → Demanda

Teoría keynesiana
Nivel macrosocial   Demanda → Oferta

↑

Nivel microsocial   Decisiones de gasto

En resumidas cuentas, distinguimos en la práctica dos tipos de causalidad: transferencia de energía y señal disparadora. Sin embargo, debería recordarse que una señal, ya sea física, química, biológica o social, es un proceso que involucra transferencia de energía. Además, una señal transporta información propiamente dicha únicamente si está codificada, o sea si está acoplada a un código artificial, tal como el código Morse, que pueda ser decodificado por un sensor natural o artificial. (Más brevemente: la información es señal junto con significado.)

Ahora estamos en condiciones de afirmar el principio causal en su versión más simple:

— *Postulado 4.1.* Todo evento tiene alguna(s) causa(s).

Este principio es válido para muchísimos casos, pero no para todos. Las excepciones son los eventos espontáneos, es decir aquellos que no son suscitados por estímulos externos. Ejemplos de estos cambios son el automovimiento, como en el caso de una partícula o un fotón una vez que han sido eyectados, la radiactividad natural, los disparos (descargas) espontáneos de las neuronas, la emergencia espontánea de nuevas ideas y la emergencia de normas sociales junto con la de sistemas sociales, tales como los equipos o pandillas que emergen espontáneamente (sin coerción) alrededor de una tarea o un líder.

Podría objetarse que algunos de los ejemplos anteriores son casos en los que la causa y el efecto se dan en la misma cosa, tal es el caso de las neuronas o la sociedad. Es verdad, pero si mantenemos la *Definición 4.1*, para que un proceso pueda ser considerado causal, la cosa en cuestión debe tener al menos dos partes distintas. Por ejemplo, en principio, es posible explicar la desintegración radiactiva ya sea como un caso de efecto túnel espontáneo a través de una barrera potencial o como resultado de que la partícula eyectada ha conseguido, por medio de colisiones aleatorias con otras partículas en el mismo núcleo, la energía cinética necesaria para saltar por encima de la mencionada barrera potencial. Segundo ejemplo: el movimiento deliberado de un miembro sigue a partir de una decisión tomada en el lóbulo frontal. Tercero: una revuelta política es interna con respecto a la sociedad, pero contrapone a dos partes de la misma: gobierno e insurgentes. Brevemente, una causa propiamente dicha es siempre un evento externo a la cosa sobre la que actúa.

Es posible que una causa no siempre produzca sus efectos: es posible que estos ocurran solo con cierta probabilidad. O sea, en algunos casos "*C* causa *E*" debe ser reemplazado por "*C* causa *E* con probabilidad *p*" o, más brevemente, "$Pr(E \mid C) = p$", donde "$Pr(E \mid C)$" simboliza la probabilidad condicional del acaecimiento de *E* dado el acaecimiento concomitante o previo de *C*. En resumen, hay leyes probabilísticas (o estocásticas) además de leyes causales. Los mejores ejemplos de leyes probabilísticas son los de la teoría cuántica.

La fórmula mencionada anteriormente, "$Pr(E \mid C) = p$", es el núcleo de la teoría probabilística de la causalidad, según la cual la causalidad tiene lugar en el caso particular en que $p = 1$ (por ejemplo, Suppes, 1970; Popper, 1974). Pero seguramente necesitamos los conceptos de causa y evento antes de que siquiera podamos escribir la fórmula anterior. En otras palabras, los conceptos de causalidad y probabilidad no son interdefinibles. Lo que es verdad es algo mucho más interesante: que en muchos casos las dos categorías se entretejen aun cuando a primera vista sean mutuamente excluyentes.

Nuestro análisis de la causalidad en términos de transferencia de energía difiere del análisis en boga, en términos de contrafácticos (Lewis, 1973 y 1983). Según Lewis, si X e Y son eventos actuales (efectivos), entonces Y depende causalmente de X si y solo si, si X *no* hubiera ocurrido, entonces Y *tampoco* hubiese ocurrido. Sostengo que este análisis es erróneo por dos razones. Una es que es tácitamente parásito del enunciado legal "Si X ocurre, entonces Y también ocurre". El segundo error es que los contrafácticos son marginales lógicos, puesto que no son proposiciones propiamente dichas y, en consecuencia, no se les puede asignar valores de verdad.

Permitámonos repasar un poco de historia contrafáctica: imagine el lector qué le hubiese pasado a la física si Newton hubiera formulado su segunda ley del movimiento de la siguiente manera: "Un cuerpo de masa m *adquiriría* la aceleración $a = F/m$ si sobre él *actuase* la fuerza $= F$". ¿Por qué se molestaría alguien en escribir, resolver o poner a prueba la ecuación de movimiento correspondiente para diferentes casos? Los contrafácticos son herramientas heurísticas o trucos retóricos, no enunciados legales que pertenecen a teorías científicas. Regresaremos a ellos en el capítulo 9, sección 6.

Además, en las ciencias y tecnologías, las consideraciones causales se centran en las propiedades, en lugar de sobre eventos íntegros. Una definición estándar es esta. Sean A y B que denotan dos propiedades de cosas de una clase dada y supongamos que B es una función de A, o sea $B = f(A)$. Entonces, un cambio ΔB de la propiedad B es causado por un cambio ΔA de la propiedad A si la teoría o el experimento muestran que el cambio ΔB sigue en todos los casos (o en todo tiempo) al acaecimiento de ΔA y, más aún, aproximadamente en la cantidad $\Delta B = f'(A). \Delta A$, donde $f'(A)$ es el valor de la pendiente del punto que representa el valor f en A, en un gráfico. El criterio empírico correspondiente es obvio, para averiguar si B depende causalmente de A, sacúdase A y contrólese si B cambia tal como ha sido conjeturado. O sea, para estar seguros de que hay una relación causal, hágase ocurrir la causa y contrólese el supuesto efecto. El análisis contrafáctico de la causalidad es cualitativo y, por ende, no provee criterios precisos para averiguar si se cumple o no se cumple "$\Delta B = f'(A). \Delta A$".

Hasta aquí llega nuestro tratamiento de la causalidad eficiente, el único tipo de causalidad admitido por los fundadores de la ciencia y la filosofía modernas, todos los cuales rechazaron los otros tres tipos postulados por Aristóteles (material, formal y final). Sin embargo, la noticia de la muerte de la causalidad final es exagerada. En efecto, la ciencia y la ingeniería contemporáneas admiten el comportamiento deliberado en los vertebrados superiores y los artefactos equipados con mecanismos de control tales como termostatos y dispositivos de corrección de órbita. Con todo, esta perspectiva de las causas finales es muy diferente de la vieja concepción teológica, según la cual, de algún modo, el futuro causa eventos del pasado. En el comportamiento deliberado, una representación mental del futuro, entendida como proceso cerebral, desencadena una decisión en la corteza prefrontal, la cual a su vez causa un cambio en la banda motora, el cual a su vez causa el movimiento de un miembro, el cual a su vez puede actuar sobre una palanca o un botón. Se trata de una cadena de ordinarias causas eficientes; tanto es así que la parte intención-movimiento de la cadena puede ser reemplazada por una prótesis electromecánica. En cuanto al control automático, Norbert Wiener y sus colaboradores lo explicaron hace ya mucho tiempo en términos de bucles de retroalimentación (o causalidad circular). En pocas palabras, la teleología es perfectamente admisible, siempre y cuando se la entienda como un emergente de cadenas de causas eficientes.

En síntesis, el determinismo causal tiene un amplio rango de aplicación, pero no es válido para todos los eventos. No todos los eventos interconectados están causalmente relacionados y no todas las regularidades son causales. El azar también tiene su lugar en el universo y, en consecuencia, el determinismo debe ser ampliado de modo tal de incluir las leyes probabilísticas. Sin embargo, ya hemos llegado a la próxima sección.

2. El azar: tipos

La palabra «azar» es notablemente polisémica. Debemos distinguir al menos tres clases diferentes de azar: el accidente o encuentro casual, el desorden y el evento espontáneo o no causado. Tal como ha explicado el estoico Crisipo hace ya 22 siglos, un encuentro casual o coincidencia o evento contingente, consiste en el cruce de dos líneas causales inicialmente independientes. Ejemplos conocidos de ellos son los encuentros accidentales entre dos conocidos, encontrar un tesoro cuando se cava para plantar un árbol, la colisión involuntaria de dos vehículos y las consecuencias imprevistas, benéficas o perjudiciales, de la acción (o inacción) social. Este primer tipo de azar era conocido por los filósofos antiguos, en particular por Aristóteles, quien le dedicó varias páginas de su *Física* (196b).

El azar en el segundo sentido, el de oportunidad única e irrepetible o *concours de circonstances*,* tiene un importante papel en la historia, así como en la vida individual. Esta es la causa de que se haya descrito la evolución biológica como oportunista o exploradora, en lugar de diseñada (Jacob, 1976). Hay un término especial para ello: un rasgo que ha sido apropiado para realizar funciones diferentes de las que tenía originalmente y que elevan la aptitud biológica: se llama *exaptación*. Esa es la razón de que Gould (2002) hiciera hincapié en el papel de la contingencia, o sea el accidente, en la evolución biológica. Por ejemplo, es concebible que ciertas bioespecies, en particular la nuestra, podrían no haber emergido si no hubiese sido por una combinación accidental de mutaciones génicas y condiciones ambientales favorables.

Mucho de esto vale para la historia humana. Así pues, se ha sostenido que el Renacimiento florentino fue en parte un efecto colateral de la Peste Negra, la cual favoreció la concentración de la riqueza y, de este modo, hizo posibles emprendimientos comerciales más atrevidos. Una vez más, la epidemia mundial de gripe de 1918 resultó especialmente letal a causa de que atacó poblaciones que habían sido debilitadas por cuatro años de guerra. Además, algunos descubrimientos científicos han sido accidentes con suerte, si bien, como han señalado Pasteur y otros, es necesario tener una mente preparada para sacar provecho de ellos (véase Taton, 1955). La palabra «serendipia» [*serendipity*] se utiliza a menudo como sinónimo de acontecimiento accidental, que es el caso de los descubrimientos de los rayos X, la radiactividad, la penicilina y las ondas de radio estelares (véase Merton y Barber, 2004).

La admisión de que hay coincidencias significó un avance respecto del pensamiento mágico, según el cual las coincidencias son indicadores de conexiones impermeables al análisis. Esta clase de pensamiento ha sobrevivido, por ejemplo, en la doctrina de la «sincronicidad» de Carl Gustav Jung. Se trata de un ingrediente de la combinación de Jung del psicoanálisis con las «ciencias» ocultas que se ha transformado en parte del pensamiento New Age. Sin embargo, todos sabemos que nuestras historias de vida están repletas de encuentros fortuitos de muchos tipos.

---

* En francés en el original: circunstancias coincidentes. [*N. del T.*]

Por ejemplo, ni siquiera el casamiento más cuidadosamente arreglado podría saltar por encima de los rasgos genéticos, tales como genes recesivos y el tipo de sangre, que no poseen expresiones fenotípicas evidentes (observables). Por lo tanto, cada uno de nosotros ha surgido de apareamientos que, en cierta medida, son aleatorios. Únicamente el pecado original estaba, presuntamente, libre del azar.

La segunda clase de azar es el desorden, como el que se causa al disolver, batir, mezclar, revolver, agitar, calentar, producir disturbios y reunir elementos mutuamente independientes, como en los casos de los nacimientos y accidentes de tránsito, en una población estadística. Esta es la clase de desorden con el que tratan la mecánica estadística, la estadística notarial y la sociología de la conducta marginal. Se le reconoce fácilmente en el ruido blanco, los patrones de las gotas de lluvia, la difusión, la dispersión de genes y semillas, la propagación de impulsos nerviosos a lo largo de un axón, los resultados de los juegos de azar, las expectativas de vida y los errores experimentales. Su marca característica es la fluctuación estadística o varianza. La existencia misma de las compañías de seguros de vida depende de esta clase de azar. Tal como ha señalado Poincaré (1908), estas compañías seguirían en el negocio incluso si sus médicos pudiesen prever la fecha de fallecimiento de cada uno de sus asegurados. La causalidad en un nivel puede dar como resultado el azar en otro nivel y viceversa.

Se ha afirmado que los juegos de azar no son tales en realidad, a causa de que las monedas, dados, cartas y cosas por el estilo se mueven según las leyes de la mecánica clásica. Es verdad, pero en este caso el azar es inherente a las condiciones que resultan de una aleatorización deliberada, como cuando se mezcla un mazo de cartas. Por cierto, un ser omnisciente no debería encontrar dificultad alguna en averiguar las condiciones iniciales pertinentes. Pero el resultado aún sería aleatorio, porque la esencia de esos juegos es un mecanismo de aleatorización, como por ejemplo la agitación o el mezclado, que produce una distribución de posibilidades objetivamente aleatoria. Este es un caso, solamente, de la ley general de que el futuro no depende únicamente de las leyes pertinentes, sino también de las condiciones iniciales y las condiciones de contorno.

Esta clase de azar no fue reconocida sino hasta el comienzo de la Revolución Científica. Desde luego, la gente jugaba juegos de azar desde mucho antes, pero solo con fines de entretenimiento o adivinación. Cardano, Galileo, Pascal, Descartes, Fermat y el Caballero de Méré fueron los primeros en descubrir las leyes del azar, algo que parece un oxímoron. Pasó otro siglo más antes de que Daniel Bernoulli aplicara la joven teoría de las probabilidades a la física. Y tomó otro siglo más que las probabilidades se aplicaran a las estadísticas sociales, que tratan de las regularidades propias de las grandes poblaciones de eventos humanos mutuamente independientes, tales como nacimientos y accidentes de tránsito (véase, por ejemplo, Porter, 1986 y Gigerenzer *et al.*, 1989).

Epicuro introdujo una tercera clase de azar. Este filósofo especulaba que los átomos se desvían irregular y espontáneamente de la línea recta, con un movimiento que Lucrecio llamó *clinamen*. El gran botánico Robert Brown fue el primero en descubrir, en 1828, un ejemplo real de esta clase de azar, concretamente el movimiento (browniano) de las partículas de polen. Seis décadas más tarde, Einstein explicó ese movimiento irregular visible como los efectos de los impactos moleculares aleatorios entre moléculas que supuestamente se rigen por leyes causales; más aún, Einstein indicó las variables, como la trayectoria libre media, que habían de medirse para poner a prueba esta hipótesis.

En este caso, la aleatoriedad en el nivel mesoscópico de las partículas de polen (y polvo y hollín) es resultado del cruce de las trayectorias mutuamente independientes de las partículas microscópicas, de las cuales la teoría supone que satisfacen las leyes de la mecánica clásica. Más brevemente: el azar en un nivel puede ser el resultado de la causalidad en un nivel inferior (Bunge 1951). Esto no convierte el azar en algo ilusorio: únicamente lo hace relativo al nivel de organización. (Véase Bunge; [1959b, 1969 y 1977c] para las estructura de múltiples niveles del mundo.)

Los positivistas de fines del siglo XIX, en particular Mach, Duhem y Ostwald, habían ridiculizado tanto la hipótesis atómica como la mecánica estadística por postular tanto la existencia de entidades transfenoménicas como la realidad del azar. El eminente Wilhelm Ostwald (1902) propuso su «energética», una extensión descontrolada de la termodinámica clásica, la cual, afirmaba, comprendía incluso la teoría de los valores, a la vez que superaba el conflicto entre materialismo e idealismo. La mayoría de los físicos de alrededor de 1900 compartía este prejuicio contra el atomismo. Afortunadamente, Ludwig Boltzmann y Max Planck, junto con un puñado de jóvenes ansiosos de cambios, notablemente Albert Einstein, Jean Perrin, Victor Henri y Marian Smoluchowski, tomaron el camino heterodoxo: pusieron la hipótesis atómica a trabajar y apoyaron el realismo.

En 1905, Perrin realizó las primeras mediciones precisas del movimiento browniano, confirmando las fórmulas teóricas clave y, de tal modo, comprobando la realidad de los átomos. Perrin afirmaba que «en cada instante, en una masa de fluido, hay una agitación espontánea irregular» a causa del movimiento molecular aleatorio (en Brush, 1968, p. 31). Estas fluctuaciones mostraron también que la irreversibilidad postulada por la segunda ley de la termodinámica solo es válida a gran escala: de hecho, las disminuciones de la entropía son posibles —aun cuando sean pequeñas, infrecuentes y de corta duración— incluso en los sistemas cerrados.

El tercer tipo de azar o fluctuación espontánea es conspicuo en la física cuántica. Piense el lector en las desintegraciones radiante y radiactiva espontáneas. Ejemplos todavía más asombrosos son las fluctuaciones de vacío postuladas por la electrodinámica cuántica y la autoaceleración inherente en el *Zitterbewegung* (movimiento oscilatorio) que la mecánica cuántica relativista atribuye al electrón. Ambos recuerdan la desviación de Epicuro. A pesar de ello ¡se trata de una mera coincidencia! (azar de tipo I).

Se ha especulado que podría haber un nivel subcuántico carente de azar. Las entidades de este nivel serían descritas por variables «ocultas», vale decir variables con varianza (o fluctuación) cero. La extensión de la mecánica cuántica de David Bohm ha sido la tentativa más prominente en esta dirección. Sin embargo, el intento no prosperó, principalmente a causa de que no consiguió derivar la amplitud de probabilidad mecánico-cuántica (la famosa función ψ) a partir de variables no aleatorias. Por lo tanto, el azar postulado por la teoría cuántica es de tipo fundamental ¡hasta nuevo aviso!

Con todo, la idea de azar objetivo o real no es obvia. De manera irónica, una manera de desembarazarse de las posibilidades reales pero aún no realizadas es consignarlas a universos paralelos del modo en que lo ha hecho Everett (1957). Supongamos que un físico cuántico obtiene el resultado de que cierta cosa puede poseer infinitas energías, cada una con una probabilidad dada. Supongamos, además, que el lector mide la energía de la cosa en cuestión: obtiene un valor de energía preciso de la nube (distribución) original. ¿Qué fue de los otros infinitos valores de energía? La respuesta de Everett es que cada uno de ellos se ha realizado en un mundo alternativo, donde dobles del lector realizan un experimento similar.

Aunque esta extravagante interpretación de la mecánica cuántica goza de pocos partidarios, por lo general se la trata con respeto, como si de ciencia seria, aunque inútil, se tratase. Sin embargo, la interpretación de la teoría cuántica basada en la teoría de la pluralidad de mundos pertenece de lleno a la ciencia ficción. Las razones de ello son las siguientes. Primero, los mundos paralelos son, en principio, inaccesibles y, por lo tanto, incomprensibles y, en consecuencia, se encuentran fuera de las posibilidades de la ciencia. Segundo, se supone que un acto de medición transforma la cosa única inicial en infinitas copias de ella, lo cual viola todas las leyes de conservación. Tercero, se supone que el mismo experimento genera infinitas copias del mismo experimentador, desafiando todas las normas de la buena educación. En resumen, es posible tratar cada posibilidad como una realización en un mundo diferente, pero al asombroso precio de huir del mundo real que supuestamente se ha de estudiar. Aceptémoslo: la realidad está preñada de posibilidades reales.

La evolución biológica involucra azar de las dos primeras clases: coincidencia y desorden. En efecto, ciertas fases de la evolución de la Tierra favorecen a determinadas formas de vida, en tanto que perjudican a otras. Piénsese en la deriva continental, los impactos de meteoritos, las corrientes oceánicas, las glaciaciones, las inundaciones y las sequías. Además, cuando emergieron, los organismos alteraron la composición del suelo y de la atmósfera, cambios que, a su vez, indujeron transformaciones en los organismos; este es el motivo por el cual los ecólogos hablan de biosfera, así como de construcción activa del nicho (o el hábitat; Olding-Smee, Laland y Feldman, 2003).

Así pues, a menudo hay simple desorden, como cuando las corrientes de aire y agua, así como el fuego y las inundaciones, dispersan las semillas de manera más o menos aleatoria, tal como muestra la distribución de las malezas en ciertas regiones. El acaecimiento del azar de cualquier clase bastaría para llevar organismos de la misma especie por diferentes trayectorias evolutivas y, de tal modo, acabarían siendo especies diferentes. Abreviando, tal como ha enfatizado Monod (1970), la evolución biológica es mitad aleatoria y mitad causal.

El darwinismo introdujo lo que a primera vista parece un cuarto concepto de azar: «La esencia de la noción evolutiva de azar consiste en que los eventos son independientes de las necesidades de un organismo y de la dirección provista por la dirección natural en el proceso de adaptación» (G. T. Eble [1999] en Gould 2002, p. 1.036). Este es el sentido en que se dice que las mutaciones ocurren al azar. Pero esta clase de azar parece ser solo un caso particular de la primera clase, puesto que consiste en dos trayectorias inicialmente independientes: las del genoma y el ambiente. Si las mutaciones son aleatorias o no en el sentido de ser espontáneas (azar de tipo 3) es otro asunto y deberá ser resuelto, en su caso, por la bioquímica teórica.

La evolución humana es un caso de la combinación de procesos aleatorios de los tres tipos entrelazados con procesos causales. En efecto, en el caso de los humanos, además de la mutación génica, está la creatividad (conceptual, tecnológica, artística, ideológica y social). En efecto, sabemos que las ideas originales de todo ámbito son invenciones en lugar de reacciones a estímulos externos como el reflejo patelar. Más aún, algunas innovaciones son no adaptativas: piénsese en el delito, la guerra, la desigualdad entre géneros, el racismo, la explotación y la adoración de deidades crueles y gobernantes despóticos. La aparición de las innovaciones radicales hace de la predicción biológica y social un asunto azaroso. Por la misma razón, las novedades imprevistas hacen que los planes a prueba de errores sean una ilusión. Con todo, desde luego que tenemos que planificar, si bien admitiendo lo imprevisto.

Las tres clases de azar son descritas por una única fórmula: «irregularidad individual debajo del orden de un agregado». En otras palabras, las leyes probabilísticas en lo pequeño implican regularidades estadísticas en lo grande. Esta es la esencia de la Ley de los Grandes Números y los Teoremas del Límite Central del cálculo de probabilidades. Por ejemplo, si bien puede hacerse que las sucesivas mediciones de alta precisión de una magnitud sean independientes las unas de las otras, sus resultados se distribuyen, por lo común, en una curva con forma de campana (de Gauss). O sea, las desviaciones de la media en un sentido compensan las desviaciones en el sentido opuesto.

Cournot (1843), Peirce (1986 [1878]) y otros pocos se percataron pronto de que la admisión del azar objetivo requería una revisión de las ontologías tradicionales, todas las cuales habían sido causalistas (o deterministas en sentido estrecho). Peirce fue tan lejos como para afirmar que el azar es fundamental, por lo que deberíamos adoptar una ontología tichista. Sin embargo, su argumento era errado, porque confundió los dos principales conceptos de ley que aparecen en las ciencias: el de pauta objetiva o regularidad y el de enunciado legal o representación conceptual de la primera. Peirce señaló correctamente que los últimos raramente son precisos, si es que alguna vez lo son, tal como muestran los omnipresentes errores accidentales (asistemáticos) de medición; pero llegó a la conclusión de que la realidad es en sí misma irregular. Boutroux (1898 [1874]) y otros fueron llevados al mismo error por la misma confusión. Ampère (1834) y, mucho más tarde, otros pocos (por ejemplo, Bunge, 1958b; Armstrong, 1978; Mellor, 1991) trazaron la distinción entre pauta y enunciado y así quedaron a salvo de la mencionada reificación.

Popper (1950) y otros han sugerido que la admisión del azar en el contexto ontológico exige el reemplazo del determinismo por el indeterminismo. Sin embargo, la palabra "indeterminismo" sugiere la ilegalidad y sabemos que los eventos aleatorios tienen sus propias leyes, como las distribuciones de Gauss y Poisson. También sabemos que las doctrinas puramente negativas no tienen ningún poder heurístico. Por lo general, se debe evitar el negativismo aunque solo fuese porque únicamente las afirmaciones pueden ser precisas y fértiles. (Todos los enunciados negativos matemáticos, científicos y tecnológicos son consecuencias lógicas de supuestos afirmativos. Piénsese, por ejemplo, en la irracionalidad del 2, la imposibilidad de un móvil perpetuo, las transiciones prohibidas por la teoría cuántica o el teorema de imposibilidad de Arrow de la teoría de la elección social.)

Lo que sí exige la admisión del azar objetivo es una ampliación del determinismo para que no incluya únicamente las leyes causales, sino también las probabilísticas. Más aún, el azar y la causalidad, lejos de ser incompatibles entre sí, pueden transformarse el uno en la otra y viceversa. Por ejemplo, la mecánica cuántica recupera las leyes de la mecánica de partículas clásica como promedios (teorema de Ehrenfest).

3. La probabilidad objetiva

Para bien o para mal, los tres conceptos de azar que hemos distinguido antes —accidente, desorden y espontaneidad— se manejan con ayuda de una única teoría matemática, a saber el cálculo de probabilidades. Se trata de una teoría abstracta con tres conceptos básicos (indefinidos o primitivos): los de espacio de probabilidades, evento y medida de probabilidad. Los «eventos» en la teoría de probabilidades pura son conjuntos mensurables pertenecientes al espacio de probabilidades: no es necesario interpretarlos como cambios de estado. Además, una probabilidad particular, tal como 1/3, es un valor de una función *Pr* que relaciona ese espacio con el intervalo real unidad [0, 1], tal que si *A* y *B* son eventos disyuntos (o mutuamente excluyentes), entonces $Pr(A \cup B) = Pr(A) + Pr(B)$.

Paradójicamente, la teoría general de probabilidades no incluye el concepto de azar, aun cuando solo es aplicable a eventos aleatorios. En efecto, la teoría general es solo un caso especial de la teoría de la medición, una teoría semiabstracta en la que el argumento de la función de probabilidad son conjuntos que pueden ser interpretados como segmentos de líneas, áreas o volúmenes en un espacio. Esta es la razón de que toda aplicación del cálculo general de probabilidades requiera la especificación del espacio de probabilidades (por ejemplo, como el conjunto potencia del espacio de estados de entidades de alguna clase). También requiere la adición de uno o más supuestos sustantivos que bosquejen el mecanismo aleatorio en cuestión, como en el caso de la extracción de bolas de una urna en la lotería con o sin reemplazo, o el salto espontáneo de un átomo de un estado a otro.

Por ejemplo, la mecánica cuántica predice y la espectroscopia confirma que la probabilidad de la transición 3p → 3s del átomo de sodio, la cual se manifiesta como una línea amarilla brillante, es $0,629.10^{-8}$ por segundo. Esta probabilidad no es ni una frecuencia ni la intensidad de una creencia: cuantifica la posibilidad del mencionado evento, el cual ocurre a un átomo excitado ya sea que alguien lo observe o no. Más aún, a diferencia de las frecuencias y las creencias, se espera que esa probabilidad se acerque a la unidad (realidad efectiva) a medida que el tiempo tiende a infinito. (Advertencia: "realidad efectiva", no "certidumbre"). O sea, con el tiempo suficiente, un átomo de sodio en estado 3p decaerá necesariamente al estado 3s. Esta transformación de la posibilidad en necesidad contradice la lógica modal, la cual ignora el tiempo, así como las leyes naturales, a consecuencia de lo cual resulta irrelevante para la ciencia.

Abreviando, un modelo probabilístico $\mathcal{M}$ de un proceso aleatorio consiste en la formalización matemática mencionada *F* junto con un conjunto de supuestos sustantivos (no matemáticos): $\mathcal{M} = F \cup S$. (Este concepto de modelo teórico, a saber el de una teoría fáctica especial, no está relacionado con el concepto de la teoría de modelos, el cual es meramente un ejemplo matemático de una teoría abstracta. (Véase Bunge, 1983.) Pese a ello, toda una filosofía de la ciencia, la llamada teoría estructuralista, propuesta por Suppes, Sneed, Stegmüller y Moulines, se funda en la confusión entre estos dos conceptos.)

El pasar por alto esta característica de las aplicaciones de la teoría de probabilidades al estudio de los hechos es responsable de muchos errores muy difundidos. Uno de ellos es la creencia de que cualquier descuidada aplicación del teorema de Bayes llevará a resultados correctos. Este teorema afirma que la probabilidad condicional $Pr(B \mid A)$ de B dado A es igual a su «inversa» $Pr(A \mid B)$ multiplicada por la probabilidad previa $Pr(B)$ y dividida por la probabilidad previa $Pr(A)$. Abreviando, $Pr(B \mid A) = Pr(A \mid B)$ $Pr(B) / Pr(A)$. Esta fórmula es simétrica en los argumentos: o sea, A y B pueden reemplazarse entre sí, en tanto y en cuanto no representen hechos. Si lo hacen, una aplicación descuidada de la fórmula puede llevar a resultados ridículos. He aquí uno de ellos: sea A que representa el estado de estar vivo y B que representa el estado de estar muerto. Entonces, $Pr(B \mid A)$ puede interpretarse como la probabilidad de la transición Vivo → Muerto en un intervalo de tiempo dado. Pero puesto que el proceso inverso es imposible, la probabilidad inversa $Pr(A \mid B)$ no existe en este caso: no es ni siquiera nula, porque el proceso de la muerte no es estocástico.

Según Humphreys (1985), los contraejemplos como el anterior muestran que el cálculo de probabilidades no es «la teoría del azar correcta». Este comentario es correcto pero incompleto. La falla en cuestión muestra que, para poder ser aplicado, el cálculo de probabilidades debe ser enriquecido con hipótesis no matemáticas. Al menos una de ellas debe ser el supuesto de que el proceso en cuestión posee un componente aleatorio. Por ejemplo, el jugador supone que la rueda de la ruleta no está amañada y que sus sucesivos giros son independientes entre sí; en la teoría cinética de los gases se supone que las posiciones y velocidades iniciales de las partículas se distribuyen de manera aleatoria; los errores de medición se suponen mutuamente independientes y distribuidos al azar alrededor de 0 y la teoría estadística de la información de Shannon supone que el emisor y posiblemente también el canal están sujetos a perturbaciones aleatorias, las cuales se traducen en ruido blanco, lo opuesto del mensaje.

El cálculo de probabilidades axiomático no incluye la noción de azar porque es solo un caso especial de la teoría de la medición, la cual pertenece a la matemática pura. Pero no es diferente de otras piezas de la matemática. Por ejemplo, las variables reales x e y relacionadas por la función lineal "$y = a + bx$" deben ser interpretadas en términos fácticos si la fórmula ha de contar como un enunciado legal físico, químico, biológico, sociológico o económico.

En otras palabras, la razón de que la matemática pura no defina el concepto de azar es que todo caso de azar genuino es un proceso real, por lo tanto, solo puede entenderse con la ayuda de hipótesis fácticas específicas, como la del debilitamiento de los vínculos interatómicos a causa del calentamiento de un sólido o el debilitamiento de los vínculos sociales que sigue a un desastre natural o una revolución social.

Si el concepto de azar fuese matemático, sería posible urdir fórmulas para generar secuencias aleatorias. Pero ninguna fórmula así puede concebirse sin incurrir en contradicción, puesto que la aleatoriedad es lo opuesto de la legalidad matemática; tan es así que la definición actualmente aceptada de una secuencia aleatoria de ceros y unos es aproximadamente esta: tal secuencia es aleatoria si no puede ser descrita eficientemente de otra manera que exhibiendo la propia secuencia (véase Volchan, 2002). Esta caracterización negativa difiere de manera drástica con las maneras positivas en que se definen habitualmente los objetos matemáticos, ya sea de manera explícita (por identidad) o implícita (por ejemplo, por medio de una ecuación o un sistema de axiomas). En otras palabras, el concepto de azar (o aleatoriedad) aparece solo en la aplicación del cálculo de probabilidades. Sin azar no hay probabilidad (véase también Bunge, 2003a). En otras palabras, la probabilidad es «una medida de la posibilidad física [real]» (Cournot, 1843, p. 81). De allí que sea un error atribuirles probabilidades a las hipótesis.

Por el momento, la mejor manera de construir una secuencia aleatoria es observar cómo la naturaleza la produce, por ejemplo, registrar los clics de un contador Geiger en presencia de material radiactivo. La táctica que le sigue en bondades es la de imitar el azar, por ejemplo, construyendo fórmulas o algoritmos para generar secuencias seudoaleatorias que se acerquen a las distribuciones aleatorias. Pero, en ambos casos, se obtendría una distribución de frecuencias especial, como la de Poisson: el concepto de probabilidad general es bastante abstracto. Por la misma razón, «no hay pruebas [*tests*] para [la] presencia o ausencia de la regularidad en general, únicamente hay pruebas de una regularidad específica propuesta o dada» (Popper, 1959b, p. 359).

Sin embargo, el concepto de probabilidad general permite definir el concepto de elección al azar (o a ciegas): aquella en la que todos los resultados son igualmente probables (véase, por ejemplo, Feller, 1968, p. 30). El ejemplo más conocido de elección al azar se da en los juegos de azar. Así pues, los dos resultados posibles en el lanzamiento de una moneda tienen la misma probabilidad, o sea 1/2. Pero el requisito de igual probabilidad es tan fuerte que difícilmente se cumpla fuera de los casinos. En efecto, a los valores de la enorme mayoría de las variables aleatorias (o estocásticas) se les atribuye probabilidades diferentes. Piénsese, por ejemplo, en una curva en forma de campana (o curva de Gauss), para la distribución de una característica biológica determinada, como la altura, en una población. Distribuciones parecidas se dan en las teorías estadísticas de la física, la química, la biología, la psicología social y las ciencias sociales.

Si uno de los resultados de un proceso aleatorio tiene muchas más oportunidades de ocurrir (es más probable) que los demás, podemos decir que hay una propensión (o tendencia, inclinación o sesgo). Por ejemplo, en el juego de los *craps*, que se juega con dos dados que se lanzan al mismo tiempo, la obtención del total siete es tres veces más probable que la del 11, porque hay seis maneras de obtener siete, pero únicamente dos de obtener 11. (En términos de jugador, la proporción de apuestas es 6:2 o 3:1.) Sin embargo, se trata de un resultado aleatorio muy especial. Por ello, llamar «interpretación propensista» a la interpretación objetivista (o realista) de la probabilidad constituye un error (que yo mismo —siguiendo a Popper, 1957— he cometido ocasionalmente). Esta denominación es particularmente errónea en el caso de los resultados equiprobables, que son precisamente los que caracterizan la aleatoriedad uniforme o perfecta. Véase la figura 4.1.

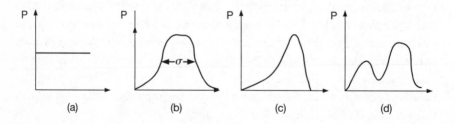

Figura 4.1. (a) Distribución en meseta: aleatoriedad perfecta. (b) Distribución simétrica: cancelación de las desviaciones a partir de la media. (c) Distribución sesgada: propensión o tendencia simple. (d) Distribución bimodal: dos propensiones diferentes.

4. La probabilidad en la ciencia y la tecnología

El concepto de azar como encuentro accidental es omnipresente en ciencia y tecnología. Un ejemplo entre muchos es cualquier teoría de colas, como el modelo de los tiempos de llegada de los llamados en un intercambio telefónico o el de los clientes en la caja de un supermercado. Otro ejemplo común es el muestreo al azar, realizado de manera rutinaria en la etapa de control de calidad de un proceso de fabricación.

El procedimiento más simple y conocido para construir una secuencia aleatoria es lanzar una moneda. Sin embargo, se trata de un ejemplo bastante artificial: los procesos con solo dos resultados posibles son extremadamente raros en la realidad. Algo que ocurre con muchísima mayor frecuencia en la ciencia es el del agregado estadístico obtenido por medio de la remoción de individuos, por ejemplo personas, del sistema al que pertenecen, como en los casos de su lugar de trabajo o el vecindario y la medición de solo una de sus características, por ejemplo, edad, altura, peso, capacidad o riqueza. Se observa que una característica dada se distribuye de manera aleatoria, típicamente en una curva de forma de campana. La aleatoriedad es aquí el resultado del cercenamiento de los vínculos de tal modo de producir elementos que sean independientes entre sí. Un caso físico análogo: a medida que un cubo de hielo se derrite y el charco de agua resultante se evapora las moléculas de agua están cada vez más separadas y desordenadas. En ambos casos, el físico y el social, el proceso tiene tres características mutuamente dependientes: debilitamiento de los vínculos entre los individuos, comportamiento individual cada vez más independiente y desorden en aumento en el micronivel. Estas son las condiciones ideales de aplicabilidad del cálculo de probabilidades.

El concepto de azar como desorden aparece en la teoría cinética de los gases y en su generalización, la mecánica estadística clásica. Estas teorías suponen que un gas está constituido por partículas (átomos o moléculas) comparativamente alejadas y, por ende, casi independientes entre sí, que «obedecen» las leyes de la mecánica de partículas clásica. Pero las teorías en cuestión también suponen que las posiciones y velocidades iniciales de las partículas están distribuidas al azar, no de un modo ordenado. Las dos hipótesis, en conjunto, implican leyes estocásticas como la distribución de velocidades moleculares de Maxwell-Boltzmann. Esta ley asigna una probabilidad o, mejor dicho, una densidad de probabilidades a cada valor de la velocidad. De tal modo, esta última es la variable aleatoria en el nivel macrofísico. Por lo general,

— *Leyes clásicas* y *Aleatoriedad inicial* ⇒ *Leyes estocásticas*.

Considérese, por ejemplo, la segunda ley de la termodinámica estadística: un sistema cerrado tiende a evolucionar desde estados menos probables a estados más probables hasta alcanzar un estado de probabilidad máxima, que es el estado de equilibrio. La probabilidad en cuestión cuantifica la noción de desorden objetivo y está relacionada funcionalmente con la entropía, una propiedad emergente (sistémica) mensurable propia del sistema. Un ejemplo sencillo es este. Tomar un mazo nuevo de cartas y mezclarlo muchas veces (y de manera honesta), para asegurarse de que la configuración inicialmente ordenada haya evolucionado en una mezcla completamente desordenada. El número total de configuraciones finales posibles es 52! 10^{50}. Este número es tan enorme que ningún jugador de cartas podría conseguir todas las permutaciones posibles en toda su vida. De tal modo, mientras que la configuración inicial es única, el número total de configuraciones desordenadas es astronómico: la probabilidad de obtener una configuración diferente de la inicial ha aumentado al mezclar cada vez. Así pues, en este caso, la probabilidad mide el desorden.

La situación en la mecánica cuántica es casi la opuesta. Aquí las leyes fundamentales son estocásticas y, en tanto que algunas de las leyes derivadas también son probabilísticas, otras no lo son. Por ejemplo, las fórmulas de los niveles de energía posibles o la sección transversal de dispersión son probabilísticas, en tanto que las fórmulas para los promedios y las varianzas de las variables dinámicas como el momento lineal y el espín, no lo son. Un famoso ejemplo es el de un único electrón, fotón o algún otro cuantón, que es difractado por dos ranuras en una pantalla y choca con una pantalla de detección que se halla detrás de la primera. Este cuantón tiene una probabilidad definida de pasar a través de las ranuras e impacta la pantalla en algún «punto» (región muy pequeña) del detector. A medida que el número de impactos aumenta, emerge gradualmente un patrón de difracción microfísica regular. De tal modo, la conducta individual es errática aun cuando esté "gobernada" por leyes probabilísticas, en tanto que la conducta colectiva resultante exhibe un patrón.

En resumidas cuentas, el éxito de las teorías probabilísticas en ciencia sugiere que el azar es real, que se trata de una categoría ontológica fundamental, no de una característica psicológica o gnoseológica. (Véase, por ejemplo, Cournot, 1843; Peirce, 1935; Poincaré, 1908; Du Pasquier, 1926; Fréchet, 1946; Bunge, 1951 y 1981a y Popper, 1957.) En consecuencia, el determinismo debe ser ampliado para dar cabida a las leyes probabilísticas. Esta concepción ampliada podría llamarse *neodeterminismo* (Bunge, 1959a). Según esta perspectiva, (a) todos los eventos satisfacen algunas leyes, ya sean causales, probabilísticas o mixtas y (b) nada sale de la nada o desaparece en la nada, un principio ontológico fundamental que se encuentra en la antigüedad tanto hindú como grecorromana (véase Dragonetti y Tola, 2004).

El espectacular éxito de las teorías probabilísticas en las ciencias naturales ha estimulado el pensamiento probabilista en psicología, sociología, economía, administración e, incluso, en gnoseología. La idea que subyace a este «derrame» es que se puede atribuir probabilidades a todos los eventos, aun a tomar decisiones en los negocios y evaluar la verdad de las afirmaciones. Más brevemente: se supone que la sociedad y quizá incluso la totalidad del universo es un casino, una colosal, si bien tácita, hipótesis ontológica. Sin embargo, la atribución de probabilidades a las acciones humanas es legítima únicamente en el caso del comportamiento de prueba y error, el cual no es ni típico ni eficiente. Por ejemplo, un sujeto al cual se le pide que acierte con la secuencia de las letras RFEZU solo tiene una oportunidad de éxito en 5! = 120. En todos los ámbitos, seguimos reglas, imitamos, realizamos conjeturas instruidas o hacemos investigación antes de actuar. El procedimiento de prueba y error es demasiado irracional, lento y derrochador como para explicar la conducta humana. En condiciones de completa incertidumbre, o sea de ignorancia total, la sabiduría no consiste en apostar sino en abstenerse de actuar tomando las probabilidades subjetivas como fundamento.

Esto concluye mi defensa de la tesis de que el azar es objetivo. Examinemos ahora la opinión contraria.

5. El azar como ignorancia

Una alternativa frente a la concepción realista del azar y la probabilidad es la doctrina subjetivista. También se la conoce como bayesianismo por su estrecha dependencia de cierta interpretación del teorema de Bayes. El bayesianismo es la opinión de que las probabilidades son solo opiniones, que todo valor de probabilidad es una medida de la intensidad de la creencia de una persona en un hecho o un enunciado. (Véase, por ejemplo, De Finetti, 1972; Jeffreys, 1975; Keynes, 1957, y Savage, 1954.) Esta opinión ha sido sostenida nada menos que por Jacques y Daniel Bernoulli, Pierre Simon Laplace, Augustus de Morgan y John Maynard Keynes.

Más precisamente, el bayesianismo sostiene que (a) las probabilidades son propiedades de las creencias, proposiciones o enunciados, en lugar de serlo de los hechos de cierto tipo y (b) «la probabilidad mide la confianza que tiene un individuo en particular en la verdad de una proposición particular, por ejemplo, la proposición de que lloverá mañana» (Savage, 1954, p. 3).

En razón de la tesis (a), algunos filósofos han discutido la probabilidad con total descuido de las ciencias del azar fácticas, como por ejemplo la mecánica estadística, la teoría cuántica y la genética de poblaciones. En razón de la tesis (b), el bayesianismo ha sido correctamente llamado la interpretación subjetivista o personalista de la probabilidad. Por ambas razones, el bayesianismo es una alternativa frente a la teoría empirista (o frecuentista), así como a la interpretación objetivista (o realista o propensista).

A pesar de toda su popularidad entre los filósofos y una multitud de fieles entre los estadísticos, el bayesianismo es una concepción minoritaria en la comunidad científica. Ni siquiera los defensores de la interpretación de Copenhague (o semisubjetivista) de la teoría cuántica son bayesianos. Aquellos tratan con hechos, no con creencias. Tal como le dijera con excitación Heisenberg a un estudiante de posgrado que había comenzado diciendo «Creo que...»: «Aquí no hacemos ciencia de las creencias. Enuncie sus razones» (Yamazaki, 2002, p. 31).

La razón por la cual los científicos han de evitar el bayesianismo es que, por su subjetivismo, invita a atribuir probabilidades de manera arbitraria a cualquier cosa, lo cual difícilmente puede considerarse un procedimiento científico. Además, tal como señalara Venn (1962) hace más de un siglo, cualquier emoción o pasión intensa influirá nuestras estimaciones de la probabilidad [*likelihood*]* de los eventos. Por ejemplo, ten-

---

* Los conceptos técnico y no técnico de probabilidad pueden designarse en inglés con dos términos diferentes, a saber *probability* y *likelihood* respectivamente. Puesto que el castellano no ofrece ningún reemplazo para todos los usos de *likelihood*, hemos optado por traducir ambas expresiones inglesas como «probabilidad» y aclarar cuando se trata de *like-*

demos a sobrestimar la probabilidad [*likelihood*] de los eventos agradables, tales como ganar la lotería, a la vez que a subestimar la probabilidad [*likelihood*] de los eventos desagradables, como por ejemplo las muertes por accidentes de tránsito. (Más sobre esto en la sección 6.)

Una de las principales razones para adoptar el bayesianismo puede ser que, puesto que conserva la mayoría de las fórmulas del cálculo de probabilidades, confiere un aire de matemática respetabilidad a fantasías como la infame fórmula de Drake para la probabilidad de existencia de civilizaciones en planetas de fuera de nuestro sistema solar, calculada como el producto de una docena, más o menos, de "probabilidades" de eventos independientes, tales como la emergencia de los planetas y la de las civilizaciones industriales.

Otra razón importante para adoptar el bayesianismo es la errónea creencia de que se trata de la única alternativa respetable a la doctrina frecuentista propuesta por eminentes empiristas como John Venn (1962) y Richard von Mises. Según esta doctrina, la probabilidad puede definirse en términos de una frecuencia relativa de largo plazo. Esta perspectiva es intuitivamente atractiva para el científico experimental porque confunde el azar (o aleatoriedad) con su puesta a prueba, un caso de la confusión operacionista de definición con puesta a prueba y de referencia con prueba empírica. En efecto, para determinar si un conjunto dado es aleatorio, se han de buscar ciertas propiedades globales bastante constantes del conjunto, concretamente la forma y dispersión (varianza) de una distribución, como una curva en forma de campana. En particular, cuando hay disponibles frecuencias observadas, se contrastan con las probabilidades calculadas correspondientes. Pero se ha de recordar que las probabilidades (y las densidades de probabilidades) son propiedades de los individuos, en tanto que los parámetros estadísticos son propiedades de los agregados. Además, las estadísticas están limitadas a los eventos del pasado, los únicos de los cuales pueden registrarse parámetros estadísticos tales como las frecuencias y las varianzas. (Más en Bunge, 1981a y 1988.) Por último, pero no por ello menos importante, la teoría frecuentista de la probabilidad es errónea desde el punto de vista matemático (Ville, 1939).

---

lihood. Cuando no se aclara es que se trata del concepto técnico de probabilidad o que *en el contexto* no se ha considerado importante distinguirlos. [*N. del T.*]

En conclusión, hay que descartar la teoría frecuentista de la probabilidad. Con todo, contrariamente a la creencia popular, el bayesianismo no es la única alternativa. En efecto, como se ha sugerido en la sección anterior, hay un *tertium quid*, vale decir la interpretación objetivista (o realista o «propensista»), que es la que se utiliza habitualmente en la física teórica y la biología. Por ejemplo, las distribuciones de probabilidades calculadas en la mecánica estadística clásica son consideradas propiedades objetivas de los sistemas correspondientes. Más aún, estas distribuciones dependen de la energía y la temperatura del sistema, ninguna de las cuales puede estimarse registrando las frecuencias. Cuando esta cuantificación es posible, su función es poner a prueba las estimaciones de probabilidad, no asignarles un significado.

Finalmente, además del frecuentismo y el subjetivismo, hay un dualismo probabilístico. Este se presenta en dos variedades: (a) la probabilidad puede interpretarse o bien como frecuencia o bien como creencia (por ejemplo, Carnap 1950a) y (b) puede interpretarse la probabilidad o bien como «propensión» o bien como creencia (por ejemplo, Sklar, 1993; Gillies, 2000). Sin embargo, esto no funciona; como se verá ahora mismo, la interpretación subjetivista está equivocada.

El bayesianismo es erróneo porque tiene su origen en un dogma ontológico y dos confusiones principales. El dogma en cuestión es el determinismo clásico o causalismo, descrito de modo tan brillante por Laplace hace ya dos siglos y que, por cierto, era justificable en su época. Se trata de la creencia de que todo ocurre según leyes que, como las de Newton, tienen un amplio dominio causal. (Estas leyes no son estrictamente causales porque incluyen el automovimiento por inercia; Bunge, 1959a.) Si esto fuera cierto, el azar sería, en efecto, un nombre para nuestra ignorancia de las causas, de tal modo que un ser omnisciente podría prescindir del concepto de azar.

Sin embargo, las leyes fundamentales de la teoría cuántica y la genética de poblaciones son probabilísticas y no derivan de leyes causales. Más bien por el contrario, muchas macroleyes son leyes de promedios y, de tal modo, pueden ser deducidas a partir de las microleyes probabilísticas. Esto bastará con respecto al error que yace en la raíz de la interpretación subjetivista de la probabilidad. Pasemos ahora a las confusiones que acompañan este error.

La primera de ellas es la que confunde las proposiciones con sus referentes. Supóngase, por ejemplo, que V designa una variable aleatoria, como el número de puntos conseguido en un lanzamiento de dados. Además, llamemos $Pr(V = v)$ a la probabilidad de que, en una determinada ocasión, V adquiera el valor particular v, como por ejemplo, uno. La proposición «$Pr(V = v) = p$» incluye la proposición «$V = v$», pero no debe entenderse como la probabilidad de esta proposición, puesto que la expresión no tiene un sentido claro. El jugador sabe que la proposición «$Pr(V = v) = 1/6$» enuncia la probabilidad del *hecho* de obtener un uno al lanzar los dados tras agitar bien el cubilete. Lo que le interesa es el resultado de un proceso real caracterizado por el desorden objetivo, el único que resulta de agitar el cubilete.

Del mismo modo, el físico cuántico que escribe una fórmula de la forma «$Pr(n \to n') = p$», donde n y n' denotan dos diferentes niveles de energía de un átomo, expresa que la probabilidad de un salto cuántico $n \to n'$ durante un intervalo de tiempo dado es igual al número p, el cual puede analizarse en términos de parámetros que describen ciertas características del átomo y su entorno. En efecto, la expresión $n \to n'$ describe la transición objetiva en cuestión, no la proposición correspondiente y, mucho menos, la creencia asociada a ella. Esta es la razón de que el científico ponga a prueba la fórmula utilizando mediciones del átomo en cuestión en lugar de consultar las opiniones de expertos.

La segunda fuente importante del bayesianismo es la confusión entre azar objetivo e incertidumbre subjetiva. Se trata de una confusión entre una categoría ontológica y otra psicológica (y gnoseológica). De seguro, esta confusión es bastante natural, porque la indeterminación conlleva la incertidumbre, pero la recíproca no es verdad. Por ejemplo, mientras se agita vigorosamente el cubilete, cada uno de los seis lados de cada dado adquiere la misma oportunidad de quedar hacia arriba al ser lanzado. (La agitación del cubilete es, por supuesto, un mecanismo de aleatorización.) Sin embargo, una vez que el dado es lanzado, la determinación ha reemplazado la indeterminación, mientras que la incertidumbre subjetiva se mantiene mientras no miremos el dado. El bayesiano no tiene derecho a decir que la probabilidad de *observar* un uno es 1/6, porque el proceso aleatorio que ha culminado en este hecho ha acabado: *alea jacta est*. Si el resultado es un uno, se le permite mirar y si su vista es normal, el jugador *observará* un uno, sin importar cuáles fueron sus expectativas.

Más aún, el proceso mental del jugador es bastante diferente del proceso físico aleatorio que él desencadena al lanzar los dados; tanto es así que el jugador que ignora estas leyes del azar con toda seguridad se formará expectativas irracionales, como en el caso de la popular falacia del apostador. («El siguiente resultado debe ser un uno, ya que no ha salido en los últimos cinco lanzamientos».) O sea, nuestras expectativas pueden no reflejar el azar objetivo. Si lo hicieran, ni los casinos ni las loterías serían tan buen negocio. La única manera de derrotar al azar es hacer trampa.

6. La incertidumbre

Si bien resulta inadecuado para la formación de expectativas racionales, el cálculo de probabilidades involucra una medida *objetiva* de la incertidumbre. Se trata de la varianza (o dispersión) de una distribución, como el gráfico de una curva. La varianza o cuadrado de la desviación estándar σ es una función de probabilidad. En el caso más simple de una distribución binomial, cuando la variable aleatoria adquiere solo los valores 0 y 1, con las correspondientes probabilidades p y $1 - p$, la varianza es $\sigma^2 = p - p^2$. La forma de esta curva es la de una U invertida alrededor del punto $p = 1/2$; se anula en los extremos $p = 0$ y $p = 1$ y llega a su máximo en el punto medio $p = 1/2$. Este particular valor máximo de incertidumbre es 1/4, en tanto que la correspondiente improbabilidad es $1 - p = 1 - 1/2 = 1/2$. (Véase, por ejemplo, Feller, 1968, p. 230.) Ver la figura 4.2.

(Hay medidas alternativas de la incertidumbre objetiva como distribución. Una de ellas es la entropía H de la teoría de la información de Shannon, la cual es la suma de $-p_i \log p_i$. Esta famosa fórmula, el fundamento de la definición de bit, ha sido sobreinterpretada como la medida de numerosas características de sistemas de diversos tipos. No es este el sitio para criticar tales extravagancias. Aquí estamos interesados solamente en el hecho de que, como la varianza, H es una medida de la in-

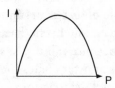

Figura 4.2 La relación entre incertidumbre y probabilidad cuando hay solo dos posibilidades, con probabilidades p y $1 - p$.

certidumbre objetiva, en lugar de serlo de la incertidumbre subjetiva o psicológica. Más aún, esta medida es similar a la varianza en el caso de un experimento con solo dos resultados posibles, como el discutido anteriormente. En efecto, en este caso, $H = -p \log p - (1 - p) \log (1 - p)$, cuyo gráfico es, también, una U invertida. (Véase, por ejemplo, Yaglom y Yaglom, 1983, p. 49.)

En resumen, dada una distribución de probabilidad, se puede calcular, entre otros estadísticos, la incertidumbre objetiva (o indeterminación) asociada a la misma. Este es un rasgo objetivo de una población dada y los datos correspondientes, no de la creencia de alguien. Si un sujeto humano dado «sentirá» o intuirá la misma incertidumbre subjetiva es algo que habrán de averiguar los psicólogos experimentales. En todo caso, la conclusión es clara: la improbabilidad, o $1 - p$, no es una medida de la incertidumbre adecuada, ya sea objetiva o subjetiva.

Todos sabemos que las predicciones de ciertas clases son arriesgadas. Sin embargo, no se las debe expresar en términos probabilísticos si se refieren a eventos que no son aleatorios, como es el caso de las colisiones entre placas tectónicas, las lluvias, las cosechas, el comienzo de una enfermedad, los resultados de las elecciones políticas o el Apocalipsis. Es verdad, habitualmente los pronósticos del tiempo que ofrecen los medios son expresados en términos de probabilidades. Pero se trata de una práctica errada, porque tales pronósticos no se calculan con ayuda de una meteorología probabilística, la cual hasta el momento no es más que un proyecto de investigación. Las «probabilidades» meteorológicas en cuestión son solo probabilidades [*likelihoods*] (en el sentido no técnico de la palabra), porque se estiman utilizando como base los registros del tiempo, imágenes satelitales y mediciones de la velocidad de desplazamiento de los principales «meteoros». (Véase Bunge, 2003a acerca de las diferencias entre probabilidad no técnica [*likelihood*], plausibilidad y probabilidad.)

En cuanto a los resultados eleccionarios, la razón de que no deban ser expresados en términos probabilísticos es que dependen de la historia y las promesas del candidato, así como de campañas cuidadosamente planeadas, hábilmente publicitadas y bien financiadas (o incluso de la complicidad de los funcionarios electorales y los jueces). Con todo, dos prominentes académicos (Kaplan y Barnett, 2003) han propuesto un modelo bayesiano para estimar la probabilidad de ganar una elección para la presidencia de Estados Unidos. Se había señalado, por cierto, que el proceso político estadounidense estaba siendo privatizado, pero nadie había sugerido antes que la industria del juego era la que estaba por hacerse cargo del mismo.

7. La confusión del bayesianismo

Hasta aquí he argumentado que la idea de atribuir probabilidades a los enunciados tiene su origen tanto en una metafísica obsoleta como en la pura confusión. Sin embargo, todavía tengo que demostrar que la idea es errónea. Hay diversas razones por las cuales es así. Una de ellas es que la fórmula «La probabilidad del enunciado *s* es igual a *p*» o, abreviando,

«$Pr(s) = p$», no incluye ninguna variable que denote una persona: esto no ha de extrañarnos, ya que el cálculo de probabilidades no es una rama de la psicología cognitiva.

Otra objeción es que las proposiciones no surgen o se desvanecen al azar. Desde luego, se puede pensar en seleccionar una proposición al azar de un conjunto de proposiciones y preguntar cuál es su probabilidad. Pero esto sería solo un juego de salón sin relación con la búsqueda científica de la verdad. Si la intención es que la expresión en cuestión signifique que la proposición de interés posee un valor de verdad que se halla entre 0 (total falsedad) y 1 (verdad completa), entonces esto puede y debe expresarse de manera clara, a saber: "La proposición es parcialmente verdadera". Por ejemplo, «$\pi = 3$» y «Nuestro planeta es esférico» son proposiciones aproximadamente verdaderas, en tanto que sus negaciones son completamente verdaderas (Bunge, 2003a).

Sin embargo, las verdades parciales no son probabilidades. Para aclarar este asunto bastarán los siguientes contraejemplos. Primer ejemplo: la proposición «Aristóteles fue un filósofo mongol» es medio verdadera, ya que es verdad que Aristóteles fue un filósofo, pero es falso que haya sido mongol. Con todo, si se identifica la verdad parcial con la probabilidad, tenemos que considerar que la proposición es falsa, ya que su probabilidad sería igual al producto de las probabilidades de las dos proposiciones que la constituyen, una de las cuales es 0 y la otra de las cuales es 1. Segundo ejemplo: sea *p* la proposición «$\pi = 1$». Puesto que el error relativo que se ha cometido al afirmar esta proposición es aproximadamente $2{,}12/3{,}14 = 0{,}68$, el valor de verdad de *p* es $V(p) = 1 - 0{,}68 = 0{,}32$. Ahora bien, la negación de p, o sea "$\pi \neq 1$", es completamente verdadera. Vale decir, $V(\text{no } p) = 1$. Sin embargo, si los valores de verdad fueran probabilidades, deberíamos establecer $Pr(\text{no } p) = 1 - Pr(p) = 1 - 0,32 = 0,68$, la cual es significativamente menor que 1.

Todos los cálculos expresados en términos de probabilidades de proposiciones, tales como los de Reichenbach (1949), Carnap (1950a), Popper (1959b) y sus seguidores, están equivocados porque (a) el concepto de verdad es más fundamental que el de probabilidad y (b) a las proposiciones, a diferencia de los eventos aleatorios, no se les puede atribuir probabilidades, salvo de manera arbitraria. (Más razones en Bunge, 1963b.)

8. Las creencias no son bayesianas

Si las probabilidades miden el crédito o los grados de creencia racional es una pregunta empírica. Por lo tanto, no se la puede responder a priori, del modo en que sostienen los subjetivistas. Preguntemos, entonces a los psicólogos cognitivos si las personas realmente piensan de acuerdo con el mencionado cálculo de probabilidades cuando razonan sobre asuntos inciertos. Los numerosos experimentos de Daniel Kahneman y sus estudiantes han mostrado de manera concluyente que nuestros juicios subjetivos de probabilidad [*likelihood*] y plausibilidad (o verosimilitud) son a menudo incorrectos y que no satisfacen los axiomas del cálculo de probabilidades (Kahneman, Slovic y Tversky, 1982).

Para comenzar, cuando se considera un proceso que se ramifica, como un árbol de decisiones, rara vez hay datos suficientes como para incluir todas las bifurcaciones posibles, una condición para asegurarse de que la suma de las probabilidades de todas las ramas sea igual a la unidad. En segundo lugar, tendemos a exagerar las probabilidades de ciertos eventos improbables, como el de contagiarnos el virus del Nilo Occidental. El temor, la codicia, el deseo, la superstición, las emociones fuertes y la asociación con experiencias placenteras o dolorosas se cuentan entre los factores que distorsionan nuestros juicios de la probabilidad [*likelihood*] objetiva y la frecuencia real de un evento. En pocas palabras, Probabilidad [*likelihood*] percibida ≠ Probabilidad [*likelihood*] objetiva. Dicho de otro modo, Probabilidad ≠ Grado de creencia racional.

Más aún, las creencias no satisfacen las leyes de la probabilidad. Una de estas leyes es «$Pr(A \,\&\, B) \leq Pr(A), Pr(B)$», donde la igualdad vale si A y B son mutuamente independientes. Sean A = «La libertad es buena» y

B = «La igualdad es buena». Los libertarios tienen fe absoluta en A y los igualitarios tienen fe absoluta en B y ninguno de ellos confía en las dos juntas. En mi opinión, ni la libertad ni la igualdad por sí mismas son bienes sociales o siquiera viables, porque la libertad es imposible entre desiguales y la igualdad forzada deteriora la libertad. Pero puede argüirse que la combinación de la libertad con la igualdad es tanto viable como buena. Por lo tanto, si tenemos una lógica de las creencias que sea razonable, yo afirmaría el complemento de la desigualdad probabilística, vale decir $D(A \& B) \geq D(A), D(B)$, donde D simbolizaría una intensidad de la función de creencia.

En resumen, el cálculo de probabilidades no es una verdadera teoría de las creencias. Por lo tanto, el bayesianismo no es una verdadera descripción de las creencias. Lo cual no resulta sorprendente, porque la verdad en cuestión es objetiva, algo que a los bayesianos no les importa mucho.

Algo semejante vale para la concepción de que la probabilidad hace más precisa la vaga noción de apoyo inductivo (o empírico). La idea, básicamente, es que la probabilidad condicional de una hipótesis h dadas las pruebas p o, abreviando, $Pr(h \mid p)$, debe diferir de la probabilidad $Pr(h)$ estimada previamente a la obtención de p. Pero ¿cómo estimamos la probabilidad anterior $Pr(h)$, salvo que lo hagamos por decreto y, por ende, cómo comparamos la probabilidad anterior $Pr(h)$ con la probabilidad posterior $Pr(h \mid p)$? En cualquier caso, ¿qué *significa* $Pr(h)$? No puede significar «plausibilidad» o «verosimilitud», porque esta es relativa al contexto y no se trata de un concepto numérico.

Admitámoslo: las llamadas probabilidades de las hipótesis son opiniones sobre opiniones: *doxa* al cuadrado. Con todo, los bayesianos sostienen que poseen la clave para comprender el desarrollo del conocimiento científico, desde los datos hasta las hipótesis y vuelta. Por ejemplo, la hipótesis h sería confirmada por las pruebas p si $Pr(h \mid p) > Pr(h)$. Sin embargo, por lo que sé, nadie ha sido lo bastante temerario como para atribuir probabilidades a una ley científica, como son las de las mecánicas clásica, relativista o cuántica.

Comparemos los usos científico y bayesiano del teorema de Bayes, el núcleo de la estadística y la lógica inductiva bayesianas. Como se recordará, el teorema, que es una pieza correcta de matemática neutral, reza así: $Pr(A \mid B) = Pr(B \mid A) \, Pr(A) / Pr(B)$. Donde A y B denotan dos estados de un sistema concreto, $Pr(B \mid A)$ la probabilidad de que hallándose en el estado A, pase al estado B y $Pr(A \mid B)$ la probabilidad del proceso inverso. Según los no bayesianos, deben cumplirse al menos dos condiciones para introducir estas probabilidades condicionales en el teorema de Bayes: (a) ambos procesos, $A \to B$ y $B \to A$, deben ser realmente posibles, o sea deben ser consistentes con las leyes objetivas pertinentes; (b) ambos procesos deben ser aleatorios, vale decir que han de poder ser descritos por medio de un modelo probabilístico. A pesar de lo anterior, los bayesianos no exigen ninguna de estas condiciones. En consecuencia, tal como se ha señalado en la sección 3, un bayesiano podría sentir la tentación de atribuir una probabilidad no nula a la imposible transición Muerto $\to$ Vivo. Más aún, puesto que la definición de $Pr(A \mid B)$ incluye $Pr(A\&B)$, el bayesiano tiene que admitir que es posible estar vivo y muerto al mismo tiempo. (Dicho sea de paso, este contraejemplo invalida la opinión de que las probabilidades de transición calculadas en la mecánica cuántica y otras teorías son probabilidades condicionales.)

La tercera condición para la aplicación legítima del teorema de Bayes es que se conozcan tres de las cuatro probabilidades que aparecen en el teorema. Cuando se desconocen las probabilidades anteriores $Pr(A)$ y $Pr(B)$, como en el caso de que A = hipótesis h y B = pruebas p, escribir $Pr(h \mid p) = Pr(p \mid h)$ equivale a hacer garabatos. Con todo, es así como se utiliza el teorema de Bayes tanto en la estadística como en la lógica inductiva bayesianas. Por ejemplo, para estimar la probabilidad de un evento o la plausibilidad de una proposición, el bayesiano consulta un panel de expertos. O sea, busca una «perspectiva consensuada de opinión informada», del mismo modo en que se procede en la vida cotidiana en relación con los asuntos cotidianos, con la diferencia de que el bayesiano le asigna números a la intensidad de las creencias (véase, por ejemplo, Press, 1989). Es cierto, los bayesianos autodenominados objetivistas identifican $Pr(h \mid p)$ con la frecuencia correspondiente; por ejemplo, que una prueba clínica positiva sea prueba de cierta enfermedad, pero inventan las otras «probabilidades», en particular $Pr(h)$. Además, al identificar ciertas probabilidades con frecuencias violan el credo de que las probabilidades son creencias.

Alguien mitad bayesiano y mitad frecuentista, como Carnap (1950a), Hacking (1990) o Earman (1992), todavía es un bayesiano en el sentido de que no tiene escrúpulos en cometer el pecado original del bayesianismo: atribuir probabilidades a las hipótesis, veredictos de un jurado y cosas por el estilo. Más aún, elige los dos bandos errados de la controversia sobre la probabilidad.

La inclusión de probabilidades anteriores desconocidas, que deben ser estipuladas de manera arbitraria, no preocupa al bayesiano más de lo que los incomprensibles designios de Dios preocupan al devoto. De tal modo, Lindley (1976), uno de los líderes de la escuela bayesiana, sostiene que esta dificultad ha sido «groseramente exagerada» y añade: «A menudo me preguntan si el método [bayesiano] da la respuesta *correcta*: o, de modo más particular, cómo sé que obtuve la [probabilidad] anterior *correcta*. Mi respuesta es que no sé lo que significa "correcto" en este contexto. La teoría bayesiana trata acerca de la *coherencia*, no acerca de lo correcto y lo incorrecto» (p. 359). De este modo, el bayesiano, juntamente con el filósofo a quien sólo le importa la eficacia de sus argumentos, se parece al loco que razona.

Por último, desde el punto de vista metodológico, todo el debate de las probabilidades subjetivas versus las probabilidades objetivas se reduce al siguiente argumento, cuya segunda premisa fue provista de manera inadvertida nada menos que por el estadístico (De Finetti, 1962, p. 360) que inició la fase contemporánea del bayesianismo:

Si una hipótesis no es pasible de puesta a prueba, no es científica.

Ahora bien, los bayesianos «sostienen que la evaluación de una probabilidad, al no ser más que una medida de la creencia de alguien, no es susceptible de ser confirmada o refutada por los hechos».

∴ El bayesianismo no es científico.

Para los realistas científicos, lo anterior debería bastar para dar por concluida la cuestión. Pero estos son todavía una minoría entre los filósofos; en consecuencia, puede que el bayesianismo sobreviva aún por un tiempo, junto con el dualismo mente-cuerpo, la metafísica de los múltiples mundos y otras excentricidades filosóficas. Mientras tanto, esperemos que vaya desapareciendo gradualmente de la medicina, la ingeniería sísmica, la planificación y otros campos en los que nuestras vidas se hallan en juego.

9. El bayesianismo es peligroso

De manera nada sorprendente, el bayesianismo puede acarrear consecuencias prácticas catastróficas. Veamos tres ejemplos. El primero está relacionado con el diseño experimental, el cual es crucial, por ejemplo, en la determinación de la eficacia y seguridad de las drogas, las técnicas agrícolas y los programas sociales. A partir de 1930, aproximadamente, ha sido una práctica estándar en las ciencias biológicas y las ciencias sociales aleatorizar tanto los grupos experimentales como los de control (véase Fisher, 1951). Ahora bien, los bayesianos no practican la aleatorización porque no aceptan el concepto de aleatoriedad objetiva: para ellos el azar solo está en los ojos de quien mira. En consecuencia, si alguna vez la *US Food and Drug Administration* [Administración de Drogas y Alimentos de Estados Unidos] llegara a caer en manos de los bayesianos, la agencia, en lugar de ser el guardián de la salud pública se trasformaría en un peligro público.

Otro ejemplo del elevado riesgo al que se exponen los bayesianos es la evaluación de riesgos «probabilística» utilizada por los administradores de la NASA para estimar el riesgo de los vuelos espaciales tripulados en los casos de los malogrados transbordadores espaciales Challenger y Columbia. Afirmo que hacer malabarismos con las probabilidades no es adecuado en el caso de la falla de los componentes de una máquina, porque esta es una cadena causal, no una cadena aleatoria como la cadena de Markov, en la cual cada eslabón tiene una probabilidad objetiva que solo depende del eslabón precedente.

En general, los desastres —desde un colapso informático hasta la muerte temprana, de la bancarrota a la extinción de una bioespecie, desde un huracán a un terremoto y de una epidemia a la guerra— son eventos no aleatorios y, en consecuencia, no pueden describirse en términos de probabilidades. Es verdad, la extinción de las especies y el deterioro de los ecosistemas se han modelado a menudo suponiendo que los eventos en cuestión son aleatorios. Pero no lo son, porque en realidad las variables ecológicas dominantes no son aleatorias: piénsese en la lluvia, la rareza de las especies, el tamaño corporal y la presencia o ausencia de carnívoros, especies clave (como, por ejemplo, una estrella de mar) y de invasores agresivos (como, por ejemplo, el pasto elefante).

Ciertos experimentos recientes han mostrado que los ecosistemas declinan más rápidamente de lo que cabe esperar por azar (Raffaelli, 2004). La razón de ello es que, cuando se eliminan especies (o, mejor dicho, poblaciones) al azar, se las trata a todas de igual modo, cuando en realidad algunas son más importantes que las otras. En todo caso, los experimentos en cuestión han refutado los modelos probabilísticos de la sostenibilidad de los ecosistemas. Obviamente, este resultado ha de tener consecuencias dramáticas para las políticas ambientales, así como para la ecología teórica. La moraleja es que la probabilidad sin aleatoriedad puede ser perjudicial para el ambiente.

Nuestro tercer y último ejemplo será el del enfoque bayesiano del diagnóstico y la prognosis médicos, adoptado por Wulff (1981) y otros muchos. Dado que sabemos que la asociación enfermedad-síntoma es causal en lugar de aleatoria, no hay razón alguna para esperar que sus probabilidades existan y estén relacionadas de la manera estipulada por el teorema de Bayes. De manera nada sorprendente, las estadísticas sobre detección de cáncer disponibles no satisfacen la fórmula de Bayes (Eddy, 1982).

En resumen, la medicina bayesiana no es realista y, por ende, no es confiable, porque no se ajusta al proceso de diagnóstico real, el cual involucra juicios de plausibilidad fundados en la anatomía y la fisiología y, en menor medida, también en la epidemiología. Mucho de lo anterior vale también para la aplicación médica de la metodología de Popper; también carece de realismo, aunque por diferentes razones, a saber porque (a) en medicina, las únicas conjeturas que los investigadores pueden intentar refutar son las humildes hipótesis nulas —que Popper y sus seguidores han ignorado— en lugar de teorías de elevado nivel que, por el momento, no existen en la medicina; y (b) los investigadores biomédicos prestan mucha atención a los datos epidemiológicos y la inferencia estadística, ninguno de los cuales es aceptado por los popperianos (véase Murphy, 1997).

La naturaleza no realista del enfoque bayesiano es, desde luego, parte de su subjetivismo. Pero los bayesianos creen que se trata de una brillante virtud antes que de un error fatal. De tal modo, Howson y Urbach (1989, p. 288) afirman que «la ciencia es objetiva en la medida que lo son los procedimientos de inferencia en la ciencia. Pero si estos procedimientos reflejan creencias puramente personales en mayor o menor medida, [...] entonces las conclusiones inductivas obtenidas de este modo también reflejarán esas opiniones puramente personales». Esta afirmación contiene tres errores elementales. El primero es la pintoresca idea de que la objetividad reside en la inferencia antes que en la referencia. (Las inferencias son válidas o inválidas independientemente de la referencia e, incluso, de la verdad. Esta es la razón por la cual la lógica formal, la teoría de la inferencia, no contenga el concepto semántico de referencia.)

El segundo error de Howson y Urbach es el dogma bayesiano de que «las creencias puramente personales» tienen un estatus científico. Si así fuese, las creencias religiosas tendrían un papel en los productos acabados de la investigación científica. La tercera equivocación es la afirmación de que todas las inferencias científicas son inductivas cuando, de hecho, en las ciencias desarrolladas la inducción tiene un papel insignificante en las etapas previas a la contrastación de las predicciones teóricas con los datos empíricos (Popper, 1959b; Bunge 1960). No es de extrañar que Howson y Urbach no examinen ninguna de las teorías científicas acerca de eventos aleatorios, como la mecánica cuántica y la genética.

Del mismo modo, Berry y Stangl (1996, p. 8) escriben sobre el bayesianismo en bioestadística: «si bien es reconfortante cuando dos analistas [estadísticos] ofrecen la misma respuesta, la subjetividad que lleva a la diversidad resulta muy apropiada. Las diferencias de opinión constituyen la norma en las ciencias de la salud y en la ciencia en general, de modo tal que un enfoque que reconozca las diferencias de manera explícita, abierta y honestamente, es realista, franco y bien recibido».

Una respuesta obvia a esta extraordinaria afirmación es la que sigue. Primero, esperamos que los modelos biomédicos nos digan algo sobre las enfermedades, no sobre las opiniones que acerca de ellas tienen los expertos. Segundo, la ciencia y la tecnología, incluyendo la medicina, no son meros asuntos de evaluación subjetiva u opinión. Es verdad, los sumerios enfermos se exhibían delante de sus casas y solicitaban la opinión de quienes acertaban a pasar por allí. Pero un milenio más tarde Hipócrates inició la transformación de la *doxa* (opinión) médica en la *episteme* (ciencia) médica. ¿Podemos darnos el lujo de volver atrás cuatro mil años?

Podría replicarse que toda idea puede tener consecuencias negativas si se la maneja de manera incompetente. Lo que quiero hacer notar es que no hay ninguna manera en que el bayesianismo (o la alquimia o la parapsicología) pueda ser manejado competentemente, porque es radicalmente falso. En efecto, (a) las estimaciones de probabilidad deben ser tan objetivas como las estimaciones de la longitud o el peso y (b) la probabilidad puede aplicarse de manera legítima solo a los eventos auténticamente aleatorios, tales como el efecto túnel cuántico, el goteo de un grifo que pierde, la mutación genética, la distribución de las malezas en un paño cultivado, la llegada de llamadas a una central telefónica y el muestreo al azar.

Para apreciar la enormidad de la tentativa de contrarrevolución bayesiana piénsese, por ejemplo, en la relación entre el virus VIH y el sida. Sabemos bien que, mientras que quienes poseen la enfermedad producen pruebas VIH-positivas, la recíproca no es verdadera: algunos individuos han vivido con el virus durante una década o más sin desarrollar sida. Supónga-se que un determinado individuo ha contraído el virus y que se desea ave-riguar la probabilidad de que también haya desarrollado o vaya a desarro-llar sida. Presumiblemente, un bayesiano establecería que $Pr(sida \mid VIH) = Pr(VIH \mid sida) \, Pr(sida) \, / \, Pr(VIH)$. Además, dado que el individuo en cues-tión ha resultado VIH-positivo en las pruebas, nuestro bayesiano proba-blemente asigne $Pr(VIH) = 1$. Más aún, puesto que se sabe que quienquie-ra que tenga sida, tiene también el virus VIH, $Pr(VIH \mid sida) = 1$. Así pues, la fórmula de Bayes queda simplificada de este modo: $Pr(sida \mid VIH) = Pr(sida)$. Sin embargo, se sabe que esto no es así: de hecho, el VIH es nece-sario, pero no suficiente para el desarrollo del sida. Por lo tanto, si los in-vestigadores del sida adoptaran el bayesianismo, no intentarían descubrir las causas que, junto con la infección de VIH, llevan al sida.

El uso de probabilidades sin azar es seudocientífico y, por ende, im-prudente, especialmente si las pretendidas probabilidades son subjetivas, en cuyo caso se trata de plausibilidades o verosimilitudes realmente in-tuitivas. No se debe apostar la vida, la paz o la verdad en juegos de azar. Tampoco hay que confundir las probabilidades objetivas de eventos aleatorios con los meros juicios de probabilidad [*likelihood*] de tales eventos o la plausibilidad (o verosimilitud) de las hipótesis correspon-dientes (Bunge, 2003a). Tal como lo ha expresado Peirce (1935, p. 363) esta confusión «es una fértil fuente de pérdida de tiempo y energía». Un caso claro de este derroche es la actual proliferación de teorías de la elec-ción racional en las ciencias sociales para modelar procesos que están le-jos de ser aleatorios, desde el matrimonio hasta el delito, las transaccio-nes comerciales y las luchas políticas (véase Bunge, 1996, 1998 y 1999).

En resumidas cuentas, la estadística y la lógica inductiva bayesianas son doblemente erróneas: porque asignan probabilidades a los enuncia-dos y porque consideran que las probabilidades son subjetivas. Popper (1959b) estaba en lo correcto al criticar la lógica inductiva. Desafortuna-damente, también él atribuyó probabilidades a las proposiciones cuando propuso sus diversas teorías de corroboración y verosimilitud. (Popper también se equivocó al afirmar que todas las hipótesis probabilísticas son irrefutables. Las hipótesis probabilísticas de la mecánica cuántica y la genética son perfectamente contrastables a través de sus consecuencias para grandes masas de eventos mutuamente independientes de la misma clase, tales como las desintegraciones radiantes de miles de millones de átomos de sodio, que nosotros vemos como luz amarilla.) Otro error que Popper compartía con los bayesianos es el de la evaluación de las hipótesis una por una, sin prestar atención a los sistemas conceptuales (teorías, clasificaciones e, incluso, cosmovisiones) a los cuales pertenecen. (Esto se debió, en parte, a su fusión de los conceptos de teoría e hipótesis y en parte al hecho de que cercenara los vínculos entre la ciencia y el resto de la cultura.) En realidad, los científicos prefieren las hipótesis que no solo están mejor corroboradas, sino que también casan mejor con otras hipótesis bien corroboradas e, incluso, con la cosmovisión predominante (Bunge, 1959 y 1967a; Thagard, 1978).

10. Comentarios finales

La causalidad y el azar no están solo en la mente, también están en el mundo. Vale decir, algunos procesos reales son causales, otros aleatorios y otros, aun, poseen aspectos tanto causales como estocásticos. O sea, los campos de la causalidad y el azar se superponen parcialmente. Más aún, la causalidad en un nivel puede emerger del azar en otro nivel y viceversa.

Más aún, la causalidad y el azar pueden combinarse una con el otro en el mismo nivel, como cuando un proceso causal introduce azar en una colección de elementos o cuando un proceso aleatorio desencadena una cadena causal. Además, las expresiones de las formas «X es un proceso causal» e «Y es un proceso aleatorio» deben entenderse como compendios de descripciones detalladas antes que como descripciones detalladas. Después de todo, los conceptos de causalidad y azar son tan generales que son filosóficos.

Nótese también que, aunque vasto, el campo de la causalidad está limitado a los eventos de cierto tipo. No incluye los eventos espontáneos, tales como el salto de un átomo aislado desde un nivel de energía a otro inferior. Tampoco incluye los no eventos, tales como la permanencia de un muro en el suelo: la atracción gravitatoria mutua entre el muro y la Tierra no causa la aceleración de cada uno de ellos. La relación causal únicamente se da entre eventos: sin cambio no hay causalidad.

El azar es tan real como la causalidad; ambos son modos del devenir. La manera de modelar un proceso aleatorio es enriquecer la teoría matemática de probabilidad con un modelo de un mecanismo aleatorio. En las ciencias, las probabilidades nunca son inventadas o «suscitadas» [*«elicited»*] mediante la observación de las elecciones que realizan las personas o las apuestas que desean hacer. La razón es que, en ciencia y tecnología, la probabilidad interpretada exactifica el azar objetivo, no el sentimiento íntimo o la intuición. Sin azar no hay probabilidad.

Resumiendo, descubriendo pautas causales y probabilísticas, la ciencia y la tecnología quebrantan la veda sobre los inobservables decretada por los fenomenistas. Pero, desde luego, así satisfacen los imperativos científicos de investigar, conjeturar y poner a prueba en todas las empresas humanas.

5

Detrás de las pantallas: los mecanismos

Los científicos y tecnólogos se proponen descubrir cómo funcionan las cosas, vale decir cuáles son sus mecanismos o *modi operandi*. Así es como progresan de la apariencia a la realidad y de la descripción a la explicación. En contraposición, el supersticioso no busca los mecanismos. Por ejemplo, algunos parapsicólogos creen en la posibilidad de mover las cosas mediante el solo poder mental (psicoquinesia). Si indagaran sobre la manera en que la psicoquinesia funciona o, mejor dicho, no funciona, se percatarían de que tal cosa es imposible aunque solo fuese porque implica la creación de energía.

Se utiliza un razonamiento similar para evaluar los inventos: jamás se registra una patente si el inventor no explica exitosamente cómo funciona el nuevo artilugio. Esta es la razón de que la manera más eficaz que tienen las oficinas de patentes para denegar la patente de un pretendido diseño revolucionario es señalar que el mecanismo propuesto es incompatible con una ley bien conocida, como la de la conservación de la energía. Sin ley, no hay mecanismo posible y sin mecanismo no hay explicación. No sorprende, pues, que la característica distintiva de la ciencia moderna sea la búsqueda de mecanismos detrás de los hechos antes que la automática búsqueda de datos y correlaciones estadísticas entre ellos.

Para elucidar estas ideas y motivar la subsiguiente discusión, comencemos considerando un puñado de ejemplos tomados de varios campos.

1. Un puñado de ejemplos

He aquí un ejemplo de la física elemental: Ohm y Kirchhoff describieron los circuitos eléctricos, pero no sabían qué hace que las cargas eléctricas se muevan por ellos. La explicación de este hecho recién fue provista por la electrodinámica: las cargas eléctricas (electrones) de un cable metálico son arrastradas por el campo eléctrico (voltaje) que se le imprime y, a su vez, el campo eléctrico que acompaña los electrones genera un campo magnético, el cual, a su vez, se opone a la corriente eléctrica.

Nuestro segundo ejemplo proviene de la química. Hay diversos mecanismos para la síntesis de moléculas a partir de átomos. Los que predominan son la transferencia y el compartir electrones. En el primer caso, uno de los átomos dona un electrón al otro, a consecuencia de lo cual se forman un ion positivo y otro negativo, los cuales se atraen entre sí electrostáticamente. Un ejemplo de libro es el de la combinación de un ion positivo de sodio (Na^+) con un ion negativo de cloro (Cl^-) para formar una molécula de cloruro de sodio ($NaCl$).

A diferencia del anterior (enlace iónico), el enlace covalente emerge cuando los átomos precursores comparten sus electrones exteriores. El ejemplo más simple de ello es la formación de la molécula de hidrógeno (H_2). No se trata solo de la yuxtaposición de dos átomos de hidrógeno, puesto que los dos electrones de los átomos precursores se interponen ahora entre los núcleos atómicos (protones). En este caso, la emergencia es resultado de una reestructuración.

Otro claro ejemplo es el de la catálisis: los químicos teóricos desean saber cómo funcionan los catalizadores como las enzimas. Llevan décadas sabiendo que un catalizador no funciona mediante su sola presencia, tal como se pensaba al principio. Un catalizador funciona combinándose con el sustrato en forma de complejos de corta duración que subsiguientemente se disocian en el producto y el catalizador. (El esquema de la reacción es $S + C \rightarrow SC \rightarrow C + P$.) Pero, a su vez, ¿por qué se forma el complejo y por qué es inestable? Estos problemas todavía son motivo de investigación.

Saltemos ahora al siguiente nivel, el de los organismos. La evolución biológica era una sospecha muy anterior a que Darwin estableciera su existencia. Su gran mérito fue explicar la evolución en términos de dos mecanismos: descendencia con modificación y selección natural. En tanto que Darwin tuvo éxito en descubrir el segundo, el mecanismo de modificaciones congénitas solo fue descubierto muchas décadas más tarde. Resultó que estas modificaciones surgen de las mutaciones génicas y la recombinación, las cuales a su vez se explican en términos moleculares.

El énfasis en los genes llevó a Theodosius Dobzhansky a definir la evolución como un cambio en las frecuencias de ciertos alelos en una población. Pero un cambio de frecuencia —un rasgo estadístico de una colección— es solo un efecto de las modificaciones que han tenido lugar en el transcurso del desarrollo individual. Estas son cambios en las trayectorias de desarrollo o mecanismos. Más aún, estas son las raíces de la especiación, como lo ha reconocido la nueva ciencia de la biología evolutiva del desarrollo o *evo-devo* o *evo-desa* (véase, por ejemplo, Wilkins, 2002).

Pero esto no es todo. Para explicar la evolución debemos añadir factores ambientales como la temperatura, la humedad, la insolación, la acidez del suelo y, sobre todo, las interacciones con otros organismos, ya que cada uno de estos factores puede influir en el desarrollo. Estos factores explican por qué, contrariamente a lo que se creía antes, la composición génica de una biopoblación puede mostrar cambios drásticos en un corto período, en lugar de hacerlo en «tiempo evolutivo». Un ejemplo reciente es la sobreexplotación del atún, la cual casi ha eliminado los peces que alcanzan cierto tamaño antes de llegar a la madurez sexual: en unas pocas décadas, la pesca comercial ha sesgado el *pool* génico de la población de atunes. Este descubrimiento sugiere la necesidad de fundir la genética de poblaciones con la ecología (Roughgarden, 1979).

Sin embargo, los organismos no son juguetes pasivos de su entorno: construyen sus propios hábitats, de modo tal que la herencia biológica se entreteje con la herencia ecológica (Odling-Smee *et al.*, 2003). En resumen, la bioevolución se explica por medio de varios mecanismos concurrentes en varios niveles, de la molécula y la célula al órgano, el organismo, la biopoblación y el ecosistema (Mahner y Bunge, 1997; Gould, 2002).

Un interesante ejemplo psicológico es el mecanismo de extinción de los recuerdos negativos tales como los correspondientes a episodios de gran temor. No es el mítico superego inmaterial de Freud el que consigue hacerlo, sino los canabinoides producidos por nuestros propios cuerpos: estas moléculas dañan los procesos neuronales de la amígdala que almacena los recuerdos negativos (Marsicano *et al.*, 2002). Otro espectacular descubrimiento reciente de la neurociencia cognitiva es la inducción experimental de experiencias «fuera del cuerpo» (Blanke *et al.*, 2002). Esto no se consigue por medios extrasensoriales o meditaciones místicas, sino a través de la estimulación eléctrica de la región somatosensorial (mapa del cuerpo) de la corteza cerebral. Si bien los detalles del mecanismo aún son algo difusos, el bosquejo está claro. Sea normal o sea ilusoria, la percepción es un proceso localizado en la corteza cerebral y, por ende, es sensible no solamente a las señales externas, sino también a los estímulos internos. Así pues, lo que supuestamente es paranormal se explica mediante lo normal.

Echemos, finalmente, un vistazo a las ciencias sociales. En un artículo clásico, Robert K. Merton (1936) identificó los mecanismos de las acciones sociales deliberadas con efectos imprevistos. Uno de ellos, quizá el más difundido de todos, es este: «Con la compleja interacción que constituye la sociedad, la acción se ramifica. Sus consecuencias no están restringidas al área específica en que se pretendía aplicar y aparecen en campos interrelacionados ignorados en el momento de la acción».

Los economistas neoclásicos, en cambio, ignoran el concepto mismo de sistema y, en consecuencia, no pueden explicar las funciones y disfunciones de la economía. Por ejemplo, Ludwig von Mises (1966, p. 257), un influyente economista neoconservador, sostenía que el mercado no es una cosa o una entidad colectiva, sino un proceso. Pero, desde luego, no hay procesos salvo en las cosas concretas: recuérdese el capítulo 1. El mercado es una cosa, en particular un sistema concreto cuyo mecanismo central y *raison d'etre** es el intercambio de bienes y servicios.

Las acciones de los bancos centrales y los fondos de estabilización, los monopolios y los oligopolios, así como la implementación de códigos comerciales y regulaciones gubernamentales —pero no las normas en sí mismas— pueden a su vez considerarse como mecanismos para el control del mecanismo de intercambio. Se les puede llamar, por lo tanto, *metamecanismos*. También lo es la aplicación de todo tratado de libre comercio entre naciones desiguales: fuerza a la parte más débil a garantizar un tratamiento nacional a las compañías extranjeras, absteniéndose en consecuencia de favorecer el desarrollo nacional, al tiempo que los propios paladines del libre comercio practican el proteccionismo en casa. El libre comercio sin regulación es, de este modo, un mecanismo para fortalecer al fuerte y perpetuar así el subdesarrollo.

La teoría microeconómica estándar se centra en el equilibrio del mercado, el cual intenta explicar como un resultado del mecanismo: Aumen-

---

* En francés en el original: razón de ser. [*N. del T.*]

to de la oferta → Descenso en los precios → Aumento de la demanda → Incremento de los precios → … Lamentablemente, este mecanismo de zigzag autocorrectivo funciona mejor en los libros de texto que en los mercados reales, ya que ignora los oligopolios y los subsidios estatales y pasa por alto los persistentes desequilibrios del mercado, en particular el exceso de oferta, el desempleo crónico y las fluctuaciones irregulares y, a veces, enormes de los mercados financieros. (Véase Bunge [1998] para más críticas a la teoría económica estándar.)

Los sociólogos económicos han atestiguado asombrados el sostenido aumento de la desigualdad de los ingresos en Estados Unidos y otros países, desde aproximadamente 1980, a pesar de los espectaculares aumentos tanto de la productividad como del producto bruto interno; el llamado Gran Giro en U. Para explicar esta tendencia se han propuesto diversos mecanismos operando en conjunto, notablemente los siguientes, que están involucrados en la globalización (Anderson y Nielsen, 2002): la desindustrialización causada por la exportación de manufacturas, el abaratamiento de la mano de obra no especializada y el debilitamiento de la capacidad de negociación de los obreros como consecuencia tanto de la legislación antilaboral como de la mayor oferta de trabajadores. Así pues, tal como ha observado Hobson (1938 [1902]) hace ya un siglo con respecto al Imperio Británico, a largo plazo el imperialismo económico es autodestructivo.

He aquí un claro ejemplo politológico: «La democracia es un mecanismo social para resolver el problema de la toma de decisiones de la sociedad entre grupos con intereses en conflicto, con mínima fuerza y máximo consenso» (Lipset, 1959, p. 92). Desde luego, la democracia es también el mecanismo que permite la participación política y la responsabilidad cívica. En contraposición, la dictadura, la agresión militar no provocada y el terrorismo de Estado son, con mucho, los más destructivos, divisores e irracionales —y, en consecuencia, los más bárbaros e inmorales— de todos los mecanismos sociales.

Los mecanismos sociales tienen dos particularidades: tienen un propósito y están vinculados. Por ejemplo, la democracia puede considerarse como un mecanismo para favorecer la participación; esta última es un mecanismo para reforzar la cohesión social, la cual favorece la estabilidad y esta, a su vez, refuerza la democracia. De tal modo, los cuatro mecanismos están vinculados en una cadena causal autosostenible; lo mismo ocurre con sus opuestos. Véase la figura 5.1.

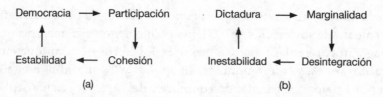

Figura 5.1. Bucles de retroalimentación que incluyen cuatro mecanismos sociales: (a) constructivos y (b) destructivos.

La moraleja debería quedar clara: en tanto que los mecanismos constructivos deben ser aceitados y reparados cada vez que sea necesario, los mecanismos puramente destructivos deben ser desmantelados. Por ejemplo, el mecanismo del terrorismo popular es el ciclo autosostenido: Provocación → Ataque terrorista → Venganza → Provocación [→] Ataque terrorista. No comprendemos qué mantiene este irracional ciclo si seguimos repitiendo la explicación convencional de que el terrorismo resulta de una combinación de pobreza e ignorancia. Los psicólogos sociales y los sociólogos han hallado que muchos pilotos kamikaze y bombas humanas eran miembros bien instruidos de la clase media. Únicamente una investigación más profunda puede revelar las disconformidades, frustraciones y supersticiones religiosas que les llevaron a buscar el martirio (Atran, 2003).

La capacidad de manipular los mecanismos es especialmente importante en la tecnología. Por ejemplo, los inmunólogos y epidemiólogos saben que la vacunación protege de las enfermedades infecciosas porque induce la síntesis de los anticuerpos adecuados. Los epidemiólogos normativos pueden calcular el nivel mínimo de vacunación que servirá para impedir una epidemia, porque saben que, por encima de cierto umbral, la infección se propagará a través del contacto hasta que todos los individuos, salvo los que son naturalmente inmunes, hayan sido contagiados. De tal modo, la prevención y gestión de las enfermedades infecciosas se funda en un cuerpo de epidemiología teórica basado en los mecanismos de infección antes que en dudosas inferencias inductivas realizadas a partir de muestras observadas (véase, por ejemplo, Anderson y May, 1991). En general, la correlación estadística no explica nada: es lo que exige modelos explicativos, ya sean deterministas, estocásticos o mixtos. El control eficiente está basado en el conocimiento de la dinámica.

La mayoría de las generalizaciones y correlaciones epidemiológicas que no están apoyadas en hipótesis sobre mecanismos sólidos estimulan, en el mejor de los casos, la investigación y son, en el peor de los casos, gritos de alarma injustificados. Por ejemplo, una correlación positiva o negativa estrecha entre dos características X e Y solo indica covariación, como en el caso de la estatura y el peso corporal. Únicamente una investigación más profunda podría establecer si los cambios de X causan los cambios en Y o viceversa o que ambos dependen de los cambios de una tercera variable Z. La moraleja es obvia: hay que buscar los mecanismos detrás de toda correlación estrecha interesante. Por ejemplo, la relación en forma de U de la morbilidad y el índice de masa corporal (IMC) es un indicador de los hábitos nutricionales, en particular tanto de la malnutrición (bajos valores del IMC) como del exceso de ingestión de alimentos (elevados valores del IMC).

Una tecnología puede ser eficaz pero no eficiente, o sea que puede funcionar, pero solo a un elevado costo. El ejemplo clásico es el de la ingeniería romana, caracterizada por su confiabilidad y durabilidad, aseguradas por el bulto excesivo. La tecnología eficiente se funda en hipótesis mecanísmicas bien confirmadas. En contraposición, la ineficiencia de la seudotecnología se debe a la inexistencia o ignorancia de los mecanismos pertinentes. Por ejemplo, es sabido que la magia, las oraciones intercesoras, la rabdomancia, el Feng Shui, la homeopatía, la sanación por la fe y el psicoanálisis no son efectivos (véase, por ejemplo, Kurtz ed., 2001). La razón de ello es que no se basan en ningún mecanismo real que no sea el efecto placebo, vale decir la sugestión lisa y llana. Dicho sea de paso, todavía no conocemos el mecanismo neurocognitivo por el que funciona la sugestión. Sin embargo, hay buenas razones para sospechar que las palabras y los placebos son efectivos en la medida que desencadenan procesos psicológicos que se inician en la corteza cerebral y que posiblemente involucren la liberación o el bloqueo de neurotransmisores que activan o inhiben la formación de ensambles de neuronas.

La relevancia de los mecanismos para la comprensión y el control es tal que no resulta poco frecuente encontrar en la literatura científica disculpas de la forma «Lamentablemente, no se sabe de ningún mecanismo que subyazga al hecho [o la ecuación] en cuestión». Por ejemplo, nadie creía en la alergia hasta que fue explicada en términos de reacciones antígeno-anticuerpo. Los médicos no creen en las panaceas homeopáticas, excepto como placebos, porque no hay ningún mecanismo por el cual unas pocas moléculas de cualquier «principio activo» puedan afectar a órganos íntegros. De igual modo, los psiquiatras científicos no creen los cuentos psicoanalíticos, no solo porque carecen de validación experimental, sino también porque no están apoyados en ningún mecanismo cerebral conocido. Pero al menos sabemos acerca del sexo lo que Freud desconocía, que el órgano sexual más importante es el cerebro.

En todos los ejemplos científicos anteriores, los mecanismos son conceptuados como procesos (o secuencias de estados o trayectorias) de un sistema concreto, natural o social. Además, la mayoría de los mecanismos se encuentran ocultos, de modo tal que deben ser conjeturados. Esto sugiere el plan de este capítulo: sistema, mecanismo, conjetura de mecanismos y explicación. Estos y otros conceptos solo serán esbozados y ejemplificados aquí, pero han sido elucidados con detalle en otros sitios (Bunge, 1964, 1967a, 1968b, 1979a, 1996, 1997, 1998, 1999).

2. Sistema y sistemismo

El crédito por haber unido el materialismo con el sistemismo hay que otorgárselo al barón D'Holbach (1773), uno de los más importantes enciclopedistas. En efecto, parece haber sido él el primero en sostener no solamente que todos los existentes son materiales, sino también que todo, tanto en la naturaleza como en la sociedad, está relacionado. Esta ontología, el *materialismo sistémico*, prosperó en las ciencias naturales, todas las cuales estudian sistemas materiales, sean estos tangibles como los sistemas nerviosos o intangibles como las moléculas y los sistemas sociales.

El materialismo sistémico está mucho menos difundido en el ámbito de los estudios sociales, donde han predominado el individualismo y el idealismo. Con todo, algunos científicos sociales se han percatado de que lo que estudian son sistemas sociales. Es el caso del mayor economista del siglo XX: «Estoy interesado principalmente en la conducta del sistema económico como totalidad» (Keynes, 1973, p. xxxii); al igual que el de Wassily Leontief, cuyas matrices de insumo-producto se refieren a las economías nacionales. Kenneth Boulding (1964) predicó el evangelio sistemista en el desierto de la microeconomía ortodoxa. La obra más famosa de Fernand Braudel (1972) se refiere nada menos que a toda la cuenca mediterránea. Henry Ford, por su parte, afirmaba que la producción en masa, a diferencia de la artesanía, estaba gobernada por tres máximas: «Sistema, sistema y más sistema». Con todo, la mayoría de los científicos sociales se abstienen de utilizar expresiones como "sistema social" aun cuando estudian sistemas sociales o diseñan políticas para modificarlos.

En resumidas cuentas, al materialismo sistémico le ha ido muy bien en las ciencias naturales y marginalmente bien en las ciencias sociales y biosociales. Por otra parte, no ha prosperado en absoluto en las humanidades. Como en el caso del cientificismo, otro candil de la Ilustración, su luz casi fue extinguida por los profesores de filosofía en el siglo XIX y ha permanecido en manos de aficionados. Lo que prevaleció en la academia fue el holismo idealista de Hegel y el individualismo idealista de Dilthey y Rickert (el mentor filosófico de Max Weber). La Contrailustración ha triunfado en tal medida que las ideas de los enciclopedistas casi no se enseñan en nuestras universidades.

Es cierto, unos pocos antropólogos y sociólogos, en particular Radcliffe-Brown, Parsons, Luhmann y Habermas, han escrito ampliamente sobre sistemas sociales. Sin embargo, algunos de ellos, especialmente Parsons (1951) y su seguidor Luhmann (1984), han hecho hincapié en el equilibrio, al igual que los microeconomistas neoclásicos. Para ellos, un sistema social está fundamentalmente en un estado estable y todo cambio es o bien una desviación de la estasis o bien un retorno a ella, como si el cambio fuera anormal en lugar de ser la regla. Además, los sistemistas estáticos consideraban los sistemas sociales como manojos de valores, normas, acciones o comunicaciones incorpóreos: a diferencia de Holbach, eran sistemistas, pero no materialistas.

Otros pocos académicos como Giddens (1984) han confundido "sistema" con "estructura", como si una estructura pudiese existir independientemente de las entidades que vincula. Aun otros, en particular los ingenieros en sistemas como Ashby (1963), han llamado "sistema" a toda caja negra con insumos [*inputs*] y productos [*outputs*] o, incluso, a una mera lista de variables, sin prestar atención a la materia, la estructura y el mecanismo. En otras palabras, han adoptado un punto de vista funcionalista.

Puesto que la palabra "sistema" ha sido utilizada algo vagamente en las ciencias sociales, será conveniente que adoptemos una definición de ella. Utilizo la siguiente: un sistema es un objeto complejo cuyas partes o componentes se mantienen unidos por medio de vínculos de algún tipo. Estos vínculos son lógicos en el caso de los sistemas conceptuales, como las teorías, y materiales en el caso de los sistemas concretos como el átomo, la célula, el sistema inmunológico, la familia o el hospital. La colección de todas estas relaciones entre los constituyentes de un sistema es su estructura (u organización o arquitectura). Este concepto de estructura proviene de la matemática. En la década de 1950, cuando la palabra "estructura" se puso repentinamente de moda en las humanidades y los estudios sociales (véase, por ejemplo, *Centre International de Synthèse*, 1957), se propuso un gran número de nociones alternativas a la aquí presentada, ninguna de ellas clara.

Dependiendo de los constituyentes del sistema y de los vínculos entre ellos, un sistema concreto o material puede pertenecer a uno de los siguientes niveles: físico, químico, biológico, social o tecnológico. Los sistemas semióticos, tales como lenguajes y diagramas, son híbridos, ya que están compuestos de signos o señales, algunos de los cuales transmiten significados semánticos a sus usuarios potenciales.

El esbozo o modelo más simple de un sistema material σ es la lista de su composición, entorno, estructura y mecanismo(s) o

$$\mu(\sigma) = \text{«}C(\sigma),\ E(\sigma),\ S(\sigma),\ M(\sigma)\text{»}.$$

Aquí, $C(\sigma)$ denota el conjunto de partes de σ; $E(\sigma)$ la colección de elementos ambientales que actúan sobre σ o sobre los que σ actúa; $S(\sigma)$ la estructura o conjunto de vínculos o lazos que mantienen unidos a los componentes de σ, así como los que lo vinculan con su entorno; y $M(\sigma)$ los mecanismos o procesos característicos que hacen de σ lo que es y lo cambian de la manera peculiar en que σ cambia.

Nótese que distinguimos un sistema de su(s) modelo(s) $\mu(\sigma)$, del mismo modo que el electricista distingue un circuito eléctrico de su(s) diagrama(s). Nótese también que, en contraposición a lo afirmado por Glennan (2002), distinguimos un sistema de su(s) mecanismo(s).

Se han tomado los cuatro componentes del modelo $\mu(\sigma)$ en un nivel determinado, como el de la persona, la vivienda o la compañía en el caso de los sistemas sociales. También se los ha tomado en un momento dado. En particular, $\mu(\sigma)$ es una instantánea de los procesos que tienen lugar en el sistema en cuestión. A su vez, un proceso es una secuencia de estados o, si se prefiere, una cadena de eventos. Además, en tanto que el efecto neto de algunos procesos es modificar el estado general del sistema, el de otros es mantener ese estado. Por ejemplo, un velero es movido por el viento, en tanto que los impactos de miles de moléculas de agua sobre el casco le mantienen a flote; y lo que mantiene a las empresas comerciales a flote en el agua del mercado es la venta de sus productos.

El ejemplo más conocido de sistema social es el de la familia nuclear tradicional. Sus componentes son los padres y los hijos, el entorno correspondiente es el entorno físico inmediato, el vecindario y el lugar de trabajo, la estructura está constituida por vínculos biológicos y psicológicos como el amor, el compartir y por relaciones con otros y el mecanismo consiste esencialmente en quehaceres domésticos, encuentros maritales de diferentes clases y la crianza de los niños. Si el mecanismo central se desintegra, también se desintegra el sistema como totalidad.

Los economistas neoclásicos, obsesionados como tenderos por la competencia de precios, no consiguieron captar el mecanismo central de la economía capitalista: la innovación. Schumpeter (1950, p. 83) lo desveló en una única página magistral: vio que lo que «pone el motor capitalista en movimiento y lo mantiene así» es la casi incesante «destrucción creadora». Esta consiste en la introducción de bienes de consumo cualitativamente nuevos, nuevos métodos de producción y transporte, nuevos tipo de organización, etcétera, y la concomitante destrucción de sus precursores. Esto es lo que él llamó un «proceso orgánico», o sea un proceso que afecta a todo el sistema económico. También tiene repercusiones políticas y culturales, como cuando los negocios capturan los partidos políticos y cuando los grandes clásicos literarios, musicales y de las artes plásticas son desplazados por la producción en masa de mercancía seudoartística.

La destrucción creadora no está restringida a los productos materiales, pues puede afectar también a los sueños y los mitos. Un ejemplo es la llamada Nueva Economía de mediados de la década de 1990, basada en la ilusión de que el *e-commerce*, el comercio electrónico, reemplazaría al comercio no electrónico. Una ilusión relacionada fue la burbuja del Nasdaq, favorecida por las tasas de descuento artificialmente bajas decretadas por el U.S. Federal Reserve Bank [Banco Central de Estados Unidos], el supuesto bastión de la libre empresa; esta misma oficina del gobierno ayudó también a formar los enormes y vulnerables conglomerados industriales, algunos de los cuales declinaron de manera abrupta, en tanto que otros existían solo en el papel. Ambas burbujas se pincharon con los albores del nuevo milenio. Quizá no se hubieran formado si hubiese prevalecido una ontología materialista, o sea, si se hubiera reconocido que, como dice el dicho, los toros de papel no cargan.

Otro tema relacionado es el terrorismo. Lamentablemente, el conocimiento sobre la violencia organizada es escaso y, como resultado, su prevención es ineficiente. En particular, la perspectiva popular más difundida sobre el terrorismo político popular (o de abajo) es que es incitado por algunos individuos fanáticos, perversos o dementes. Mientras que algunos líderes terroristas se ajustan a esta descripción, ella no explica ni la devoción y abnegación de numerosos soldados terroristas, ni la persistencia de sus causas. En todo caso, una «guerra» (o, mejor dicho, una movilización) exitosa contra los grupos terroristas debe comenzar por considerarlo como una guerra desde abajo de bajo presupuesto.

Lo primero que hay que comprender del terrorismo es que hay dos principales clases —el instigado por el Estado (o terrorismo de arriba) y el de los grupos terroristas (o terrorismo de abajo)— y la primera es, con mucho, la más inmoral y letal de las dos. El terrorismo de Estado es más fácil de explicar porque tiene un solo origen, a saber la élite gobernante, y una única meta, la supresión del disidente. En contraposición, los grupos terroristas habitualmente atraen gente de diferentes orígenes y es un mecanismo de los débiles para satisfacer de una sola vez reclamaciones de varios tipos: económicas (recursos naturales o puestos de trabajo), políticas (orden social) y culturales (especialmente religiosas). Con seguridad, toda campaña antiterrorista que no haga nada para dar respuesta a las quejas genuinas, funcionará, en el mejor de los casos, a corto plazo y a costa de las libertades cívicas.

En general, los problemas sistémicos exigen soluciones sistémicas y de largo plazo, no medidas sectoriales y miopes. En particular, la violencia social surge de barreras nosotros/ellos. Por lo tanto, se aborda mejor este problema eliminando las barreras en cuestión. Por ejemplo, es posible que la confrontación entre árabes y judíos solo se resuelva mezclando las dos poblaciones, antes que fortaleciendo las barreras que hay entre ellas (Joseph Agassi, comunicación personal). Este es un mensaje práctico del sistemismo.

Los conceptos mellizos de sistema y mecanismo son tan fundamentales en la ciencia moderna —natural, social o biosocial— que su uso ha generado toda una ontología, que he llamado sistemismo (Bunge, 1979a, 2003a). Según esta perspectiva, todo en el universo es, fue y será un sistema o un componente de un sistema. Por ejemplo, el electrón que acaba de ser arrancado de un átomo en la punta de mi nariz está por ser capturado por una molécula que está en el aire. También el prisionero que acaba de escapar de la cárcel está por ser recapturado o absorbido por una familia o una pandilla. No hay objetos sueltos o aislados de forma permanente.

El sistemismo es la alternativa tanto al individualismo como al holismo (Bunge, 1979a y 1979b; Sztompka, 1979). Presumiblemente, se trata de la alternativa que el sociólogo histórico Norbert Elias (2000) buscaba a fines de la década de 1930, cuando se sentía insatisfecho con las concepciones de la persona como un autocontenido *homo clausus* y de la sociedad como una caja negra flotando sobre los individuos.

Puede sostenerse que el sistemismo es el enfoque adoptado por todo aquel que se proponga explicar la formación, mantenimiento, reparación o desintegración de una cosa compleja concreta de cualquier tipo. Nótese que utilizo la expresión "enfoque sistémico" y no "teoría de sistemas". Hay dos razones para hacerlo así. Una es que hay casi tantas teorías de sistemas como teóricos de sistemas. La otra es que la "teoría de sistemas" que se dio a conocer en la década de 1970 (por ejemplo, Laszlo, 1972) era un nuevo nombre para el viejo holismo y fue desacreditada porque afirmaba resolver todos los problemas sin acudir a la investigación empírica ni a la teorización seria.

Sin embargo, del mismo modo que Monsieur Jordain hablaba en prosa sin saberlo, la mayoría de los científicos practican el sistemismo sin mencionarlo. Así pues, en su muy original y monumental obra sobre las primeras civilizaciones Bruce Trigger (2003a) estudia el entorno físico, la economía, la organización política y la cultura (en el sentido sociológico de la palabra) de cada una de las siete civilizaciones antiguas que examina. Más aún, Trigger hace hincapié en la interdependencia de esos diversos componentes o aspectos de la sociedad y describe los mecanismos que dieron lugar al surgimiento del Estado y sus funciones, tales como el control social, la obra pública y las actividades culturales de patrocinio estatal. Trigger adopta también y explícitamente una ontología materialista, aunque por cierto no se trata del materialismo vulgar que niega la importancia de las ideas y los rituales (Trigger, 2003b). Vale decir, Trigger, al igual que Fernand Braudel y sus colegas de los *Annales*, ha adoptado con éxito el enfoque materialista sistémico. Sin embargo, se buscarán en vano las expresiones "sistema social", "mecanismo social" y "enfoque sistémico" en su obra. Del mismo modo, los antiguos egipcios, si bien eran profundamente religiosos, no tenían una palabra para la religión. Todo esto muestra una vez más que, contra lo afirmado por Wittgenstein y su escuela, las ideas pueden prosperar sin las respectivas palabras.

El sistemismo es tan abarcador como el holismo, pero a diferencia de este último nos invita a analizar las totalidades en términos de sus constituyentes y, en consecuencia, rechaza la gnoseología intuicionista inherente al holismo. Por ejemplo, en tanto que la medicina holista afirma tratar a los pacientes como totalidades sin prestar atención a la especificidad de sus subsistemas, la medicina científica trata a los pacientes como supersistemas compuestos por diversos sistemas interdependientes. Del mismo modo, en tanto que los revolucionarios preconizan los cambios completos e instantáneos de la sociedad como totalidad, los reformadores sociales sistémicos prefieren las reformas graduales de todos los subsistemas enfermos de la sociedad.

El enfoque sistémico que defiendo aquí no es una teoría para reemplazar otras teorías. Se trata, en cambio, de un punto de vista o estrategia para diseñar proyectos de investigación cuyo objetivo es descubrir algunas características de los sistemas de cierto tipo. Si bien este enfoque se utiliza de manera rutinaria en ciencia y tecnología, es parte de la filosofía y esta última no se encuentra equipada para abordar problemas empíricos. La filosofía puede facilitar u obstaculizar la investigación científica, pero no puede reemplazarla.

3. Mecanismo

Como he afirmado antes, los mecanismos son procesos de los sistemas concretos (materiales), ya sean físicos, sociales, técnicos o de algún otro tipo. Las trayectorias bioquímicas, las señales eléctricas y químicas, así como las redes neuronales, la competencia sexual, la división del trabajo, la publicidad, las votaciones y las expediciones militares son mecanismos. En contraposición, los sistemas conceptuales y semióticos, tales como las teorías y los lenguajes respectivamente, poseen composiciones, entornos y estructuras, pero no mecanismos. La razón es que la mutabilidad (o energía) es la propiedad que define la materia, ya sea física, química, viviente, social o técnica. Si se me permite acuñar una consigna ambigua: *Ser (material) es devenir*.

Los conceptos ontológicos de sistema y mecanismo son fundamentales en la ciencia y la tecnología. Incluso cuando estudian partículas elementales, estas disciplinas indagan los sistemas y mecanismos en que esas partículas se encuentran involucradas. Los siguientes ejemplos deberían sugerir que lo mismo vale para las ciencias sociales.

Nuestro primer ejemplo es el de las «ondas largas» de la actividad económica de Kondratieff, las cuales han llamado la atención de los economistas e historiadores desde Schumpeter, Kuznets y Braudel hasta nuestros días. Sin embargo, la existencia misma de tales ciclos, cuya longitud se mide en décadas, ha sido cuestionada durante tres cuartos de siglo porque no está claro cuál podría ser el mecanismo subyacente. Con todo, una hipótesis plausible es que el mecanismo es este: Obsolescencia del sistema tecnoeconómico dominante → Nuevo sistema tecnoeconómico y Cambios sociales → Saturación del mercado → Caída de los precios (Berry, Kim y Kim, 1993).

Un ejemplo de la politología es este: los defectos de la democracia estadounidense, tales como el elevado coste de competir en una elección de funcionarios públicos y la concomitante relación íntima entre los partidos políticos y las empresas están alejando a los jóvenes de la política. A su vez, este desapoderamiento voluntario es una de las imperfecciones de esa democracia y socava aún más la participación política, que es el principal mecanismo democrático. (Otros mecanismos concurrentes son la aplicación del imperio de la ley, la educación, la votación, el honesto recuento de los votos y la libre formación y circulación de la información que transmite conocimiento confiable.) Se trata de un caso de control por «prealimentación» (autoamplificación). Esto explica por qué la apatía política lleva al mal gobierno. En efecto, cuando el ciudadano competente y honesto tiende a mantenerse lejos de los asuntos políticos, el incompetente o deshonesto se hace cargo de ellos, lo cual podría llamarse Ley de Gresham de la Política.

Finalmente, un ejemplo de la culturología. La pobreza cultural del Islam contemporáneo, con su casi total ausencia de ciencia, tecnología, filosofía y arte originales, contrasta duramente con el brillo de su cultura en la Edad Media. Este hecho es un aspecto de un proceso estacionario de múltiples facetas. Mientras que hoy en día las sociedades islámicas —especialmente aquellas que son ricas en oro negro— han importado algunas de las trampas de la industria moderna, tales como los automóviles y los teléfonos móviles, la mayoría de ellas ha conservado una estructura social tradicional. En efecto, estas sociedades han desalentado o incluso prohibido la búsqueda de la novedad —económica, política y cultural— que es precisamente la búsqueda que construyó al capitalismo moderno y lo mantiene en funcionamiento.

Los sistemas muy complejos, como las células vivas y las escuelas, poseen diversos mecanismos concurrentes. O sea, en ellos se dan diferentes procesos más o menos entrelazados al mismo tiempo y en diferentes niveles. Por ejemplo, una célula no deja de metabolizar durante el proceso de división, un cerebro que despierta realiza varios procesos paralelos (bioquímicos, vasculares, cognitivos, emocionales y de control del movimiento) y las personas que componen una escuela metabolizan y socializan al mismo tiempo que aprenden, enseñan, administran o chismorrean.

La coexistencia de mecanismos paralelos es particularmente notable en los sistemas biológicos y sociales. Por ejemplo, la bioevolución ocurre en virtud de diversos mecanismos entrelazados, entre ellos el cambio genético, la selección natural y la construcción del nicho. La evolución social humana ocurre por medio de la producción y el intercambio, la cooperación y la competencia y muchos otros mecanismos. Piénsese, por ejemplo, en los mecanismos que operan en una comunidad científica: investigación (el mecanismo de descubrimiento de la verdad), crítica y revisión por pares (mecanismos de control social y de calidad) y una combinación de cooperación en la búsqueda de la verdad con competencia en la asignación de créditos y recursos.

Puesto que diversos mecanismos pueden operar en paralelo en el mismo sistema y, puesto que algunos de ellos pueden interferirse mutuamente, es conveniente distinguir los mecanismos que son esenciales de aquellos que no lo son (véase Shönwandt, 2002). Los primeros son aquellos peculiares de los sistemas de cierta clase. Por ejemplo, la contracción es esencial para un músculo, pero no lo es para una célula y el préstamo de dinero es esencial para un banco, pero es algo opcional para el fabricante.

Ahora estamos preparados para refinar esta definición: *un mecanismo esencial de un sistema es su funcionamiento o actividad peculiar.* En otras palabras, un mecanismo esencial es la función específica de un sistema, o sea los procesos que únicamente esa clase de sistema puede experimentar. Más precisamente, proponemos las siguientes convenciones, basadas en el concepto de función específica definido en otro sitio (Bunge, 1979a):

Definición 1. Si σ denota un sistema de la clase Σ, entonces

(1) la *totalidad de los procesos* (o *funciones*) de σ en el período T es $\pi(\sigma) = $ la secuencia ordenada de estados de σ en el transcurso de T,

(2) el *mecanismo esencial* (o *función específica*) de σ en el período T, o sea $M(\sigma) = \pi_s(\sigma) \subseteq \pi(\sigma)$, es la totalidad de los procesos que ocurren exclusivamente en σ y en los otros sistemas de la misma clase durante T.

Definición 2. Un *mecanismo social* es un mecanismo de un sistema social o una parte de él.

Nótese que los conceptos de propósito y utilidad están ausentes de las definiciones anteriores. La razón de ello es, por supuesto, que algunos mecanismos son ambivalentes y otros tienen consecuencias negativas no deseadas. Por ejemplo, el libre comercio puede hacer o deshacer una nación, dependiendo de la competitividad, agresividad y poder político (especialmente militar) que esta posea.

Sin embargo, los conceptos de propósito y utilidad sí aparecen en la caracterización de los mecanismos de los cerebros muy evolucionados como el nuestro. También se puede hablar de propósitos de ciertos artefactos, en particular de las organizaciones formales, pero solo de manera elíptica, ya que la intencionalidad es una peculiaridad de los cerebros humanos. En el caso de los sistemas sociales, un mecanismo esencial es un proceso que produce los cambios deseados o impide que ocurran los que son indeseables. Únicamente este caso tan particular es abarcado por la conocida definición de mecanismos sociales de Merton (1968, p. 43) como «los procesos sociales que poseen consecuencias designadas para partes designadas de la estructura social».

4. Mecanismos causales y estocásticos

Un mecanismo causal es, desde luego, uno que está «gobernado» por leyes causales, tales como los de la electrodinámica clásica y la ecología clásica. Un ejemplo de estos mecanismos es la inducción electrodinámica que mueve los motores eléctricos según las ecuaciones de Maxwell. Otro es la oscilación de las poblaciones de organismos pertenecientes a especies en competencia según las ecuaciones de Lotka-Volterra. El tercer ejemplo es la cooperación entre dos personas o dos sistemas sociales, según normas definidas (aunque no necesariamente explícitas) como las del altruismo recíproco. El cuarto ejemplo es el de un mecanismo de retroalimentación negativa como el regulador de Watt de un motor de vapor. Sin embargo, todos los procesos causales pueden estar afectados por algo de ruido aleatorio, tal como muestran las fluctuaciones de los circuitos electrónicos y los errores de observación accidentales.

Hay una tendencia natural a concebir todos los procesos y, por ende, todos los mecanismos como si fueran causales (o deterministas en sentido estrecho). De tal modo, por lo general se considera que una reacción química es un proceso o mecanismo causal de emergencia de un producto a partir de uno o más reactivos. Sin embargo, la química cuántica muestra que se trata solo de un efecto agregado: una reacción individual o microquímica es un proceso que tiene un importante componente aleatorio. Por ejemplo, una reacción del tipo «$A + B \rightarrow C$» debe analizarse como la dispersión al azar de los A por los B, con cierta probabilidad de que emerjan C. A grandes rasgos, el número esperable de moléculas de clase C resultantes de n colisiones de A con B, con una cierta probabilidad p, es np. Precaución: no se trata de un proceso de tipo *bottom-up*, o sea de abajo hacia arriba, porque el valor de la probabilidad depende de manera crítica de variables macrofísicas tales como la temperatura y la presión, las cuales a su vez son macropropiedades emergentes del entorno en cuestión.

Hay muchos más procesos estocásticos (o aleatorios), como los de la caminata aleatoria, el autoensamblaje aleatorio, la lotería (la extracción de bolas al azar de dentro de una urna opaca), la colisión atómica y la mutación génica. Sin embargo, puede decirse que todos estos procesos aleatorios tienen un componente causal. Por ejemplo, las bolas que hay dentro de una urna de lotería son arrastradas por la gravedad, las partículas que hay dentro de un acelerador atómico son aceleradas por campos eléctricos y magnéticos y los genes son activados y desactivados por enzimas. Es dudoso que haya procesos —y, por ende, mecanismos— puramente causales o puramente aleatorios (recuérdese el capítulo 4).

A primera vista, hay una tercera categoría de mecanismos, además de los causales y los aleatorios, vale decir los caóticos. Sin embargo, la mayor parte de los casos de caos conocidos son casos particulares de causalidad, a saber aquellos cuyo resultado, como el de un juego de ruleta, depende de manera crítica de las condiciones iniciales. Después de todo, la mayoría de las ecuaciones de la teoría del caos no incluyen probabilidades.

5. Mecanismo y función

A veces se llama "funciones" a los mecanismos. Esta identificación no es aconsejable cuando la misma tarea puede ser realizada por diferentes mecanismos, como es el caso de la equivalencia funcional. Por ejemplo, algunos cuadrúpedos pueden avanzar caminando, arrastrándose o nadando; los documentos pueden reproducirse por medio de imprentas, mimeógrafos y fotocopiadoras; los mercados pueden conquistarse por la fuerza, el *dumping*, los acuerdos de libre comercio o incluso la competencia honesta; y ciertos bienes pueden venderse en mercados, tiendas minoristas, grandes almacenes o a través de Internet.

Dado que la relación entre funciones y mecanismos es de una a muchos, debemos mantener la distinción entre ambos conceptos a la vez que relacionarlos. Otra razón es que una explicación puramente funcional, tal como «los automóviles son medios de transporte», si bien es precisa, es superficial porque no nos dice nada acerca del mecanismo particular a través del cual la función en cuestión se lleva a cabo (véase Mahner y Bunge, 2001).

Parte de lo que vale para nuestro conocimiento sobre los automóviles vale también para sistemas de otras clases, tales como las ciudades. Por ejemplo, no es suficiente saber que en las ciudades los negros estadounidenses tienden a autosegregarse porque les gusta vivir unos con otros. Es necesario añadir que son activamente discriminados e, incluso, recibidos con hostilidad si intentan mudarse a vecindarios donde predominan los blancos. A pesar de Schelling (1978, p. 139), la segregación racial no es voluntaria, sino el resultado de la discriminación racial activa. Esta última es el mecanismo invisible que se manifiesta como segregación.

Otra razón para mantener la distinción entre mecanismo y función es que, a diferencia de los mecanismos, las funciones que ellos realizan son ambivalentes. En efecto, tal como ha señalado Merton (1968, p. 115), las funciones sociales pueden ser o bien manifiestas o bien latentes (no deliberadas). Además, por lo general, los mecanismos sociales presentan disfunciones tanto como funciones. De tal modo, la función manifiesta del mecanismo de revisión por pares es el control de la calidad, pero una de sus funciones o, mejor dicho, disfunciones latentes es formar pandillas y perpetuar sus creencias. Así, el control de calidad intelectual puede ser pervertido y acabar transformado en control del pensamiento y el poder.

No hay mecanismos universales, por lo cual no hay procedimientos panacea. Todos los mecanismos son dependientes del particular material en cuestión y son específicos de un sistema. Por ejemplo, únicamente el carbono tiene la versatilidad necesaria para participar en la enorme mayoría de las reacciones químicas que mantienen vivo un organismo. Solo los cerebros vivientes, suponiendo que hayan sido entrenados y preparados adecuadamente, pueden embarcarse en la investigación original y solamente ciertos cerebros en ciertos estados anormales pueden alucinar.

Sin embargo, los mecanismos, como cualquier otra cosa, pueden agruparse en clases naturales como las de la fusión y fisión, agregación y dispersión, cooperación y competencia, estimulación e inhibición, obstaculización y facilitación y así sucesivamente. Las analogías formales entre mecanismos que involucran sustratos o materias de diferentes clases facilita la tarea del modelado matemático, puesto que la misma ecuación o sistema de ecuaciones puede ser utilizado para describir mecanismos que involucran materias de diferentes clases.

Por ejemplo, un único sistema de ecuaciones puede describir la cooperación y la competencia entre organismos, en particular personas, o entre químicos (véase, por ejemplo, Bunge, 1976). Del mismo modo, los mecanismos del tipo llamado de *ying-yang* —constituidos por parejas de entidades con funciones opuestas, tales como estimulación e inhibición u oxidación y reducción— son «ejemplificados» por moléculas, neuronas y sistemas sociales, entre otros.

Sin embargo, los modelos y simulaciones funcionales y estructurales son inevitablemente superficiales porque, al ignorar el material en cuestión, pasan por alto los mecanismos. Esta omisión impide el reconocimiento de las diferencias específicas y las novedades cualitativas. Por ejemplo, las partículas de polvo, los gérmenes, las semillas, las ideas, los hábitos y los artefactos se dispersan, pero sus mecanismos de dispersión son muy diferentes: algunos son físicos, otros biológicos y otros, incluso, sociales. Por lo tanto, debemos desvelar esos mecanismos si queremos ya sea facilitar, ya sea obstaculizar la dispersión del material en cuestión. De tal modo, el enfoque funcionalista, que descarta el material y, por lo tanto, pasa por alto el mecanismo, con seguridad fracasará en la práctica e impondrá límites a la investigación.

El funcionalismo ha sido particularmente dañino en la biología molecular y la psicología. En efecto, en ambos campos ha desalentado la búsqueda de mecanismos y ha promovido la idea de que los gráficos de flujo proveen explicaciones, cuando de hecho solo ofrecen descripciones globales. Por ejemplo, afirmar que el ARN mensajero actúa como plano para (o que «especifica») proteínas es solo una descripción metafórica de la síntesis de proteínas. Para comprender este proceso en profundidad necesitamos conocer con detalle las reacciones químicas que producen las proteínas en cuestión. En otras palabras, los procesos de «transcripción» (ADN → ARN) y «traducción» (ARN → Proteína) solo pueden ser comprendidos en términos de fuerzas intermoleculares. Del mismo modo, la psicología no explicará mucho en tanto no avance de la metáfora del procesamiento de la información al mecanismo neural.

6. Mecanismo y ley

¿Cómo están relacionados los conceptos de mecanismo y enunciado legal? John Elster (1998, p. 48) ha afirmado que «el antónimo de un mecanismo es una ley científica». En consecuencia, las explicaciones que invocan mecanismos reemplazarían las explicaciones que invocan enunciados legales. Esta es una opinión equivocada. Elster parece haberse dejado confundir por su examen de solo unos pocos casos de dos tipos: (a) mecanismos conocidos con leyes desconocidas y (b) leyes conocidas con mecanismos subyacentes desconocidos. Pero el hecho de que las leyes mecanísmicas correspondientes sean desconocidas en ciertos casos —en la mayoría, por cierto— no prueba que no existan.

Los mecanismos sin leyes concebibles se llaman «milagros». Tomás de Aquino, por ejemplo, sostenía que el Espíritu Santo injerta el alma en el embrión humano y John Eccles especuló una vez (¡en la reverenciada revista *Nature*!) que la mente mueve las neuronas por medio de la psicoquinesia (o telequinesia). De seguro, estas son hipótesis mecanísmicas, pero no son científicas porque son inconsistentes con las leyes pertinentes, ninguna de las cuales se refiere a entidades inmateriales.

Sostengo que la investigación científica presupone (a) el materialismo o la hipótesis de que el mundo real es material, de modo tal que no contiene ideas autónomas (independientes del sujeto) y (b) el principio de legalidad, según el cual todos los eventos satisfacen alguna(s) ley(es). La confianza en el primer principio permite a los científicos prescindir de lo espectral. La confianza en el segundo principio alienta la búsqueda de leyes y el rechazo de los milagros.

La opinión de Elster, que el mecanismo es lo opuesto a la ley científica, es refutada por los siguientes contraejemplos. La mecánica estadística explica la termodinámica al suponer que los constituyentes elementales de un sistema termodinámico satisfacen las leyes de la mecánica clásica; la óptica de ondas explica los rayos ópticos constatando que los rayos de luz emergen de la interferencia de ondas de luz; la biología molecular explica la genética mendeliana probando que el material hereditario consiste en moléculas de ADN, algunas de las cuales «codifican» proteínas y, de tal modo, controlan, en última instancia, biomecanismos tales como el metabolismo y el crecimiento y división celulares. Dicho sea de paso, estos últimos dos mecanismos están «gobernados» por la curva logística, la cual también es propia del aprendizaje incentivado por una recompensa externa.

Lo que sí es cierto es que en los estudios sociales, las leyes y los mecanismos son insuficientes para explicar, puesto que casi todo lo social se construye en lugar de descubrirse. En efecto, los hechos sociales no solo se rigen por leyes, sino también por normas y las normas sociales, aunque son consistentes con las leyes de la naturaleza, no son reducibles a ellas, aunque solo fuese porque las normas se inventan a la luz de valoraciones, aparte de lo cual, tal como Merton (1976) ha señalado, toda norma es atemperada por una contranorma.

En todo caso, los mecanismos y las leyes pueden desacoplarse en el pensamiento. La explicación que recurre a mecanismos profundiza la subsunción en lugar de reemplazarla. Las diferencias entre ambos tipos de explicación —por subsunción y mecanísmica—, así como sus aspectos comunes, emergen claramente al analizarlas lógicamente. Hagámoslo, pues, en dos casos simples.

Considérese la conocida generalización empírica «Tomar éxtasis causa euforia», la cual no hace referencia a ningún mecanismo. Este enunciado puede analizarse como la conjunción del siguiente par de bien corroboradas hipótesis mecanísmicas: «Tomar éxtasis causa un exceso de serotonina» y «El exceso de serotonina causa euforia». Estas dos hipótesis en conjunto explican el enunciado del comienzo. (Por qué la serotonina causa euforia es, desde luego, una cuestión separada que requiere un mecanismo diferente.) Dicho sea de paso, el ejemplo anterior refuta la afirmación de Revonsuo (2001) de que no hay explicaciones que invoquen mecanismos fuera de la física, especialmente en la neurociencia cognitiva.

Un ejemplo proveniente de la sociología y la ciencia de la administración podría ser este: «La inercia [resistencia al cambio] de un sistema social es proporcional a su tamaño». Esto explica por qué, para las empresas, incluso los más amigables cambios de manos, los cuales requieren adaptaciones rápidas, son azarosos. A su vez, la relevancia del tamaño para la inercia se explica por la necesidad de los contactos persona a persona (o, al menos, pantalla a pantalla) para mantener la cohesión del sistema y, de este modo, asegurar que se comporte como una unidad. Puesto de manera esquemática, hemos dividido el enunciado inicial «↑Volumen ⇒ ↑Inercia» en «↑Volumen ⇒ ↓Contactos» y «↓Contactos ⇒ ↑Inercia».

(Este argumento se aclara cuando se expresa con auxilio de la simbolización estándar de la lógica elemental. Hemos comenzado con un enunciado nomológico de la forma «$\forall x(Ax \Rightarrow Bx)$» y lo hemos analizado en términos de la conjunción de hipótesis de las formas «$\forall x(Ax \Rightarrow Mx)$» y «$\forall x(Mx \Rightarrow Bx)$», donde M se refiere a una característica clave de un mecanismo).

Todos los mecanismos reales son legales, pero la relación entre ley y mecanismo es de una a muchos, no de una a uno. Por ejemplo, las oscilaciones del precio de cualquier acción se ven como un camino aleatorio, parecido superficialmente al movimiento de una molécula en un gas y la función exponencial describe tanto el crecimiento de una población con recursos ilimitados como el de los artículos científicos.

Hay dos razones principales para la laxitud del acoplamiento entre leyes y mecanismos. Una es que, en principio, toda relación insumo-producto (o de caja negra) puede ser mediada por diferentes mecanismos (o cajas translúcidas). Véase la figura 5.2a. La segunda razón es que las leyes del macronivel relacionan características globales, como por ejemplo el crecimiento o la decadencia y la concentración o la dispersión, que son compatibles con microprocesos alternativos. Véase la figura 5.2b.

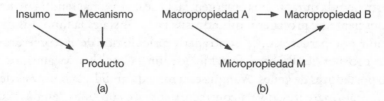

(a) (b)

Figura 5.2. (a) Una relación insumo-producto mediada por un mecanismo. (b) Dos macropropiedades relacionadas por medio de una micropropiedad.

Puesto que la relación entre pautas y mecanismos es de uno a muchos, la búsqueda de uno de ellos puede desacoplarse de la búsqueda del otro. Sin embargo, dejando fuera los milagros, no hay mecanismos «ilegales» más de lo que hay pautas carentes de mecanismos. En consecuencia, toda descripción que no incluya mecanismos debe considerarse superficial y, por ende, un desafío para descubrir los mecanismos desconocidos. Por la misma razón, todo mecanismo que no esté apoyado en leyes debe considerarse ad hoc y, por lo tanto, igualmente transitorio.

En resumidas cuentas, las explicaciones satisfactorias (también desde el punto de vista psicológico) de ambos tipos, si son científicas, recurren a enunciados legales. De tal modo, las hipótesis mecanísmicas no son una alternativa a las leyes científicas, sino componentes de leyes científicas profundas. En otras palabras, "mecanismo" (o "caja traslúcida") se opone a "fenomenológico" (o "caja negra"), no a "legalidad" (véase Bunge, 1964, 1967a).

7. Conjeturar mecanismos

¿Cómo hemos de hacer para conjeturar un mecanismo? De la misma manera en que formulamos cualquier otra hipótesis: usando la imaginación, estimulada y a la vez constreñida por los datos y las hipótesis bien comprobadas. Consideremos unos pocos ejemplos.

El altruismo y la cooperación entre los humanos son casi tan frecuentes como el egoísmo y la competencia. ¿Por qué es así? Vale decir, ¿qué mecanismo produce cada una de estas conductas? La mayoría de los sociobiólogos sostiene que, dado que el altruismo y la cooperación son costosos, están restringidos a los parientes. Según esta idea, nuestro marido o esposa, hijos adoptivos e íntimos amigos no deben esperar nuestra ayuda durante una emergencia. O sea, el animal tendría un deseo inconsciente de proteger y difundir sus genes. Esta es la hipótesis de selección por parentesco, la contraparte psicológica de la conjetura del «gen egoísta» de Richard Dawkins, según la cual los organismos son solo portadores de genes. Aunque está muy difundida, la hipótesis de selección por parentesco va a contracorriente de la pruebas empíricas sobre la existencia de cooperación entre no parientes, así como de rivalidad y a veces, incluso, violencia entre parientes (véase, por ejemplo, West *et al.*, 2002). Más aún, las relaciones transgénicas pueden ser más amorosas que las intraespecíficas. Así pues, el presidente estadounidense George W. Bush declaró una vez que su perro es el hijo que nunca tuvo.

Una hipótesis alternativa es que la cooperación se da sin importar el parentesco si sus beneficios superan sus costos; con el conflicto ocurriría algo parecido (véase, por ejemplo, Odling-Smee *et al.*, 2003, pp. 298 y ss.). Además, realizamos buenas acciones porque nos sentimos bien, aun si no esperamos una recompensa por ellas. De hecho, hay estudios recientes de visualización del cerebro (Rilling *et al.*, 2002) de personas mientras participan en juegos del tipo Dilema del Prisionero que han mostrado que nos sentimos bien cuando cooperamos con extraños: ciertos sistemas neuronales que se encargan de la recompensa (placer) «se encienden» en el proceso. Una alternativa es que los humanos y otros animales tienden a cooperar entre sí porque necesitan ayuda y esperan reciprocidad. Estas dos hipótesis son mutuamente compatibles, por supuesto. De tal modo, presumiblemente, la cooperación involucra al menos dos mecanismos entrelazados en muchos niveles diferentes, celulares y sociales.

No hay ningún método, mucho menos una lógica, para conjeturar mecanismos. En general, las hipótesis, tal como lo ha expresado Peter Medawar, «aparecen […] en los caminos secundarios, no explorados, del pensamiento». Es cierto, Peirce ha escrito acerca del «método de abducción», pero «abducción» es sinónimo de «conjeturar». Además, como él mismo afirmara, se trata de un arte, no de una técnica. Una de las razones es que, de manera típica, los mecanismos son inobservables y, por lo tanto, su descripción seguramente contendrá conceptos que no aparecen en los datos empíricos. (Esta es la razón de que el modelado matemático se utilice a menudo para identificar mecanismos. No es que el núcleo de la realidad sea matemático, sino que solo el pensamiento matemático puede vérselas con la complejidad.) Aun el mecanismo que hace funcionar el reloj de péndulo incluye inobservables como el campo gravitatorio y la inercia; del mismo modo, la energía elástica almacenada en un arco tensado es inobservable.

Desde el punto de vista gnoseológico, los sistemas sociales son semejantes. Por ejemplo, las fábricas son invisibles: lo que sí puede percibirse son algunos de sus componentes —empleados, edificios, máquinas, reservas, etcétera—, pero no la manera en que todos ellos trabajan sinérgicamente, que es lo que los mantiene unidos y funcionando. Hasta las operaciones de un pequeño almacén son manifiestas solo en parte. Por ejemplo, el tendero no sabe, y de ordinario no le interesa averiguarlo, por qué un cliente compra cereal de un tipo en lugar de otro para el desayuno. Sin embargo, si le interesara, podría hacer conjeturas, por ejemplo, que a los niños probablemente se les vende el envase. Vale decir, el tendero puede imaginar lo que se llama una «teoría de la mente», una hipótesis referente a los procesos mentales que acaban en la caja registradora. Si el vendedor fuese un neoconductista, podría razonar como sigue: Visión del envase → Apetito → Compra.

Los insumos y productos observables, tales como la publicidad y el comportamiento del consumidor, nada explican. Solo plantean el problema de conjeturar el mecanismo o los mecanismos que con mayor plausibilidad transducen los insumos en productos. Nótese que se trata de un típico problema inverso, del tipo Conducta → Intención. Una vez que se ha hallado una solución, esta permite atacar el problema directo: Insumo y Mecanismo → Producto. Véase la figura 5.3.

Cuando hay disponibles teorías mecanísmicas poderosas y razonables, como en la física, parte de la química y partes de la biología, la mayoría de los problemas son directos o pueden ser transformados en problemas directos. Pero no es este el caso habitual en los estudios sociales. Aquí ha de comenzarse casi de cero cuando se aborda un problema nuevo. No se conoce ninguna ecuación general del movimiento social que pueda ayudar a predecir lo que un individuo o un sistema social harán cuando un estímulo dado actúe sobre ellos o averiguar cuáles eran los estímulos y los procesos internos que causaron la reacción observada. En particular, la variable temporal no aparece en la enorme mayoría de las fórmulas de la economía matemática estándar, obsesionada como está con el equilibrio.

(a) Insumo ⟶ Mecanismo ⟶ ? Producto,
(b) ? Insumo ⟶ Mecanismo ⟶ Producto,
(c) Insumo ⟶ ? Mecanismo ⟶ Producto.

Figura 5.3. Problema directo (a) y problemas inversos (b) y (c). En principio, dada una teoría, resolver (a) y (b) es una cuestión de cálculos. En cambio, (c) requiere una teoría que puede no estar disponible aún y es, por ende, el más difícil de resolver.

8. La explicación: por subsunción y mecanísmica

El análisis estándar de la explicación en la filosofía de la ciencia, de Mill a Popper, Hempel, Braithwaite y Nagel, es el llamado modelo de cobertura legal. Según este modelo, explicar un hecho particular es subsumirlo en una generalización, según el esquema: Ley y Circunstancia ⇒ Hecho que se desea explicar. Por ejemplo, se puede decir que Aristóteles murió porque era humano y todos los humanos son mortales, o que el precio del jabón subió porque todas las mercancías se hacen más costosas y el jabón es una mercancía. Lo anterior es válido y correcto (verdadero) desde el punto de vista lógico. Pero no suscita comprensión y, en consecuencia, no puede ser considerado una explicación propiamente dicha.

Sostengo que el modelo de cobertura legal no consigue capturar el concepto de explicación que se utiliza en las ciencias porque no incluye la noción de mecanismo (Bunge, 1967a). Por ejemplo, explicamos el hecho de que la ropa expuesta al sol se seque a través de la absorción de luz, la cual incrementa la energía cinética de las moléculas de agua en la ropa húmeda hasta el punto en que superan las fuerzas adhesivas y se van por el aire. La senescencia y la muerte se explican mediante el desgaste, el deterioro, la inflamación, oxidación, acortamiento de telómeros y otros mecanismos que operan a la vez. La neurociencia cognitiva explica el aprendizaje por medio de la formación de nuevos sistemas neuronales que emergen cuando las neuronas componentes disparan de manera conjunta en respuesta a ciertos estímulos (externos o internos; ley de Hebb).

Las explicaciones genuinas de las ciencias sociales son parecidas. Por ejemplo, el desempleo de cierto tipo se explica a través de la difusión de los dispositivos de ahorro de trabajo, la cual, a su vez, es impulsada por la búsqueda de disminuir el gasto y aumentar las ganancias. Alejandro Portes ha explicado el crecimiento de la economía informal, o *underground*, como un efecto perverso de la legislación laboral diseñada para proteger a los trabajadores. Mark Granovetter ha explicado la obtención de puestos de trabajo por medio de «la fuerza de los vínculos débiles», vale decir información acerca de los puestos vacantes, ofrecida por los amigos de los amigos. Las guerras se explican o bien por el deseo de los gobernantes de retener o expandir territorios, recursos naturales o mercados o bien para ganar las elecciones siguientes haciendo que los inocentes se agrupen alrededor de los Grandes Líderes en tiempos de Emergencia Nacional, a saber la mismísima emergencia diseñada por los mismísimos patriotas.

En todos estos casos, explicar es exhibir o suponer un mecanismo (legal). Este es el proceso —ya sea causal, ya sea aleatorio o mixto— que hace que el sistema funcione del modo en que lo hace. Desde luego, un mecanismo no necesariamente es mecánico. Hay mecanismos termonucleares, termomecánicos, electromagnéticos, químicos, biológicos (en particular bioquímicos y neurofisiológicos), ecológicos, sociales y de muchas otras clases. Llamo a este tipo de explicación *mecanísmico*. El uso del neologismo es aconsejable, dado que la mayoría de los mecanismos no son mecánicos.

Consideremos brevemente dos casos comparativamente simples de mecanismos no mecánicos: los del cambio demográfico y la cohesión social. En una primera aproximación, los cambios de la numerosidad $N(t)$ de un grupo humano son representados por la ecuación $dN/dt = kN$. La solución de esta ecuación es la función exponencial $N(t) = N_o \, exp \, (kt)$, donde N_o es el valor inicial de N y k es la tasa de crecimiento. Si $k < 0$, la población crece exponencialmente; si $k = 0$, permanece estable y si $k > 0$, declina exponencialmente. Hasta aquí, solo tenemos una descripción, como es el caso con todas las ecuaciones de tasas de cambio.

La descripción anterior se transforma fácilmente en una explicación si la tasa de cambio k se analiza como sigue:

k = *tasa de nacimiento – tasa de mortalidad + tasa inmigración – tasa de emigración.*

El anterior puede considerarse el mecanismo demográfico general del sistema social σ. O sea, podemos establecer $M(\sigma) = k$.

(Dicho sea de paso, los sociobiólogos están tan obsesionados con la reproducción que subestiman los restantes tres mecanismos demográficos. Con todo, la evolución no solo involucra el éxito reproductivo —una elevada tasa de nacimiento—, sino también la aptitud fisiológica, la adaptación al medio y la modificación activa de este, o sea la construcción del nicho. Todos estos procesos se presentan conjuntamente como una baja tasa de mortalidad, además de la migración.)

Nuestro segundo ejemplo es uno de los problemas más antiguos de los estudios sociale: ¿qué mantiene unida a la sociedad a pesar de los diferentes —en ocasiones opuestos— intereses de sus componentes individuales? Ha habido muchas respuestas a esta pregunta y algunas de ellas, si bien diferentes, son mutuamente compatibles. Por ejemplo, según algunos autores, el cemento de la sociedad es el altruismo recíproco (*quid pro quo*); otros académicos sostienen que el intercambio es el pegamento de la sociedad; otros, incluso, sostienen que la homofilia [*homophily*] engendra la cooperación —que las personas con intereses, tradiciones, valores y costumbres similares probablemente se unan y se mantengan unidos—; otros, como los teóricos de la teoría de juegos, han diseñado modelos del Dilema del Prisionero donde las personas aprenden a cooperar o, por el contrario, a desertar; finalmente, los seguidores de Hobbes solo creen en el conflicto y la coerción. Cada una de estas concepciones tiene algo de verdad, pero ninguna de ellas es completamente satisfactoria.

Podríamos aprender algo más preguntando ¿cuáles son las raíces de la desigualdad, la desunión y la marginalidad? Algunas de las respuestas más obvias son la violencia y la explotación; la discriminación por género, raza, clase e ideología, y la movilidad residencial (véase Tilly, 1998). ¿Cómo funcionan estas causas o motivos? O sea ¿cuáles son los mecanismos que los transforman en las segregaciones observadas? Parecería que el mecanismo común a todos ellos es la exclusión o no participación, sea esta deliberada o no. Por ejemplo, las mujeres son excluidas de los cargos administrativos más altos, las facultades de medicina y los clubes de golf; los negros, católicos y judíos, de los clubes de los *WASP*;* los pobres, de las calles arboladas y las buenas escuelas; y los agnósticos y los sindicalistas, de los altos cargos políticos.

Si ahora volvemos a la pregunta original, nos percatamos de que el mecanismo clave de la cohesión social es la participación de las personas de todo tipo en redes sociales de diversas clases: de los ciudadanos en campañas y votaciones, de las mujeres en los puestos de trabajo, de los trabajadores en la forma de gestión de sus lugares de trabajo, de los adolescentes en las pandillas, de los adultos en las organizaciones de beneficencia y así sucesivamente. La noción de participación puede hacerse cuantitativa del siguiente modo. El grado o intensidad de la participación de los A en los B (por ejemplo, de las mujeres en la academia, de los jóvenes en la política o de los empleados en la gestión) puede equipararse con la numerosidad de la intersección de los conjuntos A y B, dividida por la numerosidad del círculo social huésped A. De tal modo, se puede establecer un índice numérico π de la cohesión social (y de su

---

* Iniciales de *White Anglo-Saxon Person*: persona blanca anglosajona. [*N. del T.*]

complemento, la marginalidad social; Bunge y García-Sucre, 1976). Dado que la cohesión es suficiente para la estabilidad, podemos establecer que $M(\sigma) = \pi$. Nótese que, lejos de ser empírico, como la mayoría de los restantes indicadores sociales, π está fundado en supuestos de la teoría de sistemas acerca de la estructura social y la cohesión social.

La misma concepción sistémica sugiere diferentes indicadores de otras características sociales. Por ejemplo, obtenemos un útil indicador de adhesión a la comunidad haciendo la siguiente pregunta: ¿qué factores, además de la segregación, contribuyen de manera decisiva a la desorganización social, es decir, al debilitamiento o incluso la desintegración de los mecanismos de cohesión social? La respuesta es que tal factor es la movilidad residencial: los nómadas no encajan fácilmente en las redes sociales locales; por lo tanto, no hacen contribuciones relevantes a su fortalecimiento. En otras palabras, el tiempo de permanencia en una residencia indica el nivel de participación en las actividades sociales locales, el cual a su vez contribuye a la cohesión social (Kasarda y Janowitz, 1974; Sampson, 1988).

En general, las características individuales explican las características colectivas, las cuales a su vez contribuyen a explicar la conducta individual. El investigador sistémico se mueve de lo micro a lo macro y viceversa. En otras palabras, utiliza dos estrategias de investigación mutuamente complementarias: *top-down* [de abajo hacia arriba] y *bottom-up* [de arriba hacia abajo].

9. Realismo *versus* descriptivismo

Los científicos siempre han sabido que explicar el comportamiento de un sistema es exhibir o conjeturar el modo en que este trabaja, es decir sus mecanismos. Así pues, William Harvey explicó la circulación de la sangre pensando en el corazón como una bomba; Descartes explicó el arco iris en términos de la refracción de la luz del sol por las gotas de agua suspendidas en el aire después de una lluvia; Newton explicó las órbitas en términos de fuerzas e inercia; Berzelius (para horror de Hegel) explicó las reacciones químicas en términos de fuerzas electrostáticas; Tocqueville explicó la caída del *Ancien Régime** como un resultado retardado del des-

---

* En francés en el original. [*N. del T.*]

cuido de las propiedades y condados por parte de los aristócratas, el cual fue, a su vez, una consecuencia de su concentración en París y Versalles, un siglo antes, bajo la presión de Luis XIV; Darwin explicó la evolución por medio de la descendencia con modificación junto con la selección natural; Marx y Engels explicaron la historia a través del cambio económico, así como de la lucha de clases; Einstein explicó la curvatura de los rayos de luz cuando están cerca de cuerpos de gran masa por medio de la curvatura del espacio que estos inducen; Bohr explicó la emisión de luz por medio de la transición de los átomos desde niveles de energía excitados a niveles inferiores de energía; Hebb explicó el aprendizaje como la formación de nuevos ensambles de neuronas y así sucesivamente.

No comprendemos adecuadamente las cosas cuyos mecanismos nos son aún desconocidos. Por ejemplo, nada se gana, salvo un entendimiento ilusorio, con decir que la mente o el cerebro «ha computado» este movimiento o aquella emoción. La metáfora del ordenador es gravemente errónea porque (a) los procesos mentales más interesantes, tales como preguntar, inventar y encontrar problemas, son espontáneos en lugar de estar regidos por reglas y (b) los algoritmos son reglas artificiales para realizar cómputos con símbolos, no son procesos naturales y legales (Bunge y Ardila, 1987; Searle, 1980; Kary y Mahner, 2002). Esta es la razón de que los ordenadores imiten algunos (no todos) de los rasgos globales de algunos (no todos) de los procesos cognitivos y no al revés.

Una consecuencia de la manía computacionista es que algunos psicólogos prefieren hacer simulaciones de ordenador a embarcarse en la investigación del cerebro con el fin de descubrir mecanismos neurales. Una consecuencia de esta negación del órgano de la mente es que la depresión, la esquizofrenia y otros desórdenes mentales que producen discapacidad todavía no reciben buen tratamiento, a causa de que sus mecanismos no han sido desvelados completamente. No basta saber que las enfermedades mentales están correlacionadas con los desequilibrios de ciertos neurotransmisores. Para saber cómo se traducen estos hechos moleculares a experiencias mentales como la alegría y la tristeza debemos averiguar el efecto del exceso o el déficit de dopamina, serotonina y otras sustancias sobre las neuronas y los sistemas neuronales. Debemos subir toda la escalera, de la molécula al cerebro y el entorno, y bajar otra vez. Sin conocimiento del mecanismo no hay ni comprensión ni control.

Las reglas fenomenistas y empiristas «No explicar, únicamente describir» y «Describir solo fenómenos (apariencias)» llevaron a los conductistas y a los computacionistas, así como a los filósofos positivistas, tales como Comte, Mill, Mach, Duhem, Kirchhoff, Ostwald y los miembros del Círculo de Viena, a rechazar la búsqueda de hipótesis mecanísmicas.

Con todo, irónicamente, los constructores de la moderna física atómica, una teoría que no es fenomenista, ensalzaban de la boca para afuera esos mismos dogmas positivistas. Así pues, en un artículo de 1925 que hizo época, Heisenberg sostenía que los físicos teóricos solo debían utilizar variables observables. Pero al mismo tiempo él introdujo los operadores de posición y momento sin sus contrapartes clásicas, vale decir mensurables. (Dicho sea de paso, la búsqueda de operadores de posición y velocidad adecuados se halla aún en proceso; véase Bunge, 2003c.) En su momento, sin embargo, Heisenberg se percató de su inconsistencia y se quejó de sus jóvenes colegas que solamente deseaban describir y predecir hechos. En 1969 Heisenberg me dijo: «Tengo una mente newtoniana. Deseo entender los hechos. En consecuencia, tengo más aprecio por las teorías que explican el funcionamiento de las cosas que por cualquier teoría fenomenológica [descriptiva]» (Bunge, 1971).

Por último, señalaremos que la teoría cuántica explica mucho pero no todo. Explica, por ejemplo, la emisión de luz como la transición de un átomo o molécula desde un nivel de energía a otro inferior. Pero no sugiere ningún mecanismo para esta transición cuando no es producida por una colisión. Aunque la mayoría de los físicos están satisfechos pensando que se trata de un proceso espontáneo (no causado), unos pocos se preguntan si, eventualmente, podría descubrirse un mecanismo subyacente, lo cual vale como ejemplo de las tesis de que computación no es lo mismo que explicación y que no hay una explicación última o final.

10. Comentarios finales

El realismo filosófico postula que el objetivo de la ciencia es explicar la realidad. Esta tesis puede concederse fácilmente pero, con seguridad, surgirán diferencias a la hora de explicar la explicación. Mill, Popper, Hempel y Braithwaite adoptaron el llamado modelo de cobertura legal, según el cual explicar un hecho es subsumirlo en cierta regularidad. Otros han afirmado que explicar es proponer una metáfora. Algunos autores fueron llevados a esta concepción por una comprensión superficial del modelo de átomo de Bohr y el árbol de la vida de Darwin, ninguno de los cuales tiene sentido al considerárselos separadamente de las teorías de las cuales forman parte. Otros incluso adoptaron la concepción metafórica de la explicación porque es parte del «giro» hermenéutico o lingüístico, la perspectiva posmoderna de que el mundo gira alrededor de las palabras.

Los racionalistas rechazan el metaforismo porque incluso las buenas analogías solo pueden tener un papel heurístico o pedagógico. Peor aún, pueden acabar extraviando seriamente a quien las toma de manera literal. Por ejemplo, la analogía lingüística de la biología molecular y la analogía informática de la psicología son engañosas, porque inducen la ilusión de que los procesos en cuestión pueden ser comprendidos, aun cuando sus respectivos mecanismos son desconocidos en gran medida.

Hasta la famosa dualidad partícula-onda de la mecánica cuántica resulta engañosa al sugerir que los electrones y sus parientes pueden describirse en términos clásicos. En realidad, los referentes de la física cuántica no son ni partículas ni ondas: son entidades sui géneris. En consecuencia, merecen tener su propio nombre: he propuesto llamarles *cuantones* (Bunge, 1967c).

La confusión acerca de los cuantones resulta inofensiva en comparación con la perspectiva hermenéutica que se va difundiendo en las ciencias de la cultura (o sociales). Según esta concepción, los mencionados estudios son «metáforas sobre metáforas», ya que la cultura (la sociedad) pivotaría alrededor del lenguaje y este es, al menos en parte, «una construcción metafórica del mundo» (por ejemplo, Tilley, 1999). Por favor señores, continúen hablando: queremos que el mundo siga funcionando.

Los filósofos racionalistas desechan el metaforismo como una extravagancia irracionalista y una excusa para no ensuciarse las manos manipulando cosas reales. Además, unos pocos de ellos se han percatado de la importancia de los mecanismos y, de tal modo, de la superioridad de la explicación mecanísmica respecto de la explicación por subsunción (por ejemplo, Bunge, 1967a, 1968b, 1983, 2004a y 2004b; Kitcher y Salmon, eds., 1989; Machamer, Darden y Craver, 2000). Así pues, hay progreso en la filosofía. Puede ser lento a causa de ciertos mecanismos de conservación, tales como el respeto por la tradición, la ignorancia deliberada, la adoración de la oscuridad, la censura ideológica y el proceso de revisión por pares dominado por conservadores filosóficos. Sin embargo, de tanto en tanto tienen lugar avances filosóficos en virtud de la operación de mecanismos compensadores tales como la investigación de problemas nuevos planteados por la sociedad, la ciencia o la tecnología, el escepticismo institucionalizado y, por encima de todas las cosas, la curiosidad acerca de lo que ocurre detrás de las pantallas.

6

De la Z a la A: los problemas inversos

Es bien sabido que embarcarse en una investigación de cualquier tipo es abordar problemas cognitivos. Esta es la razón de que un artículo bien escrito comience con la formulación del problema o los problemas que se abordarán y acabe con una lista de algunos problemas abiertos. El concepto general de problema, por lo tanto, debería ser fundamental para el estudio del conocimiento. Con todo, la literatura filosófica sobre problemas en general —su lógica, semántica, gnoseología y metodología— es escandalosamente escasa. En particular, casi todos los filósofos, científicos sociales y planificadores sociales han ignorado la existencia misma de los problemas inversos (o hacia atrás). La excepción ha sido el llamado problema de la inducción (Datos → Hipótesis), aunque raramente se ha reconocido que se trata de un problema inverso. Este descuido posiblemente ha nutrido la ilusión de que debe haber una «lógica» inductiva tan formal, algorítmica y rigurosa como la lógica deductiva.

Con todo, los problemas inversos (o hacia atrás) son los más difundidos, así como los más difíciles e interesantes de todos. Piénsese en el problema de Newton de «inferir» (en realidad, conjeturar) las leyes del movimiento de los planetas a partir de los datos de algunas de sus posiciones sucesivas o en los de brincar de la muestra a la población, de diagnosticar una enfermedad fundándose en sus síntomas, de conjeturar un evento del pasado a partir de sus vestigios, de diseñar un dispositivo que realice ciertas funciones o de concebir un plan de acción para conseguir ciertos objetivos. Del mismo modo, conjeturar las intenciones de una persona a partir de su conducta, descubrir a los autores de un delito conociendo la escena del crimen, representar una parte interna del cuerpo a partir de la atenuación de la intensidad de un haz de rayos X (tomografía computarizada), identificar un objetivo a partir de las ondas acústicas o electromagnéticas que rebotan en él (sonar y radar) o imaginar las premisas de un argumento a partir de algunas de sus conclusiones (axiomatización). Todos los anteriores también son problemas inversos. Todos son mucho más difíciles que sus correspondientes problemas directos. Por lo general, ir corriente abajo es más fácil que hacerlo corriente arriba.

Los problemas directos (o hacia adelante) requieren análisis o razonamiento progresivo, ya sea de las premisas a la conclusión o de las causas a los efectos. En contraposición, los problemas inversos (o hacia atrás) requieren síntesis o razonamiento regresivo de la conclusión a las premisas o de los efectos a las causas. En otras palabras, el trabajo en problemas directos es esencialmente de descubrimiento, en tanto que la investigación de los problemas inversos exige la invención radical. No extraña, pues, que a los inventores de la cristalografía por rayos X (William y Lawrence Braga, 1915), del modelo de la doble hélice de ADN (Francis Crick y James Watson, 1953) y la tomografía computarizada (G. N. Hounsfield y Allan M. Cormack, 1979) se les otorgara el Premio Nobel.

Además, un rasgo distintivo de la mayoría de los problemas inversos es que, si no son triviales y son solubles, tienen múltiples soluciones. Piénsese en planificar una actividad diseñada para conseguir un objetivo determinado en contraste con describir esa actividad; «leer» la mente de alguien a partir de su conducta; detectar minas terrestres en contraste con colocarlas o en las múltiples interpretaciones de un texto posmoderno en contraste con garrapatearlo.

Todos nos enfrentamos a problemas inversos en algún momento. Por ejemplo, no solo los humanos, sino también los simios lo hacen cuando construyen «teorías de la mente» para explicar la conducta observable de sus congéneres. Sin embargo, ni siquiera Polya (1957), quien ha dedicado un libro admirable al análisis de los problemas, se dio cuenta de que los problemas inversos constituyen una categoría distinta de problemas. La muy utilizada colección de problemas de análisis de Polya y Szegö (1925) contiene únicamente problemas directos. Lo que Polya y otros han hecho es analizar, con una finalidad principalmente didáctica, *métodos* indirectos para resolver problemas directos, tales como la *reductio ad absurdum.* El interés más amplio en los problemas matemáticos inversos solo ha surgido en los últimos años.

La enorme mayoría de los filósofos han sido notablemente lacónicos respecto de los problemas inversos, con la única excepción del problema de la inducción o Datos → Hipótesis. Puesto que este es un problema inverso, es probable que tenga o múltiples soluciones o ninguna. La razón de ello es la que sigue. Por definición, una hipótesis va más allá de los datos correspondientes y lo hace al menos en una de dos maneras: o bien porque la hipótesis involucra un salto desde algunos existentes a todos los posibles o bien porque incluye conceptos que, como los de causalidad, masa, intención y soberanía nacional, no aparecen en los datos, ya que no son empíricos. En resumen, puesto que las hipótesis no emanan de los datos, deben ser inventadas. Desde luego, una vez inventadas estas tienen que confrontar los datos, tanto nuevos como antiguos. Regresaremos a este problema en el capítulo 7.

Para resaltar el agudo contraste entre los dos tipos de problemas, directos e inversos, y para comprender mejor la naturaleza de los problemas inversos, echemos un vistazo a problemas propios de diversas ramas del saber. El objetivo de este ejercicio no es llegar a la verdad por medio de la inducción, sino el de familiarizarnos con el animal. Después de todo, los filósofos de la ciencia deben esperar más frutos del análisis de casos reales de investigación científica que de la lectura y reinterpretación de textos filosóficos clásicos.

1. Muestra preliminar

Encontrar la sombra proyectada por un cuerpo sólido sobre una superficie es un problema directo (o hacia adelante) con una única solución. La geometría proyectiva y su aplicación, la geometría descriptiva, proveen reglas precisas para resolver este problema bien conocido por los diseñadores de máquinas y los cartógrafos. El problema inverso correspondiente es la reconstrucción de la forma del cuerpo a partir de una o más de sus infinitas proyecciones o mapas planos. Como casi todos los problemas inversos solubles, este tiene múltiples soluciones. Por ejemplo, cuando se mira fijamente un cubo de Necker —una ambigua representación plana de un cubo— se ve, al principio, un cubo orientado hacia la derecha y unos treinta segundos más tarde un cubo orientado hacia la izquierda o viceversa.

Los primeros espectroscopistas enfrentaban una tarea aún más difícil: la de «inferir» (en realidad, conjeturar) la composición y estructura de una fuente de luz, por ejemplo el Sol, a partir del espectro de línea o de banda que emite. Este problema inverso constituyó una de las principales motivaciones para la construcción de la teoría cuántica. Con ayuda de esta teoría se puede resolver, al menos en principio, el problema directo: dadas (supuestas) la composición y estructura molecular de una fuente, hallar las frecuencias e intensidades de la luz que puede emitir.

Una vez más, hallar los rastros dejados en el mundo por una deidad bien definida —tal el caso de una divinidad que se da el gusto de ir por ahí dejando fósiles falsos— es un problema directo trivial, ya que toda característica del mundo será atribuida a su Creador. En cambio, «inferir» el perfil de una deidad a partir de un estudio de la Creación fue la finalidad de los teólogos naturales de la primera mitad del siglo XIX, así como de los profesores de la Fundación Templeton de nuestros días. Por alguna razón, hasta el momento no se ha conseguido ningún *identikit* definitivo del Creador.

El conjunto de problemas arriba consignados constituye solo una minúscula muestra de la vasta familia de problemas inversos (o hacia atrás) que surgen en todos los ámbitos de la investigación, la planificación y la acción. En la tabla 6.1 se ofrece una muestra mayor.

Tabla 6.1. Muestra de problemas hacia adelante *versus* problemas hacia atrás. La flecha simboliza el proceso de investigación, desde lo dado a la solución o soluciones.

Directos o hacia adelante	Inversos o hacia atrás
Ecuación algebraica → Raíces	Raíces → Ecuación algebraica
Antena → Forma de la onda	Forma de la onda → Antena(s)
Artefacto → Función (tarea)	Función (tarea) → Artefacto(s)
Autor → Texto	Texto → Autor
Ciencia básica → Ciencia aplicada	Ciencia aplicada → Ciencia básica
Cerebro en la sociedad → Mente	Mente → Cerebro en la sociedad
Causa → Efecto(s)	Efecto → Causa(s)
Programa informático → Computación	Computación → Programa informático
Creador → Creación	Creación → Creador
Estructura cristalina → Patrón de difracción	Difracción → Estructura cristalina
Dinámica → Cinemática	Cinemática → Dinámica

Enfermedad → Síntomas
Origen del sismo → Sismograma
Ecuación de movimiento → Trayectorias
Ecuaciones de campo → Intensidades de campo
Fuerza(s) → Movimientos
Mutación génica → Fenotipo mutante
Generalización → Caso particular
Gramática → Oraciones
Ideas → Habla
Fecha de inicio → Radiactividad
Insumo → Producto
Intención → Conducta
Legislación → Comportamiento social
Función matemática → Derivada
Función matemática → Integral
Medios → Objetivo
Órgano → Función
Pasado → Presente
Texto simple → Texto cifrado
Plan → Actividad
Población → Muestra
Potencial → Intensidad del campo
Probabilidad → Estadísticas
Pregunta → Respuesta
Reactivos → Compuesto químico
Difusor → Difusión
Fuente (por ejemplo, átomo) → Espectro
Estímulo → Respuesta
Diseño técnico → Descripción
Teoría y datos → Predicciones
Transacción → Presupuesto

Síntomas → Enfermedad
Sismograma → Origen del sismo
Trayectorias → Ecuación
Intensidades de campo → Ecuaciones de campo
Movimientos → Fuerza(s)
Fenotipo mutante → Mutación
Caso(s) particular(es) → Generalización
Oraciones → Gramática
Habla → Ideas
Radiactividad → Fecha de inicio
Producto deseado → Insumo necesario
Conducta → Intención
Comportamiento social → Legislación
Derivada → Función
Integral → Función
Objetivo → Medios
Función → Órgano
Presente → Pasado
Texto cifrado → Texto simple
Actividad → Plan
Muestra → Población
Intensidad del campo → Potencial
Estadísticas → Probabilidad
Respuesta → Pregunta(s)
Compuesto químico → Reactivos
Difusión → Difusor
Espectro → Fuente (por ejemplo, átomo)
Respuesta → Estímulos
Descripción → Diseño técnico
Datos → Teoría
Presupuesto → Transacción

2. La relación directo-inverso: generalidades

El concepto general de problema inverso es bien conocido por los matemáticos, físicos e ingenieros; para estos últimos bajo los nombres de síntesis e ingeniería en reversa. En cambio, el concepto es desconocido para la mayoría de los científicos sociales, planificadores y filósofos. Una de las principales razones de esta brecha es, por supuesto, que estos ámbitos están matemáticamente subdesarrollados. Otra razón es la difundida creencia de que un ordenador lo suficientemente poderoso puede manejar cualquier problema. Otra razón más es que los problemas inversos son mucho más difíciles que sus correspondientes problemas directos.

Por la misma razón, los problemas inversos son también más intrigantes y exigen más ingenio, experiencia y trabajo y, a menudo, más recompensa que los problemas directos correspondientes. Piénsese, por ejemplo, en conjeturar las ecuaciones de movimiento a partir de ciertas trayectorias, conjeturar las fuerzas que dispersan un haz de partículas, imaginar la combinación entre genotipo y ambiente que produce un fenotipo (apariencia visible) determinado, imaginar la combinación entre circunstancia e intención que está detrás de una acción dada, sacar a la luz la gramática que subyace a un texto, conjeturar el modo de vida de un pueblo que ha dejado atrás ciertos restos arqueológicos, imaginar los artefactos que podrían realizar una tarea deseada o diseñar los procesos industriales y comerciales que podrían producir un rendimiento dado.

Un campo de investigación muy desarrollado contiene un gran número de métodos especiales (técnicas y algoritmos) para abordar problemas directos de diversas clases. En cambio, no hay reglas especiales, en particular no hay algoritmos, para resolver la enorme mayoría de los problemas inversos. La manera usual de tratarlos es proceder por ensayo y error: concebir y contrastar diversas hipótesis hasta que se ha hallado la correcta. A su vez, esta se descubre examinando y variando el conjunto de soluciones parecidas de los correspondientes problemas directos. A través de esta táctica *un problema inverso se hace equivalente a una familia de problemas directos*. En particular, un problema inductivo se transforma, de este modo, en un conjunto de problemas deductivos.

Sin embargo, antes de lanzarnos a resolver un problema conviene que hayamos averiguado si se trata de uno directo o inverso. ¿Y cómo distinguimos un problema inverso de uno directo? Según sé, hasta el momento no se ha propuesto ninguna definición o criterio que sea aceptado de manera general. Las siguientes reglas prácticas se utilizan de manera tácita en diferentes campos:

(1) *Matemática*: Todos los problemas solubles con auxilio de técnicas bien definidas (de algoritmos, especialmente) son directos, en

tanto que el proceso recíproco, el de recuperar esos problemas a partir de sus soluciones, es inverso. Ejemplos: (a) Raíces de una ecuación algebraica → Ecuación, (b) Puntos → Curva, (c) Teorema → Postulado(s) y Definición (o Definiciones).

(2) *Ciencias naturales y sociales*: Los problemas inversos son de las siguientes formas: Efecto → Causa, Muestra → Distribución de probabilidad, Propiedad → Cosa, Comportamiento → Mecanismo o Macronivel → Micronivel. Ejemplos: (a) averiguar el (los) vínculo(s) que mantiene(n) unido(s) a los constituyentes de un sistema dado, (b) descubrir el circuito neuromuscular que realiza una tarea comportamental determinada, (c) conjeturar las decisiones que desencadenaron las acciones individuales que dieron lugar a un evento social dado.

(3) *Tecnología*: Los problemas son de las formas Función → Mecanismo y Disfunción → Defecto en el mecanismo. Ejemplos: (a) diseñar un proceso para la producción en masa de una droga determinada, (b) diseñar o rediseñar una organización para llevar a cabo una tarea dada, (c) averiguar las causas del mal funcionamiento de un sistema artificial, tal como un ordenador o un banco.

Estos y otros ejemplos parecidos sugieren el siguiente par de convenciones:

— *Definición 6.1*. Un problema directo (o hacia adelante) es un problema cuya investigación procede en sentido o bien de la secuencia lógica o bien de la secuencia de eventos; o sea de la(s) premisa(s) a la conclusión (o conclusiones) o desde la(s) causa(s) al efecto (o efectos).

— *Definición 6.2*. Un problema inverso (o hacia atrás) es un problema cuya investigación procede en sentido contrario o bien al de la secuencia lógica o bien al de la secuencia de eventos; o sea de la conclusión a la(s) premisa(s) o del efecto a la(s) causa(s).

Caben dos advertencias. La primera es que, aquí, la simplicidad es irrelevante. Si bien la mayoría de los problemas inversos son más difíciles que sus correspondientes problemas directos, hay excepciones. Por ejemplo, dado un conjunto finito de números, junto con el teorema fundamental del álgebra, podemos encontrar fácilmente la ecuación algebraica que esos números resuelven. En cambio, es posible que no haya ningún algoritmo para resolver la ecuación dada.

La segunda advertencia es que, en ocasiones, a un problema directo le corresponde más de un problema inverso. Por ejemplo, considérese la ecuación $A f = g$, donde f y g son funciones y A es el operador que transforma f en g. El problema directo es: dados A y f, hallar g. La misma ecuación suscita dos problemas inversos. El más simple de ellos es: dados A y g, encontrar f. Si A tiene un inverso la solución es $f = A^{-1}g$. El segundo problema inverso es mucho más difícil y posee un número incontable de soluciones: dado g, encontrar A y f. Por ejemplo, dada la distribución espacial g de alguna cosa, encontrar la ley que relaciona g con el campo f generado por g. Esta era precisamente la clase de problema que encontraron los fundadores de las teorías de campos del electromagnetismo y la gravitación.

Examinemos ahora las peculiaridades de los problemas inversos en algunos campos de investigación. En este capítulo echaremos un vistazo a la matemática y la física; algunas de las otras ciencias y tecnologías serán abordadas en el próximo capítulo.

3. La lógica y la matemática

Wittgenstein (1978), el gran trivializador, consideraba que la matemática era un juego. En efecto, creía que hacer matemática era cuestión de «seguir las reglas». Así era, presumiblemente, como enseñaba en la escuela primaria la matemática que sabía. Paul Bernays (1976), el colaborador más cercano de Hilbert, le ha llamado adecuadamente matemática doméstica. Cuando se conocen las reglas, el trabajo matemático no es investigación superior, sino trabajo de rutina, si bien en ocasiones exige tiempo y esfuerzo. A menudo, este trabajo puede confiarse a un estudiante o incluso a un ordenador. Cuando los algoritmos se hallan disponibles, el estudiante se ahorra el esfuerzo de imaginar cualquier truco; tiende a memorizar las reglas y proceder a la resolución del problema de un modo bastante automático. Por ejemplo, puede calcular las integrales aun después de haber olvidado la definición de una integral. Esta es la razón de que el estudio de la geometría euclidiana, que carece de algoritmos, pueda ser más formativo que el de la geometría analítica, que recurre al álgebra y al cálculo ricos en algoritmos.

La investigación matemática original, como la investigación en cualquier otro campo, comienza reconociendo, inventando o abordando problemas de investigación, o sea problemas abiertos interesantes. Además, los problemas matemáticos inversos son los problemas de investigación por excelencia porque, en el mejor de los casos, hay pocas reglas (especialmente algoritmos) para resolverlos.

En particular, la empresa de inventar una regla o método para resolver problemas matemáticos de cierta clase es ella misma un problema inverso del tipo Objetivo → Medios. Esta empresa es tan intimidatoria en el caso de los problemas inversos que el grueso de lo que posiblemente es el tratado más largo y reciente en el campo —*Methods for Solving Inverse Problems in Mathematical Physics* [Métodos para resolver problemas inversos en fisicomatemática] de Prilepko, Orlovsky y Vasin (2000)— está constituido por teoremas sobre la solubilidad de problemas inversos, en particular sobre las condiciones de existencia y unicidad de sus soluciones. Para un físico o un ingeniero, esto es como abandonar un restaurante sin haber comido nada, pero habiendo pagado por el privilegio de leer el menú.

A fin de ofrecer una ligera idea de los problemas inversos matemáticos examinemos un par de ejemplos elementales. El primero es descomponer un número natural dado en sus enteros, lo cual es más difícil que sumar los enteros dados. Así, $1 + 2 = 3$, en tanto que $3 = 1 + 1 + 1$ y $3 = 1 + 2$. El primer problema posee la forma $(?x)$ $(1 + 2 = x)$, en tanto que el segundo tiene la forma $(?x)$ $(?y)$ $(?z)$ $(3 = x + y + z)$. Este segundo problema, a diferencia del primero, consiste en una ecuación con tres incógnitas. Por lo general, cuando el número de incógnitas es mayor que el número de ecuaciones el problema es indeterminado o está matemáticamente mal formulado. (En el ejemplo anterior, esto ocurre porque la función aditiva no tiene inversa.) Por lo tanto, un problema de esta clase posee, en el mejor de los casos, múltiples soluciones. Ahora veremos un problema insoluble.

El capital acumulado a lo largo de un número n de años a cierta tasa r está dado por la conocida fórmula: $C_n = C_0(1 + r)^n$, donde C_0 es el principal (capital inicial). Calcular C_n a partir de C_0, r y n es un problema directo que cualquier calculadora puede resolver. En cambio, el problema de averiguar tanto el número de años como la tasa de interés que rendirán una suma deseada tiene tantas soluciones como parejas $<r, n>$, vale decir infinitas. En consecuencia, este problema, tan fácil de formular, es insoluble desde un punto de vista práctico. No sorprende pues que el asesoramiento en inversiones sea un arte (oscuro) en lugar de una técnica rigurosa.

4. Interludio: la inducción

Calcular el valor de una función matemática bien definida es un problema directo. En cambio, averiguar una función dados algunos de sus valores es un problema inverso, a saber el de ajustar una curva (unir puntos). Hay técnicas tradicionales, como la venerable fórmula de Gregory-Newton, para realizar esas interpolaciones. Sin embargo, la mayoría de estas técnicas provee funciones del mismo tipo insulso, vale decir polinomios que pueden hacerse pasar tan cerca como se desee de los puntos empíricos dados. La existencia de estos algoritmos refuta la opinión de Popper de que la inducción es un mito. La inducción sí tiene lugar en la ciencia, tanto al sugerir generalizaciones de bajo nivel como en la evaluación del apoyo empírico de una hipótesis (Bunge, 1960). Más aún, en ocasiones, la inducción puede «mecanizarse», como en el caso que acabamos de ver.

Lo que sí es cierto es que la inducción no provee resultados asombrosos (antiintuitivos) y de elevado nivel. En efecto, por lo general, los polinomios resultantes, que se ajustan a los datos y que comprimen y expanden esos datos, difieren de las leyes verdaderas, las cuales de ordinario involucran funciones muchísimo más complicadas. Por ejemplo, la elemental ley del péndulo simple (idealizado), deducida de la segunda ley del movimiento de Newton, es $T = (1/2\pi) (l/g)^{1/2}$, una aproximación que puede, a su vez, ser aproximada por cualquiera de infinitos polinomios de l/g. En este caso, que es bastante típico, el problema de la inducción es un problema inverso con infinitas soluciones, ninguna de las cuales es la correcta. La búsqueda de leyes de elevado nivel a partir de los datos no tiene ninguna esperanza, a menos que se haya resuelto el correspondiente problema directo (deductivo) en casos muy similares. Más sobre esto a continuación.

Que la inducción está confinada a las generalizaciones de bajo nivel, es algo que se sabe desde hace tiempo, no así cuál es la razón de esta limitación. La razón de que la inducción no pueda llevar a los escalones superiores de la escalera deductiva es esta: un razonamiento inductivo es semánticamente «horizontal», en el sentido de que salta de los enunciados particulares a generalizaciones que contienen exactamente los mismos conceptos específicos (no lógicos) incluidos en los datos. Por ejemplo, se puede unir n puntos experimentales sobre el plano x-y por medio de un polinomio de grado $n - 1$ en x, $y = a_0 + a_1 x + a_2 x^2 + \ldots + a_n x^n$. De tal modo, si y simboliza una coordenada espacial y x el tiempo, la función puede representar el movimiento de una masa puntual, como el extremo de un oscilador armónico. Con todo, no importa cuán grande pueda ser n —vale decir, no importa el tamaño de la base de datos— la función en cuestión será, con seguridad, una pobre y torpe aproximación a la verdadera solución del problema del oscilador lineal, a saber $y = a\,sin\,\omega\,t$. Esta solución incluye la frecuencia de oscilación ω, un parámetro ausente de los datos, pero que aparece en la ecuación de movimiento, la cual está un escalón lógico y semántico por encima de los datos.

Esta es, pues, la razón de que no pueda haber ninguna inferencia «vertical» de los datos a las leyes de alto nivel: porque estas últimas contienen conceptos que están ausentes de los primeros. Puesto que la experiencia no puede generar ningún concepto o hipótesis de elevado nivel, estos deben inventarse y la invención es de todo menos un proceso guiado por reglas, un proceso sujeto a algoritmos que podrían ser introducidos en un ordenador. Llamar a esta invención «abducción», siguiendo a Peirce (1934, 5, p. 181), únicamente sugiere la ilusión de que se trata de un modo de inferencia concluyente. Resulta preferible pensar que los conceptos teóricos son «libres creaciones de la mente humana» (Einstein, 1950a). Tales constructos son libres en el sentido de que no se siguen de los datos de los sentidos. Pero, desde luego, a diferencia de la «imaginación libre» con la cual puede darse el gusto el artista y que Husserl (1931, p. 199 y ss.) recomendaba para hacer fenomenología, los constructos científicos están constreñidos por la lógica y la observación científica.

5. Problemas matemáticos de encontrar y problemas de demostrar

La mayoría de los problemas matemáticos son, en términos de Pappus (320 d.C.), o bien problemas de *encontrar* o bien problemas de *demostrar* (Thomas, ed., 1941, p. 567). Con suerte, los primeros son problemas directos bien planteados, tales como dibujar un polígono, resolver una ecuación, integrar una función, expandir una función en series o, sencillamente, revisar un cálculo. En cambio, los problemas de demostrar son, por lo general, más difíciles y más importantes que los problemas de encontrar. La primera estrategia que un matemático intentará para demostrar una conjetura de la forma "Si A, entonces B" es afirmarla, pero negar su consecuente B y controlar si esto implica una contradicción. Si la hay, el teorema es declarado verdadero; si no, queda refutado. En cualquier caso, la tarea se ha llevado a cabo. Claramente, este razonamiento indirecto es estrictamente deductivo. También está claro que, en caso de éxito, es posible resumir el proceso con la fórmula «conjeturas y confirmaciones», ya que demostrar un teorema equivale a confirmar la conjetura de partida. La consigna de Popper (1963) «conjeturas y refutaciones», adoptada por Lakatos (1978), solamente sirve para desmalezar el conocimiento de las falsedades por medio de la exhibición de contraejemplos. Indicar errores no reemplaza la ideación de conjeturas y su corroboración. Un granjero que no hiciese más que desmalezar su campo no conseguiría de él nada para comer.

Si el teorema que se desea demostrar no se rinde ante el razonamiento indirecto, es posible que el matemático tenga que recurrir a primeros principios. En este caso, aborda un problema inverso: el de conjeturar los supuestos A (axiomas, otros teoremas, lemas o definiciones) que en conjunto implican el enunciado t que se desea demostrar. La forma de este problema es $(?A)\,(A \vdash t)$. Lamentablemente, la demostración de un teorema se presenta a menudo como un problema directo como este: encontrar las consecuencias lógicas de un conjunto de supuestos dados. Esta no es una descripción realista de la matemática en proceso porque (a) no todas las consecuencias de un conjunto de supuestos son igualmente interesantes y (b) para demostrar una conjetura, puede ser necesario introducir o revisar algunos supuestos nuevos, tales como construcciones auxiliares en la geometría y lemas en el análisis; se precisa conocimiento e imaginación para acertar con las construcciones o lemas pertinentes.

Los problemas inversos también son llamados "mal planteados". Sorprendentemente, Jacques Hadamard (1952) propuso la primera definición de un problema matemático bien formulado recién en 1902. Lamentablemente, llamar "mal planteados" a los problemas inversos puede desalentar su investigación, ya que nadie quiere perder el tiempo abordando preguntas equivocadas. No extraña, pues, que la mayor parte de la literatura sobre problemas matemáticos inversos sea bastante reciente y comparativamente modesta, si bien ha ido creciendo exponencialmente en los últimos años. Por ejemplo, las revistas *Inverse Problems* [Problemas inversos], *Journal of Inverse Problems and Ill-posed Problems* [Revista de problemas inversos y mal planteados] e *Inverse Problems in Engineering* [Problemas inversos en ingeniería] solo vieron la luz en años tan recientes como 1985, 1989 y 1995 respectivamente; la primera conferencia internacional sobre la materia tuvo lugar en Hong Kong en 2002 y al año siguiente aparecieron los primeros manuales (Uhlmann, 2003; Woodbury, 2003a).

Sin embargo, algunos matemáticos de la antigüedad sí atacaron con éxito unos cuantos problemas inversos. El mejor conocido de ellos es Euclides, quien entre otras cosas fue el primero en proponer el sistema de postulados de lo que a partir de entonces se conoce como geometría euclidiana. Algunos historiadores de la matemática han afirmado que lo único que Euclides hizo fue recolectar el conocimiento geométrico que se había acumulado hasta su época. Por cierto que llevó a cabo esta tarea, nada mezquina en sí misma, y muchas otras. En efecto, organizó ese corpus de la manera más racional, vale decir de modo axiomático. (De hecho, Euclides inventó el llamado método axiomático, el cual es en realidad un formato más que un método, ya que no hay reglas para encontrar axiomas.) Euclides conjeturó un sistema de postulados que abarcaba todo el conocimiento geométrico. El suyo era un problema inverso, porque es el complemento de demostrar teoremas a partir de ciertas premisas con auxilio de ciertas reglas.

Dado un conjunto de axiomas y definiciones, encontrar lo que implican es una tarea directa en comparación con la de ir corriente arriba, de las conclusiones a las premisas, especialmente de los casos particulares a las generalizaciones. Es cierto, la geometría euclidiana es sintética, no analítica, en el sentido de que no contiene álgebra y, por ende, no contiene ningún algoritmo; en consecuencia, la prueba de casi cualquiera de sus teoremas requiere inventar una construcción especial o importar un lema de un campo adjunto. Sin embargo, dadas todas las premisas (y reglas de inferencia), las conclusiones se siguen sin ambigüedad, y tanto es así que hay algoritmos para demostrar teoremas de geometría euclidiana en ordenador. No es este el caso cuando de conjeturar los postulados se trata: un problema inverso con múltiples soluciones. De hecho, hay diversos sistemas de postulados para la geometría euclidiana, entre ellos los propuestos por Hilbert en 1899, Huntington en 1913 y Tarski en 1959.

Dos de los 23 famosos problemas planteados por Hilbert en 1901 eran inversos: axiomatizar el cálculo de probabilidades y las principales teorías físicas de su época. La primera tarea fue intentada por diversos matemáticos hasta que en 1933 Kolmogoroff propuso la solución estándar. En cuanto a la axiomática física, el propio Hilbert dio un ejemplo: la sencilla teoría fenomenológica (descriptiva) de la radiación. Lamentablemente, no axiomatizó ninguna de las teorías físicas fundamentales de su tiempo, aunque estaba familiarizado con ellas.

La primera axiomatización de la mecánica cuántica no relativista, así como de las mecánicas clásica y relativista, la electrodinámica clásica, la relatividad especial y la teoría gravitatoria de Einstein fue llevada a cabo por Bunge (1967a). Estas axiomatizaciones incluyeron no solamente las fórmulas matemáticas, sino también sus interpretaciones físicas realistas por medio de postulados semánticos de la forma «El concepto matemático M representa la cosa o propiedad física F». Este trabajo está siendo puesto al día por un puñado de físicos (véase, por ejemplo, Covarrubias, 1993 y Pérez-Bergliaffa *et al.*, 1993, 1996).

6. La astronomía y la microfísica

Es posible que Aristarco haya sido el primero en abordar un problema astronómico inverso, el de conjeturar las órbitas planetarias reales y presumiblemente regulares, a partir de los datos de sus posiciones aparentes. Este fue un problema particularmente intrigante en aquella época, puesto que las trayectorias planetarias, observadas desde la Tierra, eran anómalas en comparación con las de las estrellas fijas. En efecto, «planeta» significa «vagabundo». Aristarco dio con la respuesta correcta: formuló la hipótesis del sistema heliocéntrico. Sin embargo, fue incapaz de calcular una sola predicción, porque la matemática necesaria aún no había sido inventada.

Ptolomeo dominaba estas herramientas formales, pero su objetivo explícito era describir apariencias en lugar de explicarlas. De hecho, es posible que haya sido el primer positivista (Duhem, 1908). Su ingenioso sistema geocéntrico, incluyendo los consabidos ciclos y epiciclos, consiguió describir y predecir con notable exactitud los movimientos aparentes de los planetas entonces conocidos. Esto constituyó un logro para la astronomía, pero al mismo tiempo fue un revés para la física, porque a los planetas se les atribuían movimientos muy diferentes a los de los restantes cuerpos. Además, los planetas y el Sol eran considerados como un variopinto ensamble de idiosincrásicos cuerpos celestes, en lugar del sistema postulado por Aristarco. El logro de Ptolomeo fue también un revés para la ontología, porque amplió el abismo teológico (y platónico) entre lo terrestre y lo celeste. Por último, su victoria también fue una derrota para la gnoseología, puesto que parecía mostrar que la ciencia favorece el fenomenismo y el convencionalismo antes que el realismo, un error repetido por la Inquisición contra Galileo, así como por Hume, Kant y los positivistas y neopositivistas, desde Comte y Mill hasta Nelson Goodman y David Lewis (recuérdese el capítulo 1).

Los antiguos atomistas griegos e hindúes eran más ambiciosos que Aristarco o Ptolomeo. En efecto, deseaban explicar todo lo visible en términos de átomos invisibles que se mueven rápidamente en el vacío, desde el secado de las velas de los barcos y la fabricación del bronce hasta los procesos mentales. Transformaron los procesos inversos Efectos-Causas y Fenómenos-Noúmenos en sus correspondientes problemas directos. La antigua atomística fue, más aún, la primera ontología íntegramente naturalista. Con todo, también era una gran fantasía, puesto que sus defensores, quienes afirmaban explicarlo todo, no explicaron en detalle nada en particular. La transmutación de la atomística metafísica en la física atómica tomó 2.000 años. En efecto, Daniel Bernoulli (1738) fue el primero en explicar una ley macrofísica (la ley de los gases ideales de Boyle) en términos atómicos. Dalton (1803), por su parte, fue el primero en explicar (de manera aproximada) algunos compuestos químicos simples en estos mismos términos.

Estos y otros logros no bastaron para persuadir a la mayoría de los físicos del siglo XIX, quienes se aferraron a la termodinámica clásica (fenomenológica) hasta el artículo fundacional de Planck, de 1900. Como es habitual, los filósofos mantuvieron la tradición: la termodinámica se ajustaba a la filosofía positivista difundida en la comunidad filosófica entre mediados del siglo XIX y mediados del XX. Esta filosofía —como la de Ptolomeo, Hume, Kant, d'Alembert, Mach, Pearson, Duhem y Ostwald—, contrariamente al realismo de Galileo, Huygens, Newton, Euler, Ampère, Faraday, Maxwell y Boltzmann, alentó a los científicos a limitarse a los fenómenos (apariencias). Incluía una prohibición de investigar el problema inverso de ir desde los fenómenos a los noúmenos, en particular las realidades microfísicas que pudiera haber detrás de los primeros.

Mach fue tan lejos como para afirmar que las sensaciones, tales como las de calor y sonoridad, eran los ladrillos del mundo. La misma tesis fenomenista resurgió más tarde en algunos de los trabajos de Bertrand Russell, Rudolf Carnap, Hans Reichenbach y Philipp Frank. Entre tanto, los físicos estaban ocupados explorando entidades no fenoménicas tales como los electrones y los campos.

De manera irónica, la mayoría de los fundadores de la moderna teoría atómica —especialmente Bohr, Born, Heisenberg, Jordan, Pauli y Dirac— mantuvieron la obsoleta filosofía empirista. Así lo hicieron mientras realizaban el hercúleo (o, más bien, newtoniano) logro de resolver el problema inverso de ir desde una descripción macrofísica a una explicación microfísica. Por ejemplo, los imanes eran explicados como ensambles de átomos con momentos magnéticos paralelos y los rayos de luz como corrientes de fotones. Con todo, el positivismo, en particular el fenomenismo, fue contrabandeado en los libros de texto y los ensayos filosóficos. Por ejemplo, las variables dinámicas fundamentales, como los momentos angular y lineal, el espín y la energía, fueron etiquetadas como «observables» aun cuando no eran directamente mensurables.

7. La lectura de patrones de difracción

Aproximadamente en la misma época en que se construía la física nuclear y atómica, la cristalografía experimentó una revolución gracias a la utilización de los rayos X. Estos se usaron para descubrir las configuraciones atómicas subyacentes a las 230 estructuras de cristal puro que habían sido descritas previamente desde el punto de vista morfológico. El método utilizado para resolver este problema inverso es el que sigue. Se hace difractar un haz de rayos X (o de electrones) a un cristal. Las ondas difractadas aparecen en una placa fotográfica como puntos formando un intrincado patrón geométrico, como bandas paralelas y círculos concéntricos. Estos patrones son notablemente diferentes de las configuraciones atómicas que difractan los rayos. Por lo tanto, no «hablan por sí mismos», sino que tienen que ser «interpretados». Esta «interpretación», que en rigor es una explicación científica y no una intuición hermenéutica, se lleva a cabo del siguiente modo.

El cristalógrafo supone una estructura cristalina plausible y resuelve el problema teórico directo de calcular el patrón de difracción correspondiente. Más precisamente, construye un modelo teórico o miniteoría abarcando la estructura cristalina hipotética, la óptica de ondas y el análisis de Fourier. El coeficiente de cada término de una serie de Fourier para cada estructura cristalina conjeturada se halla midiendo la intensidad del haz de rayos X correspondiente. Después, el patrón teórico se compara con el experimental para controlar si el modelo teórico (o miniteoría) se ajusta a los datos experimentales dentro de un rango de error tolerable. Si no lo hace, el científico vuelve a cambiar la estructura cristalina conjeturada hasta que consigue un resultado correcto. Los biólogos moleculares utilizan este mismo método para descubrir la estructura de las proteínas y los ácidos nucleicos. Este es, de hecho, el modo en que Crick y Watson descubrieron el llamado código genético en 1953: por medio del ajuste recíproco de un montón de hábiles hipótesis con un gran número de patrones de difracción por rayos X obtenidos por otros investigadores.

En nuestros días, el cristalógrafo o el biólogo molecular no necesitan empezar de cero. En efecto, disponen de un catálogo de parejas de estructuras cristalinas (o moleculares) y diagramas de difracción. Si la solución aparece en el catálogo, no buscan más. Si no es así escogen el patrón más cercano al de sus resultados, varían un poco algunos de los parámetros de la estructura cristalina correspondiente e intentan de nuevo hasta que resuelven el problema. Proceden por aproximaciones sucesivas a la verdad. Véase la figura 6.1.

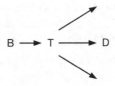

Figura 6.1. Difracción de rayos X y partículas. Un haz *B* de ondas o partículas se hace difractar por el objetivo *T* de naturaleza desconocida y se fotografía un patrón de difracción *D*. El problema es conjeturar *T* a partir de *D*. El modo de proceder es suponer diversos *T* alternativos, calcular los patrones correspondientes utilizando el análisis de Fourier y controlar cuál de ellos se ajusta mejor al *D* observado. Este último puede ser anillos de puntos concéntricos o bandas paralelas que no se parecen en nada a la estructura de *T*, un claro ejemplo de la pobreza de las apariencias.

Los problemas de la física cuántica son similares. Aquí los problemas directos son del siguiente tipo: suponiendo las fuerzas (o los potenciales de los cuales derivan), calcular los posibles niveles de energía, probabilidades de transición, secciones eficaces de difusión y otros observables genuinos. El correspondiente problema inverso es, por supuesto, averiguar el potencial a partir de las mencionadas propiedades mensurables. En particular, un físico que trabaja con aceleradores de partículas («*atom smashers*») enfrenta un problema similar. Sabe lo que ocurre dentro de la caja (o sea un haz de partículas) y también lo que sale de ella (partículas o fotones difusos). Sabe lo primero porque él mismo lo ha producido y sabe esto último porque sus instrumentos de medición lo han registrado. La ambición del físico es averiguar lo que ocurre dentro de la caja. O sea, busca desvelar el mecanismo intermediario entre los haces de partículas entrante y saliente. Resumiendo, su problema es este: Hechos observados → Mecanismos probables.

Hasta tiempos recientes, casi nada se sabía acerca de las fuerzas nucleares, salvo que eran intensas, de corto alcance, saturables y no clásicas. En los comienzos de la física nuclear teórica, se adoptó un método bastante sencillo para abordar problemas como el planteado por la difusión de neutrones por protones. Típicamente, se acostumbraba postular una fuente potencial (de la fuerza de atracción desconocida) con una forma simple, como, por ejemplo, jorobas de dromedario. Después se ajustaba la profundidad (intensidad de la fuerza), así como la amplitud (rango de la fuerza) de la fuente, para hacer casar los datos experimentales de los niveles de energía con la sección eficaz de difusión efectiva.

En años recientes, se han creado algunos algoritmos para realizar esta tarea, la cual puede ser llevada a cabo por un ordenador (por ejemplo, Zajariev y Chabanov, 1997; Hall, 1999). Más aún, deformando el potencial y registrando sus efectos, ya sea sobre el nivel de energía, ya sea sobre la sección eficaz de difusión, se dice que el científico desarrolla una intuición diferente de la conseguida mediante la resolución de problemas directos; incluso pueden surgir nuevas perspectivas y nuevos problemas cuando la atención se pone en problemas inversos en lugar de problemas directos. Sin embargo, se han de suponer algunas de las propiedades del mencionado potencial, por ejemplo que es un continuo segmentado, acotado por debajo y simétrico. Además, los algoritmos en cuestión, si bien numéricamente poderosos, no resuelven el problema esencial, que consiste en averiguar la naturaleza de las fuerzas en juego. Después de todo, a los ordenadores no les interesa la interpretación física.

En nuestros días, disponemos de refinadas teorías sobre las fuerzas nucleares, de modo tal que, en principio, se puede resolver el problema directo, es decir calcular la difusión que causan. Con todo, las dificultades computacionales son formidables. En consecuencia, la resolución de problemas inversos aún es importante en todo el campo. La diferencia con los viejos días radica en el hecho de que ahora disponemos de un catálogo bastante extenso de soluciones de la ecuación de estado (o de onda) para diferentes potenciales (o fuerzas). Por consiguiente, el examen de cualquier conjunto de datos empíricos puede alzar un tembloroso dedo en dirección del potencial correspondiente.

8. Invertibilidad

Si la solución a un problema directo es un mapa en escala 1:1, tal como la función exponencial, entonces la solución al correspondiente problema inverso existe y es única. Por ejemplo, si se sabe que un proceso declina exponencialmente con el tiempo, como en los casos de la radiactividad y la destrucción de una colonia de bacterias por un antibiótico, entonces puede calcularse el momento en que el proceso comenzó a partir de la intensidad residual del mismo. Así es como funciona la datación por radiocarbono. En efecto, suponiendo la proporción de Carbono 14 (radiactivo) y Carbono 12 (estable) en el momento de la muerte de un organismo fosilizado, se obtiene la fecha calculando su logaritmo. [Recuérdese que $y = a \, exp(-bt)$ es equivalente a $t = 1/b) \, ln \, (y/a)$].

Otro caso típico es el del planeamiento económico fundado en un modelo de producción (véase, por ejemplo, Gale, 1960). El núcleo de este modelo es la ecuación para la producción neta de una compañía: $p(I-A) = g$, donde p es el vector de producción, A es la matriz de insumos y productos, I es la matriz unidad y g la demanda u objetivo. Este problema consiste en invertir la matriz $I-A$ para obtener $p = g(I-A)^{-1}$. Sin embargo, este problema no necesariamente tiene solución, o sea que es posible que la matriz en cuestión no posea una inversa. En este caso, entonces, Solubilidad $\Leftrightarrow$ Invertibilidad. Además, aun si la matriz tiene una inversa, el vector de solución p, si bien matemáticamente único, simboliza cualquier conjunto de actividades (o mecanismos) diferentes con la misma intensidad. Esta indiferencia respecto de los mecanismos específicos es, desde luego, una característica de los modelos de caja negra.

Una teoría de caja negra modela el sistema de interés como una caja negra con dos terminales: el insumo C (circunstancia, situación, estímulo) y el producto R (respuesta visible), ambos observables (por ejemplo, Bunge, 1963). Véase la figura 6.2.

De modo típico, tanto el insumo como el producto son indicadores, vale decir manifestaciones observables de eventos imperceptibles del sistema o su entorno. (Se supone que los casos particulares de insumo nulo o actividad espontánea y producto nulo o indiferencia a los estímulos ambientales están incluidos.) O sea, la ley de bajo nivel que caracteriza el sistema en el entorno dado es de la forma $R = B \cdot C$. Las formas matemáticas de C, R y B dependen de la clase de problema. Por ejemplo, C y R pueden ser funciones y B puede ser el operador que las relaciona o todas pueden ser matrices.

Se pueden abordar problemas de dos clases con ayuda de un modelo de caja negra como el que acabamos de bosquejar: un problema directo y dos problemas inversos. El problema directo es el de formular un *pronóstico*: dados B y C, calcular R. Los correspondientes problemas inversos son estos:

(a) Problema de la retrodicción: dado R y B, averiguar C, vale decir calcular $C = B^{-1} \cdot R$. Este problema es insoluble si B no tiene un inverso, como en el caso de una matriz rectangular. Cuando B sí tiene un inverso, la tarea computacional puede exigir un ordenador de alta capacidad, como bien saben los macroeconomistas, quienes tratan con enormes matrices insumo-producto (Leontief).

(b) Problema de la explicación (o síntesis): dados R y C, averiguar B. En otras palabras, dados los datos conjeturar el proceso o mecanismo responsable de su particular acoplamiento. Esta no es una mera cuestión de cálculo: la tarea exige una potente teorización,

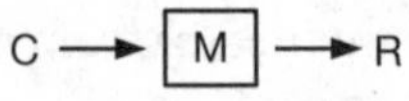

$$C \longrightarrow \boxed{M} \longrightarrow R$$

Figura 6.2. Un modelo de caja negra (o externalista) de un sistema especifica el insumo o circunstancia C y el producto o respuesta R, pero no el proceso interno o mecanismo que transduce C en R.

tal como han mostrado claramente la cristalografía (Puntos de difracción → Estructura cristalina) y la física atómica y nuclear (Sección eficaz de difusión → Fuerza).

La idea práctica es, desde luego, poder utilizar algoritmos, vale decir reglas o procedimientos de cálculo precisos y «mecánicos» (repetitivos) que puedan ser confiados a los ordenadores. Sin embargo, la enorme mayoría de los algoritmos funciona únicamente con los problemas bien planteados (directos) o con ciertas clases estrechas de problemas inversos que aparecen en las teorías con poderosas formalizaciones matemáticas. Por ejemplo, tal como se ha mencionado en la sección 4, actualmente se dispone de algoritmos para abordar el problema Datos de difusión → Fuerza de difusión, en la microfísica.

Con todo, estos métodos no satisfacen el sueño empirista, que consiste en saltar de los datos a la teoría, pues nada puede inferirse acerca de la naturaleza de las fuerzas en juego. En efecto, cualquier forma de potencial es consistente con fuerzas de muchas clases diferentes. Por ejemplo, aunque las formas de los potenciales gravitatorio y electrostático (o de Coulomb) son las mismas, los campos (o fuerzas) correspondientes son muy diferentes, tal como muestran las diferentes maneras de detectarlos y medir sus intensidades. Por lo tanto, en términos estrictos, los algoritmos en cuestión no resuelven los problemas inversos dados. Lo que sí hacen es proveer al teórico constreñimientos para las posibles fuerzas. El resto, es decir, conjeturar las fuerzas, depende del ingenio del teórico.

Aun así, en la mayoría de los casos, hasta el teórico más astuto fallará. Por ejemplo, la masa de un cuerpo está determinada de manera única por su densidad de masa; por otra parte, cualquier valor dado de la masa total es compatible con infinitas densidades de masa. En consecuencia, el problema Masa → Densidad es insoluble. Lo mismo vale para todas las restantes densidades. En particular, dada una densidad de probabilidades, se puede calcular cualquier estadístico deseado, tal como el promedio y la varianza. Con todo, el problema inverso, vale decir Estadístico → Probabilidad, es tan insoluble como el problema Trayectoria → Ecuación (o ecuaciones) de movimiento.

Igualmente insoluble es el problema de recuperar el estado inicial de un proceso estocástico con bifurcaciones sucesivas: todo estado final es compatible con muchísimos comienzos diferentes. Piénsese en el estado de equilibrio térmico alcanzado por un sistema de dos o más cuerpos con diferentes temperaturas, que entran en contacto. Mejor aún, piénsese en la ecuación de Boltzmann-Planck "$S = k \ln W$", la cual relaciona la propiedad microfísica S (entropía termodinámica) con el número W de diferentes configuraciones microfísicas consistentes con un valor dado de S.

¿Y qué hacer si el problema inverso muestra ser intratable? En este caso se puede intentar hacer un poco de trampa, es decir transformar el problema mal planteado en uno bien planteado. A este procedimiento, algo irregular, se le llama *regularización*. «La idea es hacer "regular" el problema cambiando ligeramente el problema original. Esencialmente, se intercambia el viejo problema mal planteado por uno nuevo "regular" o bien planteado cuya solución (uno espera) está cerca de la del problema mal planteado original» (Woodbury, 2003b, p. 57). Este procedimiento es admisible si la solución es estable, es decir si a pequeños cambios en los datos corresponden pequeños cambios en la solución «regularizada». De tal modo, el engaño se mantiene bajo control.

Con lo dicho respecto del aspecto formal del problema de invertibilidad, basta. Echemos ahora un vistazo a su aspecto sustantivo. En todas las ciencias fácticas, los problemas inversos se abordan de una de dos maneras. Una es la transformación del problema mal planteado en uno bien planteado (regularización). El otro enfoque es intentar conjeturar los mecanismos (procesos) inobservables que median entre los estímulos y las respuestas observables. La primera estrategia es puramente formal y, por lo tanto, solo puede utilizarse cuando se dispone de modelos matemáticos precisos. De otro modo, hay que agarrar el toro por los cuernos, con la esperanza de encontrar un modelo más o menos preciso del sistema o proceso en cuestión que describa los rasgos esenciales del mecanismo que produce los hechos observados.

He aquí una muestra al azar de ejemplos del segundo tipo: la generación de ondas sísmicas por la colisión de placas tectónicas, el tubo de rayos catódicos detrás de la pantalla de un televisor, el proceso por el cual la insulina regula el metabolismo del azúcar, la acción del alcohol sobre el humor, la combinación de cambios génicos con selección natural que impulsa la evolución, la combinación genoma-ambiente que da como resultado un fenotipo dado, la combinación entre cooperación y competencia que mantiene unido un sistema social, la relación entre grandes negocios y política que corrompe la democracia y los mecanismos de control de calidad, tales como el muestreo aleatorio de productos o la revisión por pares. (Más sobre mecanismos en el capítulo 5.)

9. Probabilidades inversas

Por último, hagamos un breve comentario sobre el viejo problema de las probabilidades inversas, con el que ya nos hemos encontrado brevemente en el capítulo 4. Este problema surge de la aplicación del teorema de Bayes $Pr(B \mid A) = Pr(A \mid B) \, Pr(B) \, / \, Pr(A)$. En esta fórmula, los argumentos de la función de probabilidad P son conjuntos y se dice que las probabilidades condicionales $Pr(B \mid A)$ y $Pr(A \mid B)$ son mutuamente *inversas*. En rigor, son mutuamente *complementarias* antes que inversas, porque ninguna de ellas es lógicamente previa a la otra. La distinción directo-inverso es gnoseológica y surge en las aplicaciones. Echemos un vistazo a este problema.

Como en cualquier otra fórmula del cálculo de probabilidades, los argumentos A y B pueden ser interpretados como estados o eventos aleatorios. Con todo, algunos estadísticos, epidemiólogos, teóricos de la decisión racional y filósofos han utilizado la fórmula para calcular o bien la probabilidad $Pr(C \mid E)$ de la causa C dado el efecto E o bien la probabilidad $Pr(H \mid D)$ de la hipótesis H dados los datos D. Estas difundidas aplicaciones son vulnerables a tres objeciones fatales.

La primera objeción es que tales interpretaciones contradicen el supuesto tácito de la ciencia de que, con referencia a cualquier situación real, los argumentos de probabilidad deben denotar estados o eventos aleatorios en lugar de eventos causalmente relacionados o proposiciones. Por ejemplo, no se calcula o mide la probabilidad de que una lluvia moje el suelo o la probabilidad de que la ecuación de Schrödinger sea verdadera. Popper sostenía que los enunciados nomológicos tienen una probabilidad nula y esto es así porque él consideraba que la improbabilidad es una virtud. Lo que quiero decir es que no tiene sentido atribuir probabilidades a las proposiciones: recuérdese el capítulo 4.

La segunda objeción es que, de ordinario, las probabilidades previas $Pr(A)$ y $Pr(B)$ se desconocen, por lo tanto tienen que ser inventadas, lo cual difícilmente pueda considerarse un procedimiento científico. En efecto, la atribución arbitraria de números a las incógnitas no produce conocimiento, únicamente crea una falsa impresión de rigor. Puede, incluso, acarrear desastrosas consecuencias prácticas, como cuando la fórmula de Bayes es aplicada al diagnóstico médico o a las decisiones comerciales o militares. (Más sobre esto en Bunge, 1985b, 1988 y 2003a.) La probabilidad solo puede aplicarse legítimamente a los eventos aleatorios, tales como el efecto túnel cuántico, la mutación génica o la elección al azar.

Mi tercera y última objeción a la utilización de la fórmula de Bayes para inferir las causas a partir de los efectos o estados iniciales a partir de estados finales, es que no se ajusta a la práctica científica real. Así pues, la teoría cuántica de la radiación permite calcular la probabilidad $Pr(n \to n')$ de que un átomo en un estado n experimente una transición a un estado n' y emita un fotón. La misma teoría provee una fórmula diferente para la probabilidad $Pr(n' \to n)$ de que un átomo en un estado n' absorba un fotón y salte al nivel de energía n. Estas dos probabilidades no están relacionadas con el teorema de Bayes. Ni podrían estarlo, porque los mecanismos correspondientes son bastante diferentes. En efecto, la emisión espontánea de luz ocurre aun en un sistema cerrado y se piensa que puede estar influida por las fluctuaciones de punto cero del campo vacío. En cambio, la absorción de luz solo puede ocurrir si el sistema es lo bastante abierto como para dejar entrar al menos un fotón.

10. Comentarios finales

Ya sean epistémicos o prácticos, los problemas pueden ser directos (hacia adelante), inversos (hacia atrás) o ninguno de ellos. La tercera categoría incluye problemas tales como los de evaluar acciones o artefactos, interpretar formalizaciones, enseñar nuevas materias y encontrar nuevos problemas. La investigación de problemas directos sigue o bien la corriente de los eventos o bien la secuencia lógica. En cambio, la investigación de problemas inversos funciona hacia atrás. La investigación de problemas del tercer tipo procede típicamente de un modo zigzagueante.

Obviamente, un problema de cualquiera de estas clases es o bien soluble o bien insoluble. Si lo es y es inverso, su solución es o bien única (primer tipo) o bien múltiple (segundo tipo). Los problemas del primer tipo se caracterizan por una correspondencia invertible, cuyo dominio es un conjunto de inobservables y cuya imagen es un conjunto de datos. Para bien o para mal, estos problemas son menos numerosos que los mucho más difíciles de manejar, pero más interesantes, problemas del segundo tipo. Un problema inverso del segundo tipo, o sea uno con múltiples soluciones, equivale a toda una familia de problemas directos. Vale decir, en este caso se procede imaginando diferentes escenarios (o mecanismos) que podrían producir el mismo resultado o diferentes premisas que podrían implicar las mismas conclusiones.

En resumidas cuentas, algunos de los problemas científicos más desafiantes y gratificantes son inversos. La estrategia más prometedora para manejar un problema inverso difícil es transformarlo en un problema directo. Esto es lo que hizo Newton cuando explicó las trayectorias observadas de los cuerpos celestes y terrestres. En efecto, a pesar de su enfática aclaración de que él no formulaba hipótesis, ciertamente formuló algunas y procedió deductivamente en lugar de hacerlo de manera inductiva. De hecho, Newton construyó la primera teoría exitosa de la historia en respuesta al problema inverso más intrigante y característico de su época. Así, abordó en términos técnicos el llamado problema de Hume, mucho antes que Hume lo formulara en lenguaje corriente. Más aún, Newton resolvió el problema. ¿Por qué no llamarle «Problema inverso de Newton»?

7

El puente entre hecho y teoría

En este capítulo continuaremos la investigación de los problemas inversos comenzada en el capítulo anterior. Pero aquí nos concentraremos en los problemas, complementarios entre sí, de cómo ir de los hechos a las hipótesis o teorías y cómo someter estas al control de la realidad. En otras palabras, estudiaremos los problemas de cómo movernos desde «lo dado» hacia lo buscado, que es mucho más amplio y profundo, y cómo forzar a una teoría a enfrentar los hechos. También abordaremos el problema recíproco: ¿cómo se baja desde las teorías de elevado nivel, que no hacen referencia directa a ningún dato, a las pruebas empíricas favorables o desfavorables? En particular, ¿qué podemos considerar como un indicador observable de un hecho inobservable?

1. La inducción, una vez más

Mucho, tal vez demasiado, es lo que se ha escrito acerca del salto desde los datos a las hipótesis. Con todo, esta clase de inferencia aún consterna a filósofos y psicólogos cognitivos; y hay motivos para ello. Hay dos mitos sobre la inducción: que lo es todo (por ejemplo, Bacon y Russell, a veces; Carnap y Reichenbach, siempre) y que no es nada o casi nada (por ejemplo, Leibniz, Hume y Popper). El primer mito pertenece al núcleo del empirismo, en tanto que el segundo está en el corazón del racionalismo.

Habitualmente se considera que Francis Bacon fue el inductivista por excelencia. Lo fue, por cierto, en su *Nueva Atlántida* (1624), la utopía donde retrataba a los científicos como recolectores y empaquetadores de datos. Pero Bacon no fue ningún inductivista ingenuo en su *Novum Organon*, publicado cuatro años después. Allí descarta, por considerarla trivial, la inducción propiamente dicha (o generalización desde particulares) y defiende, en cambio, la formulación de hipótesis alternativas y, dentro de lo posible, su control experimental; también introdujo el concepto de experimento crucial, por analogía con un cruce de caminos.

De los diversos ejemplos que ha dado Bacon, tal vez el más claro e interesante sea el que se relaciona con la naturaleza del peso, un problema muy debatido en su época. ¿El peso es una propiedad intrínseca de los cuerpos o es causado por la atracción de la Tierra? Bacon (1905, p. xxxvi) propuso este ingenioso experimento para resolver la cuestión. Tomar dos relojes con mecanismos diferentes, uno de resortes y el otro de péndulo, sincronizarlos y llevarlos a lo alto de la torre de una iglesia. Si el peso es una propiedad intrínseca de los cuerpos, los dos relojes continuarán indicando el mismo tiempo; si no lo es, el reloj de péndulo se moverá más lentamente a causa de que la atracción gravitatoria tiene que ser menor a mayor altura. El experimento de Bacon no fue realizado hasta un par de siglos más tarde y refutó de manera concluyente la hipótesis de que el peso (a diferencia de la masa) es una propiedad intrínseca de los cuerpos. A la vez, Bacon mostró el papel fundamental de las hipótesis en la ciencia, a pesar de lo cual, habitualmente, se le considera un inductivista radical.

Muchos filósofos se han mostrado, con razón, escépticos acerca del poder y la confiabilidad de la inducción, pero distintos autores han aducido razones diferentes para ello. Las más conocidas son las de Hume (1734), quien argumentaba que el hecho de que el Sol hubiese «salido» cada día en el pasado conocido no garantizaba que fuera a hacerlo en el futuro. El supuesto tácito de Hume es que no hay leyes de la naturaleza, que la naturaleza solo tiene ciertos hábitos que puede abandonar de improviso, del mismo modo que una persona deja de fumar de un día para otro.

Los astrónomos piensan de manera diferente. Predicen con confianza que el Sol «saldrá» cada día mientras exista, suponiendo que nuestro planeta no choque con un asteroide o un cometa de gran tamaño. Esta predicción está fundada en la ley de conservación del espín o momento intrínseco de rotación. Además, esa ley se «aplica» a nuestro planeta porque se trata de un cuerpo semejante a un trompo en rotación sin fricción. (Si se mantiene un trompo en rotación en la mano, se descubrirá lo difícil que es modificar su eje de rotación.)

De modo semejante, los biólogos humanos predicen con confianza que la inmortalidad humana es imposible, pero no porque hasta ahora todos los humanos hayan tenido un tiempo de vida finito, sino porque el cuerpo humano envejece inevitablemente a través de diversos mecanismos hasta que finalmente los subsistemas más importantes se desintegran. Así pues, sostenemos la verdad de «Todos los seres humanos son mortales» no solo por la experiencia pasada, sino porque podemos explicar el envejecimiento.

En ambos casos, el de la salida del Sol y el del envejecimiento, los científicos razonan fundándose en mecanismos legales, no en meras generalizaciones empíricas. En el caso de la sucesión de los días y las noches, el mecanismo es el ocultamiento del Sol como resultado de la rotación diurna de la Tierra. En el otro caso, la mortalidad humana es resultado de la operación simultánea de diversos mecanismos: desgaste y rotura, estrés, oxidación, inflamación, mutaciones con la consiguiente incapacidad de sintetizar ciertas proteínas, acortamiento de telómeros, etcétera. Las limitaciones de la inducción derivan de la superficialidad de sus productos, todos los cuales se relacionan únicamente con propiedades observables que no refieren a los mecanismos ocultos. En cambio, el razonamiento directo que va de los enunciados legales a los hechos presupone que la naturaleza es legal en lugar de caprichosa.

Obviamente, Hume tenía razón al sostener que el salto de «algunos» a «todos» es inválido desde el punto de vista lógico. Pero se equivocó al negar la objetividad de las conexiones, en particular de las leyes, negando así la existencia de la necesidad natural (o nómica) junto con la de la necesidad lógica (véase Bunge, 1959a).

Dos siglos más tarde, Kripke (1980) ha cometido una falacia parecida al afirmar que, puesto que la supuesta identidad «Función mental = Proceso cerebral» es contingente y no lógicamente necesaria, tal vez no sea válida en mundos diferentes del nuestro. Pero, por supuesto, si tales «mundos» son accesibles desde el nuestro, entonces no son mundos propiamente dichos sino solo regiones remotas de nuestro universo. Si son inaccesibles, entonces solo podemos fantasear acerca de ellos, una tarea que es mejor dejar a los escritores de ficción.

Concluyendo esta sección, todas las hipótesis y teorías científicas más profundas y, por ende, más interesantes, son conjeturadas. Este proceso, el de ir de los datos a las hipótesis o la teoría, no es ni inductivo ni deductivo. Se trata de un proceso tan poco reglado como enamorarse, componer un poema o diseñar un artefacto.

2. La abducción, una vez más

Muchos estudiosos concuerdan en que la manera de dar razón de los hechos observables es formular hipótesis alternativas y luego descartar las que son falsas, idealmente por medio de experimentos cruciales (concluyentes). Esto era algo bien sabido por Francis Bacon (1620), William Whewell (1847) y John R. Platt (1964), entre tantos otros.

Lamentablemente, los tres autores, así como muchos otros, llamaron a este procedimiento «inducción» cuando, en términos estrictos, la inducción es la formación de una única generalización de bajo nivel a partir de los datos disponibles, como cuando los perros aprenden a asociar la correa con la caminata diaria o un bebé aprende a llamar «papá» a todos los hombres. Llamar a este procedimiento «método inductivo» o «inferencia fuerte» sugiere de manera errada que se trata de una receta rápida para formular hipótesis a partir de los datos, cuando en realidad no existe tal método, salvo por el condicionamiento pavloviano, el cual obviamente no ayuda a formular hipótesis científicas. La única inferencia fuerte es la deducción, como la que ocurre en la derivación de una predicción científica a partir de una o más leyes y datos.

La razón de que las cosas sean así es que la deducción, a diferencia de la inducción, la analogía y la conjetura, es la única inferencia sujeta a reglas lógicas precisas, estrictas y generales. A su vez, estas son generales porque son formales, en tanto que la inferencia no deductiva depende esencialmente de su contenido. Por ejemplo, las analogías «1:2 :: 2:4» y «El individuo es a la sociedad como el átomo es a la molécula» son ambas dependientes del contenido y lógicamente independientes la una de la otra: ninguna es deducible de la otra.

Algunos filósofos se han inclinado por lo que el gran Charles S. Peirce (1934, 5, p.181) llamara «abducción». Peirce lo consideraba correctamente un acto de intuición falible en lugar de un procedimiento metódico. Harman (1965) le llamó «inferencia a la mejor explicación», una frase que aparece frecuentemente en la literatura filosófica contemporánea. Sin embargo, aún se sigue debatiendo si esta es una forma de inducción o si no es otra cosa que la elección de la hipótesis que mejor da razón de los datos, donde a su vez «mejor» equivale a «con mayor precisión», «que explica la mayoría (o lo hace de modo menos ad hoc)», «con mayor simplicidad» o a los tres (véase, por ejemplo, Flach y Kakas, eds., 2000).

Sin embargo, la adecuación empírica precisa y la simplicidad conceptual no son ni necesarias ni suficientes en las ciencias desarrolladas. En ellas, una hipótesis razonablemente bien confirmada, que pertenezca a una teoría bien corroborada y, además, case con la cosmovisión predominante, está muy por encima de una generalización empírica aislada, aun cuando esta última se ajuste un poco mejor a los datos disponibles. Esta condición, que he llamado «consistencia externa» (Bunge, 1961 y 1967a) es en términos generales lo que Thaggard (1978) llama «coherencia explicativa». Sin embargo, la palabra «sistemicidad» puede ser más sugerente que las otras expresiones.

La razón de que la sistemicidad conceptual sea altamente deseable es esta: cuando está empotrada en un cuerpo coherente (sistemático) de conocimiento, una hipótesis goza del apoyo de otros miembros de ese cuerpo además del de las pruebas empíricas pertinentes. Aunque solo fuese por esta razón, el frecuente recurso al descubrimiento de un crimen en la literatura sobre el método científico es algo desafortunada. Seguramente, los mejores detectives formulan conjeturas alternativas y las controlan, pero ellos no construyen y ni siquiera utilizan teorías científicas. Además, en ciertos campos, tales como la psicología, la antropología, la medicina y las ciencias de la administración, el teorizar todavía se mira con desconfianza, por lo que las hipótesis están diseminadas y, por lo tanto, no se enriquecen ni controlan unas a otras.

Para comenzar a tener una idea de este proceso creativo, analicemos algunos ejemplos representativos tomados de las ciencias de la vida, los estudios sociales y la tecnología.

3. Biología: evolución

La biología evolutiva, como la cosmología, la geología, la arqueología y la historiografía, es una ciencia histórica. Por ello, quienes la practican enfrentan una gran familia de problemas inversos del tipo Presente →

Pasado. En particular, la reconstrucción de cualquier linaje (o filogenia) es tentativa, aunque solo fuese a causa de las grandes brechas en el registro fósil. Sin embargo, las novedades cualitativas emergen en el curso del desarrollo individual, el cual puede monitorearse y modificarse en el laboratorio. En consecuencia, algunas de esas novedades pueden causarse de manera deliberada en organismos modernos. Esta es la razón de que algunos problemas inversos de la biología y la genética evolutiva puedan ser transformados, al menos en principio, en problemas directos. En realidad, este es el modo en que la biología evolutiva se convirtió en una ciencia experimental entre las dos guerras mundiales: manipulando el genoma, primero con rayos X y actualmente también a nivel químico.

Recuérdese la sección 1, donde decíamos que las generalizaciones inductivas a partir de un montón de datos funcionan solo para las hipótesis que solo incluyen características observables, tales como «Todos los mamíferos son peludos», pero que fracasan miserablemente para las hipótesis de alto nivel tales como «Todos los mamíferos descienden de los reptiles». ¿Cómo se procede al formular esas hipótesis de elevado nivel? La respuesta corta es que se inventan, aunque no de la nada, sino con el auxilio de datos, analogías, otras suposiciones y, por encima de todo ello, una «nariz» sensible y experimentada.

Por ejemplo, la comparación de ciertas filogenias bien conocidas en la historia de la Tierra le sugirió a Elizabeth Vrba (en Gould 2002, p. 918 y ss.) su «hipótesis de los pulsos de renovación». Se trata de la conjetura de que las especiaciones y extinciones masivas que han «puntuado» la evolución biológica a lo largo de tres mil millones de años fueron desencadenadas por cambios ambientales drásticos y bastante rápidos, tales como grandes variaciones en la temperatura global, impactos de meteoritos y deriva continental, a lo que ahora hay que añadir las modificaciones causadas por la contaminación, la tala de árboles, el cultivo y la pesca excesivos y otras prácticas por el estilo. El mecanismo conjeturado es obvio: esas rápidas perturbaciones ambientales a gran escala destruyen algunos hábitats, a la vez que crean otros. Por ejemplo, cuando una masa terrestre se divide en dos, el área de aguas superficiales propicia para la vida marina se incrementa aproximadamente en la mitad.

Por cierto, la biología evolutiva no es el único ámbito que contiene problemas inversos. Todo intento de encontrar el órgano desconocido que cumple una función conocida (o tiene cierto papel o «rol») requiere la investigación de un problema inverso. Esto vale especialmente para la tarea de los neurocientíficos cognitivos: «mapear la mente sobre el cerebro». Sin embargo, también aquí muchos problemas inversos pueden transformarse en problemas directos. Por ejemplo, a través de la manipulación del cerebro, el neuropsicólogo puede causar desórdenes o déficit mentales en los sujetos experimentales. (Más en la sección 5.)

Lo que vale para la biología organísmica y evolutiva vale, con mayor razón, para las ciencias que investigan problemas de niveles de organización inferiores, en especial la genética. Así pues, el problema de identificar el o los genes «responsables» de un rasgo fenotípico dado es un problema inverso. Por ejemplo, si un mamífero adulto no tolera los productos lácteos es porque no puede sintetizar lactasa, la enzima involucrada en la digestión de la leche y, a su vez, la deficiencia de lactasa se debe a la carencia del gen involucrado en su síntesis. De tal modo, el investigador se enfrenta con el problema inverso: Desorden metabólico → Deficiencia enzimática → Desorden genético. Una vez que se han señalado los genes sospechosos, pueden abordarse los problemas de encontrar las correspondientes enzimas. La solución a estos problemas directos debería resolver el problema inverso original. El beneficio práctico es obvio, aunque aún distante: la terapia génica.

4. Medicina: de los síntomas al diagnóstico

Algo semejante vale, mutatis mutandis, para la medicina. Unos pocos diagnósticos médicos son directos. Uno de ellos es el de la quebradura expuesta: en este caso no hace falta conjeturar mecanismos invisibles para conocer la causa del desgarramiento de los tejidos, el sangrado y el dolor. Sin embargo, todos los problemas de diagnóstico en la medicina interna son de tipo inverso. En efecto, tienen la forma «Dados tales y cuales signos, conjetúrense las causas subyacentes». En los viejos tiempos, estas conjeturas contaban únicamente con la instrucción que da la experiencia y los exámenes post mórtem. En la actualidad, el conocimiento anatómico y fisiológico básico, junto con diferentes pruebas biológicas y bioquímicas —rayos X, tomografías computarizadas, resonancias magnéticas funcionales (fMRI) y otras herramientas de diagnóstico—, a menudo ayudan a identificar el problema.

Utilizando estos instrumentos de diagnóstico, el médico transforma el problema inverso original en uno o más problemas directos. Por ejemplo, si el paciente se queja de fatiga, aun con una nutrición y un descanso adecuados, el médico puede sospechar una anemia y ordenar un recuento de leucocitos para controlar su hipótesis. Pero una mirada a la historia familiar del paciente puede sugerir una diabetes, en cuyo caso el médico ordenará una medición del nivel de azúcar, entre otros. Estos son problemas directos porque los experimentos han hallado que los mencionados sospechosos y no otros causan los síntomas en cuestión.

Como ocurre con los problemas inversos en otros campos, la estrategia de investigación biomédica más prometedora es la de imaginar y poner a prueba hipótesis mecanísmicas. En realidad, este es el modo en que se realiza la investigación biomédica contemporánea. El punto de partida es un condicional de la forma «Dolencia $\Rightarrow$ Síndrome» o «$\forall x(Dx \Rightarrow Sx)$» que se lee «Para todos los individuos, si cualquiera de ellos sufre la dolencia D, entonces exhibe el síndrome S». El problema directo de inferir S a partir de D es trivial, pero rara vez aparece en la medicina clínica interna. En este ámbito el problema es inverso: «Síntoma $\rightarrow$ Dolencia» y cualquier solución que se proponga es solo tentativa a menos que esté apoyada por descubrimientos de investigaciones que tengan en cuenta los mecanismos. Estas hipótesis extra probablemente serán de la forma «D si y solo si M» ($D \Leftrightarrow M$) y «M si y solo si S» ($M \Leftrightarrow S$). Aquí, M resume la descripción de algún mecanismo, tal como la obstrucción arterial, una infección de tuberculosis o el estrés asociado al trabajo. Ahora se puede proceder con confianza a la inferencia fuerte $D \Leftrightarrow S$ (más en Bunge, 2003a).

5. Psicología: detrás de la conducta

En la vida cotidiana, todos enfrentamos el problema de averiguar las creencias e intenciones que motivan las acciones de otras personas. En otras palabras, intentamos «leer» las mentes de otras personas a partir de su conducta manifiesta. Hay dos maneras en que los humanos, los chimpancés y algunas mascotas llevan a cabo esta «lectura de la mente». Una consiste en la empatía con los demás (por ejemplo, Preston y De Waal, 2002). La otra consiste en formular diferentes «teorías de la mente», o sea atribuir a otros ciertas creencias, preferencias o intenciones (por ejemplo, Premack y Woodruff, 1978; Whiten, 1997). Claramente, el éxito consistente en la práctica de la empatía y la «lectura de la mente» confiere una ventaja. En cambio, la incapacidad para «leer la mente», como en los individuos egotistas y los pacientes autistas o con el síndrome de Asperger, es una seria desventaja para las relaciones sociales.

En términos metodológicos, el «lector de mentes» transforma el problema inverso Conducta → Intención en una familia de problemas directos del tipo Intención → Conducta. Pero, desde luego, toda «teoría», o más bien conjetura como esta, puede acabar siendo falsa. (Peor aún, el observador puede ser incapaz de formar una conjetura porque su corteza prefrontal media es deficiente o está dañada, como en el caso de un paciente autista.) Por lo tanto, nuestras conjeturas acerca de otras mentes son tentativas y están sujetas a la falsación.

Sin embargo, a juzgar por la seguridad de sus aseveraciones, el creyente en la infalibilidad de la introspección, la lectura de la mente y la *Verstehen* (la «interpretación» hermenéutica) no parece percatarse de cuán formidable es esa tarea y cuán azarosas son sus «conclusiones» (conjeturas). (Esto vale especialmente para el psicoanalista, el parapsicólogo, el psicólogo fenomenológico y el seguidor del «método» de la *Verstehen* o interpretación.) En efecto, ir de la conducta a la intención es incomparablemente más difícil y riesgoso que hacer el camino en el sentido inverso. En este proceso, la *Missverstehen* (incomprensión) es casi tan frecuente como la *Verstehen* (comprensión).

Una de las razones de esta incertidumbre es que diferentes personas probablemente reaccionen de manera diferente ante el mismo estímulo: algunos actuarán por interés propio, otros con la razón; algunos por hábito, otros bajo coerción; algunos racionalmente, otros bajo el impulso de la pasión; algunos por miedo, otros por codicia; unos por razones morales, otros por hipocresía; algunos de manera lúcida, otros por autoengaño y así sucesivamente. En resumen, la relación conducta-motivación es de uno a muchos.

Los neurocientíficos cognitivos han estudiado el problema Conducta → Intención aproximadamente desde hace medio siglo. Han utilizado técnicas como la implantación de electrodos en la corteza prefrontal para registrar las descargas neuronales que son parte del proceso de toma de decisiones. Más recientemente, también han comenzado a estudiar los mecanismos cerebrales que tienen lugar durante la conducta social, así como durante su inhibición, como el papel de la amígdala y otros «centros» del cerebro en causar tanto la conducta prosocial como la antisocial (véase Ochsner y Lieberman, 2001; Blakemore *et al.*, 2004).

Para llevar a cabo esta tarea, el neurocientífico cognitivo recurre no solo a los procedimientos electrofisiológicos clásicos, sino también a técnicas de visualización del cerebro no invasoras, tales como la tomografía computarizada y la fMRI. De tal modo, sobrepasa no solo al científico social, sino también al psicólogo social prebiológico, porque el neurocientífico cognitivo trata los procesos mentales como procesos cerebrales. En comparación, las aseveraciones de aquellos que creen en el poder de la *Verstehen* (interpretación hermenéutica) suenan como meros anhelos o aun como chamanismo. Más sobre esto en la siguiente sección.

Los psicólogos evolucionistas enfrentan una tarea más intimidatoria, a causa de que la emoción y las ideas no se fosilizan. Se procede de dos maneras muy diferentes: en tanto que algunos inventan historias entretenidas, otros se embarcan en investigaciones de neurobiología evolutiva y psicología comparada. La primera de estas formas de investigar no tiene el control del dato puro y duro y es, por ende, popular. Consiste en explicar todo patrón de conducta, norma social y desviación de la norma que se registre en la actualidad como un «diseño» de la selección natural (véase, por ejemplo, Barkow, Cosmides y Tooby, eds., 1992). Por ejemplo, se pretende que encontramos la mecánica relativista difícil de comprender porque nuestra mente fue modelada hace 100.000 años, por el «ambiente del Pleistoceno», cuando nuestros ancestros tenían que vérselas con cosas de movimiento lento tales como piedras y leopardos. El hecho de que mucha gente pueda aprender y hasta inventar ideas antiintuitivas sigue siendo un misterio.

La psicología evolucionista seria está compuesta por dos líneas principales la neurobiología evolucionista y la etología y psicología comparadas. Hasta el momento, la primera no ha hecho muchos hallazgos, tal vez porque se ha limitado básicamente a examinar los cambios del tamaño del cerebro, que son un indicador pobre de la capacidad mental. Por ejemplo, el cerebro debe crecer, ciertamente, por encima de un umbral determinado para que ocurra la emergencia de ciertos procesos mentales. Sin embargo, en realidad, el cerebro humano no ha aumentado de tamaño, sino que se ha hecho más pequeño en los últimos 35.000 años. Todavía no sabemos por qué.

La psicología comparada ha tenido algo más de éxito. Por ejemplo, Cabanac (1999) ha sugerido que la emoción probablemente emergiera con los reptiles, no antes, porque los lagartos y, por supuesto, los mamíferos y las aves —pero no los peces y las ranas— exhiben signos de emoción cuando se los acaricia. De Waal (1996), por su parte, ha conjeturado que la empatía emergió con los ancestros inmediatos tanto de los homínidos como de los simios, puesto que todos ellos son capaces de empatía, en tanto que los monos no. Si estas conjeturas se revelasen correctas, es probable que las emociones hayan emergido aproximadamente 400 millones de años atrás y la empatía (y con ella la crueldad), no hace más de unos 8 millones de años.

6. Estudios sociales: del individuo a la sociedad y vuelta

Las ciencias sociales abordan problemas inversos de dos tipos principales: «inferir» (en realidad, conjeturar) la conducta individual a partir de características sociales sistémicas (tales como la instrucción, la estratificación y la dictadura) y averiguar las creencias, preferencias e intenciones a partir de la conducta individual manifiesta. Estos dos problemas se encadenan del siguiente modo:

— *Características colectivas → Conducta individual → Creencia e intención*

En tanto que, en ocasiones, las características colectivas pueden averiguarse a partir de restos arqueológicos o estadísticas sociales, la conducta individual exige o bien la observación directa o la conjetura. A su vez, la atribución de intenciones exige un cuestionario o una conjetura, así como el experimento, siempre que sea posible.

Una vez más, se trata solo de casos especiales de problemas que aparecen en todas las ciencias y tecnologías y tienen la siguiente forma:

— *Observable → Inobservable,*
— *Producto → Mecanismo, y*
— *Efecto → Causa.*

Hay al menos dos razones de la dificultad, ubicuidad e importancia de los problemas de este tipo. La primera razón es que a los científicos sociales les cuesta mucho producir datos relacionados con características colectivas tales como la lucha social, la inflación y la moralidad predominante. En particular, «la arqueología es la única disciplina que busca estudiar la conducta y el pensamiento humanos sin tener contacto directo con alguno de los dos» (Trigger, 2003b, p. 133).

La segunda razón de la dificultad del problema en cuestión es que explicar un hecho —estado, evento o proceso— es describir cómo ocurre, o sea desvelar su mecanismo y, de modo característico, los mecanismos son inobservables (recuérdese el capítulo 5). De ahí que los problemas inversos no puedan descartarse en nombre del dogma empirista (en particular, conductista) de que lo único importante es la conducta observable. Con todo, sería necio ignorar que los problemas de esta clase son difíciles, tan difíciles que en el intento de resolverlos a menudo confundimos la realidad con la ficción, como cuando interpretamos el altruismo como egoísmo ilustrado.

Como vimos en el capítulo 5, la física contiene principios poderosos y generalmente aceptados que permiten resolver muchos problemas directos y pueden ser utilizados como guías para resolver los correspondientes problemas inversos. Lamentablemente, esas guías no están disponibles en las ciencias sociales, las cuales todavía carecen de teorías que sean generales y precisas y estén bien confirmadas a la vez. El científico social casi siempre tiene que arriesgar hipótesis y construir modelos teóricos (teorías específicas) a partir de cero. Para resaltar la difícil situación del científico social, propongamos unos pocos ejemplos elementales.

Primer ejemplo: el país X posee muy pocas camas de hospital. Esta situación puede «interpretarse» (atribuirse de manera hipotética) como descuido de la salud pública o bien como un signo de la buena salud de la población. Segundo ejemplo: en el país Y no hay levantamientos de campesinos. Este no-hecho puede «interpretarse» como el efecto de una intensa represión o bien como resultado de impuestos bajos y *corvées** (trabajos con los cuales los siervos pagaban de sus impuestos al señor feudal). Tercer ejemplo: en el país Z, solo la mitad del electorado se toma la molestia de votar. Este hecho puede «interpretarse» como satisfacción o bien como desilusión respecto del sistema político. Solo una investigación más profunda, que haga uso de indicadores adicionales, podría resolver estas ambigüedades.

Un científico social ortodoxo probablemente investigue acciones individuales socialmente incluidas, tales como bodas y latrocinios, o bien sistemas sociales íntegros tales como escuelas o compañías. En contraposición, un individualista metodológico seguramente se centrará en las experiencias

* En francés en el original. [*N. del T.*]

246

subjetivas de los actores, tales como las elecciones y decisiones de un hombre de negocios. Si se trata de un partidario de la hermenéutica, se centrará en la empatía, como Dilthey, o en conjeturar intenciones, como Weber. (En ambos casos se embarcará en la «interpretación» psicológica o atribución de estados mentales, no en la interpretación semántica o establecimiento de correspondencias entre símbolos y conceptos.) Además, si se trata de un partidario de la teoría de la elección racional, ese estudioso centrará su atención en las (supuestas) probabilidades de eventos y sus concurrentes beneficios subjetivos, basándose en la suposición de que todas las personas actúan de modo tal de maximizar sus ganancias esperadas.

O sea, en cualquier caso, el individualista hará psicología, aun si niega enfáticamente, como Comte, Durkheim, Weber o Popper, que la psicología sea pertinente para la ciencia social o si, como Menger, Simmel, Von Mises o Boudon, invoca una psicología que, por ser de sentido común, «abstracta» o «racional» (a priori) en lugar de experimental, es de todo menos científica. En ambos casos, el individualista metodológico tenderá a exagerar la importancia de los motivos y decisiones individuales en desmedro de los recursos naturales y la estructura social (véase Bunge, 1996, 1998 y 1999). Además, no se le puede tomar en serio si adopta o urde una psicología «abstracta» (o *folk*), que sin duda será simplista y por lo tanto no será realista, puesto que estará centrada en caricaturas tales como las del *homo œconomicus*, *homo loquens*, *homo aleator*, *homo ludens* o hasta en descabellados mitos, como que la conducta de los judíos está caracterizada por el resentimiento (Nietzsche y Weber).

El individualista metodológico afirma ser capaz de averiguar lo que habitualmente se supone privado, a saber las esperanzas y temores, así como las metas e intenciones de los agentes de decisión. En particular, si se trata de un hermenéutico, el estudioso afirmará leer esas características subjetivas a partir de la conducta del actor: de tal modo, será el privilegiado poseedor de una capacidad especial, la *Verstehen* (comprensión o interpretación), desconocida para el científico natural. Pero ¿cómo sabe el hermenéutico que ha «interpretado» correctamente los datos disponibles? O sea, ¿cómo sabe que ha dado con una hipótesis verdadera? No lo sabe, porque carece de estándares y criterios precisos y objetivos para elegir entre las «interpretaciones» (conjeturas) alternativas. Tampoco hay ninguna posibilidad de que vaya a producir semejantes criterios, puesto que el concepto mismo de estándar objetivo y universal va a contracorriente de toda filosofía centrada en el sujeto.

Las elecciones del hermenéutico son arbitrarias, puesto que confía en sus intuiciones y, en consecuencia, no las pone a prueba. Sin embargo, esta objeción no importará a los hermenéuticos, ya que sostienen que las ciencias de la cultura, a diferencia de las ciencias naturales, no practican el método científico, el cual gira alrededor del requisito de que las hipótesis deben superar ciertas contrastaciones empíricas antes de que se las pueda declarar verdaderas en alguna medida. En resumen, el hermenéutico nos pide que creamos en su palabra, lo cual resulta natural para un intuicionista, pero no para un racionalista que sabe que la intuición es una amiga poco confiable.

El partidario de la teoría de la elección racional, por su parte, no se molesta en conjeturar los motivos particulares de sus actores; afirma que son los mismos para todo el mundo en cualquier situación. En efecto, este estudioso decreta que todos los motivos son básicamente uno: la maximización de las utilidades esperadas. Allí donde el hermenéutico cocina a la carta, el partidario de la elección racional ofrece un único menú de tipo turista. (El filósofo moral notará el paralelo entre el utilitarismo del acto y el utilitarismo de las reglas).

Ya sea partidario de la elección racional o de la hermenéutica, el individualista metodológico enfrenta el problema de averiguar las creencias e intenciones que pueden motivar las acciones de sus personajes. En la jerga psicológica, como hemos visto antes, intenta «leer» las mentes de otras personas a partir de su conducta. En otras palabras, tiene que inventarse «teorías de la mente». (En términos metodológicos, transforma el problema inverso Conducta → Intención, en una familia de problemas directos del tipo Intención → Conducta.) Pero, desde luego, la «lectura de mentes» puede fallar y de hecho a menudo falla. Sin embargo, a juzgar por la seguridad de sus aseveraciones, el creyente en la lectura de la mente precisa no parece percatarse de lo formidable y azaroso de su tarea. A pesar de ello, la gente casada sabe muy bien cuántos malos entendidos surgen cada día de la ingenua creencia de que es posible leer las intenciones de la pareja a partir de sus gestos o de palabras sueltas. En resumidas cuentas, la relación entre conducta y motivación es una relación de uno a muchos. Afirmar que se trata de una relación de uno a uno es desafiar una cantidad aplastante de pruebas empíricas adversas y simplificar de manera desmedida un enorme cúmulo de problemas extremadamente complejos.

7. Descubrimiento de mecanismos sociales

De todos los problemas inversos de los estudios sociales, los más difíciles son los de conjeturar y poner a prueba los mecanismos que subyacen a los hechos sociales observados. Por ejemplo, nadie parece haber encontrado los mecanismos de los ciclos de los negocios. En particular, los microeconomistas neoclásicos no tienen la menor idea de ello, a causa de que centran su atención en mercados libres, en equilibrio y que operan en un vacío político: una triple idealización. Dos razones más de que estos teóricos no puedan encontrar los mecanismos en cuestión son que sus teorías rara vez (si es que alguna vez lo hacen) incluyen lo que los físicos llaman «*la* variable independiente», a saber el tiempo, y que esas teorías contienen únicamente variables observables. Esta restricción a las variables observables es el motivo de que Marx les haya llamado «economistas vulgares».

El propio fracaso de Marx en hallar lo que él llamaba «las leyes del movimiento» de la economía capitalista es otro asunto. Su crítica metodológica acerca de que debajo de los fenómenos (cantidades y precios) debían existir esas leyes era correcta. La lógica y la semántica explican por qué no puede haber saltos directos de los eventos únicos observables a las leyes generales. La razón lógica es que el razonamiento válido (deductivo) puede ir de lo general a lo particular, pero no en sentido inverso (excepto en el caso trivial Este ⇒ Algunos). La razón semántica es que los conceptos de elevado nivel que aparecen en las leyes de elevado nivel —como las de equilibrio, eficiencia, conocimiento y propensión marginal al ahorro— no aparecen en los datos pertinentes con respecto a ellas. (Recuérdese el capítulo 5, sección 2.)

El hermenéutico no parece darse cuenta de este elemental punto metodológico. Cree que puede saltar con seguridad de la conducta observable a los deseos o intenciones que hay detrás de ella. En contraposición, el partidario de la teoría de la elección racional sí parece percatarse del detalle, ya que afirma ser capaz de deducir la conducta a partir de la pretendida ley universal de la maximización de las utilidades esperadas. En otras palabras, en tanto que el hermenéutico afirma ser capaz de descubrir las causas a partir de sus efectos, el teórico de la elección racional afirma saber a priori la supuesta madre de todos los efectos, a saber el interés propio.

Uno de los muchos problemas con el teórico de la elección racional es que da por sentada esa supuesta ley. Sin embargo, la «ley» en cuestión no es universalmente verdadera (véase, por ejemplo, Hogarth y Reder, 1987). En efecto, la mayoría de nosotros no podemos darnos el lujo de lo mejor: de ordinario debemos contentarnos con un objetivo mucho más modesto, «satisfaciente» [*«satisficing»*] (March y Simon, 1958). Más aún, la mayoría de nosotros tiende a ser averso al riesgo y, de tal modo, intentamos evitar pérdidas en lugar de tener como objetivo conseguir grandes ganancias (Kahneman, Slovic y Tversky, 1982). En consecuencia, las preferencias reveladas rara vez coinciden con las preferencias secretas. Peor aún, a veces somos víctimas del autoengaño. Otras veces, no sabemos lo que queremos y rara vez sabemos con precisión por qué actuamos como lo hacemos. El conocimiento de sí mismo es tan imperfecto que el antiguo adagio griego «Conócete a ti mismo» aún está vigente. De tal modo, la afirmación de los partidarios tanto de la elección racional como de la hermenéutica de que pueden conseguir un conocimiento perfecto de las motivaciones más profundas de otras personas sin realizar experimentos psicológicos, puede compararse con el engaño del psicoanálisis.

La alternativa tanto a la hermenéutica como a la teoría de la elección racional es el método científico. Un rápido estudio del familiar, pero aún poco comprendido problema de las causas de la delincuencia debería clarificar este punto; también puede ayudar a diseñar políticas efectivas de prevención del delito. Necesitamos dos modelos para explicar los delitos: uno para la conducta individual y otro para explicar la delincuencia como característica regular de un grupo social considerado como totalidad, como los consabidos habitantes de los guetos del mundo industrializado o las villas miseria del Tercer Mundo. En otras palabras, necesitamos un modelo para las causas próximas del delito y uno diferente para las causas distales —las que llevan a un individuo a cometer repetidos delitos o incluso a hacer del delito una profesión—. He adoptado el modelo de Wikström para el primer caso. La figura 7.1 exhibe una versión simplificada del mismo.

Este modelo puede complementarse con otro de las causas distales del delito. La idea básica es que la conducta criminal es en gran medida el resultado de la marginalidad económica, política o cultural. Dos características prominentes de la marginalidad son el desempleo y la segregación física. Además, hay dos microvariables que deben ser tenidas en cuenta: la anomia —la compañera psicológica de la marginalidad— y la solidaridad, que compensa en alguna medida la anomia. He supuesto que esas cuatro variables se relacionan como se muestra en la figura 7.2.

Figura 7.1. Factores causales próximos de actos ilegales (modificado de Wikström y Sampson, 2003, p. 122).

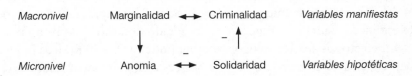

Figura 7.2. Factores causales distales de actos ilegales (modificado a partir de Bunge 2003a, p. 209)

Las flechas en este diagrama simbolizan la causalidad. En todos los casos, menos en el último, un incremento en una de las variables ocasiona un incremento en la variable dependiente. En contraposición, una mayor solidaridad disminuye tanto la anomia como la criminalidad. Ambos modelos pueden hacerse cuantitativos con facilidad (véase Bunge, 2005b).

Lo que vale para las ciencias sociales básicas vale también, con mayor razón, para las tecnologías sociales, desde la pedagogía y el derecho hasta la administración y las llamadas ciencias de la planificación. De hecho, aquí uno se enfrenta con problemas prácticos del tipo: dado el estado actual de un sistema social y un conjunto de desiderata (o estado final deseable), encuéntrense los mejores medios para forzar la transición Estado inicial → Estado final. Sin embargo, la tecnología merece una sección aparte, no solo porque es el motor de la industria y el gobierno modernos, sino también porque la filosofía de la tecnología está aun más atrasada que la filosofía de la ciencia.

8. Ingeniería en reversa

La expresión «ingeniería en reversa» se ha extendido a la psicología y otros ámbitos. Sin embargo, los problemas tecnológicos, ya sean directos o inversos, son muy diferentes de los problemas de otras disciplinas. De modo típico, se trata de problemas de diseño o mantenimiento, no de problemas de averiguar algo o de comprobar una conjetura. Hay dos razones de esta diferencia. Una es que la tecnología trata con artefactos concretos tales como máquinas y organizaciones. (Incluso el *software* es, en última instancia, concreto, puesto que, al contrario de la matemática pura, guía una secuencia de estados de una máquina.) La segunda razón es que en la actualidad el tecnólogo típico no es un inventor autónomo, sino un empleado o un asesor. Su empleador o su cliente, lejos de darle carta blanca, solicitan la invención o mantenimiento de un dispositivo que realice una tarea determinada; aquel solo especifica el resultado deseado y el presupuesto.

En efecto, de los tecnólogos se espera que inventen, perfeccionen o mantengan artefactos de cierta clase, sean estos inanimados, como los caminos y los ordenadores; vivientes, como los cultivos y las vacas; o sociales, como las compañías y las agencias del gobierno. Los tecnólogos más creativos inventan nuevos artefactos a fin de satisfacer necesidades o crearlas. Piénsese en la tarea de diseñar un puente capaz de soportar una carga determinada y sujeto a ciertas restricciones presupuestarias o en diseñar una compañía capaz de producir o vender determinada mercancía o servicio, así como de producir ciertas ganancias sobre el capital dado. Ambos son problemas inversos y tienen o bien muchas soluciones o bien ninguna, dependiendo del estado del arte, los recursos disponibles y las metas del empleador.

Con todo, el inventor de la cibernética afirmaba que los problemas de invención pueden ser tanto directos como inversos (Wiener, 1994, p. 91 y ss.). Sostengo que mientras que los primeros son problemas de perfeccionamiento de un artefacto o proceso ya existente, los segundos exigen una innovación radical. Un problema de perfeccionamiento tiene esta apariencia: perfeccionar un artefacto existente con un defecto conocido en su diseño u operación. En contraposición, un problema de invención radical es de uno de dos tipos: producir un dispositivo radicalmente nuevo o hallar un nuevo uso para un dispositivo dado. (Los ejemplos de Wiener eran inventar el tubo de vacío para la transmisión radial y utilizarlo en uno de los primeros ordenadores.) Desde el punto de vista económico, la diferencia es esta: en tanto que los perfeccionamientos a menudo están guiados por el mercado, las invenciones radicalmente nuevas pueden contribuir a crear nuevos mercados.

Más precisamente, un problema tecnológico del segundo tipo tiene esta apariencia: inventar un artefacto que satisfaga tales y cuales especificaciones. De ordinario, un problema de este tipo es más difícil mientras más generales sean las especificaciones. Una especificación general solo incluye las funciones o tareas esenciales que el artefacto habrá de cumplir. (Sobre el concepto de función en la tecnología, así como en otros campos, véase Mahner y Bunge, 2001.) Este tipo de especificación nada dice de materiales y procesos. Ahora bien, en principio, cualquier función tecnológica puede ser realizada por diversos mecanismos (procesos del sistema en cuestión) alternativos. No hay más que pensar en la variedad de relojes, calculadoras, puentes, medios de transporte, medios de comunicación, sistemas de salud y empresas de negocios. En otras palabras, la relación función-mecanismo es de uno a muchos, no de uno a uno. Este espacio da al diseñador algo de libertad. A la vez, impone compromisos y decisiones difíciles.

En efecto, de modo típico, al tecnólogo a quien se pide que resuelva un problema de invención inverso se le ofrece un insumo y un producto y se le solicita que diseñe la caja que transducirá el insumo desconocido en el producto deseado. En la ingeniería eléctrica esta clase de problemas ha sido conocida tradicionalmente como «síntesis de circuitos». Es el problema inverso del análisis de circuitos, un problema comparativamente más directo que se resuelve mediante el uso de la física y la matemática estándar que le son propias. En contraposición, un problema inverso o de síntesis exige más que la física: requiere también imaginación tecnológica, exploración y prueba y error.

Desde luego, todos los científicos creativos son imaginativos. Por ejemplo, intentan imaginar los constituyentes de una cosa natural dada o supuesta y el modo en que esos constituyentes se mantienen unidos. La ensoñación del ingeniero es necesariamente diferente, puesto que a él no se le da nada, excepto una especificación y tal vez una caja con los posibles constituyentes de un sistema. Su tarea es inventar un sistema nuevo con constituyentes existentes o hasta inventar nuevos constituyentes, tales como los circuitos nanotecnológicos y los motores.

Tomemos, por ejemplo, la química aplicada. La tarea del químico analítico es la de averiguar la composición química de cierto trozo de materia. Se trata, ciertamente, de un problema inverso, pero de uno bastante diferente del que tiene el farmacólogo que desea diseñar una molécula nueva con un efecto biológico determinado, como disminuir la elevada presión sanguínea. Otro claro ejemplo de ello es este: un físico puede calcular el campo electromagnético emitido por la corriente eléctrica de una antena de cierta forma. En contraposición, el ingeniero en telecomunicaciones tiene que inventar una antena direccional (o un ensamble de antenas) capaz de emitir ondas de un ancho de banda dado hacia un sitio determinado de la Tierra o el espacio exterior. El investigador biomédico enfrenta un problema parecido: dado un organismo enfermo, diseñar una terapia que mejore la salud del paciente. Una vez más, aquí el problema es encontrar el medio más adecuado para conseguir un objetivo dado.

¿Podrían confiársele problemas de ingeniería en reversa a un ordenador apropiadamente programado? Difícilmente, porque las máquinas no pueden ofrecer ideas nuevas; únicamente pueden combinar ideas dadas o, mejor dicho, sus representantes físicos, según reglas dadas. Por ejemplo, a partir de la década de 1970, se diseñaron algunos programas de ordenador, comenzando por DENDRAL, que producían estructuras moleculares posibles cuando se los alimentaba con ciertos datos empíricos, tales como la composición química, así como con ciertos constreñimientos como las valencias (véase Feigenbaum y Lederberg, 1968).

Con todo, Herbert Simon y otros entusiastas de los ordenadores han afirmado que los ordenadores del futuro resolverán problemas y construirán teorías de todo tipo, tal vez con ayuda de la mítica lógica del descubrimiento proclamada por primera vez en el siglo XVII. Por ejemplo, recientemente se ha afirmado que los llamados programas genéticos pueden generar nuevos circuitos electrónicos (Koza, Keane y Streeter, 2003).

Sin embargo, el análisis de estos logros muestra que tienen cuatro limitaciones. Primero, los programas en cuestión son mucho menos valiosos para la ciencia que para la industria, ya que no ayudan a entender nada. Segundo, no producen novedades radicales (no combinatorias). Tercero, no podrían cumplir especificaciones tales como «Una molécula que afecte al humor» o «Un ordenador que resuelva ecuaciones de diferencia finita». Todavía depende del farmacólogo o el ingeniero realizar pruebas de laboratorio para averiguar cuáles son las funciones de la cosa nueva en cuestión. El cuarto hecho es que todo lo que los programas de marras hacen es examinar o reunir, ya sea de modo azaroso o según una regla, un gran número de elementos dados, tales como resistores, inductores y capacitancias. Nada nos dicen acerca de cuáles son las configuraciones más apropiadas para determinados objetivos. Del mismo modo, un calculador puede decirnos que es posible sentar 10 invitados a una mesa en más de tres millones de maneras diferentes, pero solo el anfitrión con experiencia sabrá hacer coincidir las personas con inclinaciones parecidas. En resumen, la química combinatoria y la electrónica combinatoria son útiles, pero no esclarecedoras. Solo la teoría puede dar esa luz.

Consideremos ahora un ejemplo de la tecnología social. En principio, todo objetivo de una política pública, tal como la contención de una epidemia o el control de la población, puede conseguirse a través de diferentes medios. Estos van de la cuarentena, la educación y los desincentivos económicos a la esterilización forzada y la masacre. Se trata de un problema de ingeniería social en reversa al igual que el del funcionario del banco central que utiliza medios fiscales para domeñar la inflación, aumentar la confianza del consumidor, disminuir el desempleo, ganar una elección, financiar una agresión militar o lo que sea.

El caso del terrorismo es más difícil que los casos antes mencionados, porque no se comprende y lo que no se comprende bien no se puede controlar de manera efectiva y mucho menos con eficiencia. Una razón obvia de nuestro conocimiento deficiente del terrorismo es que los terroristas son elusivos y, cuando se los atrapa, en el mejor de los casos, son estudiados únicamente por psicólogos del gobierno, quienes tienden a pasar por alto el contexto político, que es macrosocial. Además, por lo general el terrorismo es manejado por políticos obsesionados por la próxima elección y por los militares; y ambas clases de individuos solo conocen las tácticas «ojo por ojo»,* la receta bíblica de una interminable espiral de venganza.

Perogrulladas muy difundidas, tales como que las fuentes del terrorismo son la pobreza y la ignorancia, van a contracorriente de las pruebas empíricas: la mayoría de los terroristas son miembros bien instruidos de la clase media (Sageman, 2004). La moraleja práctica es que elevar el nivel de vida y la educación de la población de la cual los terroristas son reclutados no es la solución. El terrorismo político no solo es multi-

---

* En el original, «*tit for tat*». [*N. del T.*]

nivel (micro y macrosocial) sino también multifactorial: político, económico y cultural. En consecuencia, el comprenderlo exige un enfoque sistémico. En todo caso, se necesita una investigación mucho más seria y solo el esfuerzo concertado de psicólogos sociales y politólogos podría explicar los atentados suicidas y los ataques kamikaze.

Mientras tanto, sugiero una combinación de dos mecanismos concurrentes que involucran los niveles micro (o individual) y macro (o institucional) para explicar la siniestra combinación de autoinmolación y asesinato de inocentes en nombre de una causa perdida:

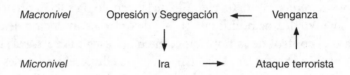

9. Los puentes entre teoría y hecho

La descripción popular del modo en que son contrastadas las teorías científicas es esta: se deducen las consecuencias observables y se comparan con los resultados pertinentes de la observación. O sea, procede así:

- – Se deducen las consecuencias observables de la teoría.
- – Se obtienen los datos empíricos.
- – Se confrontan las predicciones con los datos.
- – Se evalúa la teoría.

Este esquema, llamado *método hipotético-deductivo*, es común tanto a los empiristas (inductivistas), en particular los positivistas lógicos, como a los racionalistas (deductivistas), en particular Popper y sus seguidores. Sin lugar a dudas, contiene una importante parte de verdad. Pero también es gravemente defectuoso, puesto que las teorías no implican observaciones así sin más y, en consecuencia, no pueden ser contrastadas de modo directo con los datos empíricos pertinentes. Unos pocos ejemplos bastarán para dejar claro este punto.

La mecánica celeste no puede predecir eclipses por sí misma; por sí misma, la mecánica cuántica no puede predecir la longitud de las ondas emitidas por los átomos; la psicología se queda en especulación sin los indicadores comportamentales y fisiológicos, y la economía no puede ni explicar ni predecir cosa alguna sin una batería de indicadores como, por ejemplo, la producción de amoníaco, un indicador de producción agrícola. En todos los casos, se necesita una gran cantidad de supuestos e información adicionales.

Por ejemplo, las ecuaciones del movimiento de Newton no implican ninguna característica del péndulo simple. Para describir este objeto debemos comenzar por modelarlo, por ejemplo, como una masa puntual que cuelga de un marco rígido y está sujeto a la gravedad. Del mismo modo, el cálculo de probabilidades es insuficiente para hacer predicciones probabilísticas; debemos añadirle una hipótesis de aleatoriedad, tal como la del acoplamiento al azar (recuérdese el capítulo 4).

Por lo general, el procedimiento de puesta a prueba real es este: se enriquece la teoría dada con un modelo más o menos idealizado del objeto en estudio, sea este un planeta, una molécula, una célula o una organización social. Este modelo está definido por diversos supuestos subsidiarios, vale decir supuestos que no están incluidos en la teoría general, pero que son compatibles con ella; por ejemplo, que la superficie de un sólido es lisa, que una onda es plana, que la colonia de bacterias tiene disponibilidad de alimento ilimitada, que un mercado es perfectamente competitivo o que solo son de interés las partes implicadas de modo directo en un conflicto internacional.

El paso siguiente es relacionar algunos de los conceptos que aparecen en el modelo con los indicadores observables pertinentes de los elementos inobservables a los que la teoría se refiere (por ejemplo, el ángulo de desviación de una aguja en el caso de una corriente eléctrica, huesos y artefactos en el caso de un sitio arqueológico, el PIB en el caso de la economía de un país, etcétera).

Un indicador es una relación, preferentemente funcional, entre una propiedad inobservable I y una observable O. O sea, $I = f(O)$. A partir de una lectura de O en un medidor o una escala estadística, podemos calcular I (véase Bunge, 1967a y 1973). La función que vincula lo observable con lo inobservable es hipotética y puede ser empírica o teórica. Si es empírica, seguramente será poco confiable, puesto que estará aislada del resto de la teoría. Si es teórica, la hipótesis indicadora es parte de la teoría del instrumento de medición, por ejemplo la teoría del galvanómetro. Pero es probable que, en ambos casos, el hecho indicador observable (como la inclinación de una aguja) sea cualitativamente diferente del hecho indicado (como, por ejemplo, la corriente eléctrica). Véase la tabla 7.1.

Tabla 7.1. Muestra de indicadores

Indicado	Indicador
Gravedad	Período de un péndulo
Temperatura	Altura de la columna termométrica
Intensidad de corriente	Desviación de la aguja del amperímetro
Acidez	pH
Actividad cerebral	Consumo de glucosa
Pensamiento	Expresión lingüística
Odio	Contracción de las pupilas
Sociabilidad entre primates	Tiempo de acicalado
Bienestar	Longevidad
Altura	Nutrición
Actividad económica	PIB
Desigualdad en los ingresos	Índice de Gini
Participación política	Asistencia de votantes

El tercer y último paso en el proceso de puesta a prueba es establecer y leer la observación pertinente y el instrumento de medición (escala, microscopio, espectroscopio, cromatógrafo, contador Geiger-Müller, precios exhibidos o lo que sea). La operación de laboratorio típica involucra instrumentos de medición con agujas y diales. Estos instrumentos traducen los hechos inobservables, tales como una corriente eléctrica, en lecturas observables en el dial: corporizan hipótesis indicadoras. Este es el momento en que el experimentador comienza a mirar, escuchar, tocar y, tal vez, oler y gustar, a fin de obtener los auténticos datos observacionales que no podrían haberse derivado únicamente de la teoría.

En resumen, el procedimiento real de puesta a prueba de una teoría es esta secuencia:

1. Teoría general & Hipótesis subsidiarias ⇒ Modelo teórico
2. Modelo teórico & Indicador(es) ⇒ Predicción (o predicciones) contrastables(s)

3. Nuevos datos empíricos obtenidos mediante observación o experimento
4. Confrontación de las predicciones con los hallazgos empíricos
5. Evaluación del modelo teórico

La figura 7.3 dice todo lo anterior de modo gráfico:

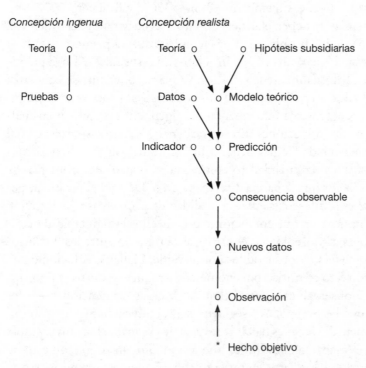

Figura 7.3. Dos descripciones de la confrontación de una teoría con un hecho. (a) Ingenua: comparación directa, (b) realista: comparación por medio de hipótesis subsidiarias, hipótesis indicadoras, etcétera. Nótese que la descripción ingenua no involucra hechos objetivos ni modelos ni hipótesis indicadoras.

10. Comentarios finales

¿Qué podemos aprender de las discusiones de estos dos últimos capítulos? Lo primero es que la existencia misma de la categoría de problemas inversos, tristemente dejada de lado, presenta interesantes problemas lógicos, semánticos, gnoseológicos, metodológicos y ontológicos. Por desgracia, la lógica y la semántica de los problemas no han atraído la atención de los filósofos (véase, sin embargo, Bunge, 1967a y Rescher, 2000).

En particular, se deben clarificar aún más las cuestiones del orden y la equivalencia de los problemas. Por ejemplo, ¿qué va primero (desde el punto de vista lógico) una ecuación algebraica o sus raíces? En la práctica científica habitualmente la ecuación va primero, ya que se comienza suponiendo que un polinomio dado tiene ceros y se procede a buscarlos. Sin embargo, el teorema fundamental del álgebra nos permite ir en cualquiera de las dos direcciones. En consecuencia, en este caso excepcional el problema inverso es lógicamente equivalente al problema directo. Más aún, el concepto de dualidad (o complementariedad) de problemas se aplica aquí mejor que la pareja directo-inverso. De aquí el problema general: ¿cuál es la diferencia entre la dualidad de problemas y la inversión de problemas? ¿Y en qué condiciones uno de ellos es reducible al otro?

El problema gnoseológico es clarificar la relación entre las distinciones directo-inverso y observable-inobservable. Hallar la solución de un problema directo científico o tecnológico se reduce a construir un mapa desde los inobservables —tales como las fuerzas o intenciones— a los datos —como las posiciones o segmentos de conducta humana— y resolver el problema inverso es hallar la inversa de ese mapa. Esta inversa solo existirá si el mapa en cuestión es uno a uno. Sin embargo, con esto no basta, puesto que los datos empíricos probablemente contengan errores que pueden corresponder a una gran diferencia en el dominio del mapa. (Vale decir, un mero error empírico de medición del efecto podría sugerir una causa equivocada.) Para evitar esta inestabilidad, el mapa inobservables-observables debe ser continuo, además de uno a uno (por ejemplo, Newton, 1989).

Nótese lo bien que se ajusta la discusión matemática acerca de la invertibilidad de las condiciones a la distinción gnoseológica y cómo la distinción, aparentemente inocente, entre observable e inobservable puede traducirse en elaborada matemática. Las complicaciones en cuestión constituyen un caso particular de la llamada subdeterminación de la teoría por los datos, la cual ha consternado a los inductivistas durante medio siglo. Las mismas complicaciones sugieren por qué el proyecto de «sistemas de descubrimiento automatizados» actualmente en proceso únicamente puede ofrecer, a lo sumo, redescubrimientos. Uno de ellos es el de los quarks, postulados por primera vez en 1964 y redescubiertos en 1990 por el programa de ordenador GELL-MANN tras haber sido alimentado con un gran número de modelos teóricos (Giza, 2002). No hay razón para cantar victoria: una vez que se sabe que el criminal se oculta en la casa y se ha procurado un detallado *identikit* del mismo, es probable que se le «descubra» (reconozca) al registrar la casa.

El problema metodológico es este: cuando tratamos con entidades de diferentes niveles de organización, ¿qué estrategia de resolución de problemas es más conveniente? ¿*Top-down* (análisis) o *bottom-up* (síntesis)? La respuesta es que, habitualmente, se comienza por lo que se conoce mejor. En otras palabras, la relación explanandum-explanans depende del estado del conocimiento. Mientras que en algunos casos el problema directo es del tipo Macro → Micro, en otros es del tipo opuesto. Estas estrategias dobles se pueden resumir como se ha hecho en la figura 7.4 (Bunge, 1996, p. 145).

En algún momento, las estrategias *top-down* y *bottom-up* deben combinarse. Por ejemplo, si deseamos explicar un macrohecho conocido, debemos intentar reducirlo a microhechos; en tanto que si lo que conocemos mejor son los microhechos, debemos intentar agregarlos en macrohechos. Así pues, se conocen mucho mejor las neuronas que los sistemas neuronales. En consecuencia, el neurocientífico cognitivo teó-

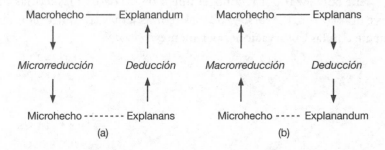

Figura 7.4. Dos estrategias de investigación mutuamente complementarias cuando solo hay involucrados dos niveles de organización: (a) *top-down* y (b) *bottom-up*.

rico obrará mejor imaginando sistemas neuronales, circuitos o redes capaces de realizar ciertas funciones mentales, conocidas gracias a la psicología. Sin embargo, sus colegas experimentalistas continuarán observando y modificando sistemas multineuronales para descubrir qué funciones (procesos) mentales «ejemplifican» (llevan a cabo).

Nótese que la distinción directo/inverso no es una dicotomía, ya que muchos problemas no son ni lo uno ni lo otro. Entre estos últimos encontramos los siguientes: los problemas de «descubrir» un problema nuevo, precisar una noción tosca o intuitiva, interpretar en términos fácticos un concepto matemático o un símbolo y evaluar un elemento a la luz de ciertos desiderata y reglas.

Por último, nuestra discusión acerca de la confrontación de la teoría científica con las pruebas empíricas pertinentes ha involucrado un breve examen de las hipótesis indicadoras «encarnadas» en la construcción misma y la lectura de los instrumentos de medición. Es triste para el estado de la filosofía notar que estos indicadores rara vez son mencionados (si es que alguna vez son mencionados), por no decir analizados, en la literatura filosófica; que la mayoría de los filósofos todavía cree que las teorías científicas implican datos observacionales y que estos son un producto directo de la percepción. Una simple mirada al medidor de electricidad de nuestra casa debería bastar para demostrar la falsedad de este mito. Si los críticos de arte observan arte, ¿por qué no pueden los críticos de la ciencia observar proyectos científicos reales, en lugar de confiar en los informes de segunda mano?

En resumidas cuentas, el viejo problema de la relación entre teoría y hecho aún necesita mucha investigación. Para ser exitosa, tal investigación debe comenzar por reconocer que ir de los datos a las teorías constituye un problema inverso y que las teorías jamás se confrontan directamente con las observaciones pertinentes.

8

Hacia la realidad a través de la ficción

A primera vista, los materialistas no pueden admitir objetos abstractos, tales como teorías y mitos, puesto que estos son inmateriales y los realistas no podrían admitirlos tampoco, porque no están «allí fuera». De hecho, los nominalistas medievales, quienes eran a la vez materialistas y realistas (en el sentido moderno de este término) admitían solo una clase de entidad, el individuo concreto, además de Dios y de los ángeles. En particular, Buridan confundió proposiciones con enunciados e identificó estos últimos con expresiones orales o inscripciones únicas, creyendo que se trataba solo de objetos físicos (véase Scott, 1966).

Esta es la razón por la cual los nominalistas modernos utilizan las expresiones "cálculo sentencial" en lugar de "cálculo proposicional" y "lenguaje" en lugar de "teoría". Uno de los problemas de este «rebautismo» es que se supone que las expresiones lingüísticas, a diferencia de las meras entidades materiales, transmiten significados, los cuales son obviamente inmateriales. Otro problema es que los enunciados son estudiados por la lingüística, la cual presupone la lógica, una ciencia eminentemente no física. En cuanto a la reducción de la teoría al lenguaje, es algo imposible, porque las teorías poseen propiedades extralingüísticas tales como la consistencia y la capacidad explicativa, así como los textos poseen propiedades extralógicas tales como su capacidad de persuasión y estilo. Además, necesitamos el concepto de proposición para analizar la traducción como una transformación lingüística que conserva el significado. En efecto, todos utilizamos tácitamente la convención de que dos signos pueden sustituirse entre sí en el caso de que designen constructos con el mismo significado.

En otras palabras, los símbolos son, desde luego, objetos físicos, pero también son más que esto, puesto que representan otros objetos. Un constructo no puede ser identificado con cualquiera de sus símbolos porque, por definición, un símbolo nombra algo diferente de sí mismo. Además, la enorme mayoría de los objetos debe quedar sin nombre: piénsese en continuos como el conjunto de los números reales y el conjunto de los puntos en una región del espaciotiempo. (La función de nombrar o simbolizar relaciona los designados o denotados con los nombres o símbolos, los cuales constituyen un conjunto numerable.)

Además, los enunciados poseen estructuras tales como el orden de palabras SVO, que son abstractas y transmiten significados, los cuales también son elementos trascendentales. En efecto, los símbolos y otros objetos semióticos difieren de los objetos físicos en que siempre van acompañados por códigos convencionales, explícitos o tácitos, o reglas de interpretación que les atribuyen significado. Esta es la razón de que no descubramos el significado de términos como "ignis" examinando las maneras en que puede inscribirse o enunciarse, sino consultando un diccionario de latín. Esa es también la razón por la cual los ordenadores, que procesan símbolos pero no sus designados o denotados, no puedan capturar significados y mucho menos crearlos (véase, por ejemplo, Searle, 1980 y Bunge, 2003a).

Entonces, ¿qué han de hacer los materialistas y realistas y, con mayor razón, los hilorrealistas en relación con los objetos abstractos, en particular con los conceptos y las proposiciones? Algunos nominalistas como Quine han sostenido que hay signos pero no conceptos, enunciados pero no proposiciones y reacciones comportamentales ante estímulos verbales en lugar de significados. Sin embargo, esta doctrina no consigue explicar el elemental hecho de que los dos enunciados "Te amo" y "*Je t'aime*" son equivalentes porque designan la misma proposición. En otras palabras, una traducción es fiel si y solo si conserva el significado. Por lo tanto, el significado es la propiedad fundamental de los constructos y solo de manera derivada de los signos que designan los conceptos o proposiciones; en este caso es mejor llamarle "significación" [*signification*] (Bunge, 1974a, 1974b y 1975). En resumen, hay conceptos, proposiciones y sistemas de ellos, aunque, desde luego, como objetos abstractos, no como objetos físicos.

El nominalista teme que el discurso acerca de conceptos, proposiciones y otros objetos abstractos implique una concesión al idealismo. El objetivo de este capítulo es apaciguar este temor, mostrando que nada hay de erróneo en admitir los objetos abstractos, en tanto y en cuanto no se les atribuya existencia independiente. Pero antes de hacerlo, veamos por qué necesitamos objetos abstractos.

1. Necesidad de la abstracción

En los capítulos precedentes hemos argumentado en favor del realismo científico o la tesis de que hay un mundo externo real y que podemos conocerlo, especialmente a través de la investigación científica. Con todo, los modelos científicos de las cosas concretas son simbólicos en lugar de icónicos: son sistemas de proposiciones, no fotografías. Además, involucran simplificaciones más o menos brutales, tales como las de pretender que una superficie metálica es lisa, que un cristal no contiene impurezas, que una biopoblación posee un único depredador o que un mercado está en equilibrio. Todas estas son ficciones. Con todo, se trata de estilizaciones, no de fantasías descabelladas. De ahí que introducirlas y utilizarlas para dar razón de los existentes reales no nos comprometa con el ficcionismo, del mismo modo que defender el papel de la experiencia no nos convierte en empiristas y admitir el papel de la intuición no basta para ser clasificados como intuicionistas.

En otras palabras, en la ciencia y la tecnología, a menudo utilizamos diversos «como si». O sea, fingimos que algo tiene una propiedad determinada aun a sabiendas de que no es así. Cuando fingimos de este modo, no mentimos ni tampoco suponemos que la naturaleza real del elemento en cuestión es incognoscible. Únicamente hacemos un supuesto simplificador, sabiendo perfectamente que el desarrollo de la investigación o la acción puede desvelar factores que previamente han sido pasados por alto y puede, de este modo, forzarnos a adoptar supuestos aun más complicados. Por ejemplo, podemos conceptuar la superficie de un cuerpo sólido como si fuera perfectamente lisa y a la vez estar dispuestos a admitir que en realidad es irregular y porosa. Vale decir, no sancionamos el ficcionismo o instrumentalismo, el terreno común del convencionalismo y el pragmatismo, según el cual todos los constructos científicos no son más que ficciones que nos permiten correlacionar y organizar las experiencias. El realista científico simplemente admite de manera tácita que probablemente ni el conocimiento ni la manipulación eficiente de un elemento concreto sea instantánea.

Lo mismo vale, con mayor razón, para los «mundos» de la matemática, tales como la teoría de conjuntos, el álgebra booleana y la teoría de las ecuaciones diferenciales. En efecto, estos objetos no están ahí fuera, ni pueden ser levantados con la mano como si de guijarros se tratara: se los construye, no se los descubre. Vale decir que son artificiales, no naturales. Más aún, los objetos matemáticos son imperceptibles y satisfacen leyes puramente formales, no leyes de la naturaleza o normas sociales. Por ejemplo, el que el número mayor de todos no exista, es un teorema de la teoría de los números, no un enunciado físico o económico.

En otras palabras, los enunciados de la matemática pura no son ontológicamente objetivos: no se refieren al mundo real. Pero, por supuesto, tampoco es que sean subjetivos: nada dicen acerca del estado mental del emisor. Así pues, no son ni objetivos ni subjetivos en sentido ontológico, aun cuando sean impersonales y asociales. Lo mismo vale para los mitos, las historias y otras cosas parecidas. Todas las afirmaciones de este tipo son ficciones. O sea, a los fines del análisis, podemos fingir que sus referentes —conjuntos, fantasmas, dioses o lo que sea— existen independientemente del sujeto. Pero ninguna persona cuerda montará una expedición para buscarlos en la jungla. Con todo, ninguna persona realista puede negar el poder de algunas ficciones tales como las de la matemática para precisar y unificar ideas y las de la ideología para movilizar o congelar a la gente. ¿Recuerda el lector el mito de las armas de destrucción masiva iraquíes que inventó la Administración de Bush en 2001? Platón y Nietzsche podrían haber aprobado esta «noble mentira» inventada para llevar de la oreja a millones de personas políticamente ingenuas.

A primera vista, la admisión de ficciones constituye un serio golpe para el realismo científico, ya que las ficciones, consideradas en sí mismas —es decir, sin tener en cuenta el modo en que son construidas y utilizadas— no son cosas del mundo exterior ni procesos cerebrales. ¿Es así? Cualquiera sea la respuesta, debemos hacer frente a esta pregunta práctica: ¿cuál de las diversas filosofías de la matemática se ajusta mejor a la tesis de que los objetos matemáticos son ficciones sin hacer concesiones respecto de la tesis de que únicamente los objetos concretos (materiales) son reales o respecto de la libertad, tan cara a los matemáticos creativos? Estas preguntas son un desafío para esbozar una filosofía de la matemática que complemente nuestra filosofía realista de la ciencia y la tecnología (véanse los detalles en Bunge, 1985b).

2. El ficcionismo

Si los objetos matemáticos no son reales del mismo modo en que lo son las estrellas y los pájaros y las escuelas, entonces el realismo científico no se aplica a ellos y, por lo tanto, no puede ayudarnos a comprender su naturaleza. ¿Podría ayudarnos el idealismo? Echémosle un vistazo. El platonismo, el paradigma del idealismo objetivo, afirma que las ideas son tan reales como las estrellas, los pájaros y las escuelas y, en realidad, aun más reales. El problema es que no hay ninguna prueba que apoye esta conjetura. El platónico no podrá ofrecer pruebas, puesto que no hay yacimientos ni almacenes matemáticos. Todos los objetos matemáticos son inventados. Esto explica por qué los descubrimientos matemáticos no se realizan en el campo ni en el laboratorio. También ayuda a explicar por qué la matemática, como la literatura y el derecho, solo tiene unos pocos milenios de edad.

A pesar de todo esto, no hay duda de que los objetos matemáticos son ideas y no entidades reales. ¿Podrían ser ficciones, como las fábulas de Esopo? Veamos. La tesis de que los objetos matemáticos y, tal vez, también otras ideas, son ficciones se llama *ficcionismo*. Pero, desde luego, el ficcionismo, como todo otro «ismo» filosófico, se presenta en dos intensidades: radical y moderado.

El ficcionismo (o ficcionalismo) radical es la doctrina que afirma que *todo* discurso es ficticio, de modo tal que no hay verdad de ninguna clase, ni matemática, ni fáctica ni de ninguna otra especie. Según esta perspectiva, lo máximo que podemos afirmar es que nuestras ideas funcionan *como si* fueran verdaderas. Así pues, se trata de una combinación de convencionalismo y pragmatismo. Como otras doctrinas gnoseológicas, el ficcionismo tiene antiguas raíces. Una de ellas es el escepticismo radical antiguo o pirronismo («Nada puede saberse con certeza»). Otra es el nominalismo medieval, una variedad del materialismo vulgar («No hay conceptos; solo hay cosas y sus nombres»). Sin embargo, el ficcionismo recién floreció con la monumental obra de Vaihinger *Die Philosophie des als ob* [Filosofía del como si] de 1911, la cual debe mucho a Hume, Kant, Lange y Nietzsche. (De hecho, a Vaihinger se le considera habitualmente un neokantiano.)

El ficcionismo ha tenido pocos partidarios ortodoxos, pero ha dejado algunos vestigios en la literatura, rara vez bajo el mismo nombre. Uno de esos vestigios se halla en Milton Friedman (1953), el famoso monetarista y apologista del capitalismo no regulado. Friedman sostenía que los supuestos de una teoría económica no necesitan ser verdaderos; todo lo que debe importarnos es si sus consecuencias se ajustan a los hechos pertinentes. Pero, desde luego, es posible deducir proposiciones verdaderas a partir de proposiciones falsas, en particular, de contradicciones. (En efecto, una contradicción implica una gran cantidad de proposiciones.) Además, el sentido de poner a prueba la verdad de una consecuencia lógica es evaluar el valor de verdad de sus premisas.

Otro vestigio del ficcionismo es la concepción de que las teorías y las explicaciones históricas son metáforas en lugar de representaciones de hechos reales (por ejemplo, Hesse, 1966; Ricoeur, 1975; Hayden White, 1978; McCloskey, 1985). Esta opinión es bastante popular entre la muchedumbre posmoderna. Una variedad aún más popular de ficcionismo es el constructivismo-relativismo, según el cual «la ciencia es una forma de ficción o discurso como cualquier otra; un efecto de ello es el "efecto de verdad", el cual (como todo efecto literario) surge de las características textuales» (Latour y Woolgar, 1986, p. 184). Si la verdad fuera nada más que un efecto literario, el que el ficcionismo fuese verdadero o falso difícilmente sería algo de importancia. Pero lo es en todos lados, en particular en la ciencia y la tecnología, y ello por la siguiente razón. Si el ficcionismo fuese verdadero, no tendría sentido poner a prueba la verdad de las teorías científicas y las narrativas históricas. Tampoco sería posible diseñar contrastaciones empíricas y artefactos con ayuda de teorías científicas, a menos que fuesen, cuando menos, aproximadamente verdaderas. Todos los laboratorios, museos, sitios arqueológicos y lugares semejantes podrían cerrar para siempre, con el aplauso de todos los oscurantistas. En síntesis, el ficcionismo respecto de la ciencia fáctica es falso.

A pesar de ello, sostengo que el ficcionismo, a la vez que completamente falso con respecto a la ciencia fáctica, es bastante verdadero en lo concerniente a la matemática pura. En otras palabras, sostengo que los objetos matemáticos, tales como cifras, números, conjuntos, funciones, categorías, grupos, matrices, algebras booleanos, espacios topológicos, espacios vectoriales, ecuaciones diferenciales, variedades y espacios funcionales no son solo *entia rationis*, son *ficta*.

En consecuencia, el concepto de existencia que aparece en los teoremas de existencia matemáticos es radicalmente diferente del concepto de existencia real o material. (Volveremos sobre este asunto en la sección 4.) Esta es la razón de que las demostraciones de existencia matemática —así como de todas las demás demostraciones matemáticas— consistan en procedimientos puramente conceptuales.

En resumen, los matemáticos, como los pintores abstractos, los escritores de literatura fantástica, los pintores "abstractos" (mejor dicho, no icónicos) y los creadores de dibujos animados tratan con ficciones. Expresado en términos blasfemos: desde el punto de vista ontológico, el Pato Donald es un igual de las más sofisticadas ecuaciones diferenciales no lineales, puesto que ambos existen exclusivamente en algunas mentes. Este es, en pocas palabras, el tipo de ficcionismo matemático que esbozaré y defenderé en el balance que se hace en este capítulo.

Como se verá más adelante, nuestro ficcionismo, a diferencia del de Vaihinger, es del tipo moderado, no del radical. El motivo de ello es que (a) no comprende la ciencia fáctica y (b) considera la matemática como una ciencia, no como un juego y mucho menos una fantasía arbitraria. En efecto, nuestra posición distingue entre ficciones matemáticas, por un lado, y mitos, cuentos de hadas, especulaciones teológicas, pinturas abstractas, fantasías parapsicológicas y psicoanalíticas, así como filosofías de múltiples mundos, por el otro.

3. Cuatro clases de verdad

Sigo a Leibniz (1703, p. 394) al distinguir entre *propositions de raison*,* tales como «2 + 2 = 4» y *propositions de fait*, tales como «El fuego quema». Las primeras se refieren exclusivamente a *entia rationis* [entes de razón] y pueden ser demostradas o refutadas exclusivamente por medios conceptuales, vale decir argumentos (deducción y crítica) o contraejemplos. En cambio, las *propositions de fait* se refieren al menos en parte a entidades supuestamente reales (concretas). En consecuencia, si son con-

* En francés en el original (*proposiciones de razón*), así como la expresión siguiente (*proposiciones de hecho*). [*N. del T.*]

trastables, se las controla para averiguar su valor de verdad o eficiencia, con ayuda de operaciones empíricas directas o indirectas, tales como la observación, la cuenta, la medición, el experimento o el mero ensayo práctico.

La distinción formal/fáctico exige distinguir las verdades o falsedades formales de las fácticas (Grassmann, 1844, *Einleitung*).* En particular, distinguimos teoremas matemáticos, por un lado, y datos e hipótesis científicos (por ejemplo, biológicos) y tecnológicos, por otro. La diferencia entre las dos clases de verdad es tan marcada que una teoría fáctica, como la electrodinámica clásica, contiene algunas fórmulas matemáticamente verdaderas —como, por ejemplo, las de los potenciales avanzados— que no se corresponden con los hechos, es decir, que son falsas desde el punto de vista fáctico. Un ejemplo más simple es la ecuación «$p \cdot q$ = const.», que relaciona precios con cantidades: la rama de valores negativos de p y q se excluye porque estos no tienen sentido económico. Además, la mayoría de los teoremas matemáticos todavía no han sido utilizados en la ciencia fáctica o la tecnología.

Acabo de introducir de contrabando la distinción entre ciencias formales y ciencias fácticas. Definimos una ciencia formal como una ciencia exacta que contiene únicamente proposiciones formales o *propositions de raison*. Por otra parte, al menos algunas de las proposiciones de una ciencia fáctica deben ser fácticas: deben describir, explicar o predecir cosas o procesos que pertenezcan al mundo real (natural o social). La lógica, la semántica filosófica y la matemática son ciencias formales. En contraposición, las ciencias naturales, sociales y biosociales son fácticas. También lo son todas las tecnologías, desde la ingeniería y la enfermería hasta las ciencias de la administración y el derecho.

La distinción formal/fáctico deja fuera todas las proposiciones y campos que no son ni formales ni fácticos, por lo cual no se trata de una dicotomía. Entre ellos, queda fuera la ficción artística. Cuando leemos las desventuras de Don Quijote podemos fingir y quizá realmente sentir que existe, igual que las ficciones de su propia imaginación enferma. Asimismo, cuando asistimos a una representación de *Otelo*, podemos creer por un momento que realmente el Moro mata a Desdémona. Sin embargo, cuando reflexionamos de manera crítica acerca de estas y otras obras de ficción, no las confundimos con descripciones fácticas, a menos, cla-

* Vocablo alemán para "prefacio". [*N. del T.*]

ro, que estemos desquiciados. Las agrupamos en la clase de la ficción artística.

Más aún, en ocasiones hay justificación para hablar de la verdad y la falsedad artísticas, como cuando decimos que Don Quijote era generoso y la sospecha de Otelo falsa. A fin de establecer la verdad o falsedad artística de una ficción artística basta con recurrir a la obra en cuestión. O sea, la verdad artística, como la verdad matemática, es interna y, por lo tanto, es dependiente del contexto. En otras palabras, es válida únicamente en algunos contextos y no es necesario que tenga ninguna relación con el mundo exterior.

Para un ateo, las llamadas verdades religiosas son iguales: solamente son válidas en las escrituras sagradas. O sea, exigen una deliberada actitud de asentimiento en ausencia de pruebas independientes claras. Así pues, el enunciado de que Cristo era humano es una blasfemia en algunas teologías y un dogma en otras. La única prueba aceptada por los creyentes religiosos es un conjunto de textos supuestamente sagrados. Ningún dato o teoría que provenga de la ciencia o la tecnología se considera pertinente en relación con el dogma religioso. En otras palabras, una religión, junto con su teología, es un sistema cerrado, a diferencia de una ciencia, la cual se superpone parcialmente a otras ciencias así como con la matemática y la filosofía.

Permítame el lector repetir una perogrullada: la verdad matemática es esencialmente relativa o dependiente del contexto. Por ejemplo, el teorema de Pitágoras vale para los triángulos planos, pero no para los esféricos y no todas las álgebras son conmutativas o, siquiera, asociativas. Por otra parte, los enunciados fácticos como «Hay fotones» y «Respirar aire fresco es saludable» son absolutos o independientes del contexto. En cambio, las normas sociales dependen del contexto porque son construcciones sociales.

Por último, admitamos que el problema de la verdad, si bien resulta central en la ciencia y la filosofía, es periférico en la matemática. Tal como ha expresado Mac Lane (1986), no es adecuado preguntar si una pieza matemática es verdadera. Las preguntas adecuadas son si es correcta, «fructífera» [*responsive*] (o sea, si resuelve un problema o hace avanzar una línea de investigación), iluminadora, promisoria o relevante (para la ciencia o para algunas actividades humanas).

En resumen, distinguimos entre verdades y falsedades formales, fácticas y artísticas. (Podemos, incluso, añadir verdades morales tales como «La discriminación racial es injusta» y «La pobreza es moralmente degradante», pero estas no son pertinentes para lo que estamos discutiendo aquí; véase el capítulo 10, secciones 6 y 7.) Más aún, a partir de la discusión precedente, está claro que, en nuestra opinión, la matemática está más cerca del arte que de la ciencia en lo que respecta a sus objetos y su relación con el mundo real, así como respecto del papel de la verdad. Sin embargo, como se argumentará en la sección 7, hay importantes diferencias metodológicas entre la matemática y el arte.

4. La matemática es ontológicamente neutral

Decir que la lógica y la matemática son ciencias formales es decir, por tomar prestado el modismo de Quine (aunque contrariamente a su afirmación), que no poseen compromisos ontológicos, vale decir que no suponen la existencia de ninguna entidad real. En otras palabras, la lógica y la matemática —y, con mayor razón, la metalógica y la metamatemática— no tratan de cosas concretas, sino de constructos: predicados, proposiciones y teorías. Por ejemplo, la lógica de predicados trata de predicados y proposiciones, la teoría de las categorías trata de sistemas matemáticos abstractos, la teoría de conjuntos trata de conjuntos, la teoría de los números trata de los números enteros, la trigonometría trata acerca de los triángulos, el análisis trata de funciones, la topología y la geometría tratan de espacios, etcétera. (Advertencia: Quine y otros utilizan de manera incorrecta la palabra "ontología" cuando la consideran equivalente al universo del discurso o la clase de referencia de un constructo. Una ontología no es un conjunto de elementos, sino una teoría sobre el mundo).

La tesis de que la matemática trata de objetos matemáticos parece evidente y, con todo, no puede ser demostrada de manera general. Lo que podemos hacer es apoyarla de dos modos: a través de consideraciones metodológicas y semánticas. La primera tiene dos etapas. El primer paso consiste en recordar que todos los objetos matemáticos son definidos (explícita o implícitamente) de manera puramente conceptual, sin recurrir a ningún medio fáctico o empírico, excepto ocasionalmente, como dispositivos heurísticos. El segundo paso consiste en recordar que las demostraciones (y refutaciones) matemáticas también son procesos estrictamente conceptuales que no hacen referencia alguna a los datos empíricos. En este sentido, las demostraciones asistidas por ordenador no son diferentes de las demostraciones asistidas por un lápiz.

En cuanto a la consideración semántica, consiste en identificar los referentes de los constructos matemáticos, o sea averiguar de qué tratan. (Por ejemplo, la teoría de conjuntos trata de conjuntos no descritos, en tanto que la teoría de los números se refiere a los números enteros.) Esta tarea requiere una teoría de la referencia diferente de una teoría de la extensión. (A diferencia de esta última, la primera no utiliza ningún concepto de verdad. Por ejemplo, el predicado «par y no par» se refiere a los enteros en tanto que su extensión está vacía, puesto que no es verdadera para ningún número.)

Para poner a prueba las afirmaciones anteriores, bosquejaré a continuación mi propia teoría axiomática de la referencia, la cual está expresada en términos elementales de la teoría de conjuntos (Bunge, 1974a). Comencemos analizando el concepto general de predicado como, por ejemplo, este que aparece en la proposición «América está poblada» o, para abreviar, Pa. Sostengo que P debe interpretarse como una función que aparea el individuo a con la proposición Pa. Esta interpretación difiere de la de Frege, quien considera que un predicado es una función que relaciona los individuos con los valores de verdad. Encuentro esta idea absurda, porque tiene como resultado que de predicar la propiedad P acerca de un objeto a no se obtiene la proposición Pa, sino su valor de verdad.

En otras palabras, a diferencia de Frege y sus seguidores, defino un predicado P como una función que relaciona individuos —o n-tuplas de individuos— con el conjunto E de enunciados que contienen el predicado en cuestión. En símbolos estándar, un predicado n-ario P se analizará como una función $P: A_1 \times A_2 \times \ldots \times A_n \rightarrow E$, con un dominio equivalente al producto cartesiano de los n conjuntos A_i de individuos involucrados, tal que el valor de P en «$a_1, a_2, \ldots, a_n$» en ese dominio sea el enunciado atómico $Pa_1, a_2, \ldots, a_n$ en E. Por ejemplo, el predicado unario «es primo» es una función que relaciona los números naturales con el conjunto de proposiciones que contienen «es primo», o sea $P: N \rightarrow E$. Asimismo, el predicado binario «es mayor que», cuando está definido en el mismo conjunto numérico, puede analizarse como $>: N \times N \rightarrow T$, donde T es el conjunto de proposiciones que incluyen «$>$».

A continuación defino dos funciones de referencia, $\mathscr{R}_p$ y $\mathscr{R}_e$, la primera para predicados y la segunda para enunciados, a través de un postulado cada una:

Axioma 1 La clase de referencia de un predicado n-ario P es igual a la
unión de los conjuntos que aparecen en el dominio $A_1 \times A_2 \times \ldots \times A_n$ de P, vale decir

$$\mathcal{R}_\rho(P) = \cup A_i.$$

Axioma 2 (a) Los referentes de una proposición atómica son los argumentos del (los) predicado(s) que aparece(n) en la proposición. Es decir que para toda formula atómica $Pa_1 a_2 \ldots a_n$ en el conjunto E de enunciados,

$$\mathcal{R}_e(Pa_1 a_2, \ldots, a_n) = \{a_1, a_2, \ldots, a_n\}.$$

(b) La clase de referencia de un compuesto proposicional arbitrario (tal como la negación, una disyunción o una implicación) es igual a la unión de las clases de referencia de sus componentes. (Corolario: una proposición y su negación poseen los mismos referentes. Dicho sea de paso, la insensibilidad de la referencia a las diferencias entre los conectivos lógicos es una de las diferencias que existen entre referencia y extensión, dos conceptos que habitualmente se confunden en la literatura filosófica.)

(c) La clase de referencia de una fórmula cuantificada (o sea, que tiene los prefijos «algún» o «todo») es igual a la unión de las clases de referencia de los predicados que aparecen en la fórmula.

Con la ayuda de esta teoría, se pueden identificar los referentes de cualquier constructo (predicado, proposición o teoría). Por ejemplo, puesto que las operaciones lógicas (tales como la conjunción) y las relaciones (tales como la de implicación) relacionan predicados y proposiciones, tratan de estos y de nada más. La prueba formal para la disyunción es como sigue: se trata de una relación que puede analizarse como una función que une pares de proposiciones con proposiciones, o sea w: $E \times E \to E$. Ahora bien, en virtud del *Axioma 1*, $\mathcal{R}_\rho(w) = E \cup E = E$. Vale decir que la disyunción se refiere a proposiciones arbitrarias, formales, fácticas, morales, artísticas, religiosas o lo que pueda ser. En general, la lógica se refiere a predicados arbitrarios y sus combinaciones, a saber las proposiciones, clasificaciones y teorías. De manera obvia, nuestra teoría de la referencia trata de predicados y proposiciones arbitrarios. Se trata, pues, de una teoría formal, al igual que la lógica. Lo mismo se aplica a nuestras teorías del sentido y el significado y, por cierto, a toda nuestra semántica filosófica (Bunge, 1974a).

Desde luego, ninguna teoría de la referencia puede demostrar que cada fórmula de la matemática se refiere exclusivamente a constructos. Pero la nuestra sirve para poner a prueba cualquier afirmación particular concerniente a la clase de referencia de cualquier predicado bien definido. Esta prueba es necesaria no solo para comprobar que la matemática no trata acerca del mundo; también resulta crucial en las ciencias fácticas, cuando sus objetos o referentes son materia de vehementes controversias, tales como las suscitadas por las mecánicas relativista y cuántica, la biología evolutiva y la microeconomía.

Es verdad que Quine (1969) ha afirmado que la referencia es «incomprensible». Donald Davidson (1984) ha coincidido, añadiendo que no se necesita ninguna teoría de la referencia. Pero esto solo muestra que su semántica negativa no puede utilizarse para averiguar, por ejemplo, a qué se refiere la función Ψ de la mecánica cuántica o si «piensa», cuando se lo usa en psicología cognitiva, se refiere a cerebros, almas u ordenadores.

¿Y qué diremos de la conocida tesis de que «La existencia es lo que la cuantificación existencial expresa»? (Quine 1969, p. 97). Esta afirmación es falsa, como se puede reconocer al recordar que, a menos que se indique el contexto, las expresiones de las formas «$\exists x Px$» y «$\exists x \, (x = a)$» son ambiguas, ya que no nos dicen si las x en cuestión son reales o imaginarias, o sea no nos dicen si estamos hablando de existencia real o ideal. Peor aún, tal como ha señalado Loptson (2001, p. 123), la perspectiva de Quine implica que los objetos abstractos son reales, lo que contradice la concepción estándar de la abstracción como irrealidad y, por ende, lo opuesto de lo concreto. Para evitar semejantes confusiones y contradicciones, el mal llamado cuantificador «existencial» debería ser completado siempre con la indicación del conjunto en cuyo rango se mueve la variable acotada en cuestión. La notación «$(\exists x)_D \, Px$», alguna vez estándar, donde D nombra el universo de discurso, será útil. [El cuantificador «existencial» acotado puede definirse como sigue: $(\exists x)_D Px =_{df} (\exists x) \, (x \in D \,\& \, Px)$.]

Un mínimo de análisis conceptual usado para aclarar la ambigüedad de la palabra "existencia" nos hubiera salvado de la influyente, pero falsa, tesis de Quine acerca del compromiso ontológico del cuantificador «existencial» y, por ende, de la lógica y de todo lo que se construye sobre ella. Por la misma razón, este análisis nos hubiera salvado de la paradoja de Meinong: «Hay objetos de los cuales es verdad que no hay tales objetos» (Meinong, 1960, p. 83). Mucho de esto vale para la disparatada afirmación de que «hay más cosas de las que existen efectivamente» (Lewis, 2001, p. 86). Lo mismo vale para el intento de revivir la tesis nominalista de que no «hay» entidades matemáticas (Field, 1980). Toda esta imprecisión y extravagancia podría haberse evitado con la distinción explícita de los dos tipos de existencia: conceptual y real.

Un análisis adecuado también hubiera mostrado que, fuera de la matemática, la interpretación apropiada de ese cuantificador no es «existencia», sino «algunidad» [«someness»]. De modo más preciso, en la matemática pura «$(\exists x)\, Px$» puede leerse como «Algunos individuos son P» o como «Hay P», en la comprensión de que tales individuos son conceptuales, o sea que existen en un universo matemático. Pero fuera de la matemática, es mejor evitar la ambigüedad y leer «$(\exists x)\, Px$» como «Algunos individuos son P».

En otras palabras, solo en matemática «hay» equivale en la práctica a «algún». En contextos alternativos, por ejemplo en la física y la ontología, cuando hablamos de existencia, posiblemente tengamos que construir dos enunciados diferentes: uno de existencia (o inexistencia) real y otro de «algunidad». [Véase Bunge, 1977a, pp. 155-156 por una formalización del predicado de existencia E_R y su combinación con el cuantificador de «algunidad» $\exists$. Esta combinación permite construir oraciones bien formadas tales como "Algunas de las partículas imaginadas por los físicos teóricos existen (realmente)", las cuales no pueden construirse con la sola ayuda de $\exists$. En símbolos que se explican a sí mismos: $(\exists x)\, (Px\ \&\ E_R x)$.]

En conclusión, la matemática pura, la lógica en particular, es ontológicamente neutral (más en Bunge, 1974c). Más aún, se trata de una gigantesca (aunque no arbitraria) ficción. Esto explica por qué la matemática pura (incluyendo la lógica) es el lenguaje universal de la ciencia, la tecnología y aun de la filosofía y por qué es la más transportable y servicial de todas las ciencias. (Tomen nota, planificadores y burócratas reticentes a financiar la investigación en matemática pura.) Esto también explica por qué la validez o invalidez de las ideas matemáticas es independiente de las circunstancias materiales, tales como el estado del cerebro y el estado de la nación. Sin embargo, este asunto merece una nueva sección.

5. Matemática, cerebros y sociedad

¿En qué difiere el ficcionismo matemático del platonismo? La diferencia está en que la filosofía de la matemática platónica es una parte esencial de la metafísica idealista objetiva, la cual postula la realidad de las ideas en sí mismas —es decir, la existencia autónoma de ideas fuera de los cerebros— e incluso su prioridad y primacía ontológicas. En contraposición, el ficcionismo matemático no está incluido en ninguna ontología, ya que no considera que los objetos matemáticos sean reales, sino que son ficciones.

Cuando introduce o desarrolla una idea matemática original, el matemático crea algo que antes no existía. Además, en tanto y en cuanto retenga la idea para sí, esta permanecerá encerrada en su cerebro, puesto que, como diría un neurocientífico cognitivo, una idea es un proceso que tiene lugar en el cerebro de alguien. Sin embargo, el matemático no atribuye a su idea ninguna propiedad neurofisiológica. Simula que la idea en cuestión tiene únicamente propiedades formales: por ejemplo, que el teorema que acaba de demostrar vale aun cuando él esté dormido y que, si se lo hiciera conocer a otros, ese teorema continuaría siendo válido mucho tiempo después de su muerte.

Se trata, desde luego, de una ficción, puesto que solamente los cerebros despiertos pueden practicar la matemática (de manera correcta). Pero se trata de una ficción necesaria, porque aunque demostrar es un proceso neurofisiológico, una demostración en sí misma, considerada como un objeto metamatemático abstracto, no contiene ningún dato o supuesto neurofisiológico. En resumen, si bien los teoremas son creaciones humanas, podemos fingir que su forma, significado y validez son independientes de cualquier circunstancia humana. La justificación de la adopción de esta ficción radica en que las ideas matemáticas no tratan del mundo real: toda idea matemática se refiere a otra(s) idea(s) matemática(s). La matemática (incluyendo la lógica) es *la* ciencia autosuficiente, aun cuando algunos matemáticos como Arquímedes, Newton, Euler, Fourier, Von Neumann, Wiener y Turing estuvieran ocasionalmente motivados por problemas de la física o la ingeniería.

Lo dicho respecto de los cerebros vale, mutatis mutandis, para las sociedades. En tanto que es imposible negar que no hay actividad matemática (sostenida) en un vacío social, sino solo en una comunidad, es igualmente cierto que la matemática pura no posee contenido social. Si lo tuviese, entonces las teorías matemáticas incluirían predicados de las ciencias sociales tales como «bien» [*commodity*], «competencia», «cohesión social», «delito» y «conflicto político». Más aún, duplicarían las teorías de las ciencias sociales, tal vez hasta el punto de hacerlas redundantes.

Nuestra tesis de la neutralidad fáctica (en particular social) de la matemática contradice el holismo semántico y gnoseológico de Quine, que es un eco de la sentencia de Hegel «*Das Wahre is das Ganze*» ("La verdad está en la totalidad"). Es cierto que la matemática atraviesa, al menos potencialmente, todo el conocimiento humano, el cual a su vez es un sistema en lugar de un mero conjunto. Sin embargo, es posible identificar los componentes formales de cada disciplina y tratarlos de forma separada. Esta es la razón de que los practicantes de las más variadas disciplinas consulten a los matemáticos sin ninguna pericia extramatemática especializada.

La perspectiva de la neutralidad contradice también la sociología de la ciencia constructivista-relativista de moda (Bloor, 1976; Restivo, 1992; Collins, 1998). Esta escuela afirma que «la matemática es social de cabo a rabo». Lo sería no solo porque toda investigación matemática se realiza en el seno de una comunidad académica y porque las fórmulas matemáticas son comunicables, sino también porque todas las fórmulas matemáticas tendrían un contenido social.

No es necesario decirlo: jamás se han ofrecido pruebas en favor de esta tesis; se trata solamente de una opinión. Sin embargo, podemos controlar su validez en cada caso particular con la ayuda de la teoría de la referencia esbozada en la sección 3. Tómese, por ejemplo, las dos fórmulas que definen (de manera implícita) la función factorial, vale decir «$0! = 1$» y «$(n + 1)! = (n + 1)n!$». Obviamente, estas fórmulas se refieren a números naturales; no hay trazas en ellas de las circunstancias sociales que rodeaban su origen. Las fórmulas en cuestión pertenecen a la combinatoria, la disciplina que estudia la permutación y combinación de objetos de todo tipo. De igual modo, el teorema de Tales trata de triángulos euclidianos planos, no de la Antigua Grecia, y la serie de Taylor se refiere a funciones, no a los sucesos que ocurrieron el año que Brock Taylor publicó su serie, entre ellos la muerte de Luis XIV y la expulsión de los venecianos del Peloponeso. Puesto que las mencionadas fórmulas matemáticas son correctas y ninguna de ellas describe circunstancia social alguna, continuarán siendo válidas mientras haya personas interesadas en la matemática. (Para más críticas a la sociología del conocimiento constructivista-relativista social, véase Boudon y Clavelin, eds., 1994; Bunge, 1999 y 2000b, y Brown, 2001.)

6. Cómo asumir compromisos ontológicos

La matemática pura, pues, no trata acerca de cosas concretas o materiales tales como cerebros o sociedades, a pesar de que los objetos matemáticos solo pueden ser inventados por cerebros vivientes en condiciones sociales favorables. La matemática trata exclusivamente de objetos conceptuales o ideales. Se podría preferir decir, tal como notara Platón por primera vez, que la matemática trata de objetos inmutables o eternos, no acerca de sucesos o procesos. La neutralidad ontológica de la matemática explica por qué esta disciplina es el lenguaje universal de la ciencia, la tecnología y hasta de la filosofía, vale decir, por qué es transportable de un campo intelectual a otro.

Con todo, al observar un trabajo de física, química, biología o ciencias sociales teóricas, un matemático puede sentir la tentación de considerarlo como una pieza de matemática. Hay algo de verdad en esta creencia. Después de todo, la ecuaciones de tasas de cambio, de movimiento y de campo, entre otras, son fórmulas matemáticas y se resuelven utilizando técnicas matemáticas tales como las de separación de variables, expansión de series e integración numérica. Este es el motivo de que Pierre Duhem, un convencionalista, afirmara que el electromagnetismo clásico es idéntico a las ecuaciones de Maxwell. Es el mismo motivo por el cual los matemáticos solían sostener que la mecánica racional es parte de la matemática y Gerard Debreu que su teoría del equilibrio general es un capítulo de la matemática.

Sin embargo, se trata solo de una verdad parcial, como puede verse al echar un vistazo a cualquier fórmula de la lógica elemental. Así pues, la fórmula «Para todo x: si Px, entonces (Si Qx, entonces Rx)» no enuncia nada acerca del mundo real o siquiera de los objetos matemáticos: es una cáscara vacía. Para «decir» algo definido —verdadero, falso o verdadero a medias— la fórmula debe ser interpretada. Una posible interpretación es la que sigue: Int (P) = humano, Int (Q) = piensa, Int (R) = está vivo. Estos supuestos semánticos convierten la fórmula antes mencionada en «Todo humano que piensa está vivo», una mera generalización del famoso *Cogito, ergo sum* de Descartes. Cualquier cambio en la interpretación da como resultado una fórmula con un contenido diferente. Así pues, confirmamos la conclusión a la que llegamos en la sección 4: que Quine (1953, p. 12) estaba equivocado al afirmar que «el *único* modo de asumir un compromiso ontológico» es «a través del uso de valores acotados [o sea, la cuantificación]». En realidad, el *único* modo de asumir un compromiso ontológico es afirmar una interpretación fáctica de los signos (o palabras o símbolos) en cuestión.

Esta obvia tesis semántica se aplica a toda la matemática. En efecto, una fórmula matemática no se convierte en parte de una ciencia fáctica a menos que sea enriquecida con contenido fáctico. Este enriquecimiento se consigue apareando la fórmula con uno o más supuestos semánticos (o reglas de correspondencia, como se les solía llamar). Estos supuestos afirman que la fórmula se refiere a tales y cuales cosas concretas y que al menos algunos de los símbolos que aparecen en ella denotan ciertas propiedades de esas cosas. Por ejemplo, la ecuación «$d^2x / dt^2 + ax: = 0$» es la ecuación de movimiento de un oscilador lineal en la mecánica clásica, siempre y cuando se interprete x como el valor instantáneo de la elongación, t como el tiempo y a como la razón entre la constante elástica y la masa del oscilador. Los conceptos de oscilador lineal, elongación, constante elástica, masa y tiempo, que son los que confieren la interpretación física a los símbolos matemáticos, son extramatemáticos.

En otras palabras, para establecer un puente entre la matemática y el mundo debemos enriquecerla con supuestos semánticos (o «reglas de correspondencia»). De tal modo, la contraparte fáctica de un predicado es una propiedad; la de la cardinalidad, la numerosidad; la de la continuidad, la lisura; la del gradiente, la pendiente y la de la laplaceana, la pendiente de la pendiente. Pero, por supuesto, hay muchos constructos matemáticos que no tienen contraparte fáctica: piénsese en la negación, la contradicción, la tautología, la implicación, 0 e ∞.

En resumidas cuentas, la matemática no basta para describir o explicar el mundo real. Pero, desde luego, es necesaria para dar razón de él de una manera precisa y profunda. En efecto, la matemática proporciona uno de los dos componentes de toda teoría de la ciencia fáctica teórica desarrollada y la tecnología, o sea la formalización matemática. El otro componente es el conjunto de supuestos semánticos o «reglas de correspondencia» que «le pone carne» a los esqueletos matemáticos.

De modo más preciso, una teoría o modelo matemático de un dominio de elementos fácticos es un triple dominio-formalización-interpretación o, de forma abreviada, $\mathcal{M} = $«$D, F, Int$». Aquí, D denota el dominio fáctico o clase de referencia, F la unión de algunos fragmentos de teorías de la matemática pura e Int es una función parcial que relaciona la formalización F con el conjunto potencia D que atribuye algunos de los predicados y fórmulas de F a los conjuntos de elementos fácticos de D. (*Int* es una función parcial porque no es necesario interpretar en términos de hechos todos los elementos de F.) La misma formalización F puede aparearse con numerosos dominios fácticos diferentes. (Piénsese, por ejemplo, en los múltiples usos del álgebra lineal y el cálculo infinitesimal.) Un matemático puede controlar la corrección formal de F, pero únicamente las contrastaciones empíricas pueden decir si algún modelo teórico M se ajusta al dominio D, vale decir si es fácticamente verdadero. En otras palabras, la verdad matemática de los teoremas de F no garantiza la verdad fáctica de M. (Por otra parte, todo defecto matemático importante garantiza la falsedad fáctica.)

Con todo, es fácil caer en trampas verbales al tomar de manera literal expresiones como "lógica dinámica" y "teoría de sistemas dinámicos" que sugieren a quien no está suficientemente advertido que, después de todo, ciertas teorías matemáticas tratan del tiempo y el cambio, por lo que son dignas de estudio y del apoyo del contribuyente. De hecho, estas teorías son tan atemporales como la teoría del número y la geometría. Lo que ocurre es que, cuando se las aplica, algunos conceptos que aparecen en ellas se interpretan en términos fácticos. (Por ejemplo, como rutina la variable independiente se interpreta como tiempo, un concepto eminentemente no matemático.) Esta es la razón de que la lógica dinámica sea aplicable a los programas de ordenador y la teoría de sistemas dinámicos sea aplicable al análisis o diseño de sistemas concretos de diversas clases, aunque a menudo no es más que una excusa para estudiar sistemas de ecuaciones diferenciales ordinarias. Del mismo modo, la lógica elemental puede aplicarse al análisis de procesos de razonamiento como los argumentos que construimos en la vida real, mediante la suposición de que los pasos en la secuencia lógica se ajustan a la secuencia temporal de nuestros pensamientos reales.

En suma, la matemática provee esqueletos formales y atemporales ya listos para ser usados, algunos de los cuales los científicos y tecnólogos consideran adecuados para ponerles la carne (interpretarlos) de maneras alternativas, a fin de aplicarlos a cosas cambiantes concretas. Cambiando la metáfora: desde un punto de vista puramente utilitario, la matemática es un enorme almacén de ropas *prêt-à-porter* que científicos, tecnólogos y humanistas pueden llevarse cuando necesitan. Cuando ninguna de las prendas que hay en «existencia» es adecuada, el usuario tiene que hacer él mismo de sastre y, de ese modo, transformarse en matemático por algún tiempo. Vienen a la mente Ptolomeo, Newton y Euler. También Einstein, Heisenberg y Dirac, aunque solo hasta cierto punto porque Einstein reinventó la geometría de Riemann, Heisenberg reinventó el álgebra matricial y el famoso (e infame) delta de Dirac motivó la creación de la teoría matemática de las distribuciones.

7. Respuestas a algunas objeciones

Tratemos ahora algunas de las posibles objeciones al ficcionismo matemático. Una de ellas es que los matemáticos no inventan sino que descubren o, al menos, esto es lo que ellos dicen habitualmente. Algunos de ellos pueden decirlo por humildad, otros porque son o bien platónicos o bien empiristas. En todo caso, si esa afirmación fuera correcta, o el platonismo o bien el empirismo serían verdaderos y, por ende, el ficcionismo sería falso.

Comparto la perspectiva de sentido común de que hay invenciones así como descubrimientos matemáticos. O sea, el matemático original a veces postula y otras veces encuentra. Postula definiciones, supuestos —en particular definiciones axiomáticas— y generalizaciones y descubre relaciones lógicas entre los constructos previamente introducidos. En particular, las «entidades» matemáticas, tales como categorías, álgebras, sistemas de números, variedades y espacios funcionales, son inventadas; no hay yacimientos matemáticos donde se las pueda hallar listas para usar. De ordinario, hasta los teoremas son primero conjeturados y más tarde demostrados o refutados, en ocasiones mucho después y por otras personas. Pero el proceso de demostración consiste en descubrir que el nuevo teorema se sigue de los supuestos previamente conocidos: axiomas, lemas o definiciones. (Sin embargo, a veces este descubrimiento requiere inventar más elementos, tales como las construcciones auxiliares de la geometría elemental.)

Por ejemplo, mediante la utilización de una prueba de convergencia se descubre que cierta serie infinita es divergente. Pero todas las pruebas de convergencia son inventadas, no descubiertas. Del mismo modo, mediante la expansión de una función en serie y la integración término por término, se puede computar la integral de la función (suponiendo que la serie converja de manera uniforme). Pero la función dada, los conceptos de integral y muchos otros elementos debieron ser inventados antes de que pudieran ser manipulados. La regla general es: *Primero inventar, después descubrir*. Y si el descubrimiento es negativo —por ejemplo, que un montón de supuestos son inconsistentes, que no implican un supuesto teorema o que la serie es divergente— entonces altérense algunos de los supuestos, vale decir revísese el proceso de invención.

Puesto que la matemática es tanto invención como descubrimiento, el platonismo es falso. Pero las pruebas a favor de la invención matemática no son suficientes para fundamentar el ficcionismo. Con todo, solo necesitamos recordar que manipulamos una totalidad infinita como la línea o un sistema hipotético-deductivo *como si* fuese un individuo y *como si* estuviera «allí», como una totalidad, sin decir, desde luego, dónde es «allí» donde está. (Obviamente, los matemáticos están en el espacio-tiempo, pero suponen que sus propias creaciones están fuera de él.)

Otra objeción posible es la siguiente: si la matemática es una obra de ficción, ¿por qué los bibliotecarios no agrupan las obras matemáticas con las novelas y, especialmente, con la literatura fantástica? En otras palabras, ¿qué diferencias hay (si es que las hay) entre las ficciones matemáticas y las ficciones artísticas? Por ejemplo, ¿en qué difiere el teorema fundamental del álgebra de la afirmación de que Superman puede volar o que el Ratón Mickey puede hablar? La diferencia está en que las ficciones matemáticas son diferentes a todas las demás: son estrictamente disciplinadas y pueden utilizarse para pensar acerca de cualquier asunto epistémico. Más precisamente, sostengo que las diferencias cruciales entre las ficciones matemáticas y todas las demás son las siguientes (adaptado de Bunge, 1985a, pp. 39-40):

1. Lejos de ser invenciones completamente libres, los objetos matemáticos están constreñidos por leyes (axiomas, definiciones, teoremas); en consecuencia, no pueden «salirse del personaje», por ejemplo, no puede haber algo semejante a un círculo triangular, en tanto que hasta un Don Quijote loco de atar está lúcido ocasionalmente.

2. Los objetos matemáticos existen (de modo ideal) en virtud de postulados o bien de demostraciones, nunca por una creencia arbitraria.

3. Los objetos matemáticos son o bien teorías o bien referentes de teorías, en proceso de construcción o totalmente desarrolladas, en tanto que los mitos, fábulas, cuentos, poemas, sonatas, pinturas, caricaturas y películas no son teóricos.

4. Los objetos y teorías matemáticos son totalmente racionales, no intuitivos y mucho menos irracionales (aun cuando exista la intuición matemática).

5. Todos los enunciados matemáticos deben ser justificados de manera racional —o bien por sus premisas o bien por sus frutos—, no por la intuición, la revelación o la experiencia.

6. Lejos de ser dogmas, las teorías matemáticas están fundadas en hipótesis que deben ser corregidas o abandonadas si se muestra que llevan a contradicciones, trivialidades o redundancias.

7. En la matemática no hay «islas»: toda fórmula pertenece a algún sistema (teoría) y, a su vez, las teorías están vinculadas formando supersistemas o, de otro modo, se muestra que son modelos alternativos de una única teoría abstracta; de tal modo, la lógica utiliza métodos algebraicos y la teoría de los números recurre al análisis. Por otra parte, las ficciones artísticas o mitológicas son autosuficientes: no es necesario que pertenezcan a ningún sistema coherente.

8. La matemática no es ni subjetiva como el arte ni objetiva como la ciencia fáctica. No está comprometida ontológicamente, pero el proceso de invención matemática es subjetivo y el de demostración (o refutación) es intersubjetivo. Lo que es real (concreto) en la matemática es que quienes la producen son matemáticos vivientes incluidos en comunidades matemáticas.

9. Algunos objetos y teorías matemáticos hallan aplicación en la ciencia, la tecnología y las humanidades.

10. Los objetos y teorías matemáticos, aunque son producidos y consumidos en la sociedad, son socialmente neutrales, en tanto que el mito y el arte son utilizados, en algunas ocasiones, ya sea para apoyar, ya sea para socavar los poderes de turno.

11. Puesto que trata con objetos intemporales, la matemática correcta no envejece, aun cuando alguna parte de ella pueda quedar fuera de moda.

12. La matemática es una ciencia. Vale decir, sus practicantes utilizan el método científico: Conocimiento antecedente → Candidato a solución → Control → Reevaluación del problema o bien del conocimiento antecedente.

Una conclusión práctica de lo anterior es que los bibliotecarios tienen buenas razones para colocar la ficción matemática y la ficción literaria en secciones diferentes. Después de todo, y sobre todo, la matemática es una ciencia, mejor dicho, la vieja Reina de las Ciencias.

La tercera objeción posible al ficcionismo es esta: si la matemática está construida exclusivamente de objetos ficticios y atemporales, ¿cómo puede representar cosas y procesos reales? La respuesta está, por supuesto, en el concepto de representación simbólica. Hasta el lenguaje ordinario permite formular enunciados que designan proposiciones que pueden representar cosas y procesos ordinarios, aun cuando esos enunciados no se parezcan a sus denotados, como en el caso de los libros y la palabra "libros". Las relaciones semánticas involucradas son las de designación ($\mathscr{D}$) y referencia ($\mathscr{R}$):

$$\text{Enunciados} \xrightarrow{\;\mathscr{D}\;} \text{Proposiciones fácticas} \xrightarrow{\;\mathscr{R}\;} \text{Hechos}$$

La clave del componente referencial del significado es, desde luego, un sistema de convenciones lingüísticas (en particular semánticas), la mayoría de ellas tácitas. En el caso de las teorías científicas, los componentes semánticos no son convencionales y, por ende, irrefutables y modificables a voluntad; en lugar de ello, son hipotéticos. (Esta es la razón de que el nombre "supuesto semántico" sea más adecuado que el tradicional "regla de correspondencia".) De tal modo, el supuesto semántico de la teoría de la gravitación de Einstein, que el valor del tensor métrico en un punto dado del espaciotiempo representa la intensidad del campo gravitatorio en ese punto, no es una convención, ni siquiera se trata de una regla: es una hipótesis que puede ser sometida a pruebas experimentales y, más aún, que no tiene sentido en las teorías gravitatorias de acción a distancia. Sin embargo, el tema de la convención merece una sección separada.

8. El convencionalismo y el fisicismo

El ficcionismo integral es convencionalista: sostiene que todos los supuestos son convenciones y que ninguno es verdadero. En contraposición, el ficcionismo moderado que defiendo no es convencionalista, ya que mantiene el concepto de verdad formal, así como la distinción entre supuesto y convención (en particular, definición), que el convencionalismo rechaza.

Los matemáticos usan el concepto de verdad matemática cuando afirman que una fórmula dada (no un axioma) es verdadera porque se cumple en cierto modelo (o ejemplo) o bien porque se sigue válidamente de algún conjunto de supuestos de acuerdo con las reglas de inferencia de la lógica subyacente. Del mismo modo, utilizamos su complemento, la falsedad matemática, cuando refutamos una conjetura por medio de la exhibición de un contraejemplo. En otras palabras, ordinariamente, la «teoremicidad» es igual a la «satisfacibilidad» o bien a la demostrabilidad, ninguna de las cuales es convencional. (El adverbio «ordinariamente» se ha puesto aquí con la intención de recordarnos la demostración de Gödel de que una teoría axiomática formal puede contener fórmulas que no pueden ser demostradas exclusivamente con los recursos de la teoría en cuestión.)

El complemento del concepto de verdad, es decir el de falsedad, es igualmente importante en la matemática. Aparece siempre que una idea matemática es criticada por ser errónea por alguna razón y ocupa un lugar central en la teoría de la aproximación y el análisis numérico. Piénsese en aproximar una serie convergente infinita por medio de la suma de algunos pocos de sus primeros términos. (En particular, es posible formular enunciados verdaderos acerca de errores cuantitativos; por ejemplo, que son acotados, o que se ajustan a alguna distribución.) Los convencionalistas no utilizan el concepto de error más que el de verdad.

¿Y qué ocurre con los axiomas de una teoría matemática: podemos decir que son verdaderos? Podríamos sentirnos tentados de afirmar que son «verdaderos por convención». Pero esta expresión me parece un oxímoron, porque de las convenciones tales como las definiciones se controla la bondad de su formulación y su conveniencia, no su grado de verdad. En todo caso, no hay ninguna necesidad de atribuir valores de verdad a los axiomas de una teoría matemática. (En contraposición, necesitamos saber si los axiomas de una teoría fáctica son verdaderos o falsos en alguna medida.) En la práctica, la pieza de conocimiento más importante acerca de un sistema de postulados es que implica los teoremas estándar y, preferiblemente, algunos nuevos e interesantes también. (Con seguridad, también sería importante ser capaces de demostrar la consistencia del sistema. Pero aquí, una vez más, Gödel nos ha enseñado un poco de humildad).

Tal como se ha señalado antes, la segunda diferencia entre el ficcionismo matemático moderado y el convencionalismo es que el primero mantiene la distinción entre supuesto y definición, en tanto que el convencionalismo sostiene, en la famosa tesis de Poincaré, que «los axiomas son definiciones disfrazadas». La falsedad de esta perspectiva se ve mejor a la luz de la teoría de la definición y, especialmente, a la luz de la tesis de Peano de que las definiciones son identidades, algo que la mayoría de los supuestos matemáticos no son. En efecto, un axioma puede ser una igualdad, como en el caso de una ecuación diferencial, pero no una identidad tal como «1 = el que sigue a 0». (Las identidades son simétricas, en tanto que las igualdades no. A veces esta diferencia se indica con los símbolos, "=" (identidad) y ":=" (igualdad) respectivamente. Ejemplos: «Para todo número real x: $(x+1)(x-1) = x^2 - 1$» y «Para algunos números complejos x: $ax^2 + bx + c := 0$» respectivamente.)

Una versión particularmente superficial del convencionalismo matemático es la concepción de Carnap de que los enunciados matemáticos son «convenciones lingüísticas vacías». En realidad, las únicas convenciones de esa clase que aparecen en los textos matemáticos son las convenciones de notación, tales como «Sea n que designa un número natural arbitrario». Los enunciados matemáticos bien formados tienen significado y son pasibles de puesta a prueba a la vez. En efecto, se refieren a objetos matemáticos definidos, tales como cifras, números, funciones, espacios, etcétera, y tienen contenidos o sentidos precisos, aun cuando sus referentes sean abstractos o no estén descritos. Si las fórmulas matemáticas (bien formadas) no tuvieran significado no habría forma de controlarlas, ni tendría sentido hacerlo. Pero se las pone a prueba de diversas maneras: las definiciones se analizan para constatar que no son circulares, los axiomas para comprobar su fertilidad, las conjeturas para averiguar su «teoremicidad», etcétera. (Más objeciones al convencionalismo de Carnap en Quine, 1949, y al de Gödel en Rodríguez-Consuegra, 1992.) En conclusión, el convencionalismo matemático no servirá. En todo caso, el ficcionismo matemático difiere de él y no lo admite.

Los materialistas vulgares, ya sean fisicistas o nominalistas, en especial si son analfabetos matemáticos, seguramente rechazarán el ficcionismo matemático considerándolo una variedad de idealismo. Por ejemplo, Vitzthum (1995, p. 146), quien se inclina por el materialismo mecanicista del siglo XIX popularizado por Karl Vogt, Jacob Moleschott y Ludwig Büchner, considera las ficciones como constituyentes de un «antimundo».

Vitzthum sostiene que mi concepción es «un vacío perfecto, nulo, un espejismo» y afirma que no he conseguido percatarme de «las arenas movedizas idealistas y antimaterialistas» a las cuales esta doctrina lleva. Presuntamente, los nominalistas reaccionarían de manera semejante, puesto que rechazan todos los conceptos: solamente admiten inscripciones, motivo por el cual prefieren hablar de numerales antes que de números y de enunciados en lugar de proposiciones.

Ni los fisicistas ni los nominalistas ofrecen una filosofía de la matemática viable; los primeros porque pasan por alto el hecho de que los objetos matemáticos no poseen características físicas, biológicas o sociales. El nominalismo, por su parte, es falso aunque solo fuese porque no hay suficientes nombres para llamar ni siquiera a una pequeña parte del «mundo» de la matemática, como en el caso de los números reales que se hallan entre el 0 y el 0,001, los cuales constituyen un infinito no numerable. Además, los constructos, a diferencia de sus símbolos, poseen estructuras formales.

En realidad, el ficcionismo matemático es neutral con respecto a la discusión entre materialismo e idealismo. De hecho, esta perspectiva solo trata acerca de objetos matemáticos, no hace ninguna afirmación sobre la naturaleza del mundo. En lo que al ficcionismo matemático se refiere, se puede sostener que el mundo es material, espiritual o una combinación de objetos materiales e ideales. Los materialistas rechazarán el ficcionismo por no hallarse dentro de las posibilidades de control solo si confunden el materialismo con el realismo.

No es necesario que el materialista se inquiete con la tesis de que los objetos matemáticos son ideales y, por ende, intemporales, tal como observara Platón por primera vez, en tanto y en cuanto suscriba la tesis, compartida por los intuicionistas matemáticos como Brouwer y Heyting, de que la matemática es una creación humana. La única seguridad que necesita el materialista es que las ideas matemáticas no existen por sí mismas en un Mundo Platónico de las Ideas inmateriales y eternas. (Si lo desea, puede considerar todo constructo como una clase de equivalencia de procesos cerebrales que tienen lugar en diferentes cerebros o en el mismo cerebro en diferentes momentos: véase Bunge, 1983.)

Con todo, se podría argumentar que «en última instancia» la matemática trata del mundo real, puesto que, después de todo, la aritmética se originó en la cuenta de cosas concretas tales como conchas y personas y la geometría tuvo su origen en el catastro y, en particular, en la necesidad de asignarles tierras a un gran número de granjeros. Sin duda, estos fueron los humildes orígenes de los padres de la matemática. Pero la matemática propiamente dicha no trata de operaciones empíricas tales como las cuentas y el catastro. De hecho, la matemática se liberó de sus orígenes empíricos hace unos tres mil años, cuando los sumerios propusieron las primeras proposiciones y demostraciones matemáticas generales.

Un argumento de naturaleza similar, tanto del materialismo vulgar como del empirismo, es que los matemáticos a menudo utilizan la analogía o la inducción ordinaria (incompleta) para encontrar patrones, tal como ha mostrado Polya (1954) de manera persuasiva. Es cierto, pero el resultado de cualquiera de esos razonamientos plausibles es una conjetura que debe ser demostrada (o refutada) por medios exclusivamente matemáticos; por ejemplo, mediante la *reductio ad absurdum* o la utilización del principio de inducción completa, ninguno de los cuales es sugerido por la experiencia ordinaria. En resumen, la analogía y la inducción por enumeración poseen, a lo sumo, un valor heurístico: nada demuestran y ocurre que demostrar es la tarea principal y privilegio exclusivo del matemático. Más aún, la inducción incompleta y la analogía pueden llevarnos al error a menos que sus resultados sean debidamente controlados.

Sin lugar a dudas, ha habido ocasiones en que la ciencia fáctica ha estimulado la matemática al proponerle nuevos problemas. Por ejemplo, la dinámica alentó o incluso exigió la invención del cálculo infinitesimal y la teoría de las ecuaciones diferenciales; la teoría de la gravitación de Einstein estimuló el crecimiento de la geometría diferencial y la mecánica cuántica el del análisis funcional, la teoría de grupos y las teorías de las distribuciones. Pero nada de ello prueba que la matemática trate del mundo, ya que a una fórmula matemática pueden asignársele interpretaciones fácticas alternativas o puede no asignársele ninguna. Además, actualmente la matemática es mucho más útil para la ciencia y la tecnología de lo que estas lo son para la primera. En la línea de producción intelectual moderna, la flecha principal va de lo abstracto a lo concreto.

Finalmente, otra objeción conocida a la autonomía de la matemática es la idea de que algunas teorías matemáticas son más «naturales» que otras, por cuanto son más cercanas a la experiencia humana. Por ejemplo, según el intuicionismo matemático en su versión radical, ninguna fórmula matemática «tiene significado» a menos que alguien la relacione con los números naturales (Dummett, 1977). Pero de hecho, hay muchos campos matemáticos no numéricos, tales como la lógica, la teoría de las categorías, la teoría de conjuntos, gran parte del álgebra abstracto y la topología. Además, los intuicionistas matemáticos todavía tienen que ofrecer una teoría semántica apropiada que elucide la noción de significado y, de tal modo, contribuya a poner a prueba la falta de significado (en este sentido) de las fórmulas. Por lo tanto, en términos estrictos, lo que dicen en este sentido no tiene sentido.

En conclusión, la matemática es semántica y metodológicamente autosuficiente. Pero, a la vez, alimenta a todas las ciencias fácticas y las tecnologías y, ocasionalmente, es estimulada por ellas, tanto que la matemática está en el centro del conocimiento humano, el cual puede ser representado por medio de una rosa cuyos pétalos se superponen parcialmente. En otras palabras, lejos de ser independiente del resto del conocimiento humano, la matemática se halla en el centro mismo de él. Pero esto no implica la tesis —sostenida de manera consistente por Quine y, en ocasiones, por Putnam y otro autores— de que no hay diferencias importantes entre la matemática y el resto del conocimiento y que, en principio, la matemática podría ser refutada por el experimento. Como los esposos, la matemática y la ciencia no son idénticas ni están separadas.

Hasta aquí hemos llegado con las ficciones serias: las que constituyen conocimiento y contribuyen al desarrollo del conocimiento. Pasemos ahora a un *jeu d'esprit** de moda, a saber la metafísica de los múltiples mundos.

9. Ficciones metafísicas: los mundos paralelos

El folclore y la religión están repletos de *impossibilia*, desde patéticos fantasmas hasta terribles deidades y terroríficos demonios. Los escritores, pintores, caricaturistas y productores de películas de ficción han imaginado otros seres imposibles como los pájaros razonadores de Aristófanes y mundos en los cuales las leyes de la física y la biología no son válidas. Los metafísicos también han imaginado entidades imposibles, tales como el demonio de Descartes y los universos paralelos de Kripke, aunque nunca del modo tan detallado y delicioso de artistas como Hie-

---

* En francés en el original: un divertimento mental. [*N. del T.*]

ronimus Bosch o Maurits Escher, Anatole France o Italo Calvino. En particular, los filósofos contemporáneos que han escrito acerca de los mundos posibles han sido deliberadamente vagos acerca de ellos, tal vez porque solo estaban interesados en afirmaciones muy generales. Sin embargo, todos ellos coinciden en mostrar poco interés por el único mundo que la ciencia considera posible, o sea el que se rige por las leyes (conocidas) de la naturaleza o la sociedad. Comencemos entonces por distinguir los dos conceptos de posibilidad en cuestión: conceptual y real (Bunge, 2003a).

A menudo se supone que en tanto que la ciencia da razón de lo efectivamente real, los artistas y los metafísicos se pueden dar el lujo de especular acerca de las posibilidades. La primera parte de esta opinión es errónea porque toda ley científica abarca no solo entidades efectivamente reales, sino también posibles: cosas, sucesos, procesos y otros elementos fácticos posibles. Así pues, el gran físico Ampère (1834, p. 198) afirmaba que la mecánica se aplica no solo a los cuerpos y las máquinas terrestres, sino también «a todos los mundos posibles». Sin embargo, estos son exclusivamente los que se rigen por las leyes de la mecánica. En contraposición, los mundos posibles a los que se refieren la metafísica y la semántica de los múltiples mundos son bien diferentes de los de la ciencia y la tecnología: los primeros no están necesariamente constreñidos por las leyes naturales.

De manera sorprendente, una de las fantasías más descabelladas acerca de los mundos paralelos es la creación de un físico, Hugh Everett III (1957), y su director de tesis, John A. Wheeler. Se trata de la interpretación de múltiples mundos de la mecánica cuántica. Según esta perspectiva, toda posibilidad calculada se realiza en algún mundo físico. Así pues, si un electrón puede tener tres energías diferentes, cada una de ellas con alguna probabilidad, el lector registrará uno de esos valores de energía, una copia del lector medirá el segundo valor en un mundo alternativo y su segunda copia registrará el tercer valor en otro mundo más.

Las objeciones más obvias a esta ingeniosa fantasía son que viola todas las leyes de conservación y que postula mundos inaccesibles, cada uno de los cuales es creado por un experimentador, terrestre o de otro mundo. No ha de extrañarnos que la interpretación de los mundos múltiples sea considerada, por lo general, como un *jeu d'esprit* que no funciona. Con todo, al mismo tiempo se la trata como una pieza de ciencia seria, en lugar de una muestra de seudociencia, porque está formulada en lenguaje matemático y evita ciertas características extrañas de la teoría estándar, tales como el colapso (o reducción) instantáneo de la función de estado al ser medida, lo cual es tanto como preferir los duendes a los fantasmas que, según se dice, acechan los castillos escoceses, porque los primeros no arrastran ruidosas cadenas.

Otro curioso desarrollo ha provenido recientemente del descubrimiento de que el universo es globalmente plano en lugar de curvo. Según la teoría gravitatoria de Einstein, este resultado implica que el universo es espacialmente infinito (véase, por ejemplo, Tegmark, 2004). Ahora bien, en un universo infinito «gobernado» en su totalidad por las mismas leyes, todo sistema material probablemente (aunque no con certeza) tendrá lugar en infinitos sitios. En otras palabras, debe haber infinitas copias idénticas de la porción conocida del universo. Por ejemplo, tiene que haber alguien como el lector, aunque tal vez con un corte de pelo diferente, leyendo una copia casi idéntica de este mismo libro. No es este el lugar para discutir los méritos de esta concepción. Pero una cosa sí está clara: los supuestos universos paralelos no pueden ser otra cosa que regiones remotas *del universo*, es decir de nuestro universo. Si la realidad fuera múltiple en lugar de singular, sería incognoscible.

Pero desde luego, los mundos de fantasía resultan mucho más atractivos para el filósofo idealista que para el científico. De tal modo, el padre de la fenomenología y abuelo del existencialismo sostenía que el mundo real no es más que «un caso especial de diversos mundos y no mundos posibles», todos los cuales, a su vez, no son más que «correlatos de la conciencia» (Husserl, 1931, p. 148). La pluralidad de mundos se sigue, desde luego, del supuesto básico del idealismo subjetivo que afirma que, de algún modo, el mundo es segregado por el sujeto. Se supone, además, que debemos saber que esto es así por intuición, la cual según Husserl (*ibíd.*, p. 145), es infalible. Sin embargo, la moda actual de los mundos posibles no deriva de la fenomenología; tanto es así que David Lewis (1986), el más famoso de los metafísicos de los mundos posibles, se llama a sí mismo materialista.

Según la metafísica de los mundos posibles (por ejemplo, Kripke, 1980) todos los universos concebibles, sin importar cuán extraños sean, son igualmente posibles y, más aún, igualmente reales, sencillamente porque son concebibles. La lógica modal perdona esta fantasía porque no distingue entre posibilidad lógica y posibilidad real y porque sus operadores modales «posible» y «necesario» operan sobre proposiciones, no sobre hechos. En contraposición, la posibilidad y la necesidad en la ciencia, la tecnología y la vida cotidiana se predican exclusivamente de elementos fácticos, como cuando decimos que para los humanos es posible ser vegetarianos, pero para los tigres es necesario ser carnívoros. Puesto que la lógica modal no distingue entre modalidades conceptuales y reales, se trata únicamente de un juego con diamantes falsos (las posibilidades lógicas) en cajas de papel (las necesidades lógicas).

Con todo, en el momento que escribo, la metafísica modal es la ortodoxia de la metafísica (véase, por ejemplo, Laurence y Macdonald, eds., 1998; Lowe, 2002 y Loux y Zimmerman, 2003). A pesar de ello, esta teoría es vulnerable a diversas objeciones obvias. Una de ellas es que, a menos que estemos dispuestos a fracasar totalmente en nuestros asuntos de la vida real, tenemos que ser capaces de distinguir entre las posibilidades soñadas y las reales. Si realmente todo fuese posible, entonces nada sería imposible y así la palabra "posible" quedaría vacía, al igual que la palabra "normal" en el psicoanálisis, según la cual nadie es normal. Otra objeción es que en ciencia «realmente posible» es coextensivo con «legal», en tanto que en matemática equivale a «no contradictorio», en tecnología a «factible», en el derecho a [jurídicamente] «legal» y así sucesivamente. Puesto que el concepto ontológico de legalidad y el concepto praxiológico de factibilidad son ajenos a la lógica modal y a las fantasías de los múltiples mundos, esta teoría es inútil para discutir las posibilidades de desarrollo científico, tecnológico o social.

Además, la metafísica de los múltiples mundos no fue ofrecida como una ontología seria, ya que nada dice —o al menos nada que sea a la vez interesante y correcto— acerca del ser o el devenir, el espacio o el tiempo, la causalidad o el azar, la vida o la mente, la sociedad o la historia. Ni siquiera puede ser utilizada por los expertos en lo sobrenatural. De hecho, ha sido ridiculizada por algunos de ellos, porque «distorsion[a] las nociones de ser y creación» y está «repleta de infinidades de entidades abstractas que nadie cree seriamente que sean reales» (Ross, 1989).

Las teorías de marras solo han sido ofrecidas como herramientas para la semántica. En efecto, se supone que permiten enunciar, por ejemplo, que las tautologías son verdaderas en todos los mundos posibles (o sea, sin importar lo que ocurra), en tanto que los contrafácticos son válidos solamente en algunos de ellos. Echemos un vistazo a estos últimos. Un enunciado contrafáctico (o contrario a los hechos) tiene la forma «Si *A* fuese el caso, entonces *B* sería el caso». La presencia de las palabras "fuera" y "sería" indica que ni A ni B son el caso realmente. En consecuencia, el enunciado dado es bastante diferente del condicional «Si A es el caso, entonces B es el caso» o, de modo abreviado, «$A \Rightarrow B$». En tanto que, de ordinario, este último será verdadero o falso en alguna medida, el correspondiente condicional subjuntivo no puede ser ninguna de las dos cosas. Queda, por lo tanto, fuera del alcance de la lógica.

Sin embargo, los metafísicos modales han inventado un truco para transformar un contrafáctico en un enunciado declarativo que designa una proposición. El truco consiste en simular que el no hecho en cuestión ocurre en un mundo de ensueños. Así pues, se supone que el enunciado

Si A fuera el caso, entonces B sería el caso. (1)
es equivalente (en algún sentido no especificado de "equivalente") a
Si A es el caso, entonces B es el caso en el mundo M. (2)

Desde luego, no es esta una equivalencia *lógica*, puesto que el enunciado (1) no simboliza ninguna proposición verdadera o siquiera falsa, ya que ni afirma ni niega nada. Más aún, en tanto que al afirmar (1) se sugiere que ni A ni B ocurren en el mundo real, cuando se afirma (2) se puede buscar refugio en un «mundo» irreal, de manera muy semejante a como el demente escapa a los duros hechos del mundo real creyendo ser Dios o, por lo menos, Napoleón Bonaparte. En otras palabras, si algo es o bien imposible o falso en el mundo real, uno se inventa un «mundo» caótico (pero no descrito) donde lo imposible es posible, lo falso verdadero y la malo bueno.

Semejante emigración del mundo real al País de las Maravillas es el núcleo de toda una teoría semántica, a saber la metafísica de los mundos posibles. Se pretende que estas teorías elucidan diversas nociones, tales como las de disposición, legalidad y causalidad (véase, por ejemplo, Kripke, 1980; Lewis, 2001 y 1986; Lowe, 2002 y McCall, 1994). La ventaja de estas elucidaciones es que exceptúan al filósofo de aprender cómo se utilizan realmente en ciencia y tecnología esos importantes conceptos filosóficos. Echemos un vistazo a estos valientes intentos de enfrentar los dragones filosóficos con la hábil, aunque irreal espada o, mejor dicho, con la vaina de la posibilidad conceptual.

Considérese el siguiente trillado ejemplo: esta porción de cianuro no ha matado a nadie aún, pero *mataría* a cualquiera que la *tragara*. O sea, el cianuro es potencialmente letal: posee la propiedad disposicional de ser capaz de matar, de manera muy semejante a como ese montoncillo de sal de mesa tiene la propiedad disposicional de disolverse en agua o el gobierno poderoso de conquistar un país rico en petróleo. Para el filósofo del lenguaje común, resulta totalmente natural elucidar estas disposiciones en dos pasos:

— Esto es tóxico = Esto mataría a cualquiera que lo tragara. (1)
— Esto mataría a cualquiera que lo tragara = Hay un mundo M tal que en M esto mata a cualquiera que lo trague. (2)

¿Qué hemos ganado? Nada, puesto que ya sabíamos que el mundo M en cuestión es el mundo real. No tenemos idea alguna acerca de otros «mundos» en los que el cianuro no sea tóxico, los fundamentalistas sean tolerantes, los imperios no se embarquen en guerras y así sucesivamente. Además, lo que realmente necesitamos saber es, más bien, por qué es letal el cianuro en el único mundo que hay. Los metafísicos no pueden resolver este problema, pero los toxicólogos sí: pueden desvelar las reacciones bioquímicas que matan un organismo envenenado con cianuro. Lo que hacen es analizar la disposición «toxicidad» en términos de propiedades reales del sistema organismo-cianuro. Nos dicen que el cianuro es tóxico porque se une fuertemente con la hemoglobina, privando al resto del organismo de oxígeno, el cual a su vez es necesario para la vida.

Los físicos elucidan de modo parecido disposiciones tales como la elasticidad, la energía potencial, la solubilidad y la refractividad. Por ejemplo, no afirman que el potencial gravitatorio de un cuerpo suspendido a cierta altura sobre la superficie de la Tierra es la energía cinética que *adquiriría* si *fuera* liberado. En lugar de ello, afirman que el mencionado potencial gravitatorio es igual al peso efectivo del cuerpo por la altura a la cual se encuentra. También nos dicen que cuando el cuerpo cae esa energía potencial se transforma en energía cinética. Además, nos dicen de manera precisa cuál es el valor de esta última: lo pueden calcular y medir. Más aún, los físicos nos advierten que las fórmulas en cuestión solamente son válidas para cuerpos pequeños (idealizados como partículas puntuales) y alturas pequeñas (comparadas con el radio de la Tierra). Compárese la precisión, riqueza y posibilidad de puesta a prueba de este trocito de conocimiento con la pobreza del análisis de los mundos posibles. Regresaremos a este asunto en el capítulo 9.

Todo esto no equivale a negar que necesitemos ficciones para hacer ciencia realista; todo lo contrario, necesitamos muchas. Las ficciones científicas se relacionan con entidades, propiedades o experimentos. Por ejemplo, la hipótesis atómica fue una gran ficción del primer tipo (acerca de cosas) antes de que se presentaran las pruebas empíricas en su favor, más de dos milenios después de que fuera imaginada. La más común ficción científica del segundo tipo (acerca de propiedades) es la aproximación, como en el caso del supuesto de que un sistema determinado es cerrado, que la interacción entre sus componentes es débil o que sus leyes son lineales. Weber llamó a estas idealizaciones "tipos ideales". Las aproximaciones exigen el uso del concepto de verdad parcial. Por ejemplo, la ley de Ohm es solo parcialmente verdadera a bajas temperaturas. De modo literal, el valor de verdad de este enunciado legal decrece con la temperatura, un pensamiento que probablemente produzca escalofríos a todo aquel que crea que las proposiciones son objetos eternos o, al menos, que nacen completamente verdaderas o falsas.

Por último, se han inventado diversas entidades y experimentos imaginarios para diversos propósitos: dialécticos, heurísticos, críticos, didácticos o retóricos. Por ejemplo, Descartes imaginó un malévolo demonio cuyo propósito era engañar al filósofo. El demonio tenía éxito en todo, excepto en lo concerniente a la propia existencia de Descartes: «No hay duda de que yo existo, si él me está engañando». Maxwell ilustró la segunda ley de la termodinámica imaginando un «ser» capaz de dirigir el tránsito molecular de un cuerpo frío a uno caliente. Esto hubiera refutado la mencionada ley, pero al precio de introducir lo sobrenatural. Popper (1959b, pp. 442-452) realizó un análisis magistral de algunos de los más influyentes experimentos mentales de la historia de la física, de Galileo a Bohr. Este filósofo hizo hincapié correctamente en que los experimentos imaginarios nada demuestran, pero que pueden ilustrar, confutar, sugerir o «vender» hipótesis. Por ejemplo, el dispositivo del reloj en la caja imaginado por Bohr tenía únicamente lo que Popper llamaba un uso apologético. Además, indujo a Bohr a postular una fórmula falsa, aunque muy citada, a saber la llamada cuarta relación de indeterminación entre la energía y el tiempo.

Los matemáticos y los filósofos también necesitan ficciones. Por ejemplo, para usar el procedimiento de decisión de las tablas de verdad, se finge que los valores de verdad son intrínsecos y eternos, cuando en realidad los valores de verdad de toda proposición acerca de hechos solo emergen (o se extinguen) a partir de las pruebas (Bunge, 2003a). Asimismo, para introducir el concepto general de propiedad, podemos tener que comenzar con el concepto de un individuo sustancial o sustrato no descrito, sobre el cual se pueden adherir luego las etiquetas de «masivo» y «habitado» (Bunge, 1977a). Pero estas ficciones no son ociosas y pueden ser eliminadas cuando ya no se las necesita. Este no es el caso de las ficciones de la metafísica especulativa.

10. Comentarios finales

Hemos bosquejado y defendido una versión del ficcionismo matemático. Esta es nuestra alternativa al platonismo, al nominalismo (formalismo), al intuicionismo, al convencionalismo y al empirismo. Según el ficcionismo moderado, todos los objetos matemáticos son ficciones, por lo cual no resultan ni empíricamente persuasivos ni lógicamente necesarios (aun cuando estén constreñidos por la lógica). Estos constructos son ficciones porque, si bien se trata de creaciones humanas, están deliberadamente separados de las circunstancias físicas, personales y sociales. Fingimos que esos objetos ideales e intemporales existen en un «mundo» (sistema conceptual) propio, junto con otras ficciones, tales como los mitos y las fábulas, las cuales, sin embargo, no poseen estatus ontológico. Al afirmar la existencia ideal de tales ficciones, no nos distanciamos de la realidad, simplemente construimos proposiciones que no se refieren al mundo real. Hasta los niños aprenden pronto la diferencia entre un cuento y un hecho.

Nuestra versión del ficcionismo no solo está confinada a la matemática, sino que también es moderada y considera que la matemática es una ciencia, no una gramática y mucho menos un juego o un pasatiempo como el ajedrez. Nuestra perspectiva difiere del convencionalismo porque atribuye a las convenciones un papel bastante modesto en comparación con el de las hipótesis, las demostraciones y los cálculos. Además, considera que la matemática es una actividad seria, que enriquece nuestra provisión de ideas y las pone a disposición de la ciencia fáctica, la tecnología y hasta de la filosofía. En particular, la matemática nos ayuda a pulir todo tipo de ideas y a descubrir nuevos patrones y estructuras, así como también a proponer y resolver problemas de todo tipo en todos los campos del conocimiento y la acción racional. Piénsese en el fundamental papel que tiene la matemática en la ingeniería moderna. De tal modo, lejos de ser escapistas, las ficciones matemáticas son necesarias para comprender y controlar la realidad.

Si el ficcionismo matemático moderado es verdadero —vale decir, si se ajusta a la investigación matemática— entonces el platonismo, el convencionalismo, el formalismo (nominalismo), el empirismo y el pragmatismo matemáticos son falsos, aun cuando se trate de las filosofías de la matemática que gozan de mayor popularidad. El platonismo es falso o al menos imposible de poner a prueba, porque las ficciones son creaciones humanas, no eternos objetos que existen por sí mismos. El empirismo matemático, a su vez, es completamente falso, porque la mayoría de las ficciones matemáticas van mucho más allá de la experiencia y ninguna se pone a prueba por medio de ella. Lo mismo vale, con mayor razón, para el pragmatismo matemático, la filosofía de la matemática tácitamente supuesta por quienes exigen que la matemática y las otras ciencias básicas le respondan al mercado.

En cuanto al intuicionismo matemático, es inadecuado porque restringe severamente la invención de ficciones matemáticas apoyándose en dudosas bases filosóficas, tales como el constructivismo y la adoración pitagórica de los números naturales. (Advertencia: esta crítica está dirigida al intuicionismo matemático, no a la lógica o la matemática intuicionista; véase Bunge, 1962). El nominalismo (o formalismo) también es falso, aunque solo sea porque —tal como ha señalado Frege— no admite los conceptos y confunde los signos con sus designados; por ejemplo, los numerales con los números. (Ni siquiera el autoproclamado nominalista o formalista puede evitar utilizar convenciones de notación tales como «Sea N que designa el conjunto de los números naturales», que aparean conceptos con símbolos.) Por último, el convencionalismo es falso por una razón diferente, puesto que confunde supuesto con definición y descarta el concepto de verdad matemática. Este concepto se necesita en al menos tres situaciones: cuando controlamos un cálculo, cuando demostramos un teorema y cuando mostramos que una teoría abstracta es satisfecha por una teoría «concreta» (o modelo).

Más aún, si la matemática (incluyendo la lógica) es la más exacta y comprensiva de las ficciones, entonces no necesitamos lógicas especiales para las ficciones, tales como las de Woods (1974) y Routley (1980). En particular, las lógicas libres (o sea, lógicas con dominios vacíos) inventadas deliberadamente para manejar ficciones resultan innecesarias. Esta

indicación puede ser de utilidad para domeñar el crecimiento inflaciona-
rio de las lógicas no clásicas, la vasta mayoría de las cuales son meros pa-
satiempos académicos «buenos únicamente para obtener ascensos», tal
como Hilbert podría haber dicho. (Véase el excelente examen de Haack,
1974.)

¿Y que ocurre con la santísima trinidad de los estudios de fundamen-
tación, a saber el logicismo, el formalismo y el intuicionismo? Podría ar-
gumentarse que, contrariamente a lo afirmado por la sabiduría heredada,
no se trata de filosofías de la matemática, sino de estrategias de funda-
mentación (Bunge, 1985a). El ficcionismo matemático tiene poco que
decir al respecto. En efecto, en principio es posible combinar el ficcionismo matemático tanto con el logicismo como con el formalismo o el intuicionismo moderado (prebouweriano). De manera alternativa, se puede abrazar una combinación de las tres estrategias, lo cual parece ser lo
que la mayoría de los matemáticos practicantes de hoy en día prefiere
(Lambek, 1994).

El ficcionismo matemático moderado debe ejercer una influencia li-
beradora sobre el investigador matemático, al recordarle que no está allí
para descubrir un universo de ideas ya listas para usar o para explorar el
mundo real, ni siquiera para abrazar con entusiasmo los números naturales. Sus tareas son crear (inventar o descubrir) conceptos matemáticos,
proposiciones, teorías o métodos y desvelar sus relaciones mutuas, tareas sujetas únicamente a los requisitos de consistencia y fertilidad conceptual. Tal como ha dicho Cantor, la libertad es esencial para la matemática.

Sostengo que los principales deberes de un filósofo de la matemática
son defender la libertad de creación matemática de las restricciones filosóficas, asegurarse de que las ficciones matemáticas no sean reificadas,
utilizar algunas de ellas para elucidar, refinar o sistematizar ideas filosóficas
clave, vale decir hacer filosofía exacta y, sobre todo, construir una filosofía de la matemática que se ajuste a la investigación matemática real, así
como a una filosofía general orientada hacia la ciencia. Además, como semánticos y metafísicos, nuestro deber es enfrentar el hecho de que los
problemas conceptuales y prácticos del único mundo que hay no pueden
ser abordados con éxito pidiendo asilo en mundos de fantasía.

En resumidas cuentas, inventamos ficciones en todos los ámbitos, en
particular en el arte, la matemática, la ciencia y la tecnología. En tanto que
algunas ficciones son disciplinadas, otras son desbocadas. Una ficción

disciplinada respeta las leyes contenidas en una teoría exacta. La ciencia, la tecnología y la filosofía seria solamente utilizan ficciones disciplinadas, en particular ficciones matemáticas, tales como los conceptos de conjunto, relación de equivalencia, función y consistencia. El lugar adecuado para las ficciones desbocadas es el arte o la filosofía desbocada.

9

Los trascendentales son de este mundo

Habitualmente, todo aquello que no se encuentra en la experiencia es llamado "trascendental". Como todas las definiciones negativas, esta es ambigua. En efecto, según esta definición, las intuiciones e ideas a priori, junto con los universales y los elementos teológicos, también se clasifican como trascendentales. Por ejemplo, las filosofías idealistas de Platón, Leibniz, Hegel, Bolzano y Husserl son trascendentales porque no dependen de la experiencia. En contraposición, las filosofías de Berkeley, Hume, Comte, Mill y Mach no son trascendentales en razón de su empirismo. La filosofía de Kant, solo es semitrascendental porque, si bien es apriorista e intuicionista, también es semiempirista en razón de su fenomenismo.

Desde un punto de vista práctico, los elementos trascendentales o *trascendentalia* pueden ser divididos en dos clases: útiles e inútiles. De tal modo, el concepto de clase, tipo, variedad o especie es necesario en todos los ámbitos, en tanto que el de universo paralelo tiene, en el mejor de los casos, una función heurística. Este capítulo trata de una miscelánea de trascendentales de ambos tipos, particularmente de los conceptos de universal, especie, mundo posible, disposición, espaciotiempo y libertad. No se realizará ningún intento de organizar esta colección. El sentido de este ejercicio es clarificar los conceptos en cuestión desde el punto de vista del hilorrealismo científico y, de tal modo, eliminar ciertas confusiones acerca de ellos. El resultado neto será que, en tanto que algunos trascendentales son indispensables para dar razón de la realidad, otros solamente obstaculizan nuestra perspectiva de ella.

1. Universal

La palabra "universal" designa un predicado general, como por ejemplo «concepto» y «número», así como una propiedad que se da con frecuencia, tal como «material» y «viviente». Los idealistas, de Platón a nuestros días, han ignorado las diferencias entre predicado y propiedad; asimismo, también han postulado que los universales existen por sí mismos y que preceden a los particulares. A estos últimos los consideran meros «ejemplares» (ejemplos) de los universales. Esta concepción, el realismo idealista (o platónico), todavía está muy difundida. Es la propia, por ejemplo, de las afirmaciones contemporáneas de que los sistemas cerebrales «ejemplifican», «intermedian» o «promueven» las capacidades mentales y que estas últimas poseen «múltiples realizaciones» (en cerebros, ordenadores, fantasmas y deidades), tal como Fodor (1981) y otros filósofos de la mente han afirmado.

Según el materialismo y, en especial, según el nominalismo, todos los existentes reales son singulares. Tal como lo ha expresado el supuesto padre del nominalismo «todo lo que se halla fuera del alma es singular» (Ockham, 1957 [hacia 1320]). Esta es la razón de que solo podamos tener experiencias de los particulares. En otras palabras, el mundo fenoménico, al igual que el físico, está compuesto exclusivamente de individuos. Los nominalistas (o materialistas vulgares), desde Ockham y Buridan hasta Quine y David Lewis, rechazan de plano los universales, no solo como conceptos, sino también como características de los individuos materiales. Estos autores postulan que los únicos existentes reales son los individuos desnudos, o sea entidades concretas carentes de propiedades distintas de la capacidad de unirse con otros individuos. De ahí que sueñen con una ciencia sin propiedades (por ejemplo, Woodger, 1952). Pero esa no sería una ciencia, porque la investigación científica es esencialmente la búsqueda de leyes y las leyes son relaciones invariantes entre propiedades (véase, Bunge 1967a).

Más aún, los nominalistas equiparan las propiedades con clases de esos individuos. De tal modo, Lewis (1983, p. 164) afirma: «Poseer una propiedad es ser miembro de una clase [...] La propiedad de ser un burro, por ejemplo, es la clase de *todos* los burros». En símbolos obvios: D = $\{x \mid Dx\}$. Pero, desde luego, esta definición es circular. Además, cuando construimos una clase o tipo (natural), comenzamos por las propiedades que la definen. En el ejemplo provisto, podemos establecer (en términos de lenguaje ordinario) que D = Équido y De menor tamaño que un caballo árabe y Con orejas largas y Tozudo. Puesto que los nominalistas van de los individuos a las clases y las propiedades, con seguridad construirán clases artificiales en lugar de clases naturales. Por lo tanto, es muy difícil que comprendan expresiones como "cuerpo", "campo", "especie química", "bioespecie", "origen de las especies" o "clase social". De igual modo, puesto que no admiten ni predicados ni proposiciones, los nominalistas tampoco pueden ayudarnos a analizarlos.

Aunque no podemos percibir los universales, sin ellos no podríamos pensar ni hablar. Esta es la razón de que el nominalista Ockham admitiera «los universales por convención», es decir palabras que son universales porque pueden predicarse de diversos particulares. Tal como señalara Russell (1912), es imposible construir siquiera el enunciado más simple sin utilizar palabras que designen universales. Así pues, el trivial enunciado egocéntrico «Yo lo quiero» está constituido por palabras que designan universales. En efecto, hay tantos «yoes» o sí mismos como seres humanos, cada uno de los cuales quiere diversas cosas. Del mismo modo, «lo» es un espacio en blanco o índice a ser llenado por diferentes elementos en diferentes circunstancias. En consecuencia, el nominalismo ni siquiera es válido para los lenguajes, aunque intente reemplazar los conceptos por sus sustantivos.

El nominalismo da aún peores resultados en la matemática y en las ciencias fácticas («empíricas»), puesto que todas ellas intentan subsumir los particulares en leyes universales, las cuales son los universales por excelencia. Estas leyes son o bien generalizaciones universales o bien enunciados que afirman la existencia o inexistencia de individuos de cierto tipo, tales como «cero», «agujero negro» y «homínido». Más aún, ningún enunciado legal de la física o la química se refiere a observaciones, en tanto que todas estas están ligadas a un observador y se formulan con ayuda de predicados fenoménicos. Además, se exige que los enunciados legales fundamentales de la física sean los mismos relativamente a todos los marcos de referencia (por ende a los observadores en particular) de un cierto tipo (es decir, inercial), en tanto que los resultados de las observaciones de ciertas propiedades, tales como las posiciones particulares, frecuencias y energías, dependen del marco de referencia.

En consecuencia, el programa nominalista consistente en reducir los universales a los particulares o bien prescindir totalmente de ellos no puede llevarse a cabo. En lugar de ello y por el contrario, muchos conceptos y palabras particulares se pueden caracterizar en términos de conceptos o palabras universales. Por ejemplo, «mi hija» describe un individuo único por medio de dos universales. Con todo, estos no se consideran ideas que existen de manera independiente. La ciencia moderna también rechaza la existencia independiente (*ante rem*) de los universales. Sin embargo, los científicos buscan lo universal y lo legal en lo particular y contingente. Tal como lo han expresado Levins y Lewontin (1985, p. 141), «las cosas son similares: esto hace que la ciencia sea posible. Las cosas son diferentes: esto hace que la ciencia sea necesaria».

El problema filosófico es, desde luego, el de la naturaleza de los universales y su relación con los particulares. ¿Los universales son ideas que existen en sí mismas («realismo» platónico), propiedades compartidas por muchos individuos (realismo científico) o solo sonidos o inscripciones (nominalismo)? En jerga escolástica, ¿los universales son *ante rem*, *in re* o *post rem*? Este problema viene de la antigüedad y aún está con nosotros. Una de las soluciones más interesantes y, con todo, menos conocidas es la de la escuela de Jaina, que ha existido por dos milenios y medio. Según los jainistas, todo tiene un aspecto general, así como otro particular (Hiriyanna, 1951, p. 65). Por ejemplo, una vaca particular se caracteriza por su «vaquidad», que comparte con todas las otras vacas; pero también tiene ciertas propiedades que le son específicas. En otras palabras, los universales habitan los individuos concretos.

Aproximadamente al mismo tiempo, Aristóteles defendía la concepción de que los universales, lejos de ser *ante rem*, como su maestro sostenía, eran *in re*. Alrededor de un milenio y medio más tarde, Averroes expresaba esencialmente la misma perspectiva (Quadri, 1947, pp. 209-211). En esto, como en otros aspectos, la ciencia moderna ha reivindicado la posición moderada de Aristóteles acerca de los universales. En efecto, es un postulado tácito de la ciencia moderna que todas las propiedades son propiedades de una cosa: ni propiedades en sí mismas ni entidades carentes de propiedades.

El mismo problema ha resurgido en el siglo XIX en relación con las ciencias sociales: ¿están confinadas a los particulares (idiográficas) o también intentan descubrir pautas (nomotéticas)? Hay argumentos para pensar que las ciencias sociales, al igual que las ciencias naturales, son tanto nomotéticas como idiográficas (Bunge, 1996). Por ejemplo, el historiador busca características comunes a todas las agresiones militares y las encuentra en el deseo de apropiarse de algo, como por ejemplo territorios, recursos naturales, mano de obra o una ruta comercial. El criminólogo, por su parte, busca patrones detrás de los casos particulares de quebrantamiento de la ley, por ejemplo, el debilitamiento de los vínculos sociales (teoría del control social), la anomia (teoría de la tensión social), la asociación con delincuentes (teoría del aprendizaje social), la marginalidad (sistemismo), etcétera.

Según los realistas científicos, la palabra "universal" denota tanto (a) una propiedad que, como la movilidad, la vida y ser suya (de Usted), es poseída por numerosos elementos, como (b) el o los conceptos que representan esa propiedad. Vale decir, se supone que los universales existen tanto a través de los individuos concretos como en la forma de ideas abstractas; en ningún caso en sí mismos. En jerga hegeliana, hay universales de dos tipos: abstractos y concretos. Los primeros son *post rem*; los segundos *in re*. Por ejemplo, la consistencia lógica es un universal abstracto puesto que solo se aplica a conjuntos de proposiciones, especialmente a teorías. En cambio, la desigualdad en los ingresos es un universal concreto ya que es propia de todas las sociedades estratificadas. Sin embargo, hay diversas medidas del grado de desigualdad: cada una de ellas es un universal abstracto. (Recuérdese la diferencia entre las propiedades y los predicados que las representan: capítulo 1, sección 4.)

Esta concepción de los universales, en especial de las leyes, es cercana a la de Aristóteles y es parte del hilorrealismo o materialismo realista. No debe extrañarnos, pues, que sea tan impopular entre los filósofos contemporáneos. En particular, Popper, Quine, Goodman y Gellner se llamaban a sí mismos nominalistas solo porque se oponían al «realismo» platónico y coincidían en que solo los individuos existen, sin jamás detenerse a aclarar si se referían a individuos abstractos o individuos concretos.

Tal como se ha sugerido antes, hasta los particulares pueden ser considerados casos de universales. Por ejemplo, el 7 es un número. Fido es un perro y tener 30 años es un valor particular de edad. En general, las funciones subsumen los particulares en universales. Más precisamente, una propiedad particular puede considerarse solo un valor especial de una propiedad general representada por una función matemática. Por ejemplo, la energía, la más universal de todas las propiedades no conceptuales, puede representarse en términos clásicos como una función que va de cosas concretas a números. Hasta los nombres propios pueden considerarse valores particulares de la función de nombrar. Esta función vincula personas con nombres; o sea, $\mathcal{N}: P \to N$, donde N designa el conjunto de los nombres, junto con los sobrenombres, patronímicos, matronímicos o toponímicos que los hacen únicos. Aquí, los miembros del conjunto N son particulares, en tanto que los de $\mathcal{N}$ y P son universales.

(Más precisamente, en la física clásica la energía de una cosa concreta c relativa al marco de referencia r, en el tiempo t y calculada o medida en la unidad u, puede expresarse como $E(c, r, t, u) = e$, donde e es un número real. Esta fórmula deja claro que la energía es una propiedad que puede representarse mediante una función, no una cosa designada por un nombre. En el ejemplo anterior, la función E vincula el producto cartesiano $C \times R \times T \times U$ con la línea real. Descártense c o r, los portadores de la energía, y no quedará nada de energía. Más aún, si se prescinde de la energía, no quedará nada de física.)

En la matemática, tanto las clases como sus miembros existen, aunque solo sea de modo ficticio (recuérdese el capítulo 8). En contraposición, las clases químicas, biológicas y sociales existen solo como conceptos, en tanto que sus miembros son existentes materiales. Sin embargo, lejos de ser arbitrarias, las clases en cuestión son extensiones de los *universalia in re*, tales como la bivalencia, el bipedismo y la pobreza. Así pues, la Humanidad ($\mathcal{H}$) es la clase de todos los individuos que poseen la propiedad compleja H de ser humano: $\mathcal{H} = \{x \mid Hx\}$. ¿Cómo sabemos que estos *universalia* son *in re* en lugar de *ante rem* o *post rem*? Porque pueden ser representados como predicados cuyos dominios contienen clases de cosas concretas. De modo equivalente: porque los predicados correspondientes se refieren a entidades materiales. O sea, la función H vincula el conjunto de elementos materiales M con enunciados de la forma «x es un humano». (Véase Bunge, 1974a, para una interpretación no fregeana de los predicados.)

El análisis funcional precedente de la relación universal-particular contribuye a analizar la tesis de que no puede haber leyes históricas porque la historia no se repite. De hecho, si bien es cierto que nunca dos acontecimientos históricos son idénticos, también lo es que dos acontecimientos históricos tienen cosas en común, por ejemplo que son fundamentalmente económicos, políticos, culturales o las tres cosas. Así, si bien las dos guerras mundiales fueron bastante diferentes, ambas fueron conflictos militares que abarcaron casi todo el mundo. En otras palabras, aunque si se lo toma como totalidad cada suceso histórico es único y, por ende, desafía toda clasificación, cuando se lo analiza se ve cómo comparte algunas características con otros sucesos: se trata de una combinación de universales concretos. Lo mismo vale, mutatis mutandis, para todos los hechos. Podemos conjeturar que incluso el libre albedrío es legal, tal como sugiere el hecho de que puede ser extraído quirúrgicamente (a través de una lobotomía). En otras palabras, los científicos suponen que todos los hechos son legales. Esto explica por qué encontramos leyes en todos los ámbitos, siempre y cuando nos esforcemos lo suficiente.

Tendemos a dar por sentadas las leyes, tanto las pautas objetivas como las representaciones conceptuales de ellas. Lo hacemos hasta el grado de adoptar, al menos tácitamente, el principio de legalidad, según el cual todos los hechos satisfacen algunas leyes. Sin embargo, el estatus ontológico de las leyes está lejos de ser claro, en gran medida por causa de la confusión idealista entre las pautas objetivas y las fórmulas con las cuales intentamos representarlas. Tomemos, por ejemplo, las leyes químicas, o sea las leyes que «gobiernan» la formación y disociación de moléculas. ¿Existían estas leyes antes de que emergiesen los compuestos químicos? Un platónico, como por ejemplo un «realista» medieval, respondería de manera afirmativa: el primer compuesto químico fue solo un caso de un universal químico que literalmente dirigió el proceso en cuestión. En contraposición, un nominalista sostendría que las leyes en cuestión solo aparecieron *post rem*, en la mente, por medio de la abstracción a partir de los fenómenos. Por último, el realista científico probablemente argumentará que las leyes químicas son inherentes a los procesos químicos, de modo tal que emergieron por primera vez junto con los primeros compuestos químicos, cuando los planetas se enfriaron de manera suficiente. En general, las leyes naturales son pautas objetivas de ser y devenir (Bunge, 1959b).

Para acabar esta sección, no podemos prescindir de los universales más de lo que podemos prescindir de los conceptos fenoménicos. Necesitamos estos últimos para describir la experiencia y los universales para explicarla. Únicamente un intelecto divino podría prescindir de los qualia y sus conceptos correspondientes; y solo un organismo inferior puede arreglárselas sin universales, tales como «alcanzable» y «comestible». Presumiblemente, un cachorrito va formando el universal «comida» a medida que encuentra comida en su plato y el universal «persona» a medida que conoce individuos humanos. Ningún perro podría sobrevivir con una dieta nominalista, ya que sería incapaz de (a) generalizar las experiencias individuales, (b) aprender reglas tales como «Ladrar a los extraños», cuyo cumplimiento le asegura la comida en el plato, y (c) distinguir las diferentes propiedades de la misma cosa, como por ejemplo, «redondeada», «blanda», «rodante» y «elástica» aplicado a una pelota. Además de tener ciertos conceptos universales, los cachorritos y todas las otras cosas tienen universales *in re*. Por ejemplo, ellos y todos los organismos pluricelulares satisfacen la ley logística del crecimiento corporal.

En resumen, los universales son indispensables porque están tanto en el mundo (como propiedades) como en las teorías (como predicados). El mundo de individuos desnudos (carentes de propiedades) del nominalista es tan ficticio como el Mundo de las Ideas de Platón. Además no nos ayuda a entender por qué, por ejemplo, la flotación es una propiedad de los barcos, pero no de los electrones y mucho menos de los números. El no ver la universalidad inherente a todo particular es tan erróneo como no identificar qué es lo que hace que un individuo sea único. En otras palabras, en la tentativa de comprender las cosas y las ideas, no podemos prescindir del concepto de clase o especie. Lo que nos lleva a la próxima sección.

2. Clase

A diferencia de Platón, Aristóteles sostenía que solo los individuos pueden ser reales, que todas las clases o especies están en la mente. Los nominalistas medievales, tales como Ockham y Buridan, fueron aún más lejos: no admitían en lo más mínimo el concepto de especie o clase natural, porque rechazaban los universales y consideraban el cosmos como una colección de elementos mutuamente independientes (véase, por ejemplo, Gibson, 1947). En consecuencia, para un nominalista todas las clasificaciones, incluso la tabla periódica, son puramente convencionales. Los padres de la biología evolutiva, de Bonnet y Buffon a Lamarck y Darwin, coincidían: para ellos, en la naturaleza solo hay individuos, las especies son constructos y las clasificaciones son convencionales. Pero Darwin se contradijo al afirmar a la vez que las especies son convencionales, pero que las filogenias, que son relaciones entre especies, son naturales. En efecto, puesto que los humanos y los monos poseen ancestros comunes, las tres clases en cuestión, aunque no sean entidades materiales, de algún modo tienen que representar procesos evolutivos reales.

En tanto que algunas clases son artificiales, otras son naturales, o sea representan aspectos comunes objetivos entre los existentes. Por ejemplo, nada hay de arbitrario en la tabla periódica de los elementos. Además, mientras que tanto las clasificaciones lineanas como las cladistas son naturales, la última se considera, por lo general, más adecuada que la primera.

Sin embargo, sea artificial o sea natural, toda clase es un constructo. Por lo tanto, la expresión "origen de las especies" debe interpretarse de manera elíptica, como una abreviatura de "el origen de los organismos que pertenecen a nuevas especies". En otras palabras, la especiación, la emergencia de una nueva especie, es un proceso real en el nivel de los organismos y la extinción es semejante, pero, en ambos casos, los que emergen o se extinguen son individuos. Lo que ocurre antes de la especiación y después de la extinción es que las correspondientes especies son colecciones vacías.

Los científicos ignoran la veda nominalista sobre las especies. Sin importar sus inclinaciones filosóficas, lo primero que hace un científico es seguir cuidadosamente el consejo de Aristóteles: identificar el objeto de estudio en términos de especies y diferencias específicas, como en «predicado unario», «función continua», «mamífero superior», «compañía de negocios» y «país en desarrollo». O sea, los científicos dan por sentado que todos los objetos que estudian se agrupan en clases o especies que son naturales antes que artificiales o convencionales. Tal como lo expresa el revulsivo modismo, los científicos intentan «cortar por las articulaciones del universo».* Más aún, los científicos formulan generalizaciones que involucran el concepto de especie, como «Cada oveja con su pareja» y «Todos los metales son opacos».

Lo que vale para las cosas, vale también para los hechos, tales como estados y cambios de estado. Todo hecho es singular, pero al mismo tiempo pertenece a alguna clase, en concreto la que es «abarcada» o «cubierta» por la ley o las leyes según las cuales ocurre. Aun el origen de nuestro sistema solar, aunque irrepetible en los detalles, no es más que un caso de la clase «origen de un sistema planetario», una clase caracterizada por ciertas leyes astrofísicas.

El principal problema filosófico acerca de las especies es ¿qué es una especie? O sea, cómo se define y qué clase de objeto es: conceptual, fác-

---

* To carve the universe at its joints. [N. del T.]

tico o, como pensaba Leibniz, semimental. Para responder estas preguntas comencemos por recordar cómo se define de ordinario una especie. Dependiendo de la riqueza de nuestro conocimiento antecedente, podemos recurrir a uno de dos métodos de definición: por una propiedad o por una relación de equivalencia. En el primer caso, tomamos una propiedad conspicua, tal como el número atómico, que representamos con un predicado P. A continuación encontramos la extensión de P, o sea la colección de todos los P o miembros del universo Ω de objetos que poseen la propiedad representada por el predicado P:

$$S = \mathscr{E}(P) = \{x \in \Omega \mid Px\}.$$

El predicado definidor P está en juego: se tiene la noción bastante débil de clase, tal como la edad o grupo de ingresos. El concepto mucho más fuerte de clase natural es definido en términos de leyes: es la colección de todas las cosas que poseen propiedades que están legalmente relacionadas unas con otras. Por ejemplo: «Campo electromagnético = Todo aquello que satisfaga las ecuaciones de Maxwell o sus generalizaciones de la teoría cuántica». Más brevemente: una clase es una clase natural si todos sus elementos satisfacen al menos una ley.

Con todo, no siempre conocemos las leyes pertinentes, en particular al comienzo de una nueva línea de investigación. En este caso, recurrimos a meras semejanzas, igualdades en relación con ciertos aspectos o equivalencias, tales como las de poseer el mismo sexo, edad, ocupación o intervalo de ingresos. Así pues, afirmamos que aunque Nelson Mandela es único, en relación con uno de sus aspectos está en el mismo lado de otros luchadores por la libertad. Estos individuos constituyen una clase

$$\mathscr{L} = \{x \in H \mid x \sim_1 m\}$$

donde $\sim_1$ designa a "es equivalente a, con respecto a l" (lucha por la libertad) y m abrevia "Nelson Mandela".

Los dos métodos de formación de clases refutan, entre otras, las siguientes difundidas tesis. Una es la opinión de que es imposible atribuir las cosas complejas, tales como personas, estados mentales y hechos sociales a categorías determinadas. En realidad, es perfectamente posible hacerlo en relación con algunos aspectos, pero no con todos.

Otra confusión relacionada, actualmente difundida entre los filósofos, es que las bioespecies son individuos concretos al igual que sus constituyentes, o sea los organismos individuales (por ejemplo, Ghiselin, 1974; Hull, 1976). La razón que se da habitualmente es que se supone que las especies evolucionan. Pero claro, las bioespecies, puesto que son conjuntos, no agregados, son inmutables: solo sus miembros (los organismos) y los agregados de estos (las poblaciones) pueden cambiar y, de hecho, lo hacen. Con todo, una especie puede ser considerada como un individuo de orden superior o sistema si se la toma junto con su estructura, la cual incluye la relación de descendencia común. De tal modo, se estipula que dos miembros cualesquiera a y b de E, sin importar cuán diferentes sean en los detalles, son equivalentes en que poseen un ancestro común. O sea, afirmamos que $a \sim b =_{df} \exists c \, (Dac$ y $Dbc)$. A continuación construimos un sistema de especies afines $\mathcal{S} = <E, \sim>$. Así pues, hemos introducido dos conceptos, E y $\mathcal{S}$. Únicamente los miembros de S y las poblaciones de S son concretos. Los primeros son de primer nivel, en tanto que los segundos lo son de segundo nivel. A su vez, toda población es parte de alguna comunidad o ecosistema. Véase la figura 9.1.

Si las especies fueran individuos concretos, sería posible recolectar o cazar, cocinar y comer algunas de ellas en lugar de sus miembros. Las bioespecies no son individuos, sino colecciones; y en todo momento dado, una colección es un conjunto propiamente dicho (Bunge, 1979a y 1981c y Mahner y Bunge, 1997). Demostración: todas las bioespecies se definen como conjuntos definidos por medio de predicados. (Por ejemplo, la definición estándar, aunque errónea, que se utiliza en la biología es esta: «Las bioespecies son grupos de organismos potencialmente in-

Figura 9.1. Individuos concretos en tres diferentes niveles: organismo, población, ecosistema. Individuos abstractos en dos niveles: especies y sistemas de especies.

terfértiles que están reproductivamente aislados de otros grupos semejantes».) Lo mismo vale para las especies químicas, tales como el Hidrógeno y el Carbono, así como para las especies sociales, como Rural y Urbano o Empleador y Empleado. En todos los casos, la relación individuo-especie es la relación $\in$ (de membresía), que no debe confundirse con la relación parte-todo que se da, por ejemplo, entre la célula y el organismo o entre la palabra y el texto. Esta es la razón de que se puedan tener derechos de autor sobre textos, pero no sobre palabras y ni siquiera sobre vocabularios completos: en tanto que los primeros tienen dueños, los segundas pertenecen a comunidades lingüísticas.

3. La posibilidad

La posibilidad es la más resbalosa de las categorías ontológicas, porque está entre el ser y el no ser, entre el presente y el futuro, entre el dato y la conjetura. No ha de extrañarnos pues que algunos filósofos hayan negado la posibilidad real (u ontológica u objetiva). Por ejemplo, Kant restringía la posibilidad a la experiencia: solo hay experiencias posibles; más aún, esto es lo que las cosas serían, a saber hatos de experiencias posibles. (En consecuencia, sin perceptores no hay cosas.) Del mismo modo, la lógica modal trata «posiblemente» como un operador que actúa sobre las proposiciones, no sobre los hechos (véase, por ejemplo, Hughes y Cresswell, 1968). Los metafísicos de los mundos posibles analizan «p es posible» como «hay un mundo en el cual p es verdadero». Sin embargo, no se molestan en caracterizar de manera precisa tales «mundos». Puesto que algunos de los «mundos» en cuestión violan las leyes de la naturaleza conocidas, la correspondiente posibilidad conceptual puede ser realmente imposible. Echamos un vistazo a estas fantasías no científicas en el capítulo 8, sección 9 y continuaremos examinándolas aquí en las secciones 4 y 5. Concentrémonos ahora en el grave problema del concepto o, mejor dicho, los conceptos de posibilidad real.

Comencemos recordando brevemente cómo se utiliza el concepto de posibilidad real en las ciencias y las tecnologías. Para comenzar, la realidad de la posibilidad queda clara en la representación del espacio de estados de una cosa de cualquier tipo. En efecto, se considera que todo punto de ese espacio abstracto representa un estado realmente posible (o sea, legal) de la cosa en cuestión, ya sea un átomo, un organismo, un ecosistema, un sistema social o un artefacto (recuérdese el capítulo 1, sección 1). Sin embargo, fuera de la metafísica ortodoxa que es predominantemente especulativa en lugar de científica, incluso cuando la mencionada representación no está disponible, por lo general se admiten las siguientes variedades de posibilidad:

- Posibilidad natural = Compatibilidad con las leyes de la naturaleza
- Posibilidad social = Compatibilidad con las normas que prevalecen en una sociedad dada
- Posibilidad técnica = Factibilidad
- Posibilidad económica = Beneficio
- Posibilidad política = Accesibilidad a la función pública
- Posibilidad moral = No infringir los derechos fundamentales de nadie
- Posibilidad legal = Compatibilidad con los códigos legales vigentes
- Posibilidad gnoseológica = Cognoscibilidad con los medios disponibles
- Posibilidad alética = Plausibilidad a la luz del conocimiento antecedente
- Posibilidad metodológica = Posibilidad de puesta a prueba

Ninguno de estos diez conceptos es elucidado por la lógica modal, porque todos ellos involucran conceptos no lógicos; de ahí la irrelevancia de la lógica modal para la vida real, la ciencia y la tecnología. Peor aún, mezclar los diferentes conceptos de la posibilidad en el mismo contexto involucra una confusión y puede llevar al error o la paradoja. Por ejemplo, «*Puedes* [*can*] matarme (físicamente), pero no *puedes* [*may*] matarme (moralmente)».

Formalizar las posibilidades fáctica y lógica con el mismo operador de posibilidad (el símbolo del diamante de las lógicas modales) lleva a problemas. Una solución sería introducir diez diamantes con la misma sintaxis pero con diferente semántica. Sin embargo, en este caso se debería introducir también cuarenta y cinco puentes entre estas diferentes posibilidades, tales como «Todo aquello que puede [*may*] hacerse, se puede [*can*] hacer (pero no viceversa)»·* Más aún, se podría hablar, en-

* Aquí el primer "puede" se refiere a lo permitido y el segundo a lo que es físicamente posible. [*N. del T.*]

tonces, de diez diferentes «mundos» y de los cuarenta y cinco puentes entre ellos. Pero esta solución pondría los pelos de punta a Ockham. ¿Por qué no prescindir por completo de la lógica modal, ya que no puede resolver ningún problema filosófico, a causa de que es demasiado tosca como para distinguir entre tipos completamente diferentes de posibilidades? (Más en Bunge, 1977a y 2003a.)

Resumiendo, puesto que admitimos la categoría de posibilidad real, debemos expandir el concepto de realidad y, con ello, nuestra cosmovisión, para incluir hechos posibles, junto con los hechos efectivos, los cuales a su vez pueden ser necesarios o contingentes. O sea, debemos adoptar la siguiente división (Bunge y Mahner, 2004, p. 109):

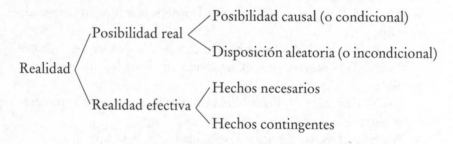

4. Un exceso de mundos

Casi todo el mundo está de acuerdo en que hay posibilidades e imposibilidades, además de realidad efectiva. Por ejemplo, es posible que el lector haga un nuevo amigo, pero imposible que su salud mejore por fumar. En un nivel más técnico, la mecánica cuántica especifica que ciertas transiciones son posibles y que otras están «prohibidas», así como que la termodinámica muestra la imposibilidad de los motores de ciertas clases.

Además de afirmar estas posibilidades e imposibilidades reales, los físicos recurren a elementos virtuales como puntos imaginarios, desplazamientos virtuales y cosas por el estilo. De hecho, en física, «virtual» significa posibilidad conceptual, por oposición a la posibilidad real (o física). Esta distinción se da en la formulación misma de los principios de más elevado nivel de la física: los principios variacionales. La forma de todos estos principios es «$\delta A = 0$», donde δ designa una variación conceptual, como por ejemplo un desplazamiento imaginario, y A nombra una propiedad física fundamental, tal como una acción (o energía por tiempo). La fórmula afirma que A es un extremo (mínimo o máximo) o, de modo equivalente, que se conserva en las variaciones de sus variables independientes (tales como coordenadas y velocidades) o que la trayectoria real de la cosa de referencia es aquella, entre todas las trayectorias concebibles, a lo largo de la cual A es extrema, usualmente mínima (véase, por ejemplo, Lanczos, 1949). Que esta es la interpretación correcta puede verse examinando el modo en que se calcula δA. En efecto, este cálculo obedece las leyes del cálculo de variaciones, una rama de la matemática pura, donde nunca pasa nada. De manera interesante, la condición «$\delta A = 0$» implica las ecuaciones de movimiento (o las ecuaciones de campo) que describen las trayectorias reales (o las propagaciones del campo). O sea, una afirmación de posibilidad conceptual (si bien concierne a una magnitud física) implica un hecho que ocurre efectivamente.

Todo esto es moneda científica corriente, aunque algo fuerte. ¿Qué hay con los cerdos voladores, las personas que se comunican por telepatía o el gobierno «del pueblo, por el pueblo y para el pueblo»? Aquí es donde los caminos de los filósofos se separan. Los pensadores de orientación científica consideran estos eventos imposibles, porque violan ciertas leyes naturales o sociales. En contraposición, los metafísicos modales como Meinong (1960), Kripke (1980), Routley (1980), David Lewis (2001, 1986) y sus numerosos seguidores consideran que son posibles o incluso necesarios en mundos alternativos, de modo muy semejante al del teólogo que afirma que la bendición, si bien es imposible en este mundo, se experimentará con toda seguridad en el próximo. La metafísica modal no es solo una extravagancia que podemos ignorar, se ha convertido en una parte de la filosofía ortodoxa (véase, por ejemplo, Laurence y Macdonald, eds., 1998; Lowe, 2002; Loux y Zimmerman, eds., 2003 y Melia, 2003). Nos asomamos a esta teoría en el capítulo 8, sección 9. Mirémosla, ahora, con un poco más de detalle.

Obviamente, la elección entre las dos alternativas señaladas anteriormente depende de manera crítica del significado que se asigne a las palabras "mundo", "posible" y "verdadero". En una interpretación amplia de estos términos, los *posibilia* mencionados son tales en algún sentido (lógico o físico) y en algún mundo, ya sea real, ya sea imaginario. Por ejemplo, en Jauja, el país de las riquezas, todos viven con lujo y sin trabajar. Obviamente, esto es imposible en el mundo real y en el particular sentido en que la expresión "posibilidad real" se utiliza en la ciencia y la tecnología, vale decir como compatibilidad con las leyes de la naturaleza conocidas. Pero todo el sentido de la filosofía especulativa es trabajar con el único constreñimiento de la lógica.

Para marcar el contraste entre la posibilidad real y la posibilidad conceptual, considérense los modos en que se demuestran (o solo se confirman) o refutan (o solo se minan) las hipótesis de existencia. En matemática, las pruebas de existencia, si son correctas, son definitivas. Así pues, se ha demostrado de una vez y para siempre que no hay tal cosa como el mayor de todos los números y que hay infinitos números primos. En cambio, la existencia real, de ordinario, se prueba exhibiendo un espécimen de la entidad hipotetizada o, al menos, mostrando indicadores confiables de ella, como, por ejemplo, las ondas cerebrales en el caso de la actividad neural y los fósiles en el caso de los vertebrados extinguidos. En algunos casos, una teoría sugiere la existencia o no existencia de cosas o sucesos reales de ciertas clases. De tal modo, el electromagnetismo clásico sugirió la existencia de ondas electromagnéticas mucho antes de que fueran producidas en el laboratorio y, según la teoría gravitatoria de Einstein, debe haber ondas gravitatorias. La existencia física puede ser sugerida por la teoría, pero solamente puede ser comprobada mediante el experimento o el trabajo de campo.

De modo característico, los llamados metafísicos modales no se interesan por el mundo real que los científicos y tecnólogos estudian; los primeros disfrutan imaginando mundos en los cuales casi cualquier cosa es posible. Aun así, hay un puñado de escuelas diferentes de metafísicos modales, algunas de las cuales son más tolerantes a la imaginación desenfrenada que las demás (véase Lycan, 1998). El ala radical de la metafísica modal está constituida por personas que afirman la existencia real de una pluralidad de mundos paralelos, cada uno inaccesible desde los otros. Paradójicamente, se llaman a sí mismos "realistas modales". De hecho, son relativistas ontológicos y, como tales, irrealistas.

En contraposición, los pensadores del ala moderada se conforman con la afirmación de que «las cosas podrían haber sido diferentes de innumerables maneras» y les llaman equívocamente "mundos posibles". Otros metafísicos, aun, notablemente David Lewis, van y vienen entre los dos extremos. Así pues, Lewis habría afirmado que un «mundo» en el que Hitler hubiera ganado la guerra sería muy diferente del mundo que conocemos. Pero también ha escrito acerca de un mundo «en» el cual el calor es el difunto calórico en lugar del movimiento molecular aleatorio (Lewis, 1983). Un filósofo exacto consideraría el primer caso como una equivocación, en tanto que un científico descartaría el segundo como una extravagancia estéril.

Sin importar el ala a la cual pertenezcan, todos los metafísicos modales parten de la semántica para la lógica modal propuesta por Kripke cuatro décadas atrás. La razón de ello es que la única justificación para hablar de mundos posibles es la necesidad de proveer a la lógica modal de una semántica. Un filósofo realista habría pensado que no valía la pena salvar la lógica modal al increíble precio de añadir incontables y estériles mundos de ensueño al mundo real. Se habría preguntado por qué alguien se lamentaría por la pérdida de una teoría que no ha conseguido dar los frutos que Clarence I. Lewis prometiera hace casi un siglo, a saber la elucidación simultánea de las nociones de posibilidad y necesidad lógica, tanto *de re* como *de dicto* (véase Bunge, 1977a).

En todo caso, la semántica modal pretende analizar las modalidades «posible» y «necesario» reduciéndolas a los conceptos de mundo, existencia en un mundo y verdad. Así pues, se postula que para toda proposición p, «Posiblemente $p =_{df}$ hay al menos un mundo en el cual p es verdadero» y «Necesariamente $p =_{df} p$ es verdadero en todos los mundos». De tal modo, «Todos viven sin trabajar» se considera posible porque alguien soñó el País de Jauja.

Una formulación más o menos equivalente de la misma idea es la teoría de la contraparte [*counterpart theory*] (Lewis, 1986). Esta afirma que el individuo x posiblemente tiene la propiedad P si y solo si x tiene una «contraparte» en un universo espaciotemporal aislado del nuestro. Por ejemplo, aunque no lo sepa, el lector puede ser un alquimista si en un universo alternativo hay un individuo que se le parece mucho, excepto en que él practica la alquimia. Estas contrapartes son reales según algunos metafísicos modales, en particular para Lewis, en tanto que para otros son abstractas o «semiabstractas». (Confieso que la noción de semiabstracción me supera completamente.)

La raíz histórica de todas estas elucidaciones es la importante y correcta distinción de Leibniz (1703) entre *vérités de raison* y *vérités de fait** y su afirmación de que las primeras, a diferencia de las segundas, son verdaderas en todos los mundos posibles. Esta famosa metáfora tiene sentido literal en la teodicea de Leibniz. (Mientras reflexionaba acer-

---

* En francés en el original: verdades de razón y verdades de hecho, respectivamente. [*N. del T.*]

ca de qué tipo de mundo debería crear, Dios pudo elegir las leyes de la naturaleza que le pluguieran, pero no pudo ir contra la lógica, en particular no pudo contradecirse sin arriesgarse a ser despreciado por Leibniz.) Esta metáfora es pedagógicamente efectiva. Pero si se la interpreta de manera literal, la elucidación de los mundos posibles de las modalidades es vulnerable a las siguientes objeciones técnicas.

Para comenzar, este análisis pretendidamente sofisticado de modalidad es en realidad tosco, porque no se relaciona con los conceptos de posibilidad y necesidad real (nómica) que se utilizan en ciencia, desde la física a la genética de poblaciones y la sociología de redes. En particular, la interpretación anterior no tiene ningún contacto con los conceptos científicos de disposición (como la solubilidad) y azar. Peor aún, ninguno de los tres *definientia* —los conceptos de mundo, existencia y verdad— es más claro que sus correspondientes *definienda*. Se trata de una explicación *obscurum per obscurius*, o sea de lo oscuro por lo más oscuro, como definir el número 1 como 0^0 o como el negativo de la raíz cuadrada de la unidad imaginaria.

También se puede objetar que la posibilidad en nuestro mundo dependa de la realidad efectiva en un mundo paralelo. La razón es que, puesto que ese mundo fantástico es inaccesible desde el nuestro, no puede ser inspeccionado para controlar si, de hecho, contiene las deseadas «contrapartes». De aquí que jamás podríamos averiguar si un individuo real posee posiblemente una propiedad dada o no. Así pues, para averiguar si en nuestro mundo la sustancia X es soluble en el líquido Y, el partidario de la teoría de las contrapartes no necesita hacer ningún cálculo o experimento; todo lo que necesita es soñar un mundo en el que Y realmente disuelva X. La teoría de las contrapartes evoca la doctrina de la predestinación: mi destino en este mundo ya ha sido especificado en el Registro Celestial que se mantiene en el Gran Más Allá. (Más en Merricks, 2003.)

Sostengo que los fundamentales conceptos filosóficos en cuestión —los de mundo, existencia y verdad— son altamente problemáticos. En efecto, cada una de estas palabras designa, en realidad, un montón de conceptos. En particular, hay «mundos» imaginarios como los de Lewis Carroll, Jorge Luis Borges e Isaac Asimov, así como los de la matemática, además de los «mundos» reales de los negocios y el deporte. En consecuencia, hay al menos dos tipos diferentes de existencia: material y conceptual (recuérdese el capítulo 1). Por lo tanto, hay al menos dos tipos de verdad, fáctica y formal, además de artística y moral. Los metafísicos modales pasan por alto o niegan todas estas enormes diferencias.

Más aún, en casi todos los campos del conocimiento y la acción, la verdad se presenta en grados. De hecho, en todos los ámbitos encontramos y utilizamos muchas más casi-verdades y casi-falsedades que verdades completas y falsedades completas respectivamente. Por ejemplo, aun las mejores teorías son solo aproximadamente verdaderas. ¿Qué obtenemos al reemplazar «verdadero» por «aproximadamente verdadero» o «verdadero a medias» en las definiciones anteriores de las modalidades: medias posibilidades, medias necesidades o medios mundos? El metafísico modal no se hace estas preguntas, se contenta con nociones groseras de verdad, mundo y existencia. Sostengo que esta imprecisión, inherente al conocimiento común, es una de las raíces de los varios sistemas de metafísica modal. Más sobre ello a continuación.

5. La metafísica de los múltiples mundos es imprecisa

La mejor manera de averiguar las presuposiciones y suposiciones fundamentales de toda teoría es organizarla de manera axiomática, vale decir encajarla en el formato axioma-definición-teorema. Puesto que la metafísica modal es imprecisa, su axiomatización debe ayudar a reconocer las raíces de sus problemas. Axiomatizaré, por lo tanto, un fragmento de la teoría de David Lewis, la cual es actualmente la más ampliamente discutida de toda la metafísica modal.

Para comenzar, las nociones primitivas (no definidas) de esta teoría son las de mundo y verdad, las cuales son, ambas, problemáticas. La lógica subyacente es la lógica modal. (Pero no se nos dice cuál de los 256 sistemas de lógica modal posibles). El primer supuesto específico es este:

Axioma 9.1. Ser es ser al valor de una variable acotada. (De manera equivalente: Existencia = $\exists$).

Comentario 1. Esta es, desde luego, la famosa fórmula de Quine, una pieza típica de panlogismo, aunque Quine pensaba que era fisicista (o nominalista o materialista vulgar).

Comentario 2. Si bien a primera vista la anterior parece una convención, en realidad se trata de un supuesto, ya que equipara dos modos radicalmente diferentes de existencia, a saber el lógico y el físico; o el conceptual y el material; o el abstracto y el concreto respectivamente. En efecto, el *Axioma 9.1* implica informalmente el

Corolario 9.1. No hay diferencia entre la existencia real (o material) y la existencia lógica (o imaginaria). De modo equivalente: todo aquello que pueda concebirse existe *simpliciter* y viceversa.

Corolario 9.2. No hay diferencia entre hechos y proposiciones.

Esta identidad, desde luego, la sugiere el lenguaje ordinario, desde el sánscrito al inglés, donde rara vez se distingue entre «Esto ha ocurrido» (o «Este es un hecho») y «La proposición que afirma que esto ha ocurrido es verdadera». Pero, por supuesto, la diferencia entre hechos y proposiciones es fundamental en cualesquiera ontología y gnoseología que se respeten. Los nominalistas refinados como Ockham admitían la diferencia, puesto que ubicaban todas las ficciones en la mente.

Axioma 9.2. Hay solamente un concepto de posibilidad y es elucidado de manera exhaustiva por cualquiera de los sistemas de lógica modal.

Corolario 9.3. No hay ninguna diferencia entre la posibilidad real y la posibilidad lógica (De manera equivalente: todo aquello que sea realmente posible es lógicamente posible y viceversa.)

Corolario 9.4. Todo lo que (de manera concebible) puede ocurrir ocurre en al menos uno de los mundos posibles.

Comentario: Lewis (1973, p. 85) nos pide que admitamos que «sabemos qué tipo de cosa es nuestro mundo» y pasa a «explicar que otros mundos son más cosas de *ese* tipo, que difieren no en su clase, sino solo en lo que ocurre en ellos». Este es el paradigma de la filosofía imprecisa y, como tal, invita a realizar múltiples «interpretaciones» arbitrarias.

Definición 9.2. El objeto x es real = Hay al menos un mundo que contiene x.

Definición 9.3. Dos individuos son compañeros de mundo si y solo si están relacionados espaciotemporalmente.

Definición 9.4. El mundo real es el de mi compañeros de mundo.

Teorema 9.1. Hay infinitos mundos posibles.

Teorema 9.2. «Nuestro mundo real es únicamente un mundo entre otros» (Lewis, *ibíd.*).

Demostración: por el *Axioma 9.1* y la *Definición 9.2*, ninguno de los mundos posibles está sometido a constreñimiento alguno, en particular no está sometido a leyes.

Esto completa mi construcción del minisistema axiomático que condensa la metafísica de Lewis. Hay dos formas de juzgar esta teoría, o cualquier otra, en realidad. Una de ellas es examinar los propios axiomas y definiciones; la otra es examinar sus consecuencias lógicas. Si se halla que los primeros o las segundas son o bien imposibles de poner a prueba o bien falsos, entonces el sistema en su totalidad será inadmisible en una ontología de orientación científica.

Parecería que el juicio menos condenatorio de la metafísica de Lewis es que no contribuye a explorar el mundo real, puesto que ni siquiera afirma falsedades interesantes acerca de él. El grado siguiente de valoración negativa es que, dado que el sistema no dice nada específico acerca del mundo real, no se pueden aducir pruebas empíricas ni a favor ni contra él. De hecho, el sistema de Lewis es peor que solo trivialmente verdadero u obviamente falso: es completamente irrelevante porque es esencialmente confuso. Para fundar esta acusación, examinemos la reconstrucción que hemos realizado.

Para comenzar, el *Axioma 9* no es admisible en ningún dominio, puesto que confunde dos modos de ser radicalmente diferentes: el lógico (o conceptual) y el real (o material). Más precisamente, afirma que la existencia material (o real) es reducible a la existencia conceptual, la cual a su vez es igual a la «algunidad». Semejante confusión solo podría justificarse en un sistema de idealismo objetivo, como el de Platón, Hegel o Frege. Pero es insostenible en cualquier otro sitio. En lógica y matemática, algo existe si está bien definido, ya sea de manera explícita, ya sea de manera tácita. Por ejemplo, una ecuación define implícitamente los números y funciones que la satisfacen y un sistema de postulados consistente define tácitamente los objetos que describe. En contraposición, para comprobar la existencia real de una hipotética partícula o un campo tenemos que interactuar con algún instrumento de observación o de medición: debemos mostrar que posee energía de algún tipo. (Recuérdese el capítulo 1, sección 7.)

Por las razones apuntadas, el cuantificador «existencial» debería leerse «para algún» en lugar de «existe». (Recuérdese el capítulo 8, sección 4.) La existencia propiamente dicha, la más importante de todas las propiedades, no se debe formalizar como un cuantificador sino como un predicado. Hay buenas razones para ello, entre ellas que la existencia es la propiedad más importante que una cosa puede tener. Si hay alguna duda, pregúntesele a Hamlet.

Considérese la enigmática aunque famosa afirmación de Meinong «Hay objetos de los cuales es verdad que no hay tales objetos» (Meinong, 1960). Según Van Inwagen (2003, p. 141), lo que Meinong parecía tener en mente es elucidar el segundo «hay» como un «cuantificador existencial» como este: $Ex\, Fx =_{df} \exists x\, (x$ posee ser $\&\, Fx)$. Por desgracia, Meinong dejó «posee ser» sin definir y Van Inwagen no llenó esa laguna. Sostengo que el concepto que necesitamos para disolver la paradoja de Meinong es el de predicado existencial (Bunge, 1977a, pp. 155-156) explicado en el capítulo 1. O sea, el problema se resuelve al reemplazar la primera aparición de «hay» por «algún» y la segunda por «existe en el mundo» (o sus equivalentes «es material», «es mudable» o «posee energía»). El resultado es «Algunos individuos no existen realmente» o $(\exists x)\neg E_R x$, donde E_R se lee «existe en R» y R es el nombre de una colección («mundo») de objetos objetivamente reales (materiales).

El *Axioma 9.2* acerca de la posibilidad es igualmente insostenible. Primero, en términos estrictos, es falso porque la lógica modal no involucra un único concepto de posibilidad, ya que hay 256 sistemas de lógica modal posibles. (Sería una tarea larga, aburrida y poco gratificante hallar el sentido o el contenido común de todas esas diferentes nociones de posibilidad.) Segundo, como todo el mundo sabe, no todo lo concebible es realmente posible y, como los historiadores de la ciencia y la tecnología saben, actualmente admitimos muchas entidades y sucesos que anteriormente se consideraban imposibles o sobre los cuales ni siquiera se había pensado. Tercero y más importante, la lógica modal no puede manejar el concepto de posibilidad real (o física) que los científicos caracterizan como compatibilidad con las leyes de la naturaleza o las normas sociales, porque la teoría no contiene esa noción de ley o pauta objetiva. Aunque solo fuese por esta razón, las lógicas modales son totalmente irrelevantes para la ciencia. Esta es la razón de que nunca sean utilizadas en ella, a la vez que el concepto de probabilidad es ubicuo.

El *Corolario 9.4* dice que la diferencia entre posibilidad y realidad efectiva es relativa al mundo particular. Este resultado es más que enigmático: es autodestructivo, porque muestra que lo "posible" en la "metafísica de los mundos posibles" es básicamente imposible de distinguir de "efectivamente real".

En cuanto a la *Definición 9.1* de mundo posible, es patéticamente imprecisa, puesto que no especifica la naturaleza ni las interrelaciones de las entidades que pueden habitarlo. En particular, ni los mundos lewisianos ni sus habitantes están constreñidos por ninguna ley. Por ejemplo, podrían contener máquinas de movimiento perpetuo de los tipos primeros y segundo, en flagrante violación de las primeras dos leyes de la termodinámica respectivamente. Esto coloca la metafísica modal en el anaquel de la literatura fantástica, el pensamiento New Age y la teología.

Según la *Definición 9.2* la realidad debería ser relativa al mundo particular. Esto no es así en la ciencia, donde solo los objetos concretos se admiten como reales y la realidad es absoluta, aun cuando algunas propiedades y sus cambios dependan del marco de referencia. Por ejemplo, una onda de luz emitida por un átomo es absolutamente real, aunque el valor de su longitud de onda sea relativo al marco de referencia: depende de la velocidad (efecto Doppler). Además, en ocasiones hay desajustes entre la realidad y las percepciones que de ella se tienen. Por ejemplo, cuando la yema de un dedo es estimulada en dos puntos adyacentes, se siente como un único estímulo en el medio. De igual modo, el mismo acontecimiento político, como por ejemplo la sanción de una ley o un cambio de gobierno, probablemente sea «percibido» (valorado) de manera diferente por los miembros de diferentes partidos, pero el evento mismo es único. En ambos casos, si bien el mundo es uno, probablemente sea «percibido» de manera algo diferente por diferentes sujetos.

La *Definición 9.3* es razonable, pero, por la misma razón, no cumple ninguna función en un sistema diseñado para permitir cualquier «mundo». Es como decretar que a los dragones no se les cobrará impuestos.

La *Definición 9.4* de «mundo efectivamente real» sugiere que la existencia de este depende de la mía. No está claro si se trata de un caso de idealismo subjetivo *á la* Fichte o *à la* Husserl o, al menos, de operacionismo. En todo caso, es inútil en la ciencia y la tecnología.

Finalmente, el *Teorema 9.1* suscita dos comentarios. Primero, no está claro si el infinito en cuestión es efectivamente real o potencial: o sea, si los infinitos mundos ya están «allí» (¿dónde?) o están en proceso (¿por medio de qué mecanismo?) o si solo son concebibles (¿por quién?). Segundo, el teorema es trivial, ya que, allí donde «todo vale», no hay límite respecto del tipo o número de los mundos. De hecho, el teorema es tan trivial que es posible programar un ordenador que diseñe una infinidad potencial de «mundos» compuestos de solo dos puntos materiales moviéndose en el interior de una caja, comenzando desde diferentes posiciones y con diferentes velocidades.

Hay que admitirlo, la reconstrucción racional de un fragmento de la metafísica modal de David Lewis que he propuesto difícilmente vaya a satisfacer a cualquiera de sus admiradores, porque mi prosa es mucho menos elegante, aunque más precisa, que la de Lewis. Pero tengo la esperanza de que cumpla la función que le he asignado: exhibir las raíces —y lo podrido en ellas— de la pesadilla metafísica soñada por Lewis. La tabla 9.1 resume las principales diferencias entre la metafísica de Lewis y la mía (Bunge, 1977a, 1979a y 1981a).

Esta tabla sugiere que la metafísica modal está empantanada por las confusiones, además de ir completamente a contrapelo de la ciencia. De hecho, equivale a ontología popular más lógica modal. El mismo Lewis (1973, p. 88) estipuló que la tarea del filósofo es sistematizar sus opiniones prefilosóficas (o sea, acríticas, no científicas). Con todo, el metafísico modal sostendrá que su teoría tiene una aplicación práctica: permite dar sentido a los contrafácticos, los cuales a su vez pueden utilizarse para elucidar las nociones clave de causalidad y ley. Examinemos estas afirmaciones.

Tabla 9.1. Contraste entre la metafísica fantástica de Lewis y la metafísica científica

Concepto llave	Metafísica modal	Ontología científica
Mundo	Cualquier colección	Sistema o bien de cosas o bien de constructos
Posibilidad	Un único concepto: lógica	Dos conceptos: conceptual y real
Real	Concebible	Material = Mudable
Existencia	Un único concepto: ∃	Dos conceptos: material y conceptual
Verdad	Un único concepto: vulgar	Al menos dos conceptos: fáctica y formal
Valores de verdad	0 y 1	Todos los valores en el intervalo real [0, 1]

6. Los contrafácticos

Un contrafáctico es un enunciado de la forma «Si *A* fuera el caso, entonces ocurriría *B*». (Recuérdese el capítulo 8, sección 9.) Ejemplo: «Si los cerdos pudiesen volar, podríamos comer jamón más magro». Se entiende de manera tácita que el antecedente de este condicional subjuntivo es falso. Todos formulamos enunciados contrafácticos, por ejemplo cuando hacemos planes, expresamos arrepentimiento o atribuimos culpas, como en «Si hubieses llegado a tiempo, el accidente no hubiese ocurrido». Pero solamente algunos filósofos creen que los contrafácticos pueden ser verdaderos y unos pocos de ellos, comenzando por Chisholm y Goodman, han buscado las condiciones de verdad de los contrafácticos. Con todo, las diversas tentativas de resolver este problema encontraban dificultades insuperables, hasta que se proclamó que la solución había sido hallada.

Tal como ha escrito McCall (1994, p. 170): «Durante muchos años, quienes estudiaban los contrafácticos vagaron por el desierto, hasta que por fin Stalnaker y Lewis nos mostraron la tierra prometida. Era la tierra de la semántica de los mundos posibles». En el caso de los cerdos voladores, la pretendida solución se reduce a lo que sigue: si deseas jamón magro, viaja a la tierra de los cerdos volantes. Allí, «en» esa tierra o mundo imaginario, el condicional indicativo «Si los cerdos vuelan, entonces sus jamones son magros» es verdadero porque, por convención, «allí» [donde los cerdos vuelan] es justamente donde los cerdos vuelan.

Sostengo que la solución de los mundos posibles al problema del valor de verdad de los contrafácticos no solamente es costosa en relación con lo que ofrece, sino que está basada en la presuposición de que esos enunciados pueden tener un valor de verdad. Este supuesto es dudoso por las siguientes razones. La primera es que los contrafácticos son enunciados que no designan proposiciones sin más. En este sentido, los contrafácticos se parecen a los deseos, los interrogantes y los imperativos. La segunda razón de que los contrafácticos no sean ni verdaderos ni falsos es que ningún dato podría servir para confirmar o minar un enunciado de este tipo, puesto que no se refiere a hechos reales. La tercera razón es que los contrafácticos, a diferencia de los condicionales ordinarios, no implican nada. Por ejemplo, «Si los cerdos volaran, serían más esbeltos», puede analizarse como una conjunción de los dos siguientes enunciados indicativos: «Si los cerdos vuelan, entonces son delgados» y

«Los cerdos no vuelan». Pero el razonamiento válido acaba aquí, puesto que nada se sigue de estas premisas.

Con todo, se puede aprender algo al analizar los contrafácticos del modo anterior, algo que haré más explícito a continuación (Bunge, 1968c). Se nos provee la *expresión retórica*

Si A fuera el caso, entonces B sería el caso.　　　(1)
y la traducimos como la *proposición*
Si A, entonces B. & No A.　　　(2)

A continuación controlamos si el condicional en (2) es plausible o no lo es. Si el condicional es una ley, una norma, una tendencia robusta o es compatible con alguna de ellas, puede decirse que es *nómica*; de otro modo es *anómica*.

Un contrafáctico nómico solo sugiere un no hecho, en tanto que un contrafáctico anómico sugiere la violación de una ley, norma o tendencia; vale decir, o bien un milagro o bien el no acaecimiento de una condición necesaria para que la ley resulte válida. Por esta razón, puede considerarse que los contrafácticos nómicos son *razonables* (aunque no verdaderos) y que los anómicos *no son razonables* (aunque no son falsos). Un contrafáctico nómico puede ser sumiso hasta el extremo de ser ridículo o puede tener cierta capacidad heurística, como cuando la suposición de que un evento no ocurrió realmente muestra cuán importante o cuán poco importante era ese suceso.

Uno de los primeros ejemplos de este caso es la evaluación de Herodoto de la contribución ateniense en el rechazo de la invasión persa. ¿Qué hubiera ocurrido si la flota ateniense no hubiese estado preparada? Weber (1906) también utilizó los contrafácticos para medir la importancia de ciertos eventos. Un ejemplo más reciente es la investigación de Robert Fogel sobre el papel del ferrocarril en la economía estadounidense en la época de la Edad Dorada: ¿qué hubiera pasado sin él? Su interesante conclusión es que la economía estadounidense hubiera alcanzado más o menos el mismo nivel actual por medio, únicamente, del uso de canales y autopistas (Fogel, 1994). Pero desde luego, no hay modo de saberlo con certeza.

Algunos contrafácticos anómicos, si bien no son razonables, pueden llevar a descubrimientos. Por ejemplo, «Si la segunda ley de la termodinámica no fuese válida, la vida podría haber emergido de manera espontánea» sugiere eliminar la condición de sistema cerrado. En efecto, la ley mencionada no es válida para los sistemas abiertos, los cuales, desde luego, son mucho más permisivos que los sistemas cerrados y, de tal modo, resultan más propicios a la novedad cualitativa. Algo similar vale para las normas sociales tales como las restricciones legales. Por ejemplo, «Si no fuese por esta norma, podríamos echarle mano a esa propiedad» sugiere o bien un cambio en la ley o bien el quebrantamiento de la misma. En resumen, en tanto que algunos contrafácticos son dóciles, otros son subversivos. (Con todo, irónicamente, los metafísicos de la pluralidad de mundos no están interesados en mundos sociales alternativos: son políticamente asépticos.) Otros, concretamente, los que involucran mundos posibles, son ociosos juegos de salón.

Lamentablemente, la distinción que hemos hecho aquí ha pasado desapercibida para los filósofos de los múltiples mundos que han intentado analizar la causalidad en términos de contrafácticos (véase, por ejemplo, Collins, Hall y Paul, 2004). Esta estrategia resulta comprensible desde una perspectiva subjetivista, pero es errónea en una concepción realista, en la cual el vínculo causal es una transferencia de energía objetiva (recuérdese el capítulo 4, sección 5). Esta es la razón de que científicos y tecnólogos usen los contrafácticos solo como artilugios heurísticos, críticos o retóricos, como cuando el político afirma que todo el mundo se beneficiaría si los impuestos se disminuyeran o se incrementaran. En estos casos, se supone un análisis causal (en general, no lógico) de los contrafácticos, en lugar de un análisis contrafáctico de las relaciones causales (en general, no lógicas). El procedimiento inverso equivale a poner el carro delante del caballo. Retornaremos a este asunto en la sección 7.

En resumidas cuentas, los contrafácticos no son ni verdaderos ni falsos, puesto que no pueden ser puestos a prueba. Sin embargo, algunas *preguntas* contrafácticas, como las que están involucradas en los experimentos mentales, sí que poseen capacidad heurística. Pero, puesto que esta capacidad depende de la verdad de los enunciados legales, normas o tendencias pertinentes, los contrafácticos no pueden elucidar, por no decir validar, hipótesis científicas. Esta es la razón de que ninguna teoría científica contenga contrafácticos. Estos enunciados pertenecen al andamiaje heurístico o al embalaje retórico; motivo por el cual su sitio, aunque sea modesto, es la gnoseología, no la ontología. Una ontología seria solo trata del mundo real y lo hace a la luz de las ciencias de este mundo. En otras palabras, la metafísica seria, en contraposición con su contraparte especulativa, es científica, del modo que Peirce (1935) había concebido.

7. La disposición

En tanto que la fragilidad es una propiedad disposicional, estar roto es una propiedad manifiesta. Las cristalerías no existirían si no hubiese diferencia entre las propiedades disposicionales y no disposicionales. En general, las características de las cosas concretas y sus correspondientes predicados se han dividido tradicionalmente en manifiestas (tales como la masa, la edad y la población) y disposicionales (tales como la solubilidad, la sociabilidad y la capacidad de carga). Una propiedad de una cosa puede considerarse efectiva o manifiesta si la cosa la posee y potencial o disposicional si emerge en las condiciones apropiadas. La tabla 9.2 exhibe una muestra de conocidas propiedades de ambos tipos:

Tabla 9.2. Una muestra de propiedades manifiestas y disposicionales.

Manifiesta o efectivamente real	Disposicional o potencial
Realidad efectiva	Posibilidad real
Frecuencia relativa	Probabilidad
Masa	Peso
Energía cinética	Energía potencial
Refracción	Refractividad
Desintegración radiactiva	Probabilidad de desintegración radiactiva
Enfermedad	Predisposición a la enfermedad
Desempeño	Competencia (capacidad)
Resultado intelectual	Inteligencia
Elección	Elegibilidad
Acción	Factibilidad
Producción	Productividad
Buena acción	Buena voluntad
División social	Movilidad social
Ahorro	Propensión al ahorro
Puesta a prueba	Posibilidad de puesta a prueba
Verdad	Plausibilidad, verosimilitud

Las disposiciones han suscitado desconcierto y equívoco filosóficos durante más de dos milenios. Por ejemplo, Aristóteles y sus seguidores admitían las disposiciones (o «poderes») porque eran una parte importante de su explicación simplista del cambio como transición de la potencia al acto, como cuando Miguel Ángel afirmaba ver y extraer las formas ocultas en un bloque de mármol. En cambio, los empiristas desconfían de las disposiciones porque son inobservables. De hecho, se puede observar el cambio, no la mutabilidad; un objeto curvado, no la elasticidad o la plasticidad; el habla, no la capacidad lingüística; las creaciones, no la creatividad; el morir, no la mortalidad; la producción, no la productividad, y las buenas acciones, no la buena voluntad. Según el empirismo, la fragilidad no es una propiedad efectivamente real de una ventana de vidrio, sino solo un constructo: decimos que la ventana de vidrio es frágil únicamente porque, si *fuera* golpeada o se la dejara caer, probablemente se *rompería*. Luego regresaremos a esta problemática intrusión del condicional subjuntivo que encontramos por primera vez en la sección anterior.

Los científicos dan por sentada la distinción manifiesto/disposicional e intentan relacionar las disposiciones unas con otras, así como con las propiedades manifiestas. Por ejemplo, la fragilidad del vidrio se explica en términos del aumento de tensiones internas; la solubilidad de la sal de mesa se explica por medio del repentino debilitamiento de los enlaces iónicos a causa de la elevada capacidad dieléctrica del agua, en tanto que el azúcar se disuelve uniéndose con el agua; la predisposición a la diabetes y otras enfermedades genéticas se explica a través de la presencia de ciertos genes; la sociabilidad se explica en términos de la incapacidad de los individuos para arreglárselas por su cuenta; la controversia naturaleza / cultura se resuelve proponiendo que nacemos capaces, pero no acabados; nuestras disposiciones intelectuales pueden o no hacerse efectivas dependiendo de las circunstancias; la inestabilidad política se explica en términos de los conflictos de intereses entre diferentes grupos, etcétera.

Considérese, por ejemplo, la curvatura de un haz de luz cuando choca con un medio transparente como el agua o el cuarzo. La capacidad de refracción de un cuerpo transparente se considera en pie de igualdad con su masa y su forma, aun cuando solo se hace manifiesta cuando el cuerpo está expuesto a la luz. La refracción efectiva, un proceso, es descrita por la óptica, en particular por la ley de Snell-Descartes. Esta ley relaciona el índice de refracción n, una propiedad disposicional de todos los medios transparentes, con los ángulos de incidencia i y la refracción r: «$n = sen\ i\ /\ sen\ r$». La óptica elemental trata el índice de refracción n como un parámetro empírico. En cambio, la óptica electromagnética clásica analiza n en términos de la permisividad eléctrica ε y la permeabilidad magnética μ del medio transparente: la fórmula «$n^2 = \varepsilon\mu$» relaciona las tres propiedades disposicionales en cuestión. (La permisividad eléctrica es la propiedad de un cuerpo de formar dipolos eléctricos bajo la acción de un campo eléctrico. La permeabilidad magnética es similar.) La explicación de la refracción ofrecida por la teoría cuántica, si bien todavía es electrodinámica, es mucho más detallada y precisa porque involucra la interacción entre los fotones que ingresan y los electrones externos de los átomos del cristal.

(Dicho sea de paso, la mayoría de los cristales transparentes, incluyendo el hielo, el cuarzo y la calcita, presentan doble refractividad. O sea, un haz de luz que incide sobre uno de estos cristales se divide en dos, de tal modo que el cristal tiene dos índices de refracción, dos disposiciones. En realidad, las disposiciones múltiples aparecen en muchos campos. Por ejemplo, el sexo de las tortugas es determinado por la temperatura del aire y cada uno de nosotros asume diferentes personalidades y actúa diferentes papeles en diferentes circunstancias.)

Resulta interesante que una disposición en el nivel individual pueda aparecer como una propiedad manifiesta de un agregado. Por ejemplo, la probabilidad de desintegración radiactiva es una propiedad de los átomos individuales (o, mejor dicho, de sus núcleos), en tanto que la semivida media, como todo promedio, es una propiedad manifiesta de una gran colección de átomos radiactivos de la misma especie. Del mismo modo, la predisposición genética a la longevidad es una propiedad de los organismos individuales, en tanto que la longevidad media (o esperanza de vida al nacer) es una propiedad estadística o colectiva. En general, las probabilidades reales son propiedades disposicionales de individuos, en tanto que los parámetros estadísticos, tales como el promedio, la mediana, la varianza y el sesgo, son propiedades manifiestas de las colecciones.

Veamos ahora las explicaciones de las propiedades disposicionales propuestas por algunos filósofos influyentes. Tómese, por ejemplo, el monóxido de carbono o CO, bien conocido por su toxicidad. Un empirista ingenuo probablemente diría que el CO es tóxico, tal como lo muestran innumerables víctimas. Pero, desde luego, esto únicamente confirma la afirmación de que el CO es tóxico. Por otra parte, un empirista sofisticado, especialmente si ha recibido la influencia de la reciente literatura sobre contrafácticos, podría decir que el CO es tóxico porque, si *fuera* inhalado, *envenenaría* a la víctima. Una vez más, ello equivale a recurrir a la experiencia sin explicar nada. Un toxicólogo diría algo bastante diferente: que el CO es tóxico porque, cuando es inhalado, se combina con la hemoglobina con un enlace que es unas 200 veces más fuerte que el que aquella establece con el oxígeno y eso impide el transporte de este último al cerebro y otros órganos, que mueren como consecuencia de ello.

En general, podemos decir que una disposición o propiedad disposicional es una propiedad que una cosa posee efectivamente y que en circunstancias ambientales apropiadas genera otra propiedad. Por lo común, esta última propiedad es manifiesta u ostensiva, en tanto que la primera no lo es. La forma lógica del análisis de una propiedad disposicional D es esta:

La cosa x posee la propiedad disposicional $D =_{df} x$ posee la propiedad efectiva A & Si la cosa x interactúa con otra cosa y, entonces x adquiere la propiedad relacional P. Lo reescribimos como la

Definición 9.5 $\forall x [Dx =_{df} Ax \ \& \ \exists y \ \exists P \ (y \neq x \ \& \ y$ es una cosa $\& \ P$ una propiedad $\& \ Ixy \ \& \ Pxy)]$.

Este análisis muestra que una disposición, potencialidad o propensión puede reducirse a dos propiedades efectivas, una de ellas (A) intrínseca y la otra (P) relacional, la primera representada por un predicado unario y la segunda por un predicado binario. No se hace ninguna referencia a mundos paralelos: como es habitual en la ciencia y la tecnología, se da por sentado que se está hablando del único mundo que hay. Sin embargo, la potencialidad o posibilidad no ha sido eliminada en pro de la realidad efectiva, algo que hubiera ocurrido si hubiésemos equiparado equivocadamente D con A. La posibilidad ha sido trasladada de la cosa en cuestión a la cosa-en-su-entorno. Por ejemplo, el azúcar es soluble en agua si y solo si el agua disuelve el azúcar. (En términos más profundos: la disolución tiene lugar porque el azúcar se une con el agua, un claro caso de interacción.) Del mismo modo, los líderes o partidos políticos democráticos son poderosos si pueden movilizar un gran sector de la población, lo que equivale a decir que un gran sector de la población se agrupará alrededor de ellos. (En términos más profundos: los políticos democráticos podrán influir la opinión pública en la medida en que se los perciba, correcta o incorrectamente, como defensores de los intereses de un gran sector de la población.) Además, se considera que las disposiciones son tan reales como las propiedades manifiestas. En consecuencia, no es necesario decir nada acerca de mundos fantásticos.

El análisis anterior se aplica a las disposiciones que pueden llamarse *condicionales*, dado que se hacen efectivas solo en condiciones apropiadas. La teoría cuántica introduce *incondicionales* que se hacen efectivas sin importar las condiciones ambientales. De tal modo, la probabilidad de que un átomo, núcleo atómico o molécula excitada se desintegre de manera espontánea (sin estímulo externo) dentro de la siguiente unidad de tiempo es una propiedad incondicional de la cosa en cuestión en un estado dado. Las disposiciones condicionales cuánticas son similares a las clásicas en que se hacen efectivas cuando surgen las condiciones ambientales apropiadas. Pero son no clásicas en cuanto involucran valores difusos (distribuidos), así como precisos, de las variables dinámicas tales como momento y energía. Einstein creyó que esta característica de los cuantones, a saber que sus propiedades dinámicas solo excepcionalmente tienen valores precisos, contradecía el realismo. Pero no es así, porque el realismo no está comprometido con ninguna característica particular de las cosas, salvo su existencia. Ya sea que ciertas propiedades físicas sean manifiestas o disposicionales, precisas o difusas, etcétera, es la ciencia la que debe determinarlo, no la filosofía. (Más en Bunge, 1979c y 1985a.)

Echemos un vistazo más de cerca a esta afirmación. De ordinario, un cuantón u objeto mecánico-cuántico es una superposición (suma) de dos o más (tal vez infinitos) estados correspondientes a valores de energía precisos o autovalores. Lo mismo vale para las otras variables dinámicas. Cada uno de los valores precisos tiene cierto peso o probabilidad. Las interacciones con el entorno (por ejemplo, un dispositivo de medición) destruirán la superposición o coherencia: solo uno de los valores precisos posibles se actualizará (se hará efectivo). En otras palabras, el cuantón posee una disposición condicional para adquirir un valor definido de energía y mucho de ello vale para las restantes variables dinámicas, tales como momento y espín. Los teóricos de esta disciplina saben cómo calcular las probabilidades en cuestión, pero solamente unos pocos admiten que todavía no conocemos los detalles del mecanismo del mencionado «colapso» o proyección de la función de estado. (Más en Bunge 2003d y 2003e.)

Dejaremos aquí lo concerniente al concepto de disposición. Pasemos ahora a examinar el modo en que los científicos ponen a prueba las propiedades disposicionales, con el supuesto no empirista de que el significado precede la puesta a prueba, y no al revés. Para poner a prueba una disposición como la capacidad de refracción, necesitamos relacionarla con una propiedad manifiesta, como por ejemplo la refracción efectiva. Pero no servirá cualquier propiedad manifiesta, dado que si bien algunas pocas de ellas son observables de modo directo, en su mayoría no lo son. (Por ejemplo, la masa atómica, el metabolismo basal, la cohesión de una familia y el resultado económico no son directamente observables.) En cada caso, tenemos que buscar una propiedad adecuada que pueda tomarse como un sustituto (o indicador) confiable de la proposición correspondiente. O sea, necesitamos inventar y confirmar al menos una hipótesis indicadora de la forma: $D = f(M)$, donde M es una propiedad manifiesta observable. En el caso de la capacidad de refracción, una hipótesis indicadora de estas características es la ley de Snell-Descartes que hemos mencionado antes. En general, se utiliza el siguiente

Criterio 9.1 Una cosa posee una propiedad, sea esta manifiesta o disposicional, si la cosa dada, o una cosa diferente relacionada con ella, exhibe una propiedad observable relacionada de manera legal con la primera.

Nótese la diferencia entre la *Definición 9.5* de una disposición y el *Criterio 9.1* que compara la prueba de existencia y las diferencias ontología-metodología. En tanto que la definición nos dice algo acerca del objeto de interés, el criterio nos instruye acerca de cómo hemos de controlar si el objeto de interés posee efectivamente la propiedad elucidada por la definición. Por ejemplo, la capacidad del papel tornasol de colorearse cuando se lo sumerge en una solución ácida puede utilizarse para reconocer si un líquido es ácido y la dielectricidad de la médula ósea se utiliza para diagnosticar la leucemia (porque el valor de esa disposición se duplica en los pacientes que sufren esa enfermedad).

La distinción entre definición y criterio es típicamente borrosa en el empirismo, especialmente en el operacionismo (u operacionalismo), tal como fuera descrito por primera vez por Bridgman (1927). El núcleo de esta doctrina es la tesis, con reminiscencias de Berkeley, de que ser es ser medido. Un ejemplo es el clásico análisis de una disposición, como la solubilidad, en términos de un condicional subjuntivo referente a las condiciones de puesta a prueba, realizado por Carnap (1936-1937). De tal modo, la cosa *b* se declara soluble en agua en el preciso caso de que si *b* *fuera* colocada en agua, *b* se *disolvería*.

El análisis empirista de las disposiciones es suficientemente bueno para la vida cotidiana, pero resulta inútil en la ciencia. Primero porque, como todos los análisis operacionistas, confunde una propiedad con el modo en que se la pone a prueba. Que se trata de una confusión entre ontología y metodología se hace más evidente aún en casos familiares como el de las pruebas de la tuberculina: se atribuye tuberculosis a los sujetos humanos si muestran una reacción positiva (una inflamación) a una inyección de tuberculina. Pero, desde luego, esta inflamación es únicamente un indicador de que el paciente ha sido invadido por los bacilos de Koch. La prueba de la tuberculina no hace ninguna referencia a estos gérmenes. Del mismo modo, la prueba de acidez del papel tornasol no hace ninguna referencia al pH o concentración del ión hidrógeno.

Segundo, el análisis positivista de las propiedades disposicionales incluye condicionales subjuntivos, los cuales son de todo menos elementos lógicamente claros. En efecto, no se trata de proposiciones y por ende no satisfacen el cálculo proposicional ni tienen un valor de verdad (recuérdese la sección 6). No sorprende, pues, que estos condicionales tengan un papel ambiguo y, por lo tanto, no decisivo, en la argumentación. Por una parte, invitan a reflexionar sobre posibilidades que hasta ese momento se han pasado por alto, como en el caso de la historiografía contrafáctica o especulación del tipo «¿qué hubiera ocurrido si?». Por otra parte, los condicionales subjuntivos ofrecen excusas baratas e imposibles de poner a prueba, tales como «Si Hitler no hubiese sido maltratado por su padre no se hubiese transformado en un asesino de masas».

Concluimos que no hay nada misterioso y mucho menos irreal en las disposiciones, en tanto y en cuanto se las considere como posibilidades reales, es decir en términos de leyes. También concluimos que no se gana nada con la tentativa de elucidar conceptos problemáticos, como el de disposición, en términos de marginales lógicos y gnoseológicos como los contrafácticos. Dejémosles allí donde pertenecen: en el yermo conceptual.

8. El espacio y el tiempo

Habitualmente pensamos en el espacio como el Gran Contenedor y en el tiempo como el Río Silencioso. Sin embargo, bajo un poco de presión, todo el mundo parece coincidir en que solo se trata de metáforas. El espacio y el tiempo no son cosas concretas, puesto que no poseen energía, la propiedad peculiar de las cosas materiales (capítulo 1, sección 1). Más aún, dado que tampoco se trata de una cosa material, el espacio no puede contener nada; del mismo modo, puesto que no se trata de un fluido, el tiempo no puede fluir. Esta es la razón de que no tengamos experiencia directa del tiempo y el espacio. Sin duda podemos sentir las cosas espaciadas, pero no el espacio. De modo equivalente, podemos sentir los acontecimientos sucesivos, pero no el tiempo. Leibniz (1956 [1715?], 2, p. 1.083) lo expresó en pocas palabras: el espacio y el tiempo «son órdenes [relaciones], no cosas».

Más precisamente, según Leibniz, el espacio es el «orden» de los coexistentes y el tiempo, el de los sucesivos. De ahí que el científico materialista añada que si no hubiera cosas tampoco habría espacio y si nada cambiara no habría tiempo. Más aún, para que cualquiera de ellos exista debe haber al menos dos elementos distintos: dos cosas en el caso del espacio y dos eventos en el caso del tiempo. (Este, el caso más simple, puede describirse por medio del espacio métrico trivial $<S, d>$, donde $S = \{a,b\}$ y $d(a,b) = 1$ si $a \neq b$, en tanto que $d(a,b) = 0$ si $a = b$.)

De tal modo, el espacio y el tiempo, si bien son conceptualmente distinguibles, en realidad constituyen un único bloque, el universo. Como veremos más adelante, la teoría de la gravitación de Einstein confirma esta perspectiva. En consecuencia, el espacio y el tiempo «absolutos» (existentes por sí mismos) de Newton son solamente ficciones. Pero se trata de ficciones útiles, dado que permiten bosquejar las cosas reales y sus cambios en relación con una cuadrícula espaciotemporal rígida que no se modifica con ninguna de las cosas cambiantes, excepto en las cercanías de los cuerpos con masas muy grandes.

A primera vista, la inmaterialidad del espacio y el tiempo desafía el materialismo y su carencia de realidad independiente presenta un desafío al realismo. Sin embargo, sostengo que una teoría relacional (o «adjetiva») adecuada del espacio y el tiempo, como la propuesta anteriormente (Bunge, 1977a), responde a este desafío tanto del materialismo como del realismo. En efecto, esta teoría, que fuera atisbada en la antigüedad y que

Levins y otros pocos revivieran, postula que el espaciotiempo es la estructura fundamental de la colección de todas las cosas materiales. El espacio tiene su raíz en la separación entre las cosas, y el tiempo en la separación entre los eventos (relativamente al mismo marco de referencia). Así pues, la especialidad y la temporalidad son vicariamente tan materiales y, por lo tanto, tan reales como las propiedades de los objetos materiales que los generan; pero no tienen existencia independiente. Pero entonces, las cosas y los cambios en sus propiedades tampoco tienen una existencia independiente: hay únicamente cosas mutuamente espaciadas y cambios sucesivos en las cosas, un enfoque excelente y muy lejano a los agujeros negros. (Véase Greene, 2004, acerca de la relevancia de estas ideas para la física contemporánea.)

Sin embargo, los empiristas tienen problemas para acomodar el tiempo y el espacio en su doctrina. Puesto que el espacio y el tiempo son imperceptibles, un empirista consistente debería o bien negar el espacio y el tiempo o bien intentar construirlos en términos de experiencias. La primera táctica, realmente propuesta por Sexto Empírico, resultaría demasiado extravagante para la mayoría de los filósofos, con la única excepción digna de mención del filósofo hegeliano John McTaggart (véase Jammer, 1954).

El segundo proyecto empirista fue intentado varias veces, notablemente por Whitehead (1919) y Nicod (1923), este último bajo la supervisión de Bertrand Russell. Pero las teorías del espacio y el tiempo que resultaron de este enfoque empirista estaban centradas en el sujeto y, en consecuencia, eran inútiles en física e ingeniería. (Imagínese un ingeniero en ferrocarriles dejándose guiar por el descubrimiento psicológico de que los sujetos perciben que los rieles paralelos se unen en el horizonte.) Además, estas teorías tampoco presentan el menor interés para la psicología, dado que no utilizan las investigaciones experimentales en la percepción de la espacialidad y la temporalidad. Desde luego, la perspectiva de Kant de que el espacio y el tiempo son intuiciones en lugar de características del mundo real no puede ser tomada en serio por nadie que haya medido distancias o períodos.

En la actualidad, distinguimos tres conceptos de espacio diferentes:

1. Espacios *abstractos* de muchas clases y dimensiones, tales como los espacios topológicos, proyectivos, cartesianos (como los espacios de estados), euclidianos y riemannianos. Se trata de los obje-

tos de otras tantas geometrías. La experiencia y la medición resultan impertinentes en relación con estas teorías.

2. Espacio y tiempo *físicos*, considerados como rasgos objetivos del mundo. Son el objeto de las geometrías físicas contenidas en ciertas teorías físicas, en particular en la teoría de la gravitación de Einstein. A diferencia de las geometrías matemáticas, se supone que las geometrías físicas han de ser validadas a través de medidas de precisión.

3. Espacios *fenoménicos* (o de la experiencia), tales como los espacios visuales y auditivos de los humanos y otros animales. Son objeto de estudio de la psicología cognitiva, la cual ha descubierto que los espacios visuales y auditivos humanos no son euclidianos.

Los espacios abstractos no presentan ningún problema filosófico, más allá de los suscitados por toda abstracción matemática. En cambio, los espacios físicos y fenoménicos (o psicológicos) y sus correspondientes teorías sí que suscitan perplejidades filosóficas. Las más antiguas e importantes de ellas son las siguientes tres. Primero, ¿qué tipo de objeto son el espacio o el tiempo: materia o sistemas de relaciones? Segundo, ¿están relacionados con la materia y si es así de qué modo? Tercero, ¿el espacio y el tiempo, son reales o irreales, objetivos o subjetivos? Todas estas preguntas ya fueron tratadas en los párrafos precedentes. Nuestra respuesta ha sido, en pocas palabras, una versión materialista de la teoría relacional de Leibniz: el espacio, el tiempo y la materia no existen por sí mismos. El universo está compuesto de cosas espaciadas y el tiempo es el ritmo de su cambio. De tal modo, el espacio y el tiempo son materiales y reales (objetivos), de manera vicaria, tanto como el cambio. Esta concepción no está ni con mucho tan difundida como la concepción opuesta, o sea la de Kant.

Cuando Kant abandonó el sistema de Leibniz tal como fuera codificado por Christian Wolff, adoptó una perspectiva subjetivista del espacio y el tiempo: ambos serían precondiciones intuitivas de la experiencia, la cual, a su vez, construiría el mundo. Así pues, Espacio y tiempo subjetivos → Experiencia → Mundo. En 1770, Johan Heinrich Lambert, el notable polígrafo, escribió a Kant (en Kant, 1913, vol. 1, pp. 101-102) que no puede negarse que los existentes reales cambian y, puesto que el cambio es real, también lo es el tiempo. Kant no lo escuchó. Once años más tarde, repitió la tesis subjetivista de su primera *Crítica*.

La controversia acerca de la realidad u objetividad del espacio y el tiempo permaneció sin resolver hasta 1915, momento en que Einstein inventó su teoría de la gravitación (relatividad general). Según esta teoría, el espacio y el tiempo están fundidos (aunque no confundidos) en el espaciotiempo. A su vez, las propiedades del último están determinadas por la distribución de los cuerpos y campos distintos del gravitatorio, según la ecuación central de la teoría: "$G = \kappa T$". Aquí, G designa el tensor geométrico y T el tensor material. Si $T = 0$ en todo lugar, o sea, para un «universo» completamente vacío, la física se hace a un lado y «$G = 0$» describe una familia de espacios puramente matemáticos. En otras palabras, «$T \neq 0$ en algún lugar» describe la materia real-junto-con-el-espaciotiempo.

De tal modo, la materia y no el espaciotiempo existe por sí misma. Si se lo prefiere, tanto la materia como el espaciotiempo son reales, aunque no son independientes entre sí. Esta es la respuesta contemporánea a la milenaria pregunta de si el espacio y el tiempo son reales: lo son, aunque no en sí mismos, sino como características de la materia (en el sentido amplio del conjunto de las cosas cambiantes). Una vez más, la ciencia ha respondido una pregunta filosófica clave.

9. El libre albedrío y la libertad

El libre albedrío es, desde luego, la capacidad de hacer lo que uno quiere. Más precisamente, se trata de la capacidad de tener sentimientos y pensamientos, así como de tomar decisiones y realizar acciones que, aunque están constreñidas por las circunstancias externas, no son causadas por ellas. En la jerga psicológica, el libre albedrío es conducta (interna o manifiesta) que no depende de un estímulo. Un ejemplo claro de ello es la negativa a obedecer órdenes, a pesar del grave riesgo para sí, de un prisionero, un soldado o un sacerdote. Otro caso de libre albedrío es la creatividad: la invención de ideas que va más allá de —o incluso contra— la estimulación sensorial. Einstein (1949, p. 49; 1950a, p. 60) entendía los conceptos teóricos necesarios para explicar la realidad como «libres creaciones de la mente humana». Son libres en el sentido de que son independientes de la percepción, aun cuando de manera excepcional son desencadenados por esta. (Dicho sea de paso, esta fue una de las principales objeciones de Einstein a los positivistas: su prejuicio contra las creaciones libres.)

El libre albedrío viola, desde luego, el dogma central de la teoría del reflejo de Pavlov, el conductismo de estímulo y respuesta de Watson y Skinner y la psicología ecológica de Gibson. Por la misma razón, el libre albedrío viola la versión restringida del determinismo, según la cual solo los estímulos externos cuentan como causas. Pero es consistente con la causalidad *lato sensu*, puesto que la implementación de toda decisión involucra vínculos causales tales como los que relacionan los sucesos en la corteza prefrontal con los sucesos que tienen lugar en el sistema neuro-muscular. De ahí que el libre albedrío no deba ser definido como una superación de la causalidad. Tampoco puede definirse el libre albedrío como la imposibilidad de predecir, porque esta es una categoría gnoseológica y metodológica.

Los teólogos y los filósofos han debatido durante dos mil años si el libre albedrío es real o ficticio. El problema es de gran importancia teórica y práctica, dado que se trata de si los seres humanos podemos tomar la iniciativa, superar algunos constreñimientos ambientales o, incluso, rebelarnos contra los poderes terrestres y celestes de turno. Algunos teólogos necesitan el libre albedrío para poder legislar sobre el pecado y el mal, así como para justificar los crueles castigos que nos llueven del cielo; y los filósofos morales y filósofos del derecho necesitan el libre albedrío para dar sentido a la autonomía y la responsabilidad personal. Sin embargo, sin importar estas necesidades, la pregunta ontológica y científica es si el libre albedrío es realmente posible.

Los idealistas no tienen problema alguno en admitir el libre albedrío, puesto que se supone que el alma inmaterial escapa a las leyes de la naturaleza. En contraposición, los materialistas vulgares (fisicistas, nominalistas) rechazan la hipótesis del libre albedrío porque conciben a los seres humanos como complejos sistemas regidos por las leyes de la física y la química, ninguna de las cuales parece admitir los procesos espontáneos o autoiniciados. Por otra parte, los materialistas emergentistas admiten la posibilidad del libre albedrío y la autoconciencia concomitante como resultado de la evolución. En efecto, la evolución involucra la emergencia de nuevos tipos de cosas que satisfacen leyes ausentes en los niveles inferiores de organización. Por ejemplo, las neuronas pueden disparar y asociarse de manera espontánea, no solamente en respuesta a un estímulo externo.

Dado que la volición es una facultad mental y puesto que todo lo mental tiene lugar en el cerebro, para averiguar si el libre albedrío es real tenemos que cambiar el centro de atención de la teología y la filosofía especulativa al estudio del cerebro humano. En especial, hemos de mirar en la corteza prefrontal, de la cual se sabe que realiza las llamadas funciones ejecutivas. El primer científico moderno en atacar el problema del libre albedrío y sostener que puede ser resuelto por la neuropsicología fue Donald O. Hebb (1980). Hebb argumentaba que las investigaciones anatómicas de Cajal, así como los datos electroencefalográficos, habían mostrado que el cerebro es más que una repetidora entre los receptores y los efectores: que está activo de manera continuada, aun durante el sueño y que siempre añade algo a la señal que ingresa en él.

La propia investigación de Hebb sobre la privación sensorial confirmó estos estudios: mostró que la estimulación externa distorsiona la acción continuada del cerebro, pero que no es su única fuente. Podemos experimentar deseos e imágenes y formar intenciones y planes de manera espontánea, o sea en ausencia de estimulación externa. Puesto que «el libre albedrío es el control de la conducta por el pensamiento» (Hebb, *ibíd.*, p. 139) y dado que no todo pensamiento ocurre en respuesta a causas externas, el libre albedrío es un hecho biológico, no una ilusión. Desde luego, puede ser tanto atenuado como potenciado por la educación y las circunstancias sociales, pero no más que otras facultades y procesos mentales. Lo que nos lleva a nuestro próximo tema: la posibilidad de la libertad.

La contraparte social del libre albedrío es la libertad. Se trata de una característica del orden social que permite a los individuos hacer lo que desean. Sin embargo, la libertad es limitada y cuanto de ella pueda disponerse tiene un precio. No se trata únicamente de que, como ha dicho Thomas Jefferson, el precio de la libertad es la eterna vigilancia. Se trata también del hecho de que no todos podemos darnos el lujo de ser completamente libres y hacer exactamente lo que nos plazca, ni debemos pensar que eso es posible. De hecho, aun en las sociedades más libres los individuos tienen obligaciones, en particular las de respetar las libertades de los demás y compartir las cargas del mantenimiento del orden social que las asegura. Además, en las sociedades profundamente divididas, solo los miembros de una minoría gobernante tienen lo necesario para disfrutar la seguridad, el aire y el agua limpios, los paisajes hermosos y el acceso a la cultura superior.

Más aún, la libertad, como todos los demás valores, es parte de un paquete o sistema: ningún valor puede realizarse de manera aislada de los demás valores. En particular, nadie puede ser libre en una comunidad de individuos completamente egoístas que no desean echar una mano cuando se la necesita y ello por la sencilla razón de que nadie, ni siquiera el autócrata, es autosuficiente y omnipotente. Los revolucionarios de 1789 tenían razón: *liberté, égalité, fraternité*. Me atrevo a agregar *idoneité*, es decir competencia técnica, ya que sin ella aun las mejores intenciones difícilmente lleguen a dar frutos.

Por desgracia, todos sabemos que ninguna de las sociedades que existen actualmente realiza el ideal Libertad-Igualdad-Solidaridad-Competencia. ¿Prueba esto que deberíamos dejar de soñar utopías? No lo creo. Solo prueba que hasta el momento no hemos sido capaces de educar y movilizar a la gente para trabajar (en lugar de luchar) por ese ideal.

10. Comentarios finales

La palabra "trascendental" se ha ganado una mala reputación porque demasiado a menudo ha designado elementos de otros mundos. Sin embargo, se trata de un nombre legítimo para todo lo que trasciende (supera) la experiencia. Por lo tanto, no solo puede aplicarse a las deidades, sino también a ficciones, electrones, naciones y cosas. Más aún, algunos elementos trascendentales tales como la posibilidad, la disposición y el espaciotiempo son indispensables para explicar las cosas concretas y sus cambios. Por ejemplo, las especies biológicas son colecciones, no individuos concretos, pero no se trata de conjuntos arbitrarios o convencionales; del mismo modo, si bien los enunciados legales son objetos abstractos, representan pautas reales. En general, los universales son *in re*, en lugar de *ante rem* o *post rem*.

10

De la Caverna de Platón a la Colina de Galileo: reivindicación del realismo

Si bien el realismo filosófico es practicado por toda la gente cuerda, el antirrealismo se enciende cada tanto, aun en ámbitos tan inesperados como el de la mercadotecnia y la administración. En particular, el realismo es una de las *bêtes noires** del posmodernismo, la aplanadora de todo lo bueno que hay en la modernidad, especialmente de la confianza en la razón y la búsqueda de lo verdadero, lo bueno y lo correcto. En consecuencia, si deseamos detener esa aplanadora, tenemos que defender el realismo filosófico, entre otras cosas.

El realismo filosófico que defiendo es una doctrina comprensiva. En efecto, se trata de un sistema con siete componentes: ontológico, gnoseológico, semántico, metodológico, axiológico (o relacionado con la teoría de los valores), ético y práctico. He aquí una formulación abreviada de los siete constituyentes del *realismo filosófico integral* (R):

R ontológico = El mundo externo existe por sí mismo.
R gnoseológico = El mundo externo puede ser conocido.
R semántico = Referencia externa y verdad fáctica.
R metodológico = Contrastación con la realidad y cientificismo.
R axiológico = Valores objetivos tanto como subjetivos.
R ético = Hechos morales y verdades morales.
R práctico = Eficiencia y responsabilidad.

* En francés en el original: bestias negras. [*N. del T.*]

Nótese la ausencia de dos realismos en la lista anterior: el político y el estético. El primero, la *Realpolitik*, es sinónimo de la lucha sin principios por el poder. Se trata del cinismo político y la conveniencia que llevan a la barbarie. En cuanto al realismo estético, se trata de una categoría tan amplia que abarca la mejor literatura, así como las artes visuales «conservadoras» (académicas). La confusión del realismo filosófico con el realismo estético ha llevado a Lyotard (1980, p. 77), el inventor de la palabra "posmoderno", a declarar la «falta de realidad» de la realidad, una joya posmoderna.

El realismo filosófico integral es un sistema (o «totalidad orgánica»), en lugar de un conjunto de opiniones desconectadas. De tal modo, el realismo práctico es la tesis de que la acción debe ser eficiente, así como consistente con un mínimo de moralidad, aunque solo fuese porque la acción inmoral es, en última instancia, autodestructiva. El realismo ético promueve la investigación de problemas morales de la vida real con ayuda del conocimiento científico o tecnológico pertinente. Una axiología es realista en la medida que trata con valores tanto objetivos como subjetivos y justifica los primeros con la ayuda de conocimiento firme y argumentos eficaces. Una metodología es realista si adopta la estrategia que los científicos y tecnólogos realmente utilizan para estudiar o modificar la realidad. Una teoría semántica es realista si contiene una teoría de la referencia que permita hallar aquello a lo cual hacen referencia los predicados y las proposiciones y adopta la concepción de la verdad fáctica como correspondencia. Una gnoseología es realista si tiene contacto con la psicología cognitiva y muestra que la exploración científica del universo presupone los realismos ontológico y gnoseológico. Por último, la ontología realista supone la existencia independiente (o sea, no subjetiva) del universo.

La corriente en sentido opuesto, de la teoría a la praxis, es igualmente fuerte. En efecto, las ontologías realistas son la base para una gnoseología que alienta el estudio del mundo real, distingue las propiedades primarias de las secundarias y desalienta las especulaciones inútiles acerca de imposibles tales como los espíritus incorpóreos y los mundos paralelos. A su vez, una gnoseología realista estimula una semántica que comienza con teorías semánticas de la referencia y la verdad fáctica. Una semántica así alienta una metodología centrada en el método científico y, en consecuencia, admite la dicotomía sujeto / objeto y alienta la explicación de las propiedades secundarias por medio de las propiedades primarias. La conjunción de la metodología, la semántica, la gnoseología y la ontología realistas sugiere una axiología realista que considera la valoración como un proceso que tiene lugar en un cerebro inmerso en una red social. A su vez, una axiología de esta índole invita a la interpretación realista de las normas morales como reglas para abordar los problemas morales. Asimismo, una ética realista sugiere una filosofía práctica que ayude a abordar los problemas prácticos tanto de manera eficiente como en concordancia con principios morales.

Pasemos a dar los argumentos correspondientes a cada una de las siete ramas del realismo filosófico.

1. Realismo ontológico: cerebro e historia

El realismo ontológico es la tesis de que el universo, o realidad, existe *in se et per se*, en sí y por sí. Únicamente una minúscula parte de la realidad —el mundo social humano— ha emergido, subsiste y cambia por nuestra causa y para nosotros, pero su existencia no depende del sujeto cognoscente. En otras palabras, el sujeto, conocedor o explorador es una cosa real rodeada por cosas reales, la mayoría de las cuales existen desde antes que él y no necesitaron su ayuda para ser. Además, una vez que ya han surgido, las invenciones o construcciones sociales son tan reales como las montañas.

Privilegiaremos cuatro argumentos en apoyo del realismo ontológico: los de la física, la biología, la neurociencia cognitiva y la historia. El primero de ellos es que todas las leyes físicas fundamentales, tales como la segunda ley del movimiento de Newton, los tripletes de Maxwell y la ecuación de Shrödinger son invariantes respecto de (ciertos) cambios de marcos de referencia, en particular de los observadores. Solamente los enunciados legales derivados, tales como la ley de la caída de los cuerpos de Galileo y la ley del efecto Doppler, pueden ser dependientes del marco de referencia. Pero los marcos de referencia son sistemas físicos especiales que no necesariamente incluyen seres humanos (véase Bunge, 1967b).

El argumento de la biología es que todos los organismos, aun las bacterias y los filósofos subjetivistas, extraen nutrientes y energía de su entorno y están provistos de sensores de señales externas. Esta es la razón de que los organismos mueran si se los aísla completamente de su entorno y que enfrentan grandes riesgos cuando sus sensores funcionan mal.

En pocas palabras, somos realistas congénitos; exceptuando a los catedráticos de filosofía.

El tercer argumento, que fuera propuesto por vez primera por Condillac, en 1754, con la ayuda de su famosa estatua imaginaria, se reduce a lo siguiente. El olor proviene de oler una señal externa o de recordar esa experiencia. Los otros cuatro sentidos clásicos trabajan de manera similar. (La propiocepción no se conocía en su época.)

El argumento de Condillac puede actualizarse del siguiente modo. Las funciones mentales son procesos cerebrales, algunos de los cuales representan sucesos externos. Por ejemplo, el olfato es una larga y compleja cadena causal que puede resumirse así: Moléculas volátiles en el entorno del sujeto → Receptores químicos en los cilios de las neuronas sensoriales olfativas → Bulbo olfativo → Corteza olfativa → Otras regiones cerebrales (especialmente los órganos de la emoción).

Los eslabones primero y último de esta cadena olfativa pueden faltar: pueden tener lugar alucinaciones olfativas y podemos no percatarnos de estímulos olfativos subliminales. Del mismo modo, un ciego puede detectar sombras sin percibirlas conscientemente. En resumen, a veces el cerebro detecta estímulos externos, aunque no siempre de manera consciente. Otras veces, el cerebro produce ilusiones o alucinaciones: oye «voces», siente dolor en un miembro fantasma, tiene experiencias religiosas, viajes astrales, etcétera. Solo una confrontación con la dura realidad puede corregir nuestras representaciones erróneas de ella.

El cerebro no podría existir sin el mundo que lo rodea, del cual no solo extrae nutrientes, sino también la estimulación necesaria para su normal desarrollo y funcionamiento. El papel del entorno en el desarrollo del cerebro normal ha sido mostrado de modo experimental por Hubel y Wiesel (1962), en un experimento famoso que les hizo ganar el Premio Nobel. Este ensayo consistió en cerrar quirúrgicamente un ojo de un gatito recién nacido y quitar los puntos 12 semanas después. El resultado fue que el gato nunca desarrolló la visión en profundidad, porque las bandas de la corteza visual primaria correspondientes al ojo ciego fueron invadidas por neuronas de la misma área estimuladas por el ojo intacto. En resumen, el genoma no es suficiente para el desarrollo normal: también se necesita la estimulación del mundo externo. Otro caso bien conocido es el de los individuos que quedan ciegos después de nacer: su oído mejora porque algunas de las neuronas previamente vinculadas a la visión son reclutadas por el área auditiva.

En resumidas cuentas, los estímulos ambientales contribuyen intensamente al desarrollo del cerebro. Cuando estos estímulos están ausentes, el cerebro deja de desarrollarse o funcionar de manera normal. En efecto, los clásicos experimentos de Hebb acerca de la privación sensorial en humanos han mostrado que, en ausencia de estímulos externos, el sujeto alucina y pierde la noción del tiempo. En otras palabras, ponga el lector el mundo entre paréntesis, tal como recomienda Husserl a fin de capturar las esencias de las cosas, y probablemente acabe en el manicomio. Así pues, el mítico «cerebro en una cubeta» de Hilary Putnam no solo sería solipsista, también estaría loco.

Por cierto, no hay dos individuos que vean el mundo exactamente del mismo modo, puesto que no hay dos cerebros que tengan historias de vida idénticas. Con todo, todas las personas, aun las que sufren autismo severo, coinciden en que hay ciertas cosas a su alrededor que existen por sí mismas, tales como árboles, edificios y otras personas. Además, los eventos emocionalmente conspicuos o sorprendentes, tales como los disparos de arma de fuego y los accidentes aéreos probablemente sean percibidos de manera correcta por todos los que se encuentren dentro del radio en que son audibles. Más aún, se ha hallado que, al percibir esos sucesos, diferentes cerebros funcionan de manera sincrónica. De tal modo, la objetividad o, al menos, la intersubjetividad, parece estar profundamente embutida en el cerebro. Hasta aquí el argumento de la neurociencia cognitiva.

Por último, el argumento de la historia consiste en señalar que todas las ciencias históricas, desde la cosmología y la geología a la biología evolutiva y la historiografía, dan por sentado el pasado. Más aún, suponen que el estudio del pasado no puede modificarlo. Es cierto, cada generación de historiadores reescribe la historia. Lo mismo vale para los estudiosos de la evolución del universo y sus constituyentes, de las moléculas a las rocas, los organismos y los sistemas sociales. Las razones para el revisionismo histórico científico (no ideológico) son bien conocidas: el registro histórico es incompleto: se han sacado a la luz nuevas pruebas, se han inventado nuevos métodos, se han sugerido nuevas hipótesis o se han propuestos nuevas filosofías de la historia. En resumen, los historiadores no pueden alterar el pasado, solamente pueden llenar las lagunas o corregir los errores de descripciones previas de lo que ha ocurrido.

Únicamente un constructivista social podría afirmar que el pasado (no solo su estudio) es una construcción social, pero no se molesta en ofrecer ninguna prueba de esta estrafalaria afirmación, más que la confusión entre el pasado, la historia y sus descripciones, las historiografías. (Por ejemplo, tras examinar meticulosamente la opinión de diversos historiadores estadounidenses, Novick [1988] concluyó que la objetividad no es más que «un noble sueño».) Los viajes al pasado son físicamente imposibles y la historia es irreversible. Si pudiéramos manipular el pasado, modificaríamos el presente sin mover un solo dedo, algo que ni siquiera los ocultistas se atreven a prometernos.

2. Realismo gnoseológico: patear y explorar

La gnoseología trata de la relación sujeto-objeto: de ella se espera que nos diga algunas generalidades acerca de la cognición y su objeto (véase, por ejemplo, Bunge, 1983a y 1983b). En realidad, la gnoseología es múltiple en lugar de única: hay tantas gnoseologías como ontologías: realista e irrealista, materialista e idealista y así sucesivamente.

El realismo gnoseológico puede condensarse en una definición y seis tesis. La definición es esta: un elemento es real si existe independientemente del sujeto o conocedor. Nótese que esta definición no puede ser un criterio de realidad, dado que no nos dice cómo averiguar si el objeto persiste mientras no estamos mirando.

De ordinario, para averiguar si un elemento es real o si, de otro modo, es una ficción de nuestra imaginación, observamos si influye sobre alguna otra cosa o si podemos actuar sobre él de manera efectiva. Por ejemplo, Boswell nos dice que Samuel Johnson afirmó haber probado la realidad de una piedra pateándola y sintiendo el dolor en su pie. Sin embargo, Berkeley podría haber respondido que el puntapié solamente prueba que la piedra estaba allí únicamente porque el Dr. Johnson la había percibido. Patear, pues, no resulta decisivo, salvo para meter goles en el fútbol.

Además, en la mayoría de los casos no podemos actuar sobre una cosa para averiguar si realmente existe. Por ejemplo, no podemos patear el Sol y mucho menos la Vía Láctea o el universo como totalidad. Ver el Sol es, ciertamente, una pista poderosa, pero no satisfaría a Berkeley. Aceptamos esta prueba sensorial porque podemos ocultarnos de la luz solar y también porque podemos explicar el proceso que acaba en la percepción del Sol: Fotones emitidos por el Sol → Retina → Nervio óptico

→ Corteza visual. O sea, aceptamos una sensación visual como prueba porque podemos explicar la cadena causal que va desde el Sol al cerebro. En resumen, patear y observar una reacción es intensamente sugerente, pero no es suficiente para certificar la realidad de una entidad.

Hasta aquí llegamos con la definición y el criterio de realidad. Afirmemos ahora las tesis de nuestra versión científica del realismo gnoseológico:

1. *La realidad es comprensible*: o, mejor dicho, es posible conocer algunos hechos, aunque habitualmente de manera parcial y gradual. El realismo no requiere la verdad exacta: nuestro conocimiento puede ser solo tosco y esbozado. Más aún, la exactitud no es siempre más valiosa que la intuición, la tratabilidad y la posibilidad de puesta a prueba. De tal modo, un modelo tosco pero profundo (mecanísmico) es una herramienta exploratoria mejor que una altamente precisa pero superficial caja negra.

2. *El conocimiento indirecto es el más profundo*: se obtiene por medio de teorías e indicadores antes que a través de la mera percepción o la intuición instantánea. Esta tesis se opone al realismo directo, o sea la opinión empirista de que no necesitamos razonar para conseguir conocer una cosa. Esta opinión ni siquiera se sostiene en relación con los asuntos cotidianos, puesto que toda cognición depende de la experiencia pasada, las expectativas, la atención y las conjeturas. Por ejemplo, el paleontólogo ve fósiles dispersos entre las rocas que probablemente escaparían al ojo del lego; el tiempo «pasa» más lentamente cuando prestamos atención a los sucesos externos que cuando no lo hacemos y la comprensión de la conducta de una persona requiere la «lectura de la mente», o sea conjeturar algunos de sus pensamientos.

3. *Falibilismo*: con seguridad, a veces erramos; podemos utilizar técnicas deficientes, hacer suposiciones falsas, simplificar de manera excesiva o producir datos falsos. El falibilismo es, desde luego, el ingrediente escéptico del realismo gnoseológico. Este ingrediente, ausente en el realismo ingenuo, es la marca característica del realismo crítico.

4. *Meliorismo*: dada una pieza cualquiera de conocimiento, en principio es posible mejorarla: hacerla más comprensiva, precisa o profunda. El meliorismo modera el impacto del falibilismo: nos

impide caer en la estéril trampa del escepticismo radical. Pero no se trata de un artículo de fe: un análisis de los supuestos simplificadores involucrados en la construcción de toda hipótesis y en el diseño de todo experimento sugiere que quitando alguna de esas ficciones han de obtenerse resultados más precisos.

5. *Pluralismo moderado*: en principio, todo conjunto de hechos puede ser presentado por medio de hipótesis o teorías alternativas. Por otra parte, en tanto que algunos constructos rivales son equivalentes en algunos aspectos, otros difieren en precisión, generalidad y profundidad.

6. *El conocimiento objetivo apoyado en pruebas firmes y teoría válida es muy superior a las corazonadas subjetivas*: por ejemplo, saber que el acusado de un caso de asesinato se hallaba fuera del país en el momento del asesinato demuele toda sospecha que su prontuario policial o el color de su piel puedan haber suscitado al jurado.

Dicho sea de paso, no se debe confundir la objetividad o la impersonalidad con la intersubjetividad o consenso en un asunto de conocimiento. La razón es que se puede alcanzar el consenso a través de la manipulación o la coerción, sin importar las pruebas o los argumentos. En la ciencia y la tecnología, la intersubjetividad o incluso el consenso son una añadidura a la objetividad y la discusión racional. De modo típico, la fenomenología, la filosofía feminista, el bayesianismo, la seudociencia y el posmodernismo reemplazan la objetividad ya sea con la subjetividad, ya sea con la intersubjetividad. Por ejemplo, dos prominentes teóricos bayesianos proclaman que: «No podemos encontrar ningún papel para la idea de objetividad, excepto, tal vez, como una "abreviatura" posiblemente conveniente, pero potencial y peligrosamente engañosa de la comunidad intersubjetiva de creencias» (Bernardo y Smith, 1994, p. 237).

La objetividad difiere tanto de la neutralidad de valores como de la imparcialidad, tres conceptos que Max Weber (1988b) confundió en su influyente artículo de oposición. En efecto, se puede ser objetivo y, al mismo tiempo, tener ciertas preferencias: por la verdad antes que por la falsedad, la democracia por encima de la dictadura o la igualdad por encima de la desigualdad, entre otras. De igual modo, la objetividad es compatible con la parcialidad. Tal como lo ha expresado Rescher (1997, p. 43), «ser objetivo acerca de la determinación de los hechos no exige estar preparado para aceptarlos tal como son y rehusar intentar cambiar las condiciones de las cosas que ellos representan». El tomar partido solo ha de ser evitado si interfiere o bien con la imparcialidad o bien con la búsqueda de la verdad, como cuando se entona el mantra del libre mercado como panacea para el desarrollo nacional, aun cuando las estadísticas correspondientes muestran que solo favorece a los que son económica y políticamente poderosos.

El siguiente puede llamarse Argumento del Explorador: todo aquel que se proponga explorar un territorio o investigar una cosa, evento o proceso concretos supone que estos existen o pueden existir. Así pues, el físico que intenta encontrar los bosones de Higg con el auxilio de aceleradores de partículas de alta energía supone que es realmente posible que esas partículas, postuladas por una teoría, existan. Del mismo modo, el biólogo evolutivo que cava en busca de un fósil de una edad intermedia a la de dos fósiles conocidos supone que ese eslabón perdido puede existir. También el arqueólogo que busca restos o rastros de trabajo humano en las cercanías de unas ruinas supone que las personas que los produjeron probablemente han existido. Todos los exploradores tienen la esperanza de confirmar sus corazonadas: no son falsificacionistas *à la* Popper. En particular, los mineros cavan en busca de oro, no para falsar la hipótesis de que no lo hay en el sitio marcado.

¿Qué pensará un explorador si no consigue hallar lo que ha estado buscando? Que la cosa conjeturada nunca existió o que está en algún otro sitio o que fue destruida o robada. En el primer caso, habrá falsado su hipótesis, pero en los otros dos puede mantener la esperanza de que alguien más, provisto con instrumentos mejores o ideas más verdaderas, confirme su hipótesis.

En cualquiera de los dos casos, el explorador supone que algunas de las cosas que ha dado por sentadas o que ha supuesto están allí fuera. Esta es la razón de que la arqueología, la biología evolutiva y la geología no sean actividades de escritorio. En cuanto a la cosmología, se trata, por cierto, de una disciplina teórica, pero está motivada y es controlada por los datos astronómicos y estos, a su vez, tratan de objetos «celestes» que existen o han existido en la realidad.

3. Realismo semántico: la referencia y la correspondencia

Sostengo que el realismo semántico es la concepción de que (a) algunas proposiciones se refieren a (tratan de) hechos y (b) algunas proposiciones fácticas son verdaderas en alguna medida. La tesis (a) es rechazada por los textualistas, en particular por los deconstruccionistas, tales como Derrida, según el cual todo símbolo se refiere a otros símbolos. Asimismo, los escépticos radicales (pirrónicos) rechazan la tesis (b). Todo el resto del mundo suscribe ambas tesis. Pero no todo el mundo se percata de que los conceptos clave que involucran estas tesis, los de referencia y verdad, son intensamente problemáticos.

La mayoría de las teorías semánticas, en particular la semántica de los mundos posibles, no consiguen elucidar el concepto de referencia: no ayudan a averiguar de qué está hablando el hablante. También confunden la referencia con la extensión, como cuando se dice que los epiciclos de Ptolomeo son «no referenciales», en tanto que las órbitas de Kepler son consideradas «referenciales». De hecho (o, mejor dicho, de lógica), todas las proposiciones son referenciales, aun si son indecidibles o tratan de la nada. Así pues, los cuentos de hadas se refieren a las hadas y las tautologías (verdades lógicas) se refieren a cualquier cosa: puesto que carecen de contenido, no dependen de una referencia específica (Bunge, 1974c).

Nótese la diferencia entre referencia y representación (véase Bunge, 1974a). Si bien las tautologías, convenciones y enunciados de la matemática pura tienen referentes, ya sean precisos, ya sean no descritos, no representan nada del mundo real. Así pues, una definición de velocidad se refiere a una cosa en movimiento, pero no representa ninguna característica de ella. Por otra parte, la afirmación de que las partículas no pueden alcanzar la velocidad de la luz representa una propiedad de las cosas provistas de masa. Véase la tabla 10.1.

Mi teoría de la referencia (Bunge, 1974a) postula que el referente de un enunciado simple de la forma «b es un P» es b; los referentes de una proposición de la forma «b y c están R-relacionados» son b y c; y la clase de referencia de un enunciado molecular, tal como «p y q» y «si p, entonces q» es igual a la unión de las clases de referencia parciales. Esta teoría semántica permite, en particular, identificar los referentes de teorías con referentes inciertos, como por ejemplo los de las mecánicas relativista y cuántica. Se puede mostrar que estas teorías se refieren exclusivamente a cosas físicas, que no hacen referencia alguna a los observadores (Bunge, 1967b).

(El modo de hacerlo es analizar los conceptos clave de sus postulados, tales como la ecuación de Shrödinger. Esta fórmula especifica el efecto del operador hamiltoniano o de energía H sobre la función de es-

Tabla 10.1. Algunos objetos conceptuales representan elementos del mundo real de un modo más o menos fiel (verdadero), en tanto que otros refieren pero no representan. Aun hay otros, tales como la teoría de las cuerdas, que en este momento todavía se hallan en el limbo.

Elementos conceptuales	Mundo real
Modelo de las cosas	Cosas
Atributos	Propiedades
Proposiciones singulares	Hechos
Enunciados legales	Pautas
Convenciones	—
Lógica	—
Ficciones matemáticas	—
Fantasías metafísicas	—
Falsedades	—

tado Ψ. Por hipótesis, H representa la energía de la cosa o cosas en cuestión, tales como un protón y un electrón unidos por su interacción electrostática en el caso de un átomo de hidrógeno. En H no se mencionan ni dispositivos experimentales ni observadores. En consecuencia, H se refiere exclusivamente a las entidades microfísicas supuestas al escribir esa hipótesis. Lo mismo vale para la función de estado. Todo lo demás es contrabando filosófico.)

En cuanto a la verdad, la mayoría de los filósofos coincide en que solo puede predicarse de proposiciones, o sea de los objetos designados por los enunciados. (Puede argüirse que los diagramas y gráficos también pueden ser más o menos verdaderos, pero no exploraremos esa posibilidad aquí.) Sin embargo, los filósofos están notablemente divididos acerca de este asunto. Además del escepticismo radical («No hay verdades») y el relativismo («Todas las verdades son construcciones sociales locales o tribales»), las principales concepciones sobre la verdad son las siguientes:

1. *Teoría de la redundancia (o deflacionaria)*: el concepto de verdad es redundante. O sea, afirmar p es lo mismo que afirmar la verdad de p.
2. *Teoría de la coherencia*: una proposición es verdadera en un cuerpo de proposiciones si y solo si es consistente con los restantes

constituyentes de ese cuerpo. En particular, una proposición abstracta, tal como «la operación • es asociativa en *S*» es verdadera en un sistema si y solo si o bien (a) puede satisfacerse (o posee un modelo o ejemplo) o (b) es deducible a partir de los supuestos básicos (axiomas) del sistema. De manera obvia, el concepto de verdad como coherencia es aplicable solo en matemática.

3. *Teoría de la correspondencia*: una proposición fáctica es verdadera si y solo si se corresponde con (representa) los hechos a los cuales se refiere. Peirce (1986, p. 282) lo ha expresado de este modo: «La verdad consiste en la existencia de un hecho real que se corresponde con una proposición verdadera». Dicho con mayor precisión, una proposición fáctica es (fácticamente) verdadera si y solo si ha sido confirmada empíricamente o si se sigue de otras proposiciones que han superado contrastaciones empíricas. Este concepto de la verdad como correspondencia se aplica al conocimiento común, la ciencia fáctica y la tecnología.

Habitualmente se considera que la teoría de la correspondencia supone que toda proposición fáctica posee un valor de verdad preciso y más aún, es verdadera o falsa, ya sea que lo sepamos o no. Esta afirmación me parece poco realista porque los valores de verdad fáctica solo pueden ser atribuidos con legitimidad cuando están basados en puestas a prueba.

Si esas pruebas no son posibles, la proposición correspondiente carece de valor de verdad. Ejemplos: (a) «Cuando Cristo nació nevaba en Montreal», (b) «El último pensamiento de Cristo fue que, cuando lo arrestaron, todos sus discípulos se escabulleron» y (c) «Algunos corintios deben de haber respondido la epístola que San Pablo les enviara». Véase la figura 10.1.

Figura 10.1. Los valores de verdad fácticos derivan de las puestas a prueba. Por lo tanto, las proposiciones que no han sido sometidas a esas pruebas no poseen valores de verdad.

A diferencia de las estrellas y las células, cuyas propiedades son independientes del sujeto, las proposiciones son constructos, no entidades dadas, con propiedades objetivas: construimos, evaluamos y modificamos todas las proposiciones. En consecuencia, una pizca de constructivismo se justifica respecto de los constructos, siempre y cuando no se trate de constructivismo del tipo voluntarista.

Dado que las proposiciones se evalúan a la luz de pruebas más o menos rigurosas, su valor de verdad, si es que lo tienen, no es innato y constante, sino que puede cambiar en el curso de la investigación (Bunge, 1967a). Solamente los platónicos, los realistas ingenuos y aquellos que confunden las verdades con los hechos tienen derecho a fingir que las proposiciones son verdaderas o falsas desde su nacimiento y así siguen para siempre.

Hasta aquí hemos tratado de las proposiciones del conocimiento común, la ciencia fáctica y la tecnología. ¿Qué hay con las proposiciones morales? Si aceptamos que hay hechos morales, tales como guerras, y, por ende, verdades morales como «Ir a la guerra sin provocación es malo», entonces podemos admitir la siguiente definición. Una proposición moral es verdadera si (a) se sigue de principios morales más elevados, tales como «Disfruta la vida y ayuda a vivir», y (b) su implementación contribuye a mitigar la miseria. (Los postulados morales satisfacen la condición (a) de manera trivial, puesto que toda proposición se sigue de sí misma.)

Evaluemos ahora las tres concepciones antes esbozadas. Según la «teoría» de la redundancia, decir que p es verdadera no añade nada a p. Por ejemplo, es obvio que *la nieve es blanca* es verdad si y solo si la nieve es blanca. La tesis de la redundancia ha sido defendida por filósofos tan famosos como Frege, Wittgenstein, Ramsey, Ayer, Strawson y Quine, además de por muchos académicos más jóvenes (véase Horwich, 1990).

La mencionada tesis es falsa por las siguientes razones: (a) no distingue entre una afirmación de verdad de la forma «p es verdadera porque q" y una pretensión sin fundamento, (b) no distingue entre las diferentes clases de verdad como, por ejemplo, verdad fáctica y formal, (c) solo se aplica a enunciados de bajo nivel, que pueden confrontarse de manera directa con la realidad, como por ejemplo «el gato está sobre la estera»,* pero no es aplicable a los enunciados de elevado nivel, tales como

* «*The cat is on the mat*». [*N. del T.*]

las leyes del movimiento de Newton, las cuales requieren deducciones, hipótesis indicadoras y sofisticados procedimientos empíricos, (d) no distingue entre hacer una afirmación y justificarla, (e) no distingue entre hacer una afirmación a los fines de desarrollar un argumento (en cuyo caso no se le atribuye un valor de verdad) y afirmar un enunciado a modo de postulado o teorema, (f) no hace lugar a las verdades parciales, tales como «La Tierra es esférica», por lo cual tampoco admite enunciados de la forma «*p* es más verdadera que *q*» y mucho menos cualquiera de los procedimientos de aproximación sucesiva estándar y (g) no permite proponer normas metodológicas tales como «Abstenerse de atribuir valores de verdad a las proposiciones que no han sido puestas a prueba» y «Preferir las hipótesis más verdaderas».

En conclusión, debemos mantener la distinción entre un enunciado y los diversos metaenunciados que pueden afirmarse acerca de él, en particular aquellos de la forma «El valor de verdad de *p* es tal». Esta distinción es particularmente importante cuando de manera equivocada afirmamos una falsedad o negamos una verdad. La distinción se transforma en una cuestión de vida o muerte cuando se interpretan los resultados de las pruebas médicas, como en el caso de los «falsos negativos».

La siguiente de nuestra lista es la concepción coherentista (habitualmente llamada «teoría» coherentista). Esta tesis es evidentemente correcta en relación con la lógica y la matemática, en particular siempre que la verdad pueda ser identificada con la demostrabilidad. Pero nos deja en una difícil situación en los casos del conocimiento común, la ciencia fáctica, la tecnología y las humanidades. Por ejemplo, se ha mostrado que la gran mayoría de las teorías científicas, aunque presumiblemente son consistentes, no se corresponden con los hechos, razón por la cual han sido corregidas o rechazadas. Esto muestra que la consistencia no es suficiente. En todo dominio que trate de hechos necesitamos el «acuerdo» con (o «adecuación» a) los hechos pertinentes además de la consistencia interna y externa (o compatibilidad con otras piezas del conocimiento antecedente).

La «teoría» de la verdad como correspondencia se refiere solo a enunciados fácticos, tales como los datos empíricos y las hipótesis científicas. Esta concepción captura la intuición de que la verdad fáctica, a diferencia de la verdad formal, consiste en la adecuación a la realidad. En la vida cotidiana, la ciencia y la tecnología, primero afirmamos una proposición de manera tentativa, luego la controlamos para averiguar si es verdadera y por último y con suerte la declaramos verdadera. Este será el caso si la proposición en cuestión representa de manera correcta los hechos a los cuales se refiere. Sin embargo, la «teoría» de la correspondencia tiene los siguientes defectos: (a) se trata de una tesis vaga, antes que de una teoría propiamente dicha o sistema hipotético-deductivo, (b) no dice a qué corresponden las proposiciones negativas y las proposiciones generales, (c) no hace sitio a las verdades parciales y (d) deja fuera la consistencia externa (o sistemicidad).

Aun así, todos los defectos señalados pueden corregirse, al menos en principio (véase Bunge, 2003a). Las correcciones tienen como resultado un cuarto y último candidato: la teoría sintética de la verdad. Esta teoría embrionaria puede condensarse en una definición y un criterio de verdad fáctica. La definición es esta: «La proposición p que afirma el hecho h es verdadera si y solo si ocurre f». Esta definición es la llamada teoría de la verdad por correspondencia, adoptada tácitamente por casi todo el mundo. Desde luego, es rechazada por los subjetivistas, porque ellos niegan la existencia misma de hechos objetivos que puedan ser representados en el cerebro. Por último, el criterio de verdad fáctica es este: (a) p es compatible con (y, de manera excepcional, equivalente a) las pruebas empíricas pertinentes y (b) p es consistente con el grueso del conocimiento antecedente pertinente.

Nótese la distinción hecha entre la definición y el criterio de verdad: la primera nos dice qué es la verdad y el segundo cómo identificarla. Esta diferencia subyace al uso de indicadores tales como la frecuencia de clics de un contador Geiger como medida de la intensidad de radiación y el nivel de corticosterona como medida de estrés.

No distinguir entre la verdad y las pruebas de la verdad es el origen de algunas variedades de antirrealismo. Una de ellas es la afirmación holista y pragmatista de que no hay puentes entre nuestras teorías y el mundo que estas afirman describir, porque esas teorías solo describirían las pruebas pertinentes (Davidson, 1984; Clugh, 2003).

Semejante confusión entre referencia y prueba equivale a confundir la estrella con el telescopio. Esta misma confusión es propia, también, de la llamada teoría del significado por verificación, característica del Círculo de Viena y el operacionismo, pero también recomendada por Davidson. Esta teoría es obviamente falsa: las mediciones y los experimentos nos pueden decir si una hipótesis es verdadera, no qué significa. Más aún, el significado precede a la puesta a prueba, aunque solo fuese porque debemos saber de qué trata una hipótesis antes de diseñar una prueba de su valor de verdad. (Más críticas en Bunge, 1967a, 1974a y 1974b.)

Una variedad más popular de antirrealismo derivada de la falta de distinción entre el concepto y el criterio de verdad es el reemplazo de los neopositivistas de «verdadero» por «confirmado». Putnam (1981, p. 64) adoptó una vez esta doctrina y la rebautizó como «realismo interno». Según esta perspectiva, un enunciado verdadero «es un enunciado que un ser racional aceptaría si dispusiera de suficientes experiencias favorable». Por ejemplo, los aztecas confirmaban cada mañana su creencia de que los sacrificios humanos del día anterior habían hecho que los dioses trajeran otra vez el Sol. Claramente, Putnam ha confundido el concepto de verdad (fáctica) con el criterio empírico de verdad.

Hasta aquí hemos descrito nuestra versión del realismo semántico. Propongamos ahora algunos argumentos en su apoyo. El más difundido de ellos es este: tiene que haber algo allí fuera si una teoría acerca de ello resulta verdadera. Este argumento es particularmente persuasivo si la existencia de la cosa en cuestión ha sido predicha por la teoría en cuestión, como en los casos de Neptuno, las ondas electromagnéticas, los electrones positivos, los neutrinos y los homínidos y otros organismos extintos.

¿Y qué ocurre si las pruebas pertinentes respecto de una teoría le son desfavorables? Esto puede ser ya sea porque la teoría es falsa en tanto que las pruebas son sólidas, ya sea porque la teoría es verdadera en tanto que las pruebas no lo son. Solo más trabajo empírico o teórico puede decirnos cuál es el caso. Puede ocurrir que la entidad postulada no exista. Esto constituiría una tragedia para una teoría bella, pero no para el realismo: la existencia del universo no es cuestionada, siempre está presupuesta.

Paradójicamente, un apoyo aún más fuerte para el realismo semántico es el argumento del error (Bunge, 1954). En efecto, el concepto mismo de error científico, ya sea conceptual o empírico, presupone la existencia real de la entidad o la característica en cuestión. Por ejemplo, sabemos que los números del índice de desempleo son solo aproximadamente verdaderos, porque muchos desempleados se desalientan y dejan de acudir a las oficinas de empleo en busca de trabajo. En otras palabras, hay gente sin trabajo que no ha sido incluida en nuestras cuentas. En otras ocasiones, contamos dos veces lo que, en realidad, es una única cosa, como en el caso de las imágenes dobles creadas por las lentes gravitatorias.

De tal modo, el realismo explica tanto el error como su reducción: explica el progreso científico y tecnológico como un producto de nuestro esfuerzo por mejorar las descripciones y explicaciones del mundo exterior. Es verdad, algunos filósofos irrealistas admiten la posibilidad de mejoramiento de las teorías científicas, pero probablemente sostengan que «no tiene sentido […] indagar acerca de la corrección absoluta de un esquema conceptual como espejo de la realidad» (Quine, 1953, p. 79). Sin embargo, no se molestan en elucidar en qué difiere una «teoría mejorada» de una «teoría más verdadera». Peor aún, no pueden realizar tal elucidación, puesto que, al carecer del concepto de verdad objetiva, no pueden utilizar el concepto de error como discrepancia entre teoría y realidad.

Algunos realistas como Popper (1972) dan mucha importancia al progreso científico, pero proclaman que el éxito de la ciencia es milagroso y, por lo tanto, inexplicable. Putnam (1975) ha argumentado correctamente que el éxito de la ciencia sería milagroso si las teorías no fuesen al menos aproximadamente ciertas. Pero los fenomenistas como Van Fraassen (1980) y los pragmatistas como Laudan (1981) han afirmado que no deberíamos hablar de milagros o, siquiera, de verdad: con el éxito sería suficiente. Pero ¿qué significa «éxito» en la ciencia si no «verdad»? El Premio Nobel no se entrega a los santos por haber realizado milagros, ni a ingenieros, hombres de negocios o políticos exitosos. Solo se otorga a los científicos que han «hallado» (descubierto o inventado) algunas verdades importantes acerca de una parte o una característica de la realidad.

La ciencia no demuestra el realismo, ni podría hacerlo, porque toda proposición científica, sea esta dato o hipótesis, se refiere solo a hechos de un tipo particular. La ciencia hace más por el realismo que confirmarlo, lo da por supuesto. En otras palabras, los científicos (y tecnólogos) practican el realismo semántico aun cuando ocasionalmente su palabras ensalcen una filosofía antirrealista. Los científicos presuponen tanto la existencia independiente del mundo como la posibilidad de producir verdades objetivas acerca de algunas de sus partes. Lo mismo hacen los legos al tratar con sus asuntos cotidianos, sin prestar atención a los subjetivistas, convencionalistas, pragmatistas y constructivistas-relativistas, todos los cuales niegan la posibilidad de la verdad objetiva. (Más sobre ello en Durkheim, 1988 [1901]; Weber, 1988b [1904]; Lenin, 1947 [1908];

Einstein, 1950a [1936]; Popper, 1956; Sellars, 1961; Smart, 1968; Keuth, 1978; Trigg, 1980; Newton-Smith, 1981; Agassi, 1990; Stove, 1991; Brown, 1994; Siegel, 1987; Vacher, 1991; Niiniluoto, 1999 y Hunt, 2003.)

Para apreciar el lugar fundamental de la verdad en la vida cotidiana, imagínense dos países: Analetheia, cuyos habitantes niegan la verdad y Anapistia, cuyos habitantes niegan la falsedad. (Los nombres de ambos lugares tienen raíces griegas: *alētheia* significa «verdad» y *apistia* «falsedad».) Los anapistios sostienen que «todo vale», en tanto que los analetenses afirman que «nada vale». Los primeros son demasiado abiertos, o sea crédulos, en tanto que los analetenses son excesivamente cerrados, es decir escépticos radicales. Desde luego, los nativos de los dos países se contradicen a sí mismos cuando afirman que sus propios puntos de vista son correctos, pero no se percatan de ello. Tampoco pueden debatir los unos con los otros: los analetenses porque no tienen convicciones y los anapistios porque no ven nada malo en lo que sea que sus opositores puedan sostener.

Peor aún, los analetenses no pueden utilizar ninguna verdad para dar forma a sus vidas y los anapistios utilizan cantidades enormes de falsedades sin percatarse de ello. En consecuencia, la vida en los dos países, como la de los hombres primitivos de Hobbes, es desagradable, corta y brutal. No hay que preocuparse, sin embargo, porque, en el mundo real, todos los analetenses y anapistios son profesores universitarios con vidas protegidas sostenidas con la enseñanza del escepticismo radical, el constructivismo o el realismo, en lugar de con el difícil intento de hallar verdades nuevas.

4. Realismo metodológico: contrastación con la realidad y cientificismo

El realismo metodológico equivale tanto a la exigencia de efectuar «controles con la realidad» (puestas a prueba empíricas) como a la adopción del cientificismo. El control con la realidad es, por supuesto, la contrastación de una proposición, en particular de una hipótesis, con los datos empíricos y las teorías pertinentes. Nótese que no se trata de una confrontación directa de una proposición con el hecho al que se refiere, sino con un dato acerca de este. En tanto que la proposición no puede ser comparada con un hecho, sí puede ser contrastada con otras proposiciones. Véase la figura 10.2.

Figura 10.2. Una hipótesis fáctica se refiere a un hecho que, cuando se halla en observación, es algo diferente y es el referente de un dato o prueba empírica.

En cuanto al cientificismo, se trata de la tesis de que el método científico constituye la mejor estrategia para conseguir las verdades más objetivas, más precisas y profundas acerca de hechos de toda clase, naturales o sociales. Esta era la tesis central de la famosa conferencia de Condorcet (1976) en 1782 en la *Académie Française*. Desde entonces, el cientificismo ha sido el principio clave tanto del positivismo como del realismo científico. De hecho, se trata de la principal manzana de la discordia entre los bandos prociencia y anticiencia.

Es cierto, Hayek (1955) ha afirmado que el cientificismo es algo bastante diferente, a saber el intento de algunos científicos sociales de imitar a sus colegas de las ciencias naturales en cuanto a ignorar la vida interior de sus referentes. Pero esta arbitraria redefinición involucra la confusión entre naturalismo o materialismo reduccionista (tal como lo practican, por ejemplo, los sociobiólogos) y el cientificismo. (Para definiciones estándar de ambos términos véase, por ejemplo, Lalande, 1938 y Bunge, 2003b.)

Los oponentes del cientificismo sostienen que la subjetividad no puede estudiarse de manera científica. Esto no es verdad: la psicología es el estudio científico de la mente (Hebb, 1980). Los proponentes del cientificismo admiten, por supuesto, la diferencia en el objeto de estudio y en las técnicas especiales entre las ciencias del mundo interno y las del mundo externo. Pero también sostienen que estas diferencias no representan ningún obstáculo para la utilización del mismo método *general* en todas las ciencias y que esto es así por las siguientes razones. Todos los existentes son materiales, todos los investigadores poseen cerebros similares y comparten el objetivo de hallar verdades objetivas acerca de pautas, así como de particulares. Esta tesis es llamada a veces *monismo metodológico*.

Uno de los méritos del monismo metodológico es que permite a los científicos sociales utilizar algunas de las técnicas y descubrimientos de las ciencias naturales, como cuando los psicólogos sociales hacen uso de la neurociencia. Otro mérito es que hace posibles las ciencias biosociales (demografía, antropología, psicología, lingüística, etcétera), en tanto que la dicotomía natural/social heredada de Kant las pasa por alto (véase también Bunge, 2003a).

El argumento usual en favor del realismo metodológico es el del éxito del método de científico. Se trata, por cierto, de un argumento potente. Pero ¿qué hay de los fracasos de la empresa científica, en particular de los de la psicología y las ciencias sociales? Se podría argumentar que todo fracaso particular sugiere solamente que hubo algún defecto en la aplicación del método científico, por ejemplo que la muestra era demasiado pequeña o que no era aleatoria; que el diseño experimental había pasado por alto ciertas variables o que se había utilizado solo una línea de pruebas cuando la complejidad del asunto requería utilizar múltiples líneas. Sin embargo, estas excusas difícilmente persuadan al escéptico.

El escéptico respecto del alcance del método científico podría ser atraído por el argumento hermenéutico de que las ciencias culturales (o sociales), a diferencia de las naturales, intentan «comprender» los hechos sociales en términos del comportamiento «significativo» en lugar de explicarlos. Lamentablemente, los hermenéuticos no elucidan su resbalosa noción de significado, aunque a partir del contexto es posible sospechar que lo que quieren decir es «intención» u «objetivo». Si este es el caso, entonces la tesis hermenéutica en cuestión es falsa, puesto que la neurociencia cognitiva estudia las intenciones como procesos de la corteza prefrontal, los psicólogos sociales y los sociólogos utilizan el método científico para investigar el comportamiento deliberado y los tecnólogos sociales, tales como administradores, trabajadores sociales y legisladores, intentan dirigir el comportamiento.

Tampoco es verdad que las ciencias sociales estén obligadas a explicar lo familiar por medio de lo familiar, tal como sostienen los intuicionistas, fenomenólogos, etnometodólogos y dogmáticos adeptos al enfoque de la *Verstehen* (comprensión). El científico social serio probablemente vaya más allá del conocimiento de sentido común y así, sin duda, pondrá en tela de juicio gran parte del conocimiento convencional, así como también ofrecerá algunas hipótesis antiintuitivas.

Los siguientes ejemplos bastarán para apuntalar la tesis de que los científicos sociales han encontrado algunas generalizaciones antiintuitivas: «Cuanto más semejantes, más feroz es la competencia» (ley ecológica), «La rebelión no ocurre cuando la opresión está en su punto máximo, sino cuando comienza a relajarse» (Alexis de Tocqueville), «El libre comercio solo favorece a los poderosos», «El colonialismo acaba empobreciendo tanto al poder colonial como a las colonias» (John Hobson) y «La difusión de la educación superior alarga las colas de desempleados» (Raymond Boudon).

Cada una de estas hipótesis antiintuitivas puede recibir el apoyo no solo de la estadística, sino de la exposición de los mecanismos pertinentes. Por ejemplo, cuanto mayor sea la semejanza entre dos grupos de organismos, mayor número de necesidades compartirán y, de tal modo, más cercanos estarán sus nichos. La antiintuitividad es, por supuesto, más notable en las ciencias naturales: piénsese en las «paradojas» (hipótesis antiintuitivas) de la física relativista y cuántica. Sostener que la ciencia no es radicalmente diferente del conocimiento cotidiano solo porque ambos utilizan las pruebas empíricas (Haack, 2003) es otro asunto. El sentido de embarcarse en la investigación científica es construir y controlar teorías sobre elementos fácticos inaccesibles al sentido común. El conocimiento común, aun cuando se lo haya enriquecido con la lógica y las pruebas empíricas, es igual al conocimiento común.

En resumidas cuentas, esperamos que las hipótesis científicas sean pasibles de puesta a prueba y, más aún, que sean sometidas a ella si se trata de hipótesis interesantes. Y el cientificismo, lejos de ser una ideología —tal como han afirmado Hayek y Habermas— es nada menos que el motor epistémico que ha impulsado todas las ciencias desde comienzos del siglo XVII.

5. Realismo axiológico: valores objetivos

La sabiduría convencional acerca de los valores es que todos ellos son subjetivos: que el valor se halla en la mente del evaluador. Según esta idea, no habría juicios de valor objetivos y verdaderos. Esta es la opinión de los nihilistas axiológicos como Nietzsche, de los emotivistas como Hume y los positivistas lógicos y de los intuicionistas tales como G. E. Moore y Max Scheller.

En cambio, los realistas axiológicos sostienen que, en tanto que algunos valores son, en efecto, subjetivos, otros son objetivos porque están arraigados en necesidades biológicas y sociales (Bunge, 1989 y Boudon,

2001). Por ejemplo, en tanto que la belleza puede muy bien estar en el ojo del observador, la seguridad y la paz son bienes sociales objetivos. Que no es este un dogma, sino una verdad objetiva es algo que sugiere el hecho de que la inseguridad y la guerra ponen en riesgo la vida y, por lo tanto, perjudican todos los demás valores.

En otras palabras, el realismo axiológico rechaza la concepción dogmática de que los valores deben ser aceptados ciegamente o bien porque tienen un origen sobrenatural o bien porque son un asunto relacionado únicamente con los sentimientos o la intuición. El realista axiológico no se deja intimidar por la etiqueta que G. E. Moore ha puesto al intento de unir valor y hecho de «falacia naturalista». En lugar de ello, los realistas consideran la dicotomía hecho/valor como una falacia sobrenaturalista o irracionalista.

Sin embargo, el objetivismo respecto de los valores no implica el absolutismo respecto de ellos. Primero, el mismo elemento puede ser objetivamente valioso en algunos aspectos, pero lo opuesto en otros. Por ejemplo, montar una buena bicicleta es bueno para el cuerpo, pero tienta a los ladrones; y dar limosna puede hacer que uno se sienta bien, pero posterga la justicia social. Segundo, deben ponerse límites a algunos valores a fin de proteger otros. Por ejemplo, no todo el conocimiento es valioso: de tal modo, saber el sexo de un feto humano puede llevar a abortar los fetos femeninos. Además, algunos valores seguramente entrarán en conflicto con otros. Por ejemplo, la intimidad exige una limitación del derecho a saber.

Los valores pueden ser individuales o sociales. Los primeros pueden definirse en términos de necesidades y deseos individuales. Podemos decir que todo lo que contribuye a satisfacer una necesidad básica, tal como el alimento, el refugio o la compañía, posee un valor primario. Un valor secundario es todo lo que contribuye a la satisfacción de un deseo legítimo, vale decir un valor cuya satisfacción no impide a otro la satisfacción de una necesidad básica (para una división más refinada y su expresión en términos cuantitativos, véase Bunge, 1989).

Los valores sociales, tales como la seguridad, la cohesión social, la democracia, el progreso y la paz, promueven el bienestar individual y la coexistencia social pacífica. Con todo, en ocasiones entran en conflicto con los valores individuales. Por ejemplo, la seguridad puede entrar en conflicto con la libertad. Sin embargo, estos conflictos se resuelven mejor a través de la negociación y el acuerdo antes que por medio de la coerción. En todo caso, los valores sociales son tan objetivos e importantes como los valores objetivos individuales.

Por último, el cientificismo sugiere que los valores, sean subjetivos u objetivos, pueden ser investigados y defendidos o atacados con fundamentos científicos en lugar de ser provistos por los ideólogos. Por ejemplo, la apreciación artística ha sido investigada de manera experimental por médicos y psicólogos sociales, entre otros, y esperamos que los planificadores diseñen políticas orientadas a defender ciertos valores objetivos. De tal modo, la axiología debería considerarse una disciplina montada sobre la filosofía, la ciencia y la tecnología.

6. Realismo ético I: hechos morales y verdades morales

Desde Hume, la mayoría de los filósofos han adoptado el subjetivismo o relativismo ético. En consecuencia, han sostenido que no hay hechos morales y que, por lo tanto, los enunciados morales no son ni verdaderos ni falsos. O sea, la tradición ética es irrealista. Pongamos a prueba esta tradición en dos casos típicos: los del robo y el altruismo. Sostengo que las acciones de ambos tipos son morales porque afectan a las personas en el extremo receptor. A primera vista, las normas respectivas «No robar» y «Ayudar al necesitado» no pueden ser ni verdaderas ni falsas. Sin embargo, *son* verdaderas si se postula la norma moral «Intentar ayudar a los demás».

Hasta aquí, todo puede parecer bastante claro y simple, pero no lo es tanto, porque las normas en cuestión tienen sus contrapartes o contranormas, en relación con circunstancias atenuantes, caso que constituye la regla con todas las normas sociales (véase Merton, 1976). Así pues, habitualmente postulamos que está mal mentir y robar, excepto en los casos en que está en juego la vida humana. Del mismo modo, ponemos límites al altruismo: normalmente no se exige que se ayude a los demás a costa de la propia vida.

En ambos casos, tanto los hechos como los correspondientes principios morales se ponen en contexto. Desde una perspectiva situacional o sistémica, pues, mentir, robar y ayudar a los demás sin esperar recompensa son hechos morales; y las normas y contranormas asociadas a esos hechos son verdaderas porque se ajustan al principio moral supremo «Disfrutar la vida y ayudar a otros a vivir vidas dignas de ser disfrutadas» (Bunge, 1989).

En otras palabras, las normas morales deben colocarse en un contexto social, en lugar de ser separadas de él, puesto que han de ser utilizadas en la vida real. Este es un requisito del realismo moral, la concepción de que hay hechos morales y, por ende, también verdades morales. Aunque difiera de la ética ortodoxa, en particular del kantismo, el emotivismo y el utilitarismo estándar (subjetivo), el realismo moral ha ido ganando terreno en los años recientes (véase, por ejemplo, Lovinbond, 1983; McGinn, 1985; Bunge, 1989 y Rottschaefer, 1998). Sin embargo, en muchos casos esta concepción se ha presentado como un producto secundario de la filosofía del lenguaje o, mejor dicho, de la filosofía lingüística. En consecuencia, esta variedad de realismo moral difícilmente atraiga a aquellos pensadores que consideran que las palabras son convencionales.

Más aún, algunos realistas morales, tales como Platt (1979), son intuicionistas, por lo cual se hallan muy lejos del racionalismo, así como del empirismo; y otros, tales como Wiggins (1976), escriben acerca del «significado de la vida». Pero nadie que considere seriamente que la ciencia y la tecnología son importantes para la filosofía puede tolerar el intuicionismo; y los filósofos genuinamente analíticos desconfían de las meditaciones acerca del significado de la vida. Aun así, otros realistas morales, en particular Brink (1989), profesan el naturalismo ético y el utilitarismo objetivo. Sin embargo, el naturalismo (a diferencia del materialismo emergentista) es insostenible, ya que las reglas morales son sociales y, en consecuencia, parcialmente artificiales, así como biológicas (o psicológicas). En cuanto al utilitarismo, no explica el bien conocido hecho de que a menudo hacemos sacrificios sin esperar ninguna recompensa. Por estas razones, a continuación bosquejaré una variedad diferente de realismo moral (o, mejor dicho, ético).

Según la teoría de la verdad fáctica como correspondencia, la tesis de que hay verdades y falsedades morales presupone que hay hechos morales. A su vez, esta presupone que las verdades morales son tan fácticas como las verdades de la física, la biología o la historia. Ahora bien, la enorme mayoría de los filósofos niega que haya hechos morales. (Harman, 1977; Nino, 1985 y Rottschaefer, 1998 son excepciones.) Esta negativa se funda en la dicotomía hecho-norma, habitualmente atribuida a Hume. Echémosle un vistazo.

Hume tenía razón, por cierto, al afirmar que el deber ser no es lo mismo que lo que es: que las normas no pertenecen a la misma clase de las proposiciones fácticas. Sin embargo, sostengo que se equivocó al afirmar que es imposible construir un puente sobre la brecha valor/hecho. Estaba equivocado, ya que cada día nos movemos de uno a otro de los lados, a saber cuando actuamos. Por ejemplo, me digo a mí mismo que debo pagar una deuda que tengo con alguien y procedo a pagarla, cruzo la brecha entre el *deber ser* y el *ser*. De igual modo, cuando me percato de una circunstancia injusta e intento ponerle remedio, voy en la otra dirección.

En otras palabras, *ser* y *deber ser* son indudablemente distintos: están separados por una brecha conceptual o lógica. Pero en la práctica solo se trata de una zanja sobre la cual podemos saltar a través de la acción. Más aún, se trata de una zanja que no solo los seres conscientes podemos cruzar. También puede cruzarla un artefacto provisto de un dispositivo de retroalimentación negativa capaz de llevar el sistema desde su estado presente hasta el estado final juzgado valioso por el operador o el usuario.

Más aún, sugiero que cada hecho en el que hay derechos y deberes involucrados, ejercidos o no los primeros y cumplidos o no los segundos, es un hecho moral. Por ejemplo, la pobreza es un hecho moral, no solo un hecho social, porque involucra sufrimiento y degradación innecesarios. Este es el motivo por el cual evoca emociones morales, tales como la compasión y la culpa. El desempleo involuntario también es un hecho moral, porque viola el derecho a trabajar, la fuente de todos los ingresos legítimos necesarios para satisfacer las necesidades básicas y los deseos legítimos. De manera análoga, la creación de trabajo es un hecho moral, no solo un hecho económico, porque satisface el derecho a trabajar. Otro caso de hecho moral (o, mejor dicho, inmoral) es el vertido de desechos tóxicos y lo es porque viola el derecho que todos tenemos a disponer de un ambiente limpio. Por la misma razón, dragar un cuerpo de agua para limpiarlo de desechos tóxicos es un hecho moral. En resumen, la vida en la sociedad humana está envuelta en hechos morales y, por ende, en problemas morales que pueden ser abordados con la ayuda de verdades fácticas y morales.

¿Cómo deberíamos identificar o individuar los hechos morales? Una opción es utilizar esta definición: «Un hecho *h* es moral = *h* impone un problema moral a una persona en una cultura». A su vez, un problema moral es un conflicto cuyo examen y solución requiere, entre otras cosas, la invención y aplicación de normas morales. Además, por supuesto, estas últimas imponen problemas éticos y metaéticos, los cuales pueden tener soluciones que lleven a modificar algún precepto moral. A su vez, un cambio de este tipo puede tener un impacto en la conducta individual y, en consecuencia, sobre el problema moral original, contribuyendo por ejemplo a resolverlo o a empeorarlo.

Los hechos morales y nuestras reflexiones morales, éticas y metaéticas acerca de ellos son los componentes de un bucle de retroalimentación:

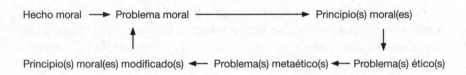

A fin de cuentas, las verdades morales recuerdan las verdades de la ciencia y la tecnología. Pero, desde luego, ambos tipos de verdad son distintos en un importante aspecto: a diferencia de las últimas, las verdades morales son contextuales, situacionales o relativas. En efecto, puesto que las verdades morales conciernen, en última instancia, a derechos y obligaciones y dado que estos son relativos a una cultura y su código moral, las verdades morales son contextuales. En este sentido, únicamente, las verdades morales recuerdan a las verdades de la matemática: son válidas en unas teorías, pero no en otras.

Sin embargo, esta dependencia del contexto propia de las verdades morales no es absoluta: no implica la relatividad total defendida por los relativistas antropológicos y los constructivistas sociales. La razón de ello es que todos los códigos morales viables comparten ciertos principios, tales como los del respeto por los otros y la reciprocidad. En otras palabras, algunos derechos y deberes son fundamentales y, por ende, transculturales y no negociables, en tanto que otros son secundarios y, por lo tanto, locales y negociables. El derecho a una vida que no sea dañina y pueda ser disfrutada, así como el deber de ayudar al necesitado cuando nadie más puede hacerlo, son absolutos y universales, en tanto que los derechos de propiedad y los deberes religiosos no lo son.

Los teóricos de la ley natural, sean seculares como los antiguos estoicos o religiosos como Tomás de Aquino, niegan, desde luego, esta relatividad parcial de las normas morales. De hecho, sostienen que todos los derechos y deberes morales son naturales y, por lo tanto, universales o absolutos, o sea independientes del contexto. Pero dado que es un hecho que algunos códigos morales no admiten ciertos derechos y obligaciones ensalzados por códigos alternativos, el teórico de la ley natural no puede sostener que las respectivas proposiciones son universalmente verdaderas. Si, a pesar de ello, insiste en esta afirmación, entonces no puede sostener que tales verdades morales se correspondan con hecho alguno. En lugar de ello, debe o bien afirmar que son tan formales como los teoremas matemáticos o bien debe admitir una teoría de la verdad no realista.

Dadas estas dificultades, tal vez el teórico de la ley natural busque refugio en la opinión tradicional de que las normas morales no son ni verdaderas ni falsas, sino solo efectivas o no efectivas, del mismo modo en que las recetas de cocina o las prescripciones médicas lo son. Pero si adopta esta posición instrumentalista (o pragmatista), entonces resigna el derecho de llamarse a sí mismo teórico *de la ley natural*.

En resumen, los hechos morales son sociales, no naturales: pertenecen al tejido de la sociedad, no al de la naturaleza. Más aún, se trata de hechos artificiales, o sea construidos, no descubiertos: no ocurren en ausencia de los agentes morales. Por ejemplo, entre nosotros todavía hay gente, aun profesores de derecho de Harvard, que justifican la tortura, la pena de muerte y la agresión militar. Este es el motivo de que el naturalismo (o concepción de que las normas morales están en nuestros genes) sea falso. La moralidad se hace y se aprende, no se descubre ni se hereda. Esta es la razón de que pueda ser perfeccionada o degradada, así como que pueda ser objeto de actos de legislación.

Como todo otro hecho social, los hechos morales pueden ser «percibidos» (valorados) de maneras diferentes por personas diferentes o por la misma persona en situaciones diferentes. De modo interesante, en principio, todas esas «percepciones» pueden ser objetivadas, o sea que pueden ser detectadas por observadores imparciales. Por ejemplo, Rilling y colaboradores (2002) descubrieron que los centros cerebrales de la recompensa (o placer) de sujetos experimentales que jugaban al Dilema del Prisionero se «encendían» cuando cooperaban con el experimentador. Vale decir, nos sienta bien hacer buenas obras, a menos que uno haya sido educado en la dura escuela de la economía ortodoxa, para la cual el egoísmo es la virtud suprema. Este es, en parte, el motivo por el cual a menudo ayudamos a otros sin esperar nada a cambio.

Los economistas experimentales han encontrado, ya hace tiempo, que las transacciones comerciales de pequeña escala involucran un factor moral ignorado por la teoría microeconómica estándar. De tal modo, Kahneman, Knetsch y Thaler (1986, p. S299) han escrito: «Una descripción realista de los agentes que realizan una transacción debe incluir las siguientes características: (1) Les importa ser tratados de manera correcta y tratar a los demás de igual modo. (2) Desean resistirse a las firmas que se comportan de manera incorrecta aun cuando ello implique un costo. (3) Poseen reglas implícitas sistemáticas que especifican qué acciones de las compañías son consideradas incorrectas».

Otro hallazgo empírico que refuta el dogma de que las personas siempre actúan únicamente en su propio beneficio, o sea «racionalmente», es el que sigue. Desde un punto de vista «racional» (egoísta), es obvio que todo aquel que castigue a otro no debe esperar una cooperación altruista de parte de la víctima, sin importar la justicia de la sanción. Sin embargo, este no es el caso: o sea, la justicia puede implicar una gran diferencia. En efecto, los experimentos de Fehr y Rockenbach (2003) sugieren que las sanciones que se perciben justas no hacen mella en el altruismo, en tanto que las sanciones que revelan intenciones egoístas o codiciosas prácticamente destruyen la cooperación altruista.

En resumen, los filósofos utilitaristas, economistas neoclásicos y sociobiólogos se han equivocado al soslayar el factor moral o al interpretar el altruismo como egoísmo ilustrado. La experiencia y el experimento muestran que la decencia, la justicia y la lealtad son importantes en las transacciones de todo tipo, incluso en los negocios entre desconocidos. Lo mismo ocurre con la generosidad unilateral: la mayoría de nosotros gasta su tiempo dando indicaciones a los extranjeros, les damos propinas a los camareros aun estando fuera del país, hacemos donaciones a las instituciones de beneficencia, preferimos hacer tratos con empresas que tratan a sus empleados de manera justa y boicoteamos empresas, productos y países enteros de los que se sospecha que poseen manchas morales. Sostengo que todos estos son hechos morales.

Si hay hechos morales, entonces debe haber verdades morales. Ciertamente, la mayoría de los filósofos ni siquiera tienen en cuenta la posibilidad de que haya verdades morales correspondientes a hechos morales. En algunos casos, el pasar por alto esta posibilidad se debe en último término a que piensan en los principios o normas morales como imperativos del tipo «No matarás». Aunque un imperativo puede ser o no ser pertinente, eficiente o bueno, jamás puede ser verdadero o falso porque ni afirma ni niega ningún asunto de hecho.

Esta objeción soslaya el hecho de que el envoltorio lingüístico de una idea es superficial porque es convencional. En efecto, toda idea perteneciente al conocimiento común puede ser expresada de diferentes modos en un lenguaje dado y, con mayor razón, en diferentes lenguajes. (El adjetivo adicional «común» excluye las ideas matemáticas, científicas y tecnológicas: estas requieren símbolos que, si bien son convencionales, son bastante universales.) Puesto que hay varios miles de lenguas vivas, es posible dar miles de traducciones de cualquier enunciado no técnico.

En particular, todo imperativo moral puede expresarse por medio de un enunciado en el modo indicativo, con poca o ninguna pérdida de contenido o valor práctico, en particular psicológico o legal. Por ejemplo, «No matarás» puede traducirse como «Matar es malo», «El asesinato es el peor de los pecados», «Está prohibido matar», «Si matas, sabe que serás castigado», etcétera. Las primeras dos traducciones designan una proposición que es válida (verdadera) en todo código moral que afirme el derecho de las personas a la vida y es falso en todo código que no admita tal derecho. (Nótese que el principio en cuestión es tácitamente válido para las personas, no para los embriones humanos ni para los animales no humanos.) En cuanto al equivalente legal del principio moral en cuestión, o sea «Está prohibido matar», es válido (verdadero) en los códigos penales que no identifican la justicia con la venganza.

En resumidas cuentas, es posible transformar en proposiciones cualquier imperativo dado. Esta operación es necesaria para hallar el valor de verdad (o las condiciones de verdad) de las máximas morales. Una vez que se ha realizado una traducción de un imperativo a un indicativo, se debe proceder a una segunda traducción, esta en términos de derechos y deberes o, de otro modo, de virtudes y vicios o de buenas o malas consecuencias de una acción.

Por ejemplo, «Ayuda a tu vecino» puede traducirse como «Es bueno ayudar al vecino» o «Ayudar al vecino es bueno». La verdad de esta máxima se hace evidente al expandirla del siguiente modo: «Si tienes en cuenta el interés de tu vecina o deseas contar con ella en una emergencia o deseas estar en paz contigo mismo, debes ayudarla». Del mismo modo, el precepto «El ahorro es virtuoso, en tanto que el derroche no lo es» es verdadero en un mundo de creciente escasez. (El hecho de que la mayoría de los economistas recomienden gastar cada vez más durante las recesiones, así como la disminución del gasto en los períodos de expansión, solo sugiere que son tan amorales como miopes.)

La regla metodológica que es válida para las verdades morales vale también, desde luego, para las falsedades morales. Por ejemplo, la tesis de que lo que es bueno para «la economía» es bueno para el individuo es falsa porque «la economía» puede ser estimulada en el corto plazo gastando en mercancías superfluas o incluso perjudiciales, como los coches deportivos o las armas. De igual modo, la máxima «Lo que es bueno para el Gobierno (o la Corporación, Iglesia o Partido) es bueno para todos» es falsa toda vez que el Gobierno (o la Corporación, la Iglesia o el Partido) pasa por alto el bienestar de la mayoría.

Ahora bien, si hay falsedades morales, debe haber también mentiras morales, o sea oraciones que expresan lo que el hablante sabe que son falsedades morales. Por ejemplo, la afirmación de que hay razas humanas inferiores no solo es científicamente falsa, sino que también es una falsedad moral, porque se ha utilizado para justificar la explotación o la opresión de ciertos grupos étnicos. Además, en tanto que la afirmación de una falsedad moral puede ser un mero error, la afirmación de una mentira moral es casi siempre un pecado. La excepción es, desde luego, la mentira blanca o piadosa que se dice para evitar el sufrimiento innecesario.

7. Realismo ético II: la posibilidad de contrastación de las normas morales

Si todas las normas morales, ya sean universales, ya sean locales, se refieren a hechos morales, entonces debe ser posible someterlas a contrastaciones empíricas. Sostengo que una norma moral diferente de la regla moral máxima es *justificable* si y solo si (a) se ajusta a un hecho moral, (b) es consistente con el postulado supremo del código moral en cuestión y (c) es efectiva en la promoción de la conducta prosocial.

La máxima norma moral es el baremo con el cual se miden todos los otros componentes del código. Esta es justificable por sus consecuencias lógicas y prácticas. Casi lo mismo es válido para los axiomas de una teoría matemática o científica: solo pueden justificarse por sus consecuencias.

Sostengo que las normas morales pueden ponerse a prueba de tres maneras diferentes, aunque mutuamente complementarias. La primera prueba es la de la coherencia, o sea la compatibilidad con los principios de nivel superior. La segunda es la de la compatibilidad con el mejor conocimiento pertinente disponible (común, científico o tecnológico). La tercera prueba es la de la contribución al bienestar individual o social. Permítaseme explicar.

Las normas morales, al igual que las hipótesis y técnicas científicas, deben ser compatibles con los principios de nivel superior, en este caso, las máximas morales y metaéticas del sistema en cuestión. En el caso del agatonismo, el máximo principio es «Disfruta la vida y ayuda a otros a vivir una vida digna de ser disfrutada». Toda regla que facilite la implementación de este principio se considerará moralmente correcta; si no lo hace, será incorrecta. Ejemplo de las primeras: «Cuídate a ti mismo, a tus parientes y tus vecinos». Ejemplos del segundo tipo son todas las reglas que llevan a la discriminación negativa por la edad, el sexo, la raza, la clase o la religión como motivo. En contraposición, la discriminación positiva, como en el caso de la «acción afirmativa», es justificable si corrige desequilibrios injustos.

La segunda de nuestras pruebas es la de la compatibilidad con el mejor conocimiento disponible. Por ejemplo, deberíamos desechar toda regla que ignorara los sentimientos morales positivos, tales como la compasión, o los sentimientos morales negativos, tales como la vergüenza y la envidia. Lo mismo vale para cualquier regla que pase por alto el hecho de que las reglas morales son construcciones sociales y que su implementación probablemente afecte a la acción individual y, por ende, las relaciones humanas. Por ejemplo, una regla que manda realizar sacrificios humanos a una divinidad no es únicamente cruel, también es inconsistente con el conocimiento moderno acerca de los mitos y las convenciones sociales.

La tercera y última de nuestras pruebas es la de la eficiencia. De modo evidente, consiste en averiguar si la norma en cuestión facilita u obstaculiza la realización de los valores fundamentales subyacentes, tales como los de supervivencia y autogobierno, así como las libertades de amar y aprender. En este aspecto, las reglas morales se parecen a las reglas de la tecnología moderna: ambas están fundadas en leyes y ambas se ponen a prueba a través de su eficiencia para alcanzar ciertas metas.

Más aún, la eficiencia de las reglas morales, como la de las tecnológicas, puede ser estimada por los científicos y sociotecnólogos que estudian o controlan la conducta humana. Una regla moral es buena únicamente si es eficiente, además de estar dirigida a contribuir al bienestar individual o social. Pero, a fin de ser eficiente, una regla debe comenzar siendo viable, lo cual a su vez presupone el realismo gnoseológico. Por ejemplo, «Si eres amenazado, levita» no es una regla viable.

Sin embargo, una regla moral debe considerarse perfectible incluso si ha superado las tres pruebas. Siglos de experiencia científica y tecnológica, por no mencionar la experiencia social y la crítica filosófica, deben disuadirnos de ir tras los espejismos infalibilistas, en particular los de una ética perenne modelada para humanos perfectos que viven en una sociedad perfecta. A estas alturas ya tenemos que haber aprendido que ningún código moral ni ninguna teoría ética pueden garantizar la conducta correcta. Solo podemos tener la esperanza de perfeccionar los códigos morales y las teorías éticas existentes por medio del análisis conceptual y la comparación con los datos empíricos. (Por ejemplo, debemos rechazar el positivismo moral y el positivismo legal porque ambos son relativistas y conformistas.) Este falibilismo ético está lejos de la ley natural, el intuicionismo moral y las doctrinas éticas asociadas a los dogmas religiosos.

Con todo, a menos que se lo acompañe con el meliorismo, el falibilismo es destructivo. Sugiero que podemos y debemos buscar el progreso moral y ético a través del trabajo teórico y la acción social, tanto voluntaria como institucional. La abolición de la esclavitud, la tortura y la pena de muerte, así como otras reformas progresivas del código penal, son casos de progreso moral real.

El meliorismo ético puede justificarse como sigue. Primero, las normas morales coevolucionan con la sociedad y la filosofía moral evoluciona con el resto de la filosofía, así como con las ciencias y tecnologías sociales. Segundo, si lo intentamos, podemos descubrir y corregir desviaciones morales y errores éticos, aunque a veces estas tareas exijan algo de coraje intelectual o incluso civil.

Tómese, por ejemplo, la consigna *Libertad o muerte*, que ha sido gritada desde los tiempos antiguos por innumerables luchadores de la libertad, ideólogos y políticos nacionalistas. A primera vista, todos los partidarios de la libertad deberían adherirse a ella, pero tras una inspección más detallada uno se percata de que el precepto en cuestión debe ser opcional. Para comenzar, hasta la vida de un esclavo bien puede merecer la pena de ser vivida, en particular si eso permite mantener la esperanza de la emancipación. Segundo, nadie, ni siquiera el Estado, tiene el derecho moral de forzar a un individuo a luchar hasta la muerte por causa alguna. Tercero, el precio a pagar por toda guerra sin cuartel puede ser intimidatorio, no solo por el número de víctimas, sino también por hacer más difícil la vida de los supervivientes. La consigna mencionada está justificada únicamente en dos casos: cuando hay pruebas firmes de que el enemigo no dará cuartel y cuando el precio de la libertad personal es la traición.

¿Cuál es el estatus de los axiomas morales? ¿Se trata de desiderata, mandamientos, convenciones o hipótesis pasibles de puesta a prueba? Nuestra discusión anterior apunta a la concepción de Einstein (1950, p. viii): «Los axiomas éticos son fundados y puestos a prueba de manera no muy diferente de los axiomas de la ciencia. *Die Warheit liegt in der Bewührung*. La verdad es lo que resiste la prueba de la experiencia».

En los casos de las normas morales y los principios éticos, los datos empíricos pertinentes están relacionados con el bienestar humano. Por esta razón, los indicadores biológicos y sociales, como por ejemplo la esperanza de vida, la tasa de mortalidad infantil, el número de años de escuela y el ingreso mediano disponible, son más pertinentes respecto de las normas morales y los principios éticos que las discusiones académicas acerca de miniproblemas o seudoproblemas morales, tales como los constituidos por los insultos, la masturbación, la homosexualidad, el aborto, la fertilización in vitro, el cambio de sexo, el casamiento gay, la clonación o el suicidio. Todos ellos empalidecen al ser comparados con la guerra, la miseria y la tiranía (véase Waddington, 1960).

Suponiendo que hemos resuelto el problema de validar las reglas morales, ¿qué podemos decir acerca de poner a prueba teorías éticas, vale decir sistemas de ideas acerca de la naturaleza, raíz y función de las normas morales? Sostengo que estas teorías pueden ponerse a prueba casi del mismo modo en que se ponen a prueba las teorías científicas y tecnológicas, o sea por medio de su acuerdo con los hechos pertinentes y su compatibilidad con otras teorías. Permítaseme explicar.

Sostengo que toda teoría ética debe satisfacer las siguientes condiciones:

1. Consistencia interna: no contradicción.
2. Consistencia externa: compatibilidad con el grueso del conocimiento científico y tecnológico acerca de la naturaleza humana y las instituciones.
3. Capacidad de explicar los códigos morales viables (que pueden vivirse).
4. Utilidad para sugerir las reformas sociales necesarias para el ejercicio del juicio moral libre e ilustrado.

5. Utilidad para analizar los conceptos y principios morales.
6. Utilidad para identificar y abordar problemas morales, así como para resolver los conflictos morales.

La condición de consistencia interna no se aplica a las opiniones éticas sueltas, tales como el inmoralismo de Maquiavelo o Nietzsche. La condición de consistencia externa deja fuera el emotivismo ético (como el de Hume y el Círculo de Viena) y el intuicionismo ético (como el de Moore y el de Scheler), ya que estas concepciones pasan por alto los insumos racionales y empíricos de toda deliberación moral. Esta misma condición deja fuera al utilitarismo, ya que este ignora la realidad de los sentimientos morales, tales como la empatía y la vergüenza, y hace uso de valores subjetivos y probabilidades subjetivas. También descalifica todas las teorías éticas no consecuencialistas, en particular las de Calvino y Kant. La cuarta condición descalifica el naturalismo (o materialismo vulgar), porque ignora la raíz social y la eficiencia social de las normas morales. La quinta descalifica todas las doctrinas morales asociadas a las filosofías hostiles al análisis lógico, tales como el intuicionismo, la fenomenología, el existencialismo y el materialismo dialéctico. Finalmente, la sexta condición descalifica todas las doctrinas morales que no son más que inventos arbitrarios de intelectuales alejados de la realidad social, lo cual, ¡ay!, ha sido el caso de la mayoría de los filósofos morales.

Demos término a nuestra discusión del realismo moral. La tesis de que hay hechos morales y verdades morales posee al menos tres consecuencias. Primero: si hay hechos morales, entonces los principios morales no son dogmas, sino hipótesis, tal como han propuesto Ingenieros (1917) y Einstein (1950b). Además, puesto que son hipótesis, deben ser confrontadas con los hechos pertinentes y corregidas si no se ajustan a ellos. Sin embargo, de ello no se sigue que los hechos morales sean tan inevitables como los eventos astronómicos. Que esos hechos ocurran o no depende de nosotros, los agentes morales.

Segundo: si hay hechos morales, los juicios morales no son totalmente subjetivos y relativos. Antes bien, por el contrario, es posible evaluar esos juicios a la luz de la experiencia, así como discutirlos de manera racional. Más aún, es posible ajustar la acción a las normas morales y viceversa. En particular, es posible y deseable reformar la sociedad de tal modo de minimizar la frecuencia de los hechos morales destructivos, tales como el delito, la guerra, la opresión y la explotación.

Tercero: si los principios morales y éticos son hipótesis pasibles de puesta a prueba empírica, así como guías para la acción individual y colectiva, entonces es posible y deseable reconstruir los códigos morales, así como las teorías éticas, de un modo racional. En particular, es posible y deseable reconstruir la moralidad y su teoría de tal modo que se cumplan las siguientes condiciones:

1. *Realismo*: ajuste entre las necesidades básicas y las aspiraciones legítimas de las personas de carne y hueso colocadas en circunstancias sociales concretas.
2. *Utilidad social*: capacidad para inspirar comportamientos prosociales y políticas sociales progresistas, así como para desalentar las conductas antisociales.
3. *Plasticidad social*: adaptabilidad a nuevas circunstancias personales y sociales.
4. *Equidad*: eficiencia en la tarea de disminuir las desigualdades sociales (aunque sin imponer la uniformidad).
5. *Compatibilidad* o coherencia con el mejor conocimiento acerca de la naturaleza y la sociedad humanas.

En resumidas cuentas, hay hechos y verdades morales. Los primeros son parte del tejido de la realidad y las verdades morales se entretejen con otras verdades fácticas. En consecuencia, se espera que los realistas morales asuman un compromiso social, o sea que practiquen la moralidad además de enseñarla.

8. Realismo práctico: la eficiencia y la responsabilidad

La praxiología o teoría de la acción es la rama de la filosofía práctica interesada en la acción humana deliberada. En su interpretación estrecha, la praxiología busca determinar las condiciones para la acción eficiente, sin importar las consideraciones morales (Von Mises, 1966; Kotarbinski, 1965; Gasparski, 1993).

Sostengo que, puesto que nuestras acciones pueden afectar a otros, debemos intentar prever sus consecuencias y asumir su responsabilidad, un deber del cual los no consecuencialistas éticos se exceptúan a sí mismos. No hacerlo es poco realista, porque implica dejar de lado una importante componente del resultado de las acciones de cualquier persona. La consecuencia obvia para la praxiología es que debería incluir la responsabilidad y la contabilidad, además de la eficiencia. En otras palabras, una praxiología realista presupone una moralidad realista.

Más aún, resulta dudoso que pueda haber condiciones generales de eficiencia. En efecto, la maximización de la razón Insumo/producto de cualquier artefacto, sea este físico, biológico o social, requiere el estudio de la interfaz Actor/objeto específica. De tal modo, no es lo mismo diseñar o construir un motor eficiente, una fábrica eficiente o una escuela eficiente. Esta es la razón de que el estudio de la eficiencia sea una tarea de ingenieros, administradores, ergonomistas y otros tecnólogos, antes que de los teóricos de la acción.

La más desarrollada y difundida de todas las teorías de la acción es la teoría de la elección racional. Según esta, toda acción o al menos toda acción racional se realiza libremente y a la luz de un cálculo de costo/beneficio, además de lo cual obedece el imperativo utilitarista «¡Maximiza tus ganancias esperadas!» (véase, por ejemplo, Becker, 1976). Esta teoría, nacida de la microeconomía clásica, se ha difundido a otras ciencias sociales y hasta a la ética.

Lamentablemente, la teoría de la elección racional es conceptualmente difusa, porque ninguno de sus dos conceptos clave, los de probabilidad subjetiva (probabilidad [*likelihood*] percibida) y beneficio subjetivo (placer), está matemáticamente bien definido (véase Eichner, ed., 1983 y Bunge, 1996). Además, la teoría es empíricamente insostenible, ya que (a) la mayoría de los sucesos de la vida cotidiana no son eventos aleatorios y por ende no se les puede atribuir probabilidades propiamente dichas (recuérdese el capítulo 4), (b) la mayoría de los problemas de la vida cotidiana se resuelven siguiendo reglas «listas para usar», sin recurrir a sofisticados cálculos, (c) los actores de la vida real rara vez son libres y nunca son omniscientes y (d) las personas normales están constreñidas por las normas sociales y morales. En consecuencia, la teoría de la elección racional no es una guía realista para la vida.

Volviendo al dominio de la praxiología, sostengo que los filósofos no están bien provistos para diseñar reglas de eficiencia. Lo que los filósofos pueden hacer es analizar el sistema de conceptos centrado en la noción de acción, así como vincular la praxiología con la ética. Aquí solamente esbozaremos unas pocas ideas al respecto, en tanto y en cuanto se relacionen con el requisito de realismo (para más detalles véase Bunge, 1998).

Sugiero que una buena acción es una acción que satisface dos condiciones: la condición técnica de eficiencia óptima y la condición moral de ser más beneficiosa que perjudicial. Como regla, los óptimos se encuentran a medio camino entre los mínimos y los máximos. La razón es que las variables que describen un sistema están interrelacionadas de tal modo que cuando una de ellas aumenta las otras seguramente disminuyen. En particular, no se debe apuntar a maximizar la eficiencia ya que esto, con toda seguridad, sacrificará otros valores, como el bienestar y la protección del ambiente. Pero, desde luego, deseamos poner un límite al derroche total.

Los utilitaristas se desentienden del aspecto moral de la acción, pero, desde luego, todo aquel que respete los derechos de los demás tendrá en cuenta este aspecto. Ahora bien, sin duda, toda acción humana afectará a otras personas, por lo general de manera positiva en algunos aspectos y de manera negativa en otros. Por ejemplo, antes de predicar las virtudes de la globalización (o el libre comercio) deberíamos averiguar cómo corregir o compensar los crecientes desequilibrios que produce.

El diseño y la implementación óptimamente eficientes implican el realismo ontológico, gnoseológico y semántico. En efecto, un enfoque no realista de la acción es garantía de fracaso, a causa del diseño defectuoso, la ejecución incompetente o ambos extremos. Asimismo, la acción correcta implica el realismo moral, la concepción de que hay hechos y reglas morales (e inmorales). De hecho, el antirrealismo moral, en particular la perspectiva de que la moral es subjetiva, lleva a pasar por alto los derechos de los demás y, con ello, el perjuicio que la acción pueda causarles, además de soslayar al actor por reacción.

Echemos un vistazo, por último, a un aspecto de la praxiología: la filosofía política. Se trata de la rama de la filosofía práctica que estudia los méritos y deméritos de los diferentes órdenes sociales históricos y posibles, y las maneras de perfeccionarlos o socavarlos. Se espera que una filosofía política realista tenga dos raíces: una praxiología realista y una ciencia social realista. Ambas raíces son necesarias para evitar costosos fracasos.

La ciencias políticas enseñan que la acción política solo puede tener éxito si su estrategia subyacente está fundada en un estudio realista de la organización política en cuestión: un estudio que, a través de la estadística, las encuestas y los debates públicos, exhiba defectos, aspiraciones y posibilidades. También nos enseñan que, mientras la enorme mayoría de las personas se inclinan por la reforma, únicamente las élites lo hacen por la revolución. Hay dos motivos para esta preferencia de la gente común por la evolución antes que por la revolución. Uno es que la mayoría de las personas desean continuar con sus vidas en lugar de entregarse a una causa riesgosa. El otro es que toda acción social tendrá probablemente consecuencias no previstas, algunas buenas, pero otras perjudiciales, y los errores pequeños son más fáciles de reparar que los grandes.

La reforma social, sin embargo, no es lo mismo que la ingeniería social fragmentaria. En efecto, la sociología sugiere que las reformas sociales sectoriales con toda seguridad fallarán, porque la sociedad está compuesta por muchos sectores o subsistemas interdependientes, no por un único sector como, por ejemplo, el económico, el político o el cultural. En otras palabras, solo los programas políticos sistémicos (o integrales) pueden conseguir el éxito y esto siempre y cuando obtengan el apoyo de amplios sectores de la sociedad antes que el único apoyo de una secta. De tal modo, las consignas correctas son: «Estudiar la realidad antes de intentar cambiarla» e «Intentar mejorar todo a la vez, aunque de modo gradual antes que de manera abrupta». (Más en Bunge, 1998.)

En resumen, para perfeccionar una atroz realidad social, a la vez que evitamos tanto la utopía como la «distopía», debemos diseñar políticas y planes sociales fundados tanto en estudios sociales realistas como en pares de medios-fines morales. Véase la figura 10.3.

Figura 10.3. Los conflictos sociales deben abordarse a la luz tanto del conocimiento pertinente de la realidad social como de los principios morales.

9. El hilorrealismo científico

El realismo es esencial para la exploración empírica y la transformación de la realidad. La razón de ellos es que nadie investiga lo incomprensible o modifica lo inaccesible. Ahora bien, el realismo puede ser unido al idealismo, como en el caso de Platón; al materialismo, como en Demó-crito, o al dualismo, como en Aristóteles y Descartes. (En relación con el materialismo véase el capítulo 1, sección 6.) ¿Cuál de estas combinaciones tiene más oportunidades de ser la más fértil?

Un idealista objetivo o realista platónico hará afirmaciones que, en el mejor de los casos, son imposibles de poner a prueba y en el peor de ellos son falsas, tales como que las leyes de la naturaleza preceden a las cosas que se rigen por esas leyes (Heisenberg), que las plantas reales no son más que copias imperfectas de la *Urpflanze* ideal o planta primigenia (Goethe), que «en el principio fue la Palabra» (San Juan), que «la palabra es la morada del ser» (Heidegger) o que las ideas incorpóreas pueden mover las neuronas (Eccles).

Un dualista o hilomorfista como Aristóteles solo haría la mitad de las afirmaciones de este tipo y, de tal modo, no conseguiría satisfacer a los defensores de la otra mitad. Solo un materialista consistente insistirá en que únicamente los objetos materiales, o sea las cosas mudables, son objetivamente reales. Por la misma razón, buscaremos los universales, en particular las leyes, *in re*, no *ante rem*.

El realismo, pues, no es suficiente. En efecto, ¿qué sentido tiene el realismo si se admite la realidad de los seres sobrenaturales o la percepción extrasensorial, la existencia independiente de las ideas, la «mente objetiva» de Dilthey (o el mundo 3 de Popper) o los universos paralelos? Toda esta neblina idealista se despeja bajo la intensa luz del materialismo, el cual postula que no hay ideas sin cerebros (recuérdese el capítulo 1, sección 6). En resumidas cuentas, el realismo sin el materialismo es vulnerable.

El realismo solo puede mantenerse sobrio, pasible de puesta a prueba y efectivo, así como abierto a nuevas ideas, siempre y cuando se lo combine con el materialismo y el cientificismo. El materialismo sin realismo y cientificismo es dogmático, porque únicamente la investigación de la realidad puede corroborarlo. Peor aún, el materialismo vulgar puede ser perjudicial: piénsese en la adopción conjunta, por Nietzsche, del materialismo vulgar (fisicismo), el pragmatismo (en particular del ficcionismo y el vitalismo), el anticientificismo y el inmoralismo. Recuérdese también que, en parte a causa de su nihilismo gnoseológico y ético, Nietzsche ha contribuido a desacreditar la racionalidad y ha facilitado el camino hacia el posmodernismo y el fascismo (véase, por ejemplo, Wolin, 2004 y Vacher, 2004).

Por último, el materialismo no resulta suficiente para guiar la búsqueda de la verdad y ahuyentar la seudociencia, ni siquiera combinado con el realismo. Piénsese en el intento sociobiológico de explicar todo lo humano, incluso la política, el crimen, la moral y la religión, exclusivamente en términos genéticos y evolutivos. Seguramente, todo esto es tanto materialista como realista, pero no consigue pasar la prueba de la experiencia: se trata de una mera fantasía. El cientificismo, la tesis de que la investigación científica es la mejor estrategia cognitiva, debe ser combinada con el materialismo y el realismo si deseamos mantener a raya la seudociencia. (Advertencia: lejos de incluir el reduccionismo radical, el cientificismo es compatible con el emergentismo: véase Bunge, 2003a.) En suma, para ayudar a entender y controlar la realidad, el materialismo debe combinarse con el realismo y el cientificismo. Puede llamarse a esta tríada *hilorrealismo científico*.

10. Comentarios finales

El realismo filosófico integral es un sistema que abarca todas las ramas de la filosofía excepto la lógica: incluye la ontología, la semántica, la gnoseología, la metodología, la teoría de los valores, la ética y la teoría de la acción. Sostengo que se trata de la filosofía que casi todo el mundo practica cuando intenta resolver sus problemas de todos los días. Únicamente los filósofos pueden profesar el antirrealismo y esto solo cuando escriben o enseñan. Véase la tabla 10.2.

Tabla 10.2. Realismo filosófico integral *versus* Antirrealismo (nihilismo) o Galileo y Einstein *versus* Nietzsche y Heidegger.

Disciplina	Elemento	Realismo	Antirrealismo
Ontología	Universo	Real y único	Irreal y plural
Gnoseología	Conocimiento	Posible	Imposible
Semántica	Verdades	Algunas	Ninguna
Metodología	Mejor estrategia	Método científico	Intuición
Axiología	Valores	Algunos	Ninguno o el mal
Ética	Morales	Egoaltruismo	Egoísmo
Praxiología	Acciones	Correctas	Ninguna o antisociales

Los matemáticos no tienen que elegir entre realismo y antirrealismo, ya que no estudian la realidad: tratan con ficciones, únicamente. En cambio, los científicos y los tecnólogos se comportan como realistas —incluso cuando algunos de ellos ensalzan las filosofías antirrealistas— porque su tarea es estudiar o diseñar cosas reales. Del mismo modo, la investigación filosófica seria es realista: enfrenta hechos, aborda problemas genuinos y nos incita a ir más allá de la apariencia, la ficción ociosa y la (re)acción pavloviana. Únicamente el realismo filosófico nos alienta a ir a la caza de la realidad a fin de comprenderla y controlarla.

Sin embargo, el realismo no es suficiente: para ser profundo y eficiente, debe fundirse con el cientificismo y cuando lo hace el realismo atrae al materialismo. La razón de ello es que la ciencia muestra que todos los constituyentes de la realidad son materiales y las ideas solo son procesos de cerebros altamente evolucionados. Así pues, en cierto modo, el cientificismo conlleva el realismo y el materialismo. En consecuencia, todo ataque a uno de los componentes de la tríada con seguridad mutilará a los otros dos.

Más aún, el cientificismo sugiere la posibilidad de construir una filosofía práctica científica. Esta sería un código moral y una filosofía política diseñadas para personas reales en sociedades reales, no para ángeles en utopías. O sea, ese código estaría diseñado para individuos que enfrentan dilemas morales reales en sistemas sociales reales; personas con necesidades y aspiraciones, así como con derechos y deberes. Sugiero que los científicos y los tecnólogos sociales son quienes están mejor provistos para averiguar qué necesidades son reales, qué aspiraciones son legítimas (compatibles con la satisfacción de las necesidades de los demás) y qué tipos de organización social son beneficiosos casi para todo el mundo, así como viables y sostenibles. De manera obvia, este proyecto supera los límites de esta obra (véase un adelanto de ello, sin embargo, en Bunge, 1989 y 1996).

En resumidas cuentas, no solo hemos defendido el realismo, sino también el materialismo, el cientificismo y el proyecto de una ética científica. Lejos de constituir un conjunto no estructurado, estas cuatro tesis constituyen el sistema coherente de proyectos de investigación que se muestra en el siguiente diagrama:

Apéndice:

Hecho y pauta

Hay una asombrosa confusión en la literatura filosófica contemporánea acerca de los fundamentales conceptos ontológicos de cosa, sistema, propiedad, estado, evento, proceso, hecho y ley. Por ejemplo, algunos lógicos, haciendo eco a Platón, afirman que un hecho es aquello que hace que una proposición sea verdadera. Wittgenstein (1992) sostenía que el mundo es la totalidad de los hechos, no de las cosas, como si los hechos estuviesen por encima de las cosas concretas. Del mismo modo, David Armstrong (1999) ha propuesto iniciar la ontología con el concepto de estado de cosas [*state of affairs*], como si algo así pudiese existir de modo separado de las cosas. Whitehead (1919) ha definido el concepto de cosa como un cúmulo de eventos, como si un evento fuera algo distinto de un cambio de una cosa concreta. Kim (1998) ha definido evento como la ejemplificación de una propiedad, en lugar de un cambio de una o más propiedades. Hay más ejemplos por el estilo. No importa que los conceptos ontológicos solo puedan ser elucidados en una teoría ontológica, en lugar de uno por uno. Y tampoco importa qué es lo que las personas que estudian y manipulan los hechos, a saber los científicos y los tecnólogos, quieren decir con «hecho» y otros términos emparentados.

La situación respecto de pautas, regularidades o leyes es tan mala como la anterior. Por ejemplo, muy pocos filósofos distinguen las leyes o pautas objetivas de las hipótesis que las representan, una distinción familiar para todo físico, al menos desde Ampère (1834). Este es el motivo de que, ante un enunciado legal que se muestra solo aproximadamente verdadero, algunos filósofos hayan concluido que la naturaleza es imprecisa (Boutron, 1898). Además, por supuesto, los metafísicos de los múltiples mundos se sienten libres de imaginar «mundos» que se rigen por leyes frágiles o incluso que no tienen leyes, como si la metafísica fuese una rama de la literatura fantástica. (Recuérdese el capítulo 9, sección 6.)

Peor aún, actualmente los «hechos científicos», vale decir los hechos que estudia la ciencia, son a menudo considerados construcciones o convenciones sociales al igual que las señales de las carreteras y los modales en la mesa. Según esta variedad colectiva de subjetivismo, no habría diferencia entre los hechos y los datos, las leyes y las reglas o incluso entre los modelos y los retratos. Todo ello, afirman sin ofrecer ninguna prueba empírica, debería ponerse en una única categoría, la de «construcción social». Según esto, las nociones de realidad, objetividad y verdad serían redundantes. Los científicos no estudiarían hechos: los inventarían. Hasta se limitarían a conversar, «realizar inscripciones» y «negociar» con sus colegas (por ejemplo, Rorty, 1979; Latour y Woolgar, 1986). Estas extravagancias han sido tan ridiculizadas (por ejemplo, por Sokal y Bricmont, 1998; Bunge, 1999 y Brown, 2001) que recientemente uno de los principales delincuentes se ha retractado formalmente (Latour, 2004).

Dadas las confusiones recién mencionadas, puede resultar pertinente reexaminar las ideas de hecho, pauta y otros conceptos emparentados que se utilizan en la literatura científica y tecnológica. Estos podrían resultar útiles para comprender aquello en lo que los científicos, tecnólogos, hombres de negocios y planificadores están ocupados.

1. Cosa, propiedad y predicado

El concepto más fundamental o general es el de un individuo sustancial desnudo. Este se define como todo lo que puede unirse a otro individuo para formar un tercer individuo. Más precisamente, estipulamos que x es un *individuo sustancial desnudo* si y solo si x puede asociarse, unirse o encadenarse a otros individuos para formar otros individuos. Más brevemente, x pertenece a una colección S que posee la estructura de un semigrupo. (Para una formalización y discusión detallada de este concepto y otros emparentados, véase Bunge, 1977a.)

Desde luego, las cosas reales tienen otras propiedades, tales como la energía, además de la capacidad de unirse a otros individuos. Una cosa real es un individuo sustancial provisto de todas sus propiedades. A su vez, una propiedad de una cosa puede conceptuarse o representarse por medio de un atributo o predicado n-ario. Un predicado F puede analizarse como una función que relaciona cierto dominio A con un codominio B o $F \to B$, donde A puede ser el producto cartesiano de un número n de colecciones (Bunge, 1974a). En particular, si F es un predicado unario cualitativo que representa una propiedad intrínseca P de individuos sustanciales o miembros de la colección S, F puede analizarse como la función

$F: S \to$ Proposiciones que contienen F.

De tal modo, si b es un individuo sustancial, o sea, si b está en S, entonces el valor de F en b es $F(b)$, que se lee "se atribuye F-idad a b". (Nótese que este análisis de la predicación difiere del de Frege, quien ha caracterizado los predicados como funciones que relacionan individuos con valores de verdad.) Todas las propiedades cualitativas, tales como la cohesión y la estabilidad, pueden representarse por medio de estos predicados unarios. Si G es un atributo binario que representa una propiedad relacional Q de pares de cosas, tales como la separación o la interacción, entonces

$G: S \times S \to$ Proposiciones que contienen G.

Por ejemplo, si b y c están en S, $G(b, c)$ se lee "Se predica G del par ordenado de individuos $<b, c>$". La generalización a predicados de órdenes superiores es obvia.

Nótese que hemos distinguido tácitamente las propiedades de las funciones, en particular de los predicados o atributos. Esta distinción es innecesaria en la lógica y la matemática, donde los dos conceptos coinciden porque todos los objetos matemáticos son de un único tipo, a saber constructos. Pero la distinción es indispensable en todos los demás ámbitos, puesto que la misma propiedad de un individuo sustancial puede conceptuarse ahora como un atributo dado y más tarde, a la luz de nuevo conocimiento, como un atributo diferente. Recuérdense los cambios históricos sufridos por los conceptos (o, más bien, por las palabras) "energía" y "cantidad de movimiento". Los realistas suponen que el mundo físico no se percató de semejantes cambios conceptuales. De ahí la necesidad de distinguir entre los atributos que se predican de las cosas y las propiedades que las cosas poseen.

Otra razón de la distinción en cuestión, una que necesariamente escapa al irrealista, es que no todos los predicados representan propiedades de cosas reales. En particular, los predicados negativos tales como «descuidado» y los predicados disyuntivos como «conduce o trabaja» no representan propiedad de cosa alguna, aun cuando pueden aparecer en nuestro discurso sobre las cosas. (Los predicados disyuntivos son legítimos siempre y cuando definan géneros, o sea sumas lógicas de especies. Ejemplos: Herbívoros $\cup$ Carnívoros = Omnívoros, y Obrero $\cup$ Administrativo = Trabajador.) La tercera razón para trazar la distinción entre predicado y propiedad es que, en tanto que los predicados se rigen por algún sistema de la lógica de predicados y el conjunto de todas las propiedades es un álgebra de Boole, las propiedades de las cosas se rigen por leyes naturales o sociales. Más sobre esto a continuación.

Los siguientes ejemplos, bastante típicos (tomados de Bunge, 1977b), deben sugerir la rica variedad de funciones que representan propiedades con las que tenemos que habérnoslas y preparará el terreno para una definición general.

Ejemplo 1. Propiedad global dicotómica. Sea $F: A \to B$ que representa la estabilidad.

Entonces,

A = Colección de todos los sistemas concretos (físicos, químicos, biológicos, sociales o técnicos),

B = Conjunto de todas las proposiciones de la forma «x es estable», donde x está en A.

Ejemplo 2. Propiedad cualitativa global. Sea $F: A \to B$ que representa la estructura social. Entonces, $A = S \times T$, con

S = Conjunto de todas las sociedades humanas,
T = Conjunto de todos los instantes de tiempo,
B = Familia de todas las colecciones de personas,

y, para s de S y t de T, $F(s, t)$ = Familia de todos los grupos sociales incluidos en la sociedad s en el instante t.

Ejemplo 3. *Propiedad global cuantitativa.* Sea $F: A \to B$ que representa la carga eléctrica de un cuerpo. Entonces, $A = C \times T \times U_c$, donde

C = Colección de todos los cuerpos,
T = Conjunto de todos los instantes,
U_c = Conjunto de todas las unidades de carga eléctrica,
B = Conjunto $\mathbb{R}$ de todos los números reales,

de modo tal que "$F(c, t, u) = r$" para c en C, t en T, u en U y r en R, resume "La carga eléctrica del cuerpo c en el instante t, expresada en las unidades u, es igual a r".

Ejemplo 4. Propiedad aleatoria global cuantitativa. Sea $F: A \to B$ que representa la distribución de probabilidad del momento de un cuantón. Aquí $A = Q \times \mathbb{F} \times T \times \mathbb{R}^3$, donde

Q = Colección de cuantones (entidades mecanicocuánticas) de una especie dada,
$\mathbb{F}$ = Conjunto de todos los marcos de referencia,
T = Conjunto de todos los instantes,
$B = \mathbb{R}$ = línea real,

de modo tal que "$F(q, f, t, p) \, dp$" resume "La probabilidad de que un cuantón q, relativamente al marco de referencia f, en el instante t, posea un momento que esté entre p y $p + db$". (En notación tradicional, $F = |\varphi|^2$, donde φ es la transformada de Fourier de la función de estado ψ.)

Ejemplo 5. Propiedad cuantitativa local. Sea $F: A \to B$ que representa el potencial gravitatorio. Entonces, $A = G \times \mathbb{F} \times E^3 \times T \times U_e$, donde

G = Colección de todos los campos gravitatorios,
$\mathbb{F}$ = Colección de todos los marcos de referencia,
E^3 = Espacio tridimensional euclidiano,
T = Conjunto de todos los instantes,
U_e = Conjunto de todas las unidades de energía,
$B = \mathbb{R}$ = Línea real,

de modo tal que "$F(g, f, x, t, u)$" resume "El potencial gravitatorio (escalar) del campo g de G, relativamente al marco de referencia f de F, en el punto x del espacio E^3 y en el instante t de T, expresado en las unidades de energía u de U_e, es igual al número real r". Además, la intensidad del campo se define como el gradiente del potencial de campo. Ambas magnitudes representan la misma cosa, a saber el campo. La elección de una de ellas es cuestión de conveniencia.

Ejemplo 6. El tamaño poblacional es una prominente propiedad biológica y sociológica. Puede conceptuarse como una función de estado P: $S \times T \to \mathbb{N}$ que relaciona los pares «comunidad de organismos de una clase, en el instante t > con los números naturales. Todo valor $P(s, t) = n$ de $\mathbb{N}$ representa una propiedad individual posible de s en t, en tanto que la función P representa una propiedad general o una propiedad de todos los miembros de la colección S. (Más breve: P es universal de S o P es un universal de S.)

En cada uno de los casos anteriores el predicado central F representa una propiedad de entidades de cierto tipo o *propiedad general*, como por ejemplo la edad. Por su parte, el valor de F para alguna entidad o cosa en particular es una propiedad individual o propiedad que posee el individuo en cuestión como, por ejemplo, tener 30 años de edad. En la ontología contemporánea, las propiedades individuales se llaman "tropos".

2. Estado y función de estado

Algunas propiedades o, mejor dicho, algunas funciones que representan propiedades, son de especial interés para nosotros: se trata de las que describen los estados en que una cosa puede estar. Por ejemplo, las densidades de masa, presión y fuerza de un sistema mecánico determinan sus propiedades dinámicas. Se las llama, en consecuencia, *variables de estado* o, mejor aún, *funciones de estado*. En cambio, la estabilidad, si bien es una propiedad de los sistemas, no es una función de estado, sino una suerte de resultado del interjuego de ciertas propiedades. Tampoco son funciones de estado t (tiempo), f (marco de referencia) o u (unidad de cierta clase); no son, por cierto, funciones de ningún tipo. Se trata de miembros arbitrarios de ciertos conjuntos y no son poseídos por ninguna cosa en particular. Son «públicos», en el sentido de que se los puede aplicar a diversas cosas. (Advertencia: en una teoría relacional del tiempo, t debe ser un valor de una función definida por un par de eventos.)

En el *Ejemplo 2* que hemos visto antes, la función F_s: $\{s\}$ $T \to B$ es una función de estado del sistema individual s. En el *Ejemplo 3*, la función F_{cu}: $\{c\} \times T \times \{u\} \to \mathbb{R}$ es una función de estado de c. En el *Ejemplo 4*, la función F_{qf}: $\{q\} \times \{f\} \times T \times \mathbb{R}^3 \to \mathbb{R}$ es una función de estado de q relativa a f. Por último, en el *Ejemplo 5*, la función F_{qfu}: $\{g\} \times \{f\} \times E^3 \times T \times \{u\} \to \mathbb{R}$ es una función de estado de g relativa a f.

Lo dicho sugiere la siguiente caracterización preliminar. Una función es una *función de estado* de una cosa de un tipo dado solo si representa una propiedad que la cosa posee. El que esa representación sea fiel (verdadera) no es algo esencial para que una función pueda considerarse una función de estado. Lo que sí es decisivo es que esa función se refiera a una cosa y que pueda interpretarse que representa o conceptúa la propiedad en cuestión. La razón es que tenemos que construir las teorías, antes de poder ponerlas a prueba para averiguar si son o no razonablemente verdaderas.

Tampoco es necesario que una función de estado aparezca en una teoría. Las funciones de estado también son útiles en la indagación empírica para exhibir el estado presente de un sistema y seguir su curso. Por ejemplo, una función de estado de una nación podría ser una larga lista de valores de indicadores ambientales, biológicos, económicos, políticos y culturales, tales como la precipitación media, la esperanza de vida, el PIB, el índice de votantes que acuden a las urnas y el índice de alfabetización. Pero, por supuesto, lo mejor es que estos valores empíricos estén insertos en fórmulas teóricas, tales como enunciados nomológicos, ya que, en este caso, se puede esperar explicar y predecir los hechos en cuestión.

Toda teoría científica se refiere a cosas concretas de cierta clase o clases. Además, toda teoría de este tipo, ya sea general como la electrodinámica de Maxwell, ya sea específica como un modelo para una antena circular, involucra un número finito de funciones de estado que describen sus referentes. Dado que algunas teorías científicas, como por ejemplo la teoría de la gravitación de Einstein y la electrodinámica cuántica, son verdaderas en grado notable, resulta razonable suponer que las cosas de las que tratan tienen realmente solo un número finito de propiedades generales.

Consideremos ahora todo el montón de funciones de estado de cosas de cierta clase K. En principio, tienen poco en común, salvo por su referencia común a cosas de una clase dada. En particular, ni siquiera es necesario definirlas exactamente en el mismo dominio. (Por ejemplo, una de ellas puede estar definida en K, otra en $K \times T$ y una tercera en $K \times \mathbb{F} \times T$.) Sin embargo, un inofensivo truco les atribuirá a todas el mismo dominio. De tal modo, si F_1: $\{s\}$ $A \to B$ y F_2: $C \to D$, donde A $\neq$ C y B $\neq$ D, podemos adoptar las nuevas funciones de estado

$G_1 = A \times C \to B$, tal que $G_1(a, c) = F_1(a)$
$G_2 = A \times C \to D$, tal que $G_2(a, c) = F_2(c)$

para todo a de A y todo c de C.

Pero rara vez se necesita recurrir a este truco, porque, de hecho, muchas funciones de estado de cosas de una clase determinada están definidas en un dominio común. Piénsese, por ejemplo, en la colección de funciones que representan propiedades (tales como la densidad de masa, la velocidad o el potencial de campo) que conciernen a medios continuos tales como un fluido o un campo: puede interpretarse que todas comparten un único dominio, a saber una 4-variedad. Del mismo modo, el conjunto de variables dinámicas (observables) de una cosa mecanicocuántica son operadores en el espacio de Hilbert de la cosa en cuestión. Con todo, sea esto así o no en un caso determinado, el procedimiento mencionado realizará el truco de ordenar el dominio de la función de estado de una cosa dada. En consecuencia, podemos adoptar la

Definición 1. Sea $F_i = A \to V_i$, con i de N, una función de estado de cosas de cierta clase. Entonces la función

$\mathscr{F} = \, < F_1, F_2, ..., F_n > \, : A \to V_1 \times V_2 \times ... V_n,$

tal que $< F_1, F_2, ..., F_n > (a) = \, < F_1(a), F_2(a), ..., F_n(a) >$ para a de A, se llama función de estado (total) de las cosas de la clase en cuestión. (Si todas las V_i son espacios vectoriales, F es un *vector de estado*.)

Nótese el cauto artículo indefinido en la frase anterior "un vector de estado". La razón de ello es que no hay tal cosa como *la* función de estado de las cosas de una clase dada. En efecto, puede haber tantas funciones de estado que sean representaciones (o modelos) de la cosa como puedan pensarse, o sea un número cualquiera de ellas. (Analogía: puede haber cualquier número de retratos y fotografías de una única persona.) Por ejemplo, en tanto que las teorías lagrangianas utilizan coordenadas generalizadas y velocidades como variables (funciones) de estado fundamentales, las teorías hamiltonianas utilizan coordenadas generalizadas y momentos. Más aún, una única representación es compatible con infinitas elecciones de marco de referencia, cada una de las cuales generará una función de estado diferente. (Más sobre esto a continuación.)

Se trata de un caso del principio del realismo científico, según el cual toda cosa concreta puede ser representada de diversas maneras. En consecuencia, el antirrealista no podrá dar ningún sentido a las fórmulas que relacionan diferentes representaciones de un único hecho, tales como las transformadas de Lorenz, fórmulas que aparecen en la relatividad especial.

¿Cómo averiguamos si cierta función de estado es adecuada o no? En última instancia, poniendo a prueba la adecuación (verdad fáctica) del modelo o teoría como totalidad, en particular la de sus fórmulas clave. Estas son las fórmulas que interrelacionan las diferentes funciones de estado, o sea los enunciados nomológicos de la teoría, sobre lo que diremos más enseguida.

Aun así, puede haber formulaciones alternativas aunque básicamente equivalentes de la misma teoría. (Por ejemplo, la mayoría de las teorías de campo puede formularse utilizando ya sea fuerzas de campo, ya sea potenciales de campo y estos son mutuamente equivalentes si se corrigen ciertas constantes y funciones arbitrarias.) En el caso de las teorías equivalentes, no hay más criterios de preferencia que los de la conveniencia en el cálculo, la facilidad de interpretación, la capacidad heurística o, incluso, la pura belleza o la moda. (Todos estos criterios fueron adoptados de manera tácita cuando se prefirió la mecánica de ondas a la mecánica de matrices.) En términos negativos: la elección de una función de estado no está determinada únicamente por los datos experimentales, sino que depende en parte de nuestro conocimiento total, así como de nuestras capacidades y objetivos e incluso de nuestras inclinaciones. Esta consideración tendrá un importante papel en todo discurso acerca de los estados y espacios de estado, sobre los que trataremos en la siguiente sección.

Puesto que temo haber dado la impresión de que la elección de las funciones de estado es totalmente arbitraria y, por lo tanto, una mera cuestión de gusto, me apresuraré a decir que, cualquiera que sea la función de estado que se escoja, se espera que satisfaga los enunciados nomológicos incluidos en la teoría y ello está lejos de ser una cuestión convencional. Tampoco es una cuestión de convención la elección de enunciados legales: se espera que estos enunciados sean razonablemente verdaderos. Más brevemente: toda teoría científica contiene algunas convenciones, pero la elección entre teorías no es convencional. Más sobre esto en la sección siguiente.

El concepto de función de estado puede utilizarse para elucidar la noción de sistema concreto, tal como un partido político, en contraposición a un agregado tal como los asistentes a un mitin político. En efecto, un análisis de una función de estado de una entidad dada puede ayudarnos a descubrir si constituye un sistema o no, o sea si posee partes que actúen unas sobre otras y se mantengan unidas de ese modo. En efecto, la función de estado de un agregado de cosas que no interactúan entre sí está determinada únicamente por las funciones de estado parciales. Típicamente, la función de estado de una totalidad de este tipo es igual o bien a la suma o bien al producto de las funciones de estado de sus partes. No es este el caso en un sistema propiamente dicho: aquí el estado de cada uno de los componentes del sistema está parcialmente determinado por los estados de los demás componentes. De ahí que ya no sea posible separar la función de estado total ni de forma aditiva ni de forma multiplicativa. La contribución de las partes se torna inextricablemente entrelazada. (Esto debería bastar para hacer naufragar el programa del individualismo metodológico en las ciencias sociales.) Un par de ejemplos servirá para apoyar este punto.

Piénsese en un sistema compuesto por una población de zorros y una población de conejos que ocupan el mismo territorio. La tasa de crecimiento de cada población depende de las numerosidades de ambas poblaciones. (Cada una de ellas varía de modo sinusoidal, aunque fuera de fase, en el transcurso del tiempo.) Las dos poblaciones están tan entrelazadas que la función de estado de la totalidad no puede descomponerse en dos funciones de estado parciales. Un individualista metodológico no podría siquiera proponer este familiar problema ecológico, puesto que no admite el concepto mismo de sistema. Si de él dependiera, los zorros morirían de hambre y los conejos se multiplicarían sin límite.

En realidad, el individualista ni siquiera puede abordar el problema de modelar un sistema que contenga dos electrones lo suficientemente cercanos entre sí en un átomo de helio. Este sistema es descrito por una ecuación de Shrödinger (en términos clásicos, por dos ecuaciones de movimiento acopladas) junto con el principio de exclusión de Pauli. Este último no es derivable de la primera y solo se aplica a sistemas íntegros de cierta clase; selecciona aquellas funciones de estado totales que son impares o antisimétricas en las coordenadas de los electrones. (O sea, el enunciado nomológico adicional es «$\psi(x, y) = -\psi(y, x)$», donde x e y son las coordenadas de los electrones.) Este principio expresa una propiedad sistémica emergente, o sea una propiedad que los componentes individuales no poseen, de lo que se sigue que no puede ser representada por las funciones de estado parciales. En consecuencia, la construcción de una función de estado de un sistema debe realizarse a partir de cero, en lugar de sobre la base de las funciones de estado de los electrones individuales. La estrategia individualista fracasa una vez más. (Más sobre el individualismo en Bunge, 1996, 1998 y 2003a.)

3. Espacio de estados y evento

Ahora estamos en posición de elucidar las nociones de estado y cambio de estado. Sea $\mathscr{F} = A \to V_1 \times V_2 \times \ldots V_n$ una función de estado de las cosas de cierta clase. Todo valor de $\mathscr{F}(a)$, para a de A, representa el *estado* de una cosa de la clase en cuestión. (En particular, si $A = T =$ el conjunto de todos los instantes de tiempo, diremos que el valor $\mathscr{F}(t)$, en t de T representa el *estado* de la cosa en cuestión en el instante t. Nótese, sin embargo, que el concepto de tiempo no está presupuesto: hasta el momento, t es solo un comodín.) Puesto que $\mathscr{F}$ expande el espacio de estados nomológico S_K de las cosas de la clase K, todo estado de esa cosa es un punto de S_K. Nótese también que no hay estados en sí mismos, no más de lo que hay propiedades en sí mismas, excepto, desde luego, en una ontología platónica. Este no es un dogma: es algo que muestra la forma en que se construyen las funciones de estado. De hecho, cada una de estas funciones representa, por hipótesis, los estados de una cosa concreta. Este comentario debe bastar para descartar las ontologías que conciben los estados (o los «estados de cosas» [*states of affairs*]) como los ladrillos con que está construido el universo.

La «vida» de las ideas abstractas, tales como el concepto de conjunto, carece completamente de eventos. Únicamente las cosas concretas pueden cambiar. Ahora bien, el cambio puede ser instantáneo o casi instantáneo, como en el caso de un salto cuántico o una colisión entre dos coches, o bien puede durar cierto tiempo, como en los casos de cambiar de lugar y aprender. En el primer caso, se habla de *eventos*. Más aún, tal como Aristóteles nos ha enseñado, un cambio puede ser meramente cuantitativo, como en el caso del movimiento, o también cualitativo, como en el caso del ensamblado o la desintegración de un sistema. Un destello de luz, la disociación de una molécula, una tormenta, el crecimiento de un brote, el aprendizaje de un nuevo truco y el cambio de gobierno son eventos. En realidad, estos eventos particulares son procesos, ya que, a diferencia de la colisión elástica de dos átomos, son complejos, o sea se los puede analizar como cadenas de eventos o, mejor dicho, como secuencias de estados.

Dado que se trata de cambios de estado de las cosas, los eventos pueden representarse como pares de estados y los procesos como trayectorias en un espacio de estados de las cosas en las cuales esos cambios ocurren. En cambio, la emergencia de una nueva propiedad puede representarse como el brote de un nuevo eje en el espacio de estados y la extinción de una propiedad como la poda de un eje.

Puesto que los estados son relativos al marco de referencia y a la representación (en particular a la elección de las funciones de estado), sus cambios o, mejor dicho, sus conceptuaciones son relativas en el mismo sentido. En consecuencia, se puede muy bien construir un espacio de estados en el cual el punto representante está estacionario y espacios de estados alternativos en los cuales ese punto está en movimiento. Toda conceptuación del cambio, entonces, es relativa al marco de referencia y a la representación. (Advertencia: todo observador es un posible marco de referencia, pero la recíproca no es verdad. De ahí que la relatividad respecto del marco de referencia no sea lo mismo que la relatividad respecto de un sujeto o subjetividad.)

Ejemplo 7. Supóngase una cosa que, en el aspecto que interesa, puede estar en alguno de tres estados, por ejemplo encendido, apagado y en transición, como en el caso de un interruptor. Si llamamos a estos estados a, b y c, tenemos $S = \{a, b, c\}$. A continuación formamos todos los pares ordenados de $S \times S$:

$<a, a>$ La cosa permanece en el estado a, o sea el evento identidad en a,

$<a, b>$ La cosa pasa del estado a, al estado b,

y así sucesivamente. De tal modo tenemos en total nueve eventos elementales (no compuestos) de $S \times S$:

$$e_1 = <a, a> = u_a, \quad e_4 = <a, b>, \quad e_7 = <b, a>$$
$$e_2 = <b, b> = u_b, \quad e_5 = <b, c>, \quad e_8 = <c, b>$$
$$e_3 = <c, c> = u_c, \quad e_6 = <a, c>, \quad e_9 = <c, a>$$

Vale decir, $S \times S = \{u_a, u_b, u_c, e_4, e_5, e_6, e_7, e_8, e_9\}$, donde los u son los eventos identidad, los cuales en realidad son no eventos. Supóngase ahora que todos estos eventos son legales, o sea realmente posibles. En este muy particular caso, entonces, el espacio de eventos es $E = S \times S$. (En general, E está adecuadamente incluido en S^2.) Una representación estándar de espacios de estados finitos como este es el grafo de Moore, conocido en informática.

Ciertos eventos pueden componerse para formar eventos más complejos, otro no. Por ejemplo, el evento $e_4 = <a, b>$ mencionado anteriormente puede ser seguido por el evento $e_5 = <b, c>$, pero no por el evento $e_9 = <c, a>$. La composición de los eventos e_4 y e_5 equivale al evento neto $e_6 = <a, c>$. En otras palabras, el evento e_6 se puede analizar en términos de la composición de los eventos e_4 y e_5. Para simbolizar la composición de eventos utilizamos el asterisco y escribimos $e_4 * e_5 = e_6$ o, de modo explícito, $<a, b> * <b, c> = <a, c>$. (Los estados intermedios no aparecen en el cambio neto: son absorbidos.) Por otra parte, el «evento» complejo $<b, c> * <a, b>$, que es el reverso del primero, no puede ocurrir y, por lo tanto, se deja sin definir. En otras palabras, $*$ es una operación parcial (que no está definida en todos los casos) del espacio de eventos E. Más precisamente, $*$ es una operación tal que, para todo a, b, c, d de S,

$$<a, b> * <c, d> = \begin{cases} <a, d> \text{ syss } b = c \\ \text{no definida syss } b \neq c. \end{cases}$$

Si e y f son dos eventos de E, entonces $e * f = g$ es otro evento de E, que consiste en el evento e *seguido* del evento f. En general, no todas las transiciones de estado son posibles. Por ejemplo, la transición «muerto, vivo» es imposible. Más aún, si una transición de estado es posible, puede ocurrir de más de un modo. O sea, diferentes trayectorias en el espacio de estados pueden tener los mismos puntos extremos. En otras palabras, dos procesos diferentes, uno a lo largo de la curva g y el otro a lo largo de una curva diferente g', pueden dar como resultado el mismo cambio neto. Las dos funciones deben ser legales si solamente hemos de admitir eventos legales y descartar los eventos ilegales, tales como los milagros. En otras palabras, g y g' deben ser compatibles con las leyes de la cosa en estudio. (No es necesario que se trate de funciones legales. En general, se tratará de leyes junto con circunstancias, por ejemplo, las leyes de campo junto con las especificaciones del origen del campo y las condiciones de contorno.) Esto sugiere la introducción de la

Definición 2. Sea S un espacio de estados de las cosas de una clase dada y s y s' dos puntos de S. Entonces, un *evento legal* (o proceso legal) con extremos s y s' podrá representarse mediante un triple $<s, s', g>$, donde $g: S \to S$ es compatible con la ley en cuestión.

Para una particular transformación g, podemos centrarnos en los extremos del cambio neto, o sea en los estados inicial y final del proceso. Los pares ordenados $<s, s'>$ de $S_g \times S_g$ constituyen el espacio de eventos de las cosas consideradas para la transformación g o, abreviando, E. En general, E_g es un subconjunto de $S_g \times S_g$, porque g puede excluir ciertos cambios concebibles, pero físicamente imposibles.

4. Proceso

Puede definirse un proceso como una cadena de eventos, por ejemplo, $\pi = e_1 * e_2 * e_3 * \ldots * e_n$. Sin embargo, esta definición funciona solo para sistemas de estados finitos, tales como los ordenadores digitales o, mejor dicho, para los modelos idealizados de los ordenadores que aparecen en la informática matemática, que es algo diferente de los modelos que utilizan los ingenieros informáticos. En efecto, incluso la cosa física más simple, tal como un electrón o un fotón, puede hallarse en cualquiera de un conjunto no numerable de estados y puede experimentar cambios continuos además de saltos cuánticos. Esta es una de las múltiples razones de que la metáfora computacional del cerebro y sus funciones mentales sea tan superficial y engañosa.

Una definición más realista de proceso, aplicable a todos los espacios de estados es esta: un proceso es una secuencia de estados legal. Más precisamente, adoptamos la

Definición 3. Sea $\mathscr{F} = A \to V$ una función de estado de las cosas de cierta clase y S_L el conjunto de estados legales en que la cosa puede estar. Entonces la secuencia de estados $\pi = \langle \mathscr{F}(a) | a \in A \rangle$ es un proceso realmente posible que ocurre en las cosas en cuestión, si se mueve a lo largo de una trayectoria $g: S_L \to S_L$ compatible con las leyes de las cosas de la clase en cuestión.

Si $A = T =$ Tiempo, entonces $\pi = \langle \mathscr{F}(t) | t \in T \rangle$ es una secuencia de estados temporalmente ordenada. Al invertir el signo de t, obtenemos $\pi^- = \langle \mathscr{F}(-t) | t \in T \rangle$, que es la *imagen de reversión temporal* [*time reversed image*] de π. Sería un error interpretar que π^- representa una cosa que se zambulle en el pasado o involucra un «flujo de tiempo hacia atrás». (Véase Bunge, 1959b, para una crítica de la interpretación literal de los diagramas de Feynman, los cuales involucran ficciones tales como los viajes hacia atrás en el tiempo.) El cambio de t por $-t$ y, consecuentemente, el reemplazo de velocidades positivas por velocidades negativas y viceversa, es solo una operación de lápiz y papel que no necesariamente representa un proceso real. Cuando se desea una referencia a un proceso real, lo que significa «reversión temporal» no es la operación de la máquina del tiempo de Wells, sino la inversión de las velocidades (y, si cabe, de los espines) de las entidades pertinentes. (Más sobre esto y lo que sigue en Bunge, 1968a.)

Es bien sabido que las ecuaciones del movimiento de Newton para partículas puntuales son T-invariantes, vale decir que no se modifican al sustituir t por $-t$. En contraste, la ecuación de Fourier para el flujo de calor de un cuerpo no es T-invariante. Las trayectorias de las bolas de billar ideales (perfectamente elásticas) sobre una mesa ideal (sin fricción) sí son T-invariantes, en tanto y en cuanto las bolas no caigan en ninguna de las troneras de la mesa. En otras palabras, sus imágenes de reversión temporal son físicamente posibles. En contraposición, los huevos revueltos no se «des-revuelven» y las partículas alfa no reingresan a los núcleos que las emitieron. Hay, pues, leyes y procesos que son T-invariantes y otros que no lo son.

Se dice que un proceso o historia es T-invariante o *reversible* si su imagen de reversión temporal es realmente posible. De otro modo, se dice que es *irreversible*. Un enunciado legal es T-invariante si no se modifica al sustituir t por $-t$. La relación entre procesos T-invariantes y enunciados legales T-invariantes es esta: *si un proceso es T-invariante, entonces sus leyes también son T-invariantes*. Lo recíproco es falso, de lo que se sigue que, en contraposición a la difundida creencia, los dos tipos de invariancia no son equivalentes. En otras palabras, algunos procesos irreversibles, tales como la desintegración radiactiva, pueden describirse con la ayuda de enunciados legales T-invariantes.

Hay dos razones de la no equivalencia de los procesos T-invariantes con las leyes T-invariantes. La primera es que un proceso o historia se explica, habitualmente, por medio de algunas de las consecuencias lógicas de los enunciados legales fundamentales involucrados y el primero carece de las propiedades de simetría de los segundos. Por ejemplo, las ecuaciones de Maxwell son T-invariantes, pero mientras que la intensidad de campo eléctrico no cambia con la reversión temporal, la inducción magnética se invierte. Un ejemplo más simple: una oscilación sinusoidal no es T-invariante, aun cuando resuelve una ecuación de movimiento T-invariante.

La segunda razón de la no equivalencia en cuestión es que los procesos se describen por medio de las consecuencias lógicas de los enunciados legales fundamentales junto con ciertos constreñimientos, condiciones de contorno y ecuaciones constitutivas, todos los cuales con seguridad restringirán aún más el conjunto de las trayectorias realmente posibles. Un ejemplo simple es el de una gota de agua que cae sobre un tejado que se desliza hacia abajo. El movimiento reverso que resulta de la inversión de la velocidad llevaría a la gota a pasar por su punto de impacto hacia la parte superior del tejado y más allá. Excluimos esta trayectoria conceptualmente posible añadiendo la condición de continuidad de la velocidad (no solo de la trayectoria). Una analogía espacial es esta. Las ecuaciones de campo de Maxwell tienen soluciones que representan ondas electromagnéticas que arriban (convergentes), así como ondas que parten (divergentes). Dado que no se ha observado ninguna onda convergente, se descartan estas soluciones imponiendo una condición adicional sobre la conducta asintótica de las soluciones (la *Ausstrahlungsbedingung* de Sommerfeld).

La moraleja de esta historia es que, para juzgar si un evento o proceso conceptualmente posible es realmente posible o, de otro modo, imposible (milagroso), debemos averiguar si satisface sus leyes junto con todas las condiciones subsidiarias pertinentes. Resulta interesante que estas últimas sean, a menudo, ideas tardías suscitadas por los resultados negativos de la comparación de la teoría con la realidad. Un antirrealista jamás daría con estas condiciones subsidiarias e insistiría en hacer predicciones contrarias a los hechos. Al ser contrario a la distinción entre teoría y realidad, el antirrealista con seguridad admitirá los milagros. El realismo, por ende, es una condición necesaria para hacer ciencia genuina y evitar la ciencia ficticia.

5. Pauta objetiva y enunciado legal

Los realistas distinguen las pautas objetivas de las proposiciones (por ejemplo, de las ecuaciones) que las representan. Esto les permite explicar una tarea típica de los científicos: la tentativa de descubrir regularidades. Esta misma distinción contribuye a explicar una buena parte de la historia de la ciencia como la historia de sucesivas aproximaciones a la representación más verdadera posible de las pautas objetivas.

Se supone que las pautas objetivas, sean naturales, sociales o mixtas, son regularidades o constancias con dominios amplios, a saber especies enteras de cosas concretas o incluso géneros de esas cosas. Toda pauta de este tipo puede ser conceptuada de diversas maneras; de hecho, de tantas maneras como funciones de estado alternativas haya. Se llama a estas conceptuaciones enunciados legales o nomológicos. En resumen, distinguimos las leyes o pautas (objetivas) de sus representaciones conceptuales. También suponemos que las pautas objetivas no cambian cuando se modifican sus representaciones conceptuales. En particular, las revoluciones científicas pueden tener cierto impacto sobre la sociedad, pero no cambian el universo.

Además de las leyes (pautas) objetivas y los enunciados legales, hay principios de nivel superior que conciernen ya sea a las pautas, ya sea a los enunciados legales. Ejemplos de estos son el requisito de covarianza de Lorentz y el principio filosófico de que todos los hechos se rigen por alguna ley (Bunge, 1959b). En suma, la palabra "ley" denota tres conceptos diferentes, cada uno de los cuales identificaremos con un subíndice:

L_1 = Pauta objetiva.
L_2 = Enunciado legal o nomológico = Proposición que representa una L_1.

L_3 = Enunciado metanomológico = Proposición acerca de una L_1 o L_2.

Centrémonos en las L_2. Un enunciado legal puede considerarse una restricción a ciertas funciones de estado de las cosas de cierta clase. Esta restricción no está aislada ni es arbitraria: debe pertenecer a un sistema (teoría) y debe haber sido confirmada en una medida razonable con ayuda de observaciones, mediciones o experimentos. La primera condición deja fuera a las generalizaciones empíricas y la segunda a las fórmulas que no han sido contrastadas o son falsas.

Los enunciados legales pueden tener diversas formas, dependiendo no solo de las cosas a las que se refieran, sino también del estado del conocimiento e incluso de la capacidad matemática y el objetivo del científico que los propone. Todas las siguientes son conspicuas y simples formas de enunciados legales.

Ejemplo 8. $R_F = V$, donde R_F es el codominio de la función de estado F y V un conjunto bien definido. Así pues, nada puede viajar más rápidamente que la luz y los precios y cantidades de los bienes no pueden ser negativos.

Ejemplo 9. $\partial F / \partial t \geq 0$, donde t está en T y T es un subconjunto de la línea real que se da en el dominio de F y representa el tiempo.

Ejemplo 10. $dF / dt = g(F, t)$, donde g es una función específica de t.

Ejemplo 11. $\int_{t_1}^{t_2} F(q, dq / dt, t)\, dt$ = extremo, donde t_1 y t_2 son elementos designados de T.

Ejemplo 12. $F_2(x, y) = \int du\, dv\, F_1(u - x, v - y)$, con $F_1, F_2 : E^3 \times E^3 \to \mathbb{C}$.

Ejemplo 13. $\partial^2 F / \partial x^2 = F_2$, donde $F_1, F_2 : E^3 \to \mathbb{R}$.

Las consideraciones precedentes sugieren adoptar la

Definición 4. Sea $\mathscr{F}$ una función de estado de las cosas de una clase dada. Se llama *enunciado legal* a una restricción de los valores posibles de los componentes de $\mathscr{F}$ o a una relación entre dos o más de esos componentes si y solo si (1) está incluido en una teoría fáctica consistente y (2) ha sido confirmado de manera satisfactoria (por el momento). Si solo se satisface la condición (2), la restricción se llama *regularidad empírica*.

Considérese ahora la colección L_K de enunciados legales de las cosas de clase K. Si llamamos L a un miembro arbitrario de esa colección, $L(x)$ puede ser considerado como el valor que el predicado «función legal» asume en $x \in K$. Esta función tiene la forma $L: K \to L_K$. Dado que en cada etapa de la historia de la ciencia solo conocemos un subconjunto finito de L_K, esta colección es variable, no es un conjunto propiamente dicho.

Por ejemplo, en la teoría elemental de redes eléctricas, un circuito de batería-resistor con un único bucle y a temperatura ambiente (un individuo de la clase K) satisface una única ley, a saber la ley de Ohm. (Este enunciado legal no es verdadero para todos los conductores y es solo una primera aproximación para los conductores que se hallan a muy bajas temperaturas. Más aún, la ley particular de la resistencia óhmica de los conductores de una clase dada se llama *ecuación constitutiva*.) La ley de Ohm puede escribirse como sigue:

Para todo x de K: $L(x) = $ "$e(x) = R(x) \cdot i(x)$",

donde e, R e i representan la fuerza electromotriz, la resistencia y la intensidad de la corriente respectivamente. De tal modo, en este caso el predicado legal L es la función $L: K \to L_K$, tal que, para todo x de K, $L(x)$ es igual a la fórmula de Ohm. Este modo de escribir muestra claramente que *las leyes interrelacionan propiedades* y que ellas mismas son propiedades de las cosas. O sea que son *«poseídas»* por las cosas en lugar de flotar sobre ellas. Vale decir, las leyes son *universalia in re* (recuérdese el capítulo 9). Si se requieren pruebas más explícitas para esta afirmación, se puede escribir la ley de Ohm con un detalle aún mayor:

e, i, R: $K \to \mathbb{R}$ y $L: K \to L_K$, tal que la condición anteriormente mencionada (la de Ohm) sea válida. Esto muestra también de qué trata la ley de Ohm, a saber de cosas físicas de una cierta clase K, lo cual basta para refutar las perspectivas de que las leyes físicas (u otras) son subjetivas o son construcciones sociales.

De modo ocasional, leemos acerca de objetos naturales, tales como cerebros, organismos íntegros o incluso moléculas, que se comportan según algoritmos, tales como los «algoritmos evolutivos» y los algoritmos para «computar» el movimiento de los miembros, la percepción o hasta la emoción. Esta expresión pone en evidencia una gran ignorancia, tanto sobre la ciencia como sobre los algoritmos. En efecto, los algoritmos son, por definición, reglas para calcular algo, tal como los cuadrados de la raíz cuadrada de los números. En cambio, las leyes naturales son completamente naturales: emergieron junto con las cosas a las cuales son inherentes. Esta es la razón de que la expresión «algoritmo natural» constituya un oxímoron.

Hasta aquí hemos tratado de las leyes o regularidades naturales. Tratemos ahora brevemente de las normas o regularidades artificiales, tales como las normas morales y legales. Proponemos la

Definición 5. Una norma o regla es o bien una restricción, hecha por el hombre, de los posibles valores de los componentes de una función de estado o bien se trata de una relación, también hecha por el hombre, entre dos o más de tales componentes, que es compatible con el/los enunciado(s) legal(es) satisfechos por la función de estado.

Esta definición incorpora la idea de que, no importa cuán estúpidos, brutales o poderosos sean, los seres humanos no pueden violar las leyes de la naturaleza. En otras palabras, toda norma o regla involucra de un modo u otro las leyes naturales pertinentes. En particular, las normas eficientes de ensamblado u operación de una máquina o una organización social deben satisfacer las leyes de los componentes del sistema en cuestión.

6. Espacio de estados legal

El sentido de construir modelos matemáticos de las cosas de cierta clase es representar con tanta precisión como sea posible los estados realmente posibles (legales) de las cosas en cuestión y, tal vez, también sus cambios de estado realmente posibles (legales). De ahí que todo modelo de este tipo esté centrado en un espacio de estados de las cosas a las que se refiere. Unos pocos ejemplos típicos deberían darnos una idea de este asunto.

Ejemplo 14. En la teoría elemental de los gases ideales, la función de estado es el triple consistente en las funciones de presión, volumen y temperatura. El dominio y codominio de cada una de estas funciones son el conjunto de cuerpos gaseosos (ideales) y la línea real positiva respectivamente. De ahí que el correspondiente espacio de estados sea una caja contenida en $(\mathbb{R}^+)^3$.

Ejemplo 15. En la genética de poblaciones, se utilizan a menudo tres funciones de estado: el tamaño N de una población, la frecuencia (o, mejor dicho, probabilidad) p de aparición de un gen particular y el valor adaptativo v de este gen. Cada una de estas es una función real de una variable real. De ahí que, para un sistema compuesto por dos poblaciones que interactúan, A y B, el espacio de estados es la región de $(\mathbb{R}^+)^6$ expandido por el vector $<N_A(t), N_B(t), p_A(t), p_B(t), V_A(t), V_B(t)>$ en el transcurso del tiempo.

Ejemplo 16. En mi teoría de la estructura social (Bunge, 1974d), el estado instantáneo de una comunidad puede interpretarse como la distribución de su población entre los diversos grupos de la comunidad. De ahí que el componente F_i de la función de estado total pueda ser tomado como la matriz columnar $\| N_{ij} \|$ para un i fijo, cuyos elementos son las poblaciones de los grupos sociales (mutuamente disyuntos) resultantes de la partición de la población total (en el instante dado) por la $i$ésima relación de equivalencia con significación social, tal como la posesión de igual ocupación o similar nivel educacional.

Ejemplo 17. En la cinética química, el estado instantáneo de un sistema químico es descrito por medio de los valores de la concentración parcial de los reactivos y los productos. En consecuencia, el espacio de estados del sistema está dentro de $(\mathbb{R}^+)^n$, donde n es el número de componentes del sistema (reactivos, catalizadores y productos de la reacción).

Ejemplo 18. En electrostática, la función de estado es $\mathcal{F} = <\rho, \varphi>$, donde ρ representa la densidad eléctrica y φ el potencial del campo eléctrico. El dominio y el codominio de ambas funciones son E^3 y $\mathbb{R}$ respectivamente. De ahí que el estado local del campo dado sea el valor de $\mathcal{F}$ en $x \in E^3$ y todo el espacio de estados es el conjunto de pares ordenados $\{<\rho(x), \varphi(x)> \in \mathbb{R}^2 \,|\, x \in V\}$, donde V denota la región de E^3 ocupada por el campo.

Ejemplo 19. En la mecánica cuántica, el estado de una cosa se representa mediante un haz en el espacio de Hilbert asociado a la cosa en cuestión. Dado que a una cosa de esta clase típicamente no se le atribuye una localización puntual, sino que se supone que está dispersa por una región espacial V en el espacio tridimensional, con una distribución de probabilidad definida, el estado de la cosa es el conjunto de todos los valores que su vector de estado ψ asume en V.

Antes de intentar extraer máximas generales hagamos hincapié en un comentario sobre el método que hemos hecho antes. Ciertamente, podemos suponer que, ya sea que lo conozcamos o no, toda cosa aislada se encuentra, en cada instante, en un estado definido relativamente a un marco de referencia. (Que ese estado pueda ser una superposición de eigenestados es verdad, pero ese es otro asunto.) Con todo, nuestra *representación* de tal estado dependerá del estado de nuestro conocimiento, así como de nuestros objetivos.

Lo que vale para cada estado particular vale, con mayor razón, para el espacio de estados total de una cosa. O sea, lejos de ser algo allí fuera, como las estrellas y las personas, un espacio de estados de las cosas de una clase dada tiene una pata en las cosas a las que se refiere, otra en el marco de referencia y la tercera en el teórico o modelista. Para persuadirse de que esto es así, basta echar otro vistazo al *Ejemplo 18*, donde supusimos tácitamente un marco de referencia estacionario relativamente al origen del campo. Si ahora consideramos el mismo sistema de cuerpos eléctricamente cargados relativamente a un marco de referencia en movimiento, la densidad de carga única será reemplazada por un cuadrivector de densidad de corriente y un cuadrivector potencial tomará el lugar del potencial escalar particular. («Vista» desde un marco de referencia en movimiento, una carga es una corriente rodeada por un campo magnético.) De modo alternativo —y aquí es donde entra la libertad del científico— el cuadrivector potencial puede ser reemplazado por un tensor antisimétrico que represente las componentes eléctrica y magnética del campo relativamente al nuevo marco de referencia. (Dicho sea de paso, el problema de encontrar un vector potencial apropiado es un problema inverso. Por ejemplo, dado A, H es igual al rizo de A, pero no hay ninguna regla para encontrar A a partir de H.)

Habiendo hecho hincapié en el ingrediente convencional de toda representación de los estados en que una cosa puede estar, pongamos ahora el énfasis en el hecho de que toda representación de este tipo también tiene un fundamento objetivo, en tanto y en cuanto la representación contenga algo de verdad. Para comenzar, una función de estado no necesariamente asumirá valores de todo su codominio, sino que puede estar restringida a un subconjunto de ellos y esto en virtud de alguna ley. En efecto, recuérdese que los enunciados legales constituyen restricciones para las funciones de estado (sección 5). En consecuencia, para todo componente de una función de estado de las cosas de cierta clase, el centro de nuestra atención será el rango de la función en lugar de su codominio íntegro.

Si ahora tomamos todos los componentes de una función de estado de las cosas de una clase dada y formamos el producto cartesiano de sus respectivos codominios (según la *Definición 1*), obtenemos el *espacio de estados concebible* para esas cosas. Esto es precisamente lo que hemos hecho en los ejemplos que encabezan esta sección.

Sin embargo, esta restricción es insuficiente para identificar los estados realmente posibles de la cosa, lo cual debería resultar obvio a partir de los siguientes ejemplos. La población total de organismos de un tipo dado en un territorio determinado está constreñida no solo por la capacidad de carga de este, sino también por las tasas de nacimiento y mortalidad, así como por factores adicionales tales como la insolación, las precipitaciones y las plagas. Una vez más, si bien el codominio de la función de velocidad de un cuerpo es todo el intervalo $[0, c]$, la velocidad de un electrón que viaja en un medio transparente no se acercará al límite superior c (la velocidad de la luz en el vacío) dado que tal cuerpo está sujeto a otras leyes, como por ejemplo las relacionadas con la radiación emitida por el electrón que viaja a través de un medio transparente.

En general, solo aquellos valores de los componentes de una función de estado que son compatibles con las leyes, constreñimientos y condiciones iniciales y de contorno serán realmente (no solo conceptualmente) posibles. En otras palabras, puesto que las leyes imponen restricciones a las funciones de estado y sus valores y, de ahí, a los espacios de estado, solo los estados de ciertos subconjuntos de este son accesibles a la cosa en cuestión. Llamaremos a la región accesible de un espacio de estados *el espacio de estados legal* de las cosas en cuestión (en la representación dada y relativamente a un marco de referencia determinado). Decir que una cosa de cierta clase se comporta legalmente equivale, entonces, a decir que los puntos que representan su estado (instantáneo) no pueden estar más allá de los límites del espacio de estados legal elegido para las cosas de la clase en cuestión.

Los comentarios anteriores pueden resumirse en la

Definición 6. Sea $\mathcal{F} = <F_1, F_2, ..., F_n>: A \rightarrow V_1 \times V_2 \times ... \times V_n$ una función de estado de un modelo teórico de cosas de la clase K y llamemos L_K a la (variable) colección enunciados legales de los K. Entonces, el subconjunto del codominio $V_1 \times V_2 \times ... \times V_n$ de $\mathcal{F}$ restringido por las condiciones (enunciados legales, constreñimientos y condiciones iniciales y de contorno) de L_K se llama el espacio de estados legal de esas cosas o, de manera abreviada, S_L.

Ejemplo 20. En el *Ejemplo 18*, el espacio de estados concebible de un campo electrostático era

$S = \{<\rho(x), \phi(x)> \in \mathbb{R}^2 \mid x \in V\}$, donde V está incluida en E^3.

Puesto que los dos componentes de la función de estado $\mathscr{F} = <\rho, \phi>$ están vinculadas por el enunciado legal de Poisson "$\nabla^2\phi = 4\pi\rho$" y la condición de contorno de ese potencial se anula en el infinito, el espacio de estados legal de la cosa (el campo electrostático) es

$S_L = \{<\rho(x), \phi(x)> \in \mathbb{R}^2 \mid x \in V \& [\nabla^2\phi(x) = 4\pi\rho(x)] \& \phi(\infty) = 0\}$, un conjunto que está adecuadamente incluido en S.

Lo que vale para los espacios de estados de las cosas naturales y sociales, vale también para los espacios de estados de los sistemas técnicos, tales como máquinas, fábricas y ejércitos. En efecto, todos los artefactos satisfacen no solo leyes, sino también normas o reglas, las cuales equivalen a nuevas restricciones de las funciones de estado de las cosas en cuestión. (Recuérdese la *Definición 5* de la sección 5.) Sin embargo, los artefactos (incluyendo las organizaciones sociales formales), poseen propiedades (emergentes) que sus componentes naturales no poseen, lo cual constituye el motivo de que nos ocupemos de diseñarlos, construirlos y utilizarlos. De ahí que el trabajo de tecnólogos, administradores y planificadores no se reduzca a contraer el espacio de estados de las cosas naturales. Su tarea involucra la creación de nuevos espacios de estados que no se encuentran en las ciencias naturales.

7. Comentarios finales

La categoría de los hechos es muy amplia: incluye una propiedad que tiene un valor dado, una cosa que está en un estado determinado, un cambio de estado —ya sea un evento puntual (transición instantánea de un estado a otro), ya sea un proceso (o secuencia de estados) que se extiende en el tiempo— y un hecho que se ajusta a una pauta dada. Las cosas, en cambio, no son hechos: son los soportes o portadores de los hechos, como en «este coche está en marcha» o «este coche ha pasado por aquí». Todo lo que involucre una cosa es un hecho y nada que no involucre cosas concretas es un hecho. Por ejemplo, es un hecho que esta es una página impresa, pero no lo es que dos por dos es igual a cuatro. Todos los hechos son singulares; no hay hechos generales. Algunos hechos son compuestos, pero no hay ni hechos negativos ni hechos disyuntos: la negación y la disyunción son *de dicto*, no *de re*.

Una pauta, regularidad o constancia puede pertenecer a una de los siguientes clases. Puede ser o bien objetiva, como la ley de la gravedad, o bien conceptual como la ley asociativa. Si es objetiva, una pauta puede ser o bien una ley de la naturaleza o bien una norma, costumbre o convención vigente en un grupo social. Una pauta conceptual puede ser o bien puramente lógica o matemática, tal como «*p* o *no-p*» o bien puede representar una pauta objetiva, en cuyo caso le llamamos "enunciado legal". Que todas las cosas concretas se comportan según leyes constituye un principio ontológico tácito de la investigación científica. Este, el principio de legalidad, no puede ser demostrado, pero anima toda la investigación científica moderna, la cual en gran medida consiste en la búsqueda y aplicación de leyes y normas (véase Bunge, 1967a).

La legalidad se confunde, en ocasiones, con la uniformidad. En realidad, se trata de conceptos diferentes, aunque relacionados, y lo mismo ocurre con sus respectivos principios. El principio de legalidad afirma que todo estado o cambio de estado de una cosa arbitraria satisface algunas leyes. En contraposición, según el principio de uniformidad, las leyes son las mismas a través del espacio y en todo momento. Puesto en términos negativos: las leyes nunca emergerían o desaparecerían. En una versión más fuerte, este principio sostiene que los mismos eventos recurren en todas partes en todo momento, que nunca hay «nada nuevo bajo el sol». Este uniformismo fuerte es falso. Fue falsado en las ciencias naturales a mediados del siglo XIX, con la emergencia de la geología y la biología evolutivas, pero aún es importante en las ciencias sociales. En particular, es inherente a todos los modelos de elección racional, puesto que suponen la constancia tanto de la naturaleza humana como de las preferencias personales.

Todo enunciado legal trata de cosas concretas de alguna clase. Se trata de una restricción de los valores posibles de las funciones de estado de las cosas en cuestión o de las relaciones posibles entre componentes de esas funciones de estado. Lo mismo vale para las normas o reglas. Puesto que los valores de una función de estado representan los estados posibles de las cosas correspondientes, un enunciado legal dice cuáles son los estados en que una cosa puede estar y cuáles los cambios de estado (eventos o procesos) que puede experimentar. Dado que toda cosa concreta está en algún estado, sufre algún proceso y satisface, supuestamente, alguna ley (o norma), los conceptos de cosa, propiedad, estado, evento, proceso, hecho, ley y norma están íntimamente relacionados unos con otros. A pesar de ello, habitualmente se los trata, si es que se los trata, de manera aislada. Peor aún, la mayoría de las definiciones de estos conceptos propuestas por los filósofos difieren de los significados que tienen en ciencia y tecnología, que es donde se los utiliza cada día del modo más preciso y consistente (aunque mayormente de manera tácita). Cuando estés en Roma, haz como los romanos. Cuando estés en territorio científico, habla el idioma de la ciencia.

Bibliografía

Agassi, Joseph. 1990. «Ontology and its discontent». En P. Weingartner y G. Dorn (eds.) *Studies on Mario Bunge's Treatise*. Ámsterdam, Rodopi, pp. 105-122.

Albert, Hans. 1994. *Kritik der reinen Hermenuetik*. Tübingen, J. C. B. Mohr (Paul Siebeck).

Ampère, André-Marie. 1834. *Essai sur la philosophie des sciences*. Paris, Bachelier.

Anderson, Arthur S. y François Nielsen. 2002. «Globalization and the Great U-Turn: Income inequality trends in 16 OECD countries». *American Journal of Sociology* 107, pp. 1.244-1.299.

Anderson, Roy M. y Robert M. May. 1991. *Infectious Diseases in Humans: Dynamics and Control*. Oxford, Oxford University Press.

Armstrong, David M. 1978. *Universals and Scientific Realism*. Cambridge, Cambridge University Press.

—. 1997. *A World of States of Affair*. Cambridge, Cambridge University Press.

Ashby, W. Ross. 1963. *An Introduction to Cybernetics*. Nueva York, John Wiley.

Athearn, Daniel. 1994. *Scientific Nihilism: On the Loss and Recovery of Physical Explanation*. Albany, State University of Nueva York Press.

Atran, Scott. 2003. «Genesis of suicide terrorism». *Science* 299, pp. 1.534-1.539.

Ayer, A[lfred] J[ules] (ed.). 1959. *Logical Positivism*. Glencoe, IL, Free Press.

Bacon, Francis. 1905 [1620]. *The New Organon*. En John M. Robertson (ed.), *Philosophical Works*. Londres, George Routledge & Sons.

Bacon, George Edward. 1966. *X-Ray and Neutron Diffraction*. Oxford, Pergamon Press.

Barkow, Jerome H., Leda Cosmides y John Tooby (eds.). 1992. *The Adapted Mind: Evolutionary Psychology and the Generation of Culture*. Cambridge, MA, MIT Press.

Barnes, Barry. 1983. «On the controversial character of knowledge and cognition». En Knorr-Cetina y Mulkay (eds.), 1983, pp. 19-51.

Barraclough, Geoffrey. 1979. *Main Trends in History*. London, Holmes & Meier.

Barrow, John D., Paul C. W. Davies y Charles L. Harper (eds). 2004. *Science and Ultimate Reality: Quantum Theory, Cosmology*. Cambridge, Cambridge University Press.

Bateson, C. D. 1991. *The Altruism Question*. Hillsdale, NJ, Lawrence Erlbaum.

Becker, Gary. 1976. *The Economic Approach to Human Behavior*. Chicago, University of Chicago Press.

Beller, Mara. 1999. *Quantum Dialogue: The Making of a Revolution*. Chicago, University of Chicago Press.

Berger, Peter L. y Thomas Luckman. 1966. *The Social Construction of Reality*. Garden City, NY, Doubleday.

Berkeley, George. 1901 [1710]. *Principles of Human Knowledge*. En *Works*, vol. 1, A. Campbell Fraser (ed.). Oxford, Clarendon Press.

Berlyne, David (ed.). 1974. *Studies in the New Experimental Aesthetics*. Washington, Hemisphere.

Bernard, Claude. 1865. *Introduction à l'étude de la médicine expérimentale*. París, Flammarion, 1952.

Bernardo, José M. y Adrian F. M. Smith. 1994. *Bayesian Theory*. Chichester, John Wiley & Sons.

Bernays, Paul. 1976. *Abhandlungen zur Philosophie der Mathematik*. Darmstadt, Wissenschaftliche Buchgesellschaft.

Berry, B. J. L., H. Kim y H.-M. Kim. 1993. «Are long-waves driven by techno-economic transformations?» *Technological Forecasting and Social Change* 14, pp. 111-35.

Berry, Donald A. y Dalene K. Stangl (eds.). 1996. *Bayesian Biostatistics*. Nueva York, Marcel Dekker.

Biagini, Hugo E. (ed.). 1985. *El movimiento positivista argentino*. Buenos Aires, Editorial de Belgrano.

Blakemore, Sarah-Jayne, Joel Winston y Uta Frith. 2004. «Social cognitive neuroscience: where are we heading?» *Trends in Cognitive Science* 8, pp. 216-22.

Blanke, Olaf, Stéphanie Ortigue, Theodor Landis y Margitta Seeck. 2002. «Simulating illusory own-body perceptions». *Nature* 419, p. 269.

Blitz, David. 1992. *Emergent Evolution: Qualitative Novelty and the Levels of Reality*. Dordrecht y Boston, Reidel.

Block, Ned, Owen Flanagan y Güven Güzeldere (eds.). 2002. *The Nature of Consciousness: Philosophical Debates*. Cambridge, MA, MIT Press.

Bloor, David. 1976. *Knowledge and Social lmagery*. Londres, Routledge & Kegan Paul.

Bohr, Niels. 1958. *Atomic Physics and Human Knowledge*. Nueva York, John Wiley & Sons.

Boltzmann, Ludwig. 1979 [1905]. *Populäre Schriften*. Ed. E. Broda. Braunschweig, Vieweg.

Boole, George. 1952 [1854]. *An Investigation of the Laws of Thought*. Nueva York, Dover.

Born, Max. 1949. *Natural Philosophy of Cause and Chance*. Oxford, Clarendon Press.

Boudon, Raymond. 2001. *The Origin of Values*. New Brunswick, NJ, Transaction.

Boudon, Raymond y Maurice Clavelin (eds.). 1994. *Le relativisme est-il irrésistible?* París, Presses Universitaires de France.

Boulding, Kenneth E. 1964. «General systems as a point of view». In Mihajlo D. Mesarovic (ed.), *Views on General Systems Theory*. Nueva York, John Wiley & Sons, pp. 25-38.

Boutroux, Émile. 1898 [1874]. *De la contingence des lois de la nature*. París, Alcan.

Braudel, Fernand. 1969. *Écrits sur l'histoire*. París, Flammarion.

—. 1972 [1949]. *The Mediterranean and the Mediterranean World in the Age of Philip II*, 2ª ed., trad. S. Reynolds. Nueva York, Harper & Row.

Bridgman, Percy W. 1927. *The Logic of Modern Physics*. Nueva York, MacMillan.

Brink, D.O. 1989. *Moral Realism and the Foundations of Ethics*. Cambridge, Nueva York, Cambridge University Press.

Brown, James Robert. 1994. *Smoke and Mirrors: How Science Reflects Reality*. Londres, Routledge.

—. 2001. *Who Rules in Science?* Cambridge, MA, Harvard University Press.

Brown, Stephanie L., Randolph M. Nesse, Amiram D. Vinokur y Dylan M. Smith. 2003. «Providing social support may be more beneficial than receiving it: results from a prospective study of mortality» *Psychological Science* 14, pp. 320-7.

Brush, Stephen G. 1968. «A History of Random Processes. I, Brownian Movement from Brown to Perrin». *Archive for History of Exact Sciences* 5, pp. 1-36.

Bunge, Mario. 1951. «What is chance?». *Science and Society* 15, pp. 209-31.

—. 1954. «New Dialogues betwen Hylas and Philonous». *Philosophy and Phenomenological Research* 15, pp. 192-9.

—. 1959a. *Causality: The Place of the Causal Principle in Modern Science*. Cambridge, MA, Harvard University Press. Ed. rev.: Nueva York, Dover, 1979.

[*La causalidad. El principio de causalidad en la ciencia moderna.* Buenos Aires, Sudamericana, 1997.]

—. 1959b. «Review of Popper 1959». Ciencia e investigaci6n 15, pp. 216-20.

—. 1959c. *Metascientific Queries.* Evanston, IL, Charles C. Thomas.

—. 1960. «The place of induction in science». *Philosophy of Science* 27, pp 262-70. Reimpreso en A. P. Iannone (ed.) *Through Time and Culture: Introductory Readings in Philosophy.* Englewood Cliffs, NJ, Prentice-Hall, 1994. Pp. 239-46.

—. 1961. «The weight of simplicity in the construction and assaying of scientific theories». *Philosophy of Science* 28, pp. 129-149.

—. 1962a. *Intuition and Science.* Englewood Cliffs, NJ, Prentice-Hall.

—. 1962b. «Cosmology and magic». *The Monist* 44, pp. 116-141.

—. 1963a. «A General Black-Box Theory». *Philosophy of Science* 30, pp. 346-58.

—. 1963b. *The Myth of Simplicity.* Englewood Cliffs, NJ, Prentice-Hall.

—. 1964. «Phenomenological theories». En M. Bunge (ed.) *The Critical Approach: Essays in Honor of Karl Popper.* Nueva York, Free Press, pp. 234-254.

—. 1967a. *Scientific Research*, 2 vols. Berlín, Heidelberg y Nueva York, Springer-Verlag. Ed. rev.: *Philosophy of Science*, 2 vols., Nueva Brunswick, Transaction Publishers, 1998. [*La investigación científica.* México, Siglo XXI Editores, 2001.]

—. 1967b. *Foundations of Physics.* Berlín, Heidelberg y Nueva York, Springer-Verlag.

—. 1967c. «Analogy in quantum mechanics: From insight to nonsense». *British Journal for the Philosophy of Science* 18, pp. 265-286.

—. 1968a. «Physical time: the objective and relational theory». *Philosophy of Science* 35, pp. 355-388.

—. 1968b. «The maturation of science». En I. Lakatos y A. Musgrave (eds.). *Problems in the Philosophy of Science.* Ámsterdam, North-Holland, pp. 120-137.

—. 1968c. «Problems and games in the current philosophy of science». *Proceedings of the XIVth International Congress of Philosophy* 1, pp. 566-574. Viena, Herder, 1968.

—. 1969. «The metaphysics, epistemology and methodology of levels». En L. L. Whyte, A. G. Wilson y D. Wilson (eds.). *Hierarchical Levels.* Nueva York, American Elsevier, pp. 17-28

—. 1971. «Review of Werner Heisenberg's Der Teil und das Ganze». *Physics Today* 24, pp. 63-64.

—. 1973. *Philosophy of Physics.* Dordrecht y Boston, D. Reidel. [*Filosofía de la Física*, Barcelona, Ariel, 1978.]

—. 1974a. *Treatise on Basic Philosophy*, vol I: *Sense and Reference.* Dordrecht y Boston, Reidel.

—. 1974b. *Treatise on Basic Philosophy*, vol II: *Interpretation and Truth*. Dordrecht y Boston, Reidel.

—. 1974c. «The relations of logic and semantics to ontology.» *Journal of Philosophical Logic* 3, pp. 195-210.

—. 1974d. «The concept of social structure». En W. Leinfellner y W. Kohler (eds.) *Developments in the Methodology of the Social Sciences*. Dordrecht, Reidel, pp. 175-215.

—. 1975. «¿Hay proposiciones?». En *Aspectos de la filosofía de W. V. Quine*. Valencia, Teorema, pp. 53-68.

—. 1976. «A model for processes combining competition with cooperation». *Applied Mathematical Modelling* 1, pp. 21-3.

—. 1977a. *Treatise on Basic Philosophy*, vol III: *The Furniture of the World*. Dordrecht y Boston, Reidel [Kluwer].

—. 1977b. «States and events». En W. E. Hartnett (ed.). *Systems: Approaches, Theories, Applications*. Dordrecht, Reidel, pp. 71-95.

—. 1977c. «Levels and reduction». *American Journal of Physiology: Regulatory, Integrative and comparative Physiology* 2, pp. 75-82.

—. 1979a. *Treatise on Basic Philosophy*, vol IV: *A World of Systems*. Dordrecht y Boston, Reidel [Kluwer].

—. 1979b. «A systems concept of society: Beyond individualism and holism». *Theory and Decision* 10, pp. 13-30.

—. 1979c. «The Einstein-Bohr debate over quantum mechanics: Who was right about what?» *Lecture Notes in Physics* 100, pp. 204-19.

—. 1981a. «Four concepts of probability». *Applied Mathematical Modelling* 5, pp. 306-312.

—. 1981b. *Scientific Materialism*. Dordrecht, Boston, Lancaster, Reidel.

—. 1981c. «Biopopulations, not species, are individuals and evolve». *Behavioral and Brain Sciences* 4, pp. 284-5.

—. 1982. «The revival of causality». En G. Floistad (ed.) *Contemporary Philosophy* 2. La Haya, Martinus Nijhoff, pp. 133-155.

—. 1983a. *Treatise on Basic Philosophy*, vol. V, *Exploring the World*. Dordrecht y Boston, Reidel.

—. 1983b. *Treatise on Basic Philosophy*, vol. VI, *Understanding the World*. Dordrecht y Boston, Reidel.

—. 1985a. *Treatise on Basic Philosophy*, vol. VII, *Philosophy of Science and Technology*, Part I: *Formal and Physical Sciences*. Dordrecht y Boston, Reidel.

—. 1985b. *Treatise on Basic Philosophy*, vol. VII, *Philosophy of Science and Technology*, Part II: *Life Science, Social Science, and Technology*. Dordrecht y Boston, Reidel [Kluwer].

—. 1988. «Two faces and three masks of probability». En E. Agazzi (ed.) *Probability in the Sciences*. Dordrecht, Boston, Reidel, pp. 27-50.

—. 1989. *Treatise on Basic Philosophy*, vol. VIII, *Ethics: The Good and the Right*. Dordrecht y Boston, Reidel.

—. 1991. «A critical examination of the new sociology of science. Part I». *Philosophy of the Social Sciences* 21, pp. 524-560.

—. 1992. «A critical examination of the new sociology of science. Part II.» *Philosophy oft he Social Sciences* 22, pp. 46-76.

—. 1996. *Finding Philosophy in Social Science*. New Haven, CT, Yale University Press. [*Buscar la filosofía en las ciencias sociales*. México y Madrid, Siglo XXI Editores, 1999.]

—. 1997. «Mechanism and explanation». *Philosophy of the Social Sciences* 27, pp. 410-465. Versión revisada reimpresa en Bunge, 1999.

—. 1998. *Social Science under Debate*. Toronto, University of Toronto Press. [*Las ciencias sociales en discusión*. Buenos Aires, Editorial Sudamericana, 1999.]

—. 1999. *The Sociology-Philosophy Connection*. Nueva Brunswick, NJ, Transaction Publishers. [*La relación entre la sociología y la filosofía*. Barcelona, Edaf, 2000.]

—. 2000a. «Energy: Between physics and metaphysics». *Science and Education* 9, pp. 457-461.

—. 2000b. «Physicians ignore philosophy at their risk - and ours». *Facta Philosophica* 2: 149-160.

—. 2000c. «Philosophy from the outside». *Philosophy of the Social Sciences* 30, pp. 226-245.

—. 2001a. *Philosophy in Crisis: The Need for Reconstruction*. Amherst, NY, Prometheus Books. [*Crisis y reconstrucción de la filosofía*. Barcelona, Gedisa, 2002.]

—. 2003a. *Emergence and Convergence: Qualitative Novelty and the Unity of Knowledge*. Toronto, University of Toronto Press. [*Emergencia y convergencia. Novedad cualitativa y unidad del conocimiento*. Barcelona, Gedisa, 2004.]

—. 2003b. *Philosophical Dictionary*. Amherst, NY, Prometheus Books. [ver *Diccionario de filosofía*. México, Siglo XXI Editores, 2001.]

—. 2003c. «Velocity operators and time-energy relations in relativistic quantum mechanics». *International Journal of Theoretical Physics* 42, pp. 135-142.

—. 2003d. «Twenty-five centuries of quantum physics: From Pythagoras to us, and from subjectivism to realism». *Science & Education* 12, pp. 445-466.

—. 2003e. «Quantons are quaint but basic and real, and the quantum theory explains much but not everything: Reply to my commentators». *Science & Education* 12, pp. 587-597.

—. 2004a. «How does it work?». *Philosophy of the Social Sciences* 34, pp. 182-210.

—. 2004b. «Clarifying some misunderstanding about social systems and their mechanisms». *Philosophy of the Social Sciences* 34, pp. 371-381.

—. 2005a. «Did Weber practise the philosophy he preached?». En L. McFalls (ed.) *The Objectivist Ethic and the Spirit of Science*. Toronto, University of Toronto Press.

—. 2005b. «A systemic perspective on crime». En P.-O. Wickstrom y R. J. Sampson (eds.) *Contexts and Mechanisms of Pathways in Crime*. Cambridge, Cambridge University Press.

Bunge, Mario y Rubén Ardila. 1987. *Philosophy of Psychology*. Nueva York, Springer-Verlag. [*Filosofía de la psicología*. Barcelona, Ariel, 1988.]

Bunge, Mario, y Máximo García-Sucre. 1976. «Differentiation, participation, and cohesion». *Quality and Quantity* 10, pp. 171-8.

Bunge, Mario y Martin Mahner. 2004. *Ueber die Natur der Dinge*. Stuttgart, S. Hirzel.

Burawoy, Michael. 2003. «Revisits: An outline of a theory of reflexive ethnography.» *American Sociological Review* 68, pp. 645-679.

Cabanac, Michel. 1999. «Emotion and phylogeny». *Japanese Journal of Physiology* 49, pp. 1-10.

Carnap, Rudolf. 1936-7. «Testability and meaning «. *Philosophy of Science* 3, pp. 419- 471; 4, pp. 1-40.

—. 1950a. *Logical Foundations of Probability*. Chicago, University of Chicago Press.

—. 1950b. «Empiricism, semantics, and ontology». *Revue internationale de philosophie* 10, pp. 20-40.

—. 1967 [1928]. *The Logical Structure of the World*. Berkeley y Los Angeles, University of California Press.

Cartwright, Nancy. 1983. *How the Laws of Physics Lie*. Oxford, Oxford University Press.

Centre Intemational de Synthese. 1957. *Notion de structure et structure de la connaissance*. París, A1bin Miche1.

Chisholm, Roderick M. (ed.) 1960. *Realism and the Background of Phenomenology*. G1encoe, IL, Free Press.

Chomsky, Noam. 1965. *Aspects of the Theory of Syntax*. Cambridge, MA, MIT Press.

Churchland, Pau1 M. 1989. *A Neurocomputational Perspective*. Cambridge, MA, MIT Press.

Clark, Austen. 1993. *Sensory Qualities*. Oxford, Clarendon Press.

Clough, Sharyn. 2003. *Beyond Epistemology: A Pragmatist Approach to Feminist Science Studies*. Lanham, MD, Rowman & Littlefield.

Clutton-Brock, Tim. 2002. «Breeding together: Kin selection and mutalism in coopertive verterbrates». *Science* 296, pp. 69-72.

Cockburn, Andrew. 1998. Evolution of helping behavior in cooperatively breeding birds. *Annual Review of Ecology and Systematics* 29, pp. 141-177.

Coleman, James S. 1964. *Introduction to Mathematical Sociology*. Glencoe, IL, The Free Press.

Collins, Harry M. 1981. «Stages in the empirical programme of relativism». *Social Studies of Science* 11, pp. 3-10.

Collins, John, Ned Hall y L. A. Paul (eds.) 2004. *Causation and Counterfactuals*. Cambridge, MA, MIT Press.

Collins, Randall. 1998. *The Sociology of Philosophies: A Global Theory of Intellectual Change*. Cambridge, MA, Belknap Press of Harvard University Press.

Condorcet [Marie-Jean-Antoine-Nicolas, Caritat, Marqués de]. 1976. *Condorcet: Selected Writings*. K. M. Baker (ed.) Indianapolis, Bobbs-Merrill.

Conel, J. L. 1939-67. *The Post-Natal Development of the Human Cerebral Cortex*. Cambridge, MA, Harvard University Press.

Cournot, Antoine-Augustin. 1843. *Expositions de la théorie des chances et des probabilités*. París, Hachette.

Covarrubias, G. M. 1993. «An Axiomatization of General Relativity». *International Journal of Theoretical Physics* 32, pp. 2.135-2.154.

Damasio, Antonio R. 1994. *Descartes' Error: Emotion, Reason, and the Human Brain*. Nueva York, Putnam.

Davidson, Donald. 1970. «Mental events». In *Essays on Action and Events*, 2da ed. Oxford: Clarendon Press, pp. 207-225.

—. 1984 [1974]. *Inquiries intoTruth and Interpretation*. Oxford, Clarendon Press.

Dawkins, Richard. 1976. *The Selfish Gene*. Nueva York, Oxford University Press.

Debreu, Gerard. 1991. «The mathematization of economic theory». *American Economic Review* 81, pp. 1-7.

De Finetti, Bruno. 1962. «Does It Make Sense to Speak of "Good Probability Appraisers"?» En I. J. Good (ed.) *The Scientist Speculates: An Anthology of Partly-Baked Ideas*. Londres, Heinemann.

—. 1972. *Probability, Induction, and Statistics*. Nueva York, John Wiley.

Descartes, René. 1664 [1634]. *Le Monde ou Traité de la lumière*. En *Oeuvres*, vol. 10, C. Adam y P. Tannery (eds.). Reimpresión París, Vrin, 1974.

D'Espagnat, Bernard. 1981. *A la recherche du réel*. 2^a ed. París, Gauthier-Villars.

Deutsch, David. 2004. «It from qubit.» En Barrow, Davies y Harper (eds.), pp. 90-102.

Dietzgen Joseph. 1906 [1887]. «*Excursions of a Socialist into the Domain of Epistemology*». En *Philosophical Essays*. Chicago, Charles H. Kerr & Co.

Dijksterhuis, Eduard. Jan. 1986 [1959]. *The Mechanization of the World Picture from Pythagoras to Newton*. Princeton, NJ, Princeton University Press.

Dragonetti, Carmen y Fernando Tola. 2004. *On the Myth of the Opposition between Indian Thought and Western Philosophy*. Hildesheim, Georg Olms.

Duhem, Pierre. 1908. *ΣΩZEIN TA ΦINOMENA: Essai sur la notion de théorie physique de Platon a Galilée*. Separata de la *Revue de philosophie chrétienne*. París, Hermann.

Dummett, Michael. 1977. *Elements of Intuitionism*. Oxford, Clarendon Press, 1977.

Du Pasquier, L.-Gustave. 1926. *Le calcul des probabilités: Son évolution mathématique et philosophique*. París, Hermann.

Durkheim, Émile. 1988 [1901]. *Les regles de la méthode sociologique*. 2ª Introducción por J.-M. Berthelot (ed.) París, Flammarion.

Earman, John. 1992. *Bayes or Bust?* Cambridge, MA, MIT Press.

Eddy, Charles. 1982. «Probabilistic Reasoning in Clinical Medicine: Problems and Opportunities». En Kahneman, Slovic y Tversky (eds.), pp. 249-267.

Eichner, Alfred S. (ed.) 1983. *Why Economics Is Not Yet a Science*. Armonk, NY, M. E. Sharpe.

Einstein, Albert. 1949. «Autobiographical notes». En Paul Arthur Schilpp (ed.) *Albert Einstein: Philosopher-Scientist*. Evanston, IL, Library of Living Philosophers.

—. 1950a [1936]. «Physics and Reality.» En *Out of My Later Years*. Nueva York, Philosophical Library.

—. 1950b. «The Laws of Science and the Laws of Ethics». Prefacio a P. Frank, *Relativity: A Richer Truth*. Boston, Beacon Press.

Elias, Norbert. 2000 [1939]. *The Civilizing Process: Sociogenetic and Psychogenetic Investigations*. Oxford, Blackwell.

Elster, Jon. 1998. «A Plea for Mechanisms». En Hedstrom y Swedberg (eds.), pp. 45-73.

Engels, Frederick. 1954 [1894]. *Anti-Dühring*. Moscow: Foreign Languages Publishing House. [*El Anti-Dühring*. Buenos Aires, Claridad, 1967.]

Euler, Leonhard. 1846 [1768]. *Letters of Euler on different Subjects in Natural Philosophy addressed to a German Princess*. David Brewster (ed.). 2 vols. Nueva York, Londres, Harper & Brothers.

Everett, Hugh III. 1957. «'Relative state' formulation of quantum mechanics». *Reviews of Modern Physics* 29, pp. 454-462.

Fehr, Ernst y Simon Gächter. 2000. «Cooperation and punishment in public goods experiments». *American Economic Review* 90, pp. 980-994.

Feigenbaum, E. A. y J. Lederberg. 1968. «Mechanization of Inductive Inference in Organic Chemistry.» En B. Kleinmutt (ed.) *Formal Representation of Human Judgment*. Nueva York, Wiley.

Feigl, Herbert. 1943. «Logical Empiricism». En Dagobert D. Runes (ed.) *Twentieth Century Philosophy*. Nueva York, Philosophical Library, pp. 371-416.

Feller, William. 1968. *An Introduction to Probability Theory and Its Applications*, 3ra ed., vol. 1. Nueva York, John Wiley.

Fensham, Peter J. (ed.) 2004. *Defining Identity: The Evolution of Science Education as a Field of Research*. Dordrecht, Kluwer.

Field, Hartry H. 1980. *Science Without Numbers*. Princeton, NJ, Princeton University Press.

Fine, Arthur. 1986. *The Shaky Game: Einstein, Realism, and the Quantum Theory*. Chicago, University of Chicago Press.

Fisher, RonaldA. 1951. *The Design of Experiments*. 6ta ed. Edimburgo y Londres, Oliver and Boyd.

Fiske, Donald W. y Richard A. Shweder. (eds.). 1986. *Metatheory in Social. Science: Pluralisms and Subjectivities*. Chicago, University of Chicago Press.

Flach, Peter A. y Antonis C. Kakas (eds.) 2000. *Abduction and Induction: Essays on Their Relation and Integration*. Dordrecht, Boston, Kluwer Academic.

Fleck, Ludwik. 1979 [1935]. *Genesis and Development of a Scientific Fact*. Prólogo de T. S. Kuhn. Chicago y Londres, University of Chicago Press.

Fodor, Jerry A. 1981. «The mind-body problem». *Scientific American* 244(1), pp.114-23.

Fogel, Robert W. 1994. *Railroads and American Economic Growth: Essays in Econometric History*. Baltimore, MD, Johns Hopkins University Press.

Frank, Philipp. 1957. *Philosophy of Science*. Englewood Cliffs, NJ, Prentice-Hall.

Frankfort, H., H. A. Frankfort, J.A. Wilson y T. Jacobsen. 1949 [1946]. *Before Philosophy: The Intellectual Adventure of Ancient Man*. Londres, Penguin.

Fréchet, Maurice. 1946. «Les définitions courantes de la probabilité». En *Les mathématiques et le concret*. París, Presses Universitaires de France, pp. 157-204.

Friedman, Milton. 1953. «The methodology of positive economics». En *Essays in Positive Economics*. Chicago, University of Chicago Press, pp. 3-43.

Frisch, Uriel, Sabino Matarrese, Roya Mohayaee y Andrei Sobolevski. 2002. «A reconstruction of the initial conditions of the universe by optimal mass transportation». *Nature* 417, pp. 260-262.

Gale, David. 1960. *The Theory of Linear Economic Models*. Nueva York, McGraw-Hill.

Galilei, Galileo. 1953 [1623]. «Il saggiatore.» En *Opere*, Ferdinando Flora (ed.). Milán-Nápoles, Riccardo Ricciardi.

Gasparski, Wojciech W. 1993. «A philosophy of practicality». *Acta Philosophica Fennica* vol. 53.

Gazzaniga, Michael S. (ed.). 2000. *The New Cognitive Neurosciences*. Cambridge, MA, MIT Press.

Gergen, Kenneth J. 2001. «Psychological science in a postrnodern context». *American Psychologist* 56, pp. 803-813.

Ghiselin, Michael T. 1974. «A radical solution to the species problern». *Systematic Zoology* 23, pp. 536-544.

Giddens, Anthony. 1984. *The Constitution of Society: Outline of the Theory of Structuration*. Cambridge, Polity Press.

Gigerenzer, Gerd, Zeno Swijtini, Theodore Porter, Lorraine Dast, John Beatty y Lorenz Krüger. 1989. *The Empire of Chance: How Probability Changed Science and Everyday Life*. Cambridge, Cambridge University Press.

Gillies, Donald. 2000. *Philosophical Theories of Probability*. Londres, Routledge.

Gilson, Étienne. 1947. *La philosophie au Moyen Age*. París, Payot.

Giza, Piotr. 2002. «Automated Discovery Systems and Scientific Realism». *Minds and Machines* 12, 105-117.

Glennan, Stuart. 2002. «Rethinking mechanistic explanation». *Philosophy of Science*, suplemento del vol. 69 (3), pp. S342-S353.

Good, I[rving], J[ohn]. 1967. «Corroboration, explanatioqn, evolving probability, simplicity, and a sharpened razor». *British Journal for the Philosophy of Science* 19, pp. 123-143.

Goodman, Nelson. 1951. *The Structure of Appearance*. Cambridge, MA, Harvard University Press.

—. 1954. *Fact, Fiction, and Forecast*. Londres, Athlone Press.

—. 1978. *Ways of Worldmaking*. Indianapolis, Hackett.

—. 1996. «On Starmaking». En McCorrnick, pp. 143-1147.

Gopnik, Alison, Andrew N. Meltzoff y Patricia K. Kuhl. 1999. *The Scientist in the Crib: Minds, Brains, and How Children Learn*. Nueva York, William Morrow.

Gould, Stephen J. 2002. *The Structure of Evolutionary Theory*. Cambridge, MA, Harvard University Press.

Grassmann, Hermann. 1844. *Ausdehnungslehre*. En *Gesammelte mathematische und physikalische Werke*, vol. 1, parte I. Reimpresión, Bronx, N,Y, Chelsea, 1969.

Greene, Brian. 2004. *The Fabric of the Cosmos*. Nueva York, Alfred A. Knopf.

Gregory, R[ichard]. L. y E[rnest]. H. Gombrich (eds.) 1973. *Illusion in Nature and Art*. Londres, Duckworth.

Griffin, Donald R. 2001. *Animal Minds: Beyond Cognition and Consciousness*. Chicago, University of Chicago Press.

Gross, Paul R. y Norman Levitt. 1994. *Higher Superstition: The Academic Left and Its Quarrels with Science*. Baltimore, MD, Johns Hopkins University Press.

Haack, Susan. 1974. *Deviant Logics*.Cambridge, Cambridge University Press.

—. 2003. *Defending Science æ Within Reason: Between Scientism and Cynicism.* Amherst, NY, Prometheus Books.

Habermas, Jürgen. 1970. *Toward a Rational Society.* Boston, Beacon Press.

Hacking, Ian. 1990. *The Taming of Chance.* Cambridge: Cambridge University Press.

Hadamard, Jacques. 1952. Lectures on Cauchys Problem in Linear Partial Differential Equations. Nueva York, Dover Publications.

Hall, Richard L. 1999. «Constructive inversion of energy trajectories in quantum mechanics». *Journal of Mathematical Physics* 40, pp. 699-707.

Harmmerstein, Peter (ed.) 2003. *Genetic and Cultural Evolution of Cooperation.* Cambridge, MA, MIT Press.

Harman, Gilbert. 1965. «The inference to the best explanation.» *Philosophical Review* 74, pp. 88-95.

—. 1973. *Thought.* Princeton, NJ, Princeton University Press.

—. 1977. *The Nature of Morality.* NuevaYork, Oxford University Press.

Harris, Marvin. 1979. *Cultural Materialism.* Nueva York, Random House.

Hayek, F[riedrich]. A. 1955. *The Counter-Revolution ofScience: Studies on the Abuse of Reason.* Glencoe, IL, Free Press.

Hebb Donald O. 1980. *Essay on Mind.* Hillsdale, NJ, Lawrence Erlbaum.

Hedström, Peter y Richard Swedberg (eds.) 1998. *Social Mechanisms: An Analytical Approach to Social Theory.* Cambridge, Cambridge University Press.

Hegel, Georg Wilhelm Friedrich. 1969 [1830]. *Enzyklopiidie der philosophischen Wissenschaften im Grundrisse.* Hamburgo, Felix Meiner.

Heidegger, Martin. 1987 [1953]. *Einführung in die Metaphysik.* Tübingen, Max Niemeyer.

Heilbron, J. L. 1986. *The Dilemmas of an Upright Man.* Berkeley, University of California Press.

Heisenberg, Werner. 1947. *Wandlungen in den Grundlagen der Naturwissenschaften.* 7ª ed. Zúrich, Hirzel.

—. 1958. *Physics and Philosophy.* Nueva York, Harper & Brothers.

Helmholtz, H[ermann von]. 1873. *Popular Lectures on Scientific Subjects.* Londres, Longmans, Green and Co.

Hesse, Mary. 1966. *Models and Analogies in Science.* Notre Dame, IN, University of Notre Dame Press.

Hilbert, David. 1901. *Mathematische Probleme.* Reimpresión, *Gesammelte Abhandlungen* 3. Berlin, Julius Springer, 1935, pp. 290-329.

Hiriyanna, Mysore. 1951. *The Essentials of Indian Philosophy.* Londres: George Allen & Unwin.

Hobson, John A. 1938 [1902]. *Imperialism: A Study.* Londres, Allen & Unwin.

Hogarth, Robin M. y Melvin W. Reder. 1987. *Rational Choice: The Contrast between Economics and Psychology.* Chicago, University of Chicago Press.

Holbach, Paul-Henry Thiry, Barón d'. 1773. *Système social*. 3 vols. Reimpresión, Hildesheim, Nueva York: Georg Olms, 1969.

Horwich, Paul. 1990. *Truth*. Oxford, Basil Blackwell.

Howson, Colin y Peter Urbach. 1989. *Scientific Reasoning: The Bayesian Approach*. La Salle, IL, Open Court.

Hubel, David H. y Thorsten N. Wiesel. 1968. «Receptive fields, binocular interaction, and functional architecture in the cat's visual cortex». *Journal of Physiology* 160, pp. 106-154.

Hughes, G. E. y M. J. Cresswell. 1968. *An Introduction to Modal Logic*. Londres, Methuen.

Hull, David L. 1976. «Are species really individuals?». *Systematic Zoology* 25, pp. 174-191.

Hume, David. 1888 [1734]. *A Treatise of Human Nature*. L.A. Selby-Bigge (ed.). Oxford, Clarendon Press.

—. 1902 [1748]. *Enquiry concerning Human Understanding*. 2ª ed. Oxford, Clarendon Press.

Humphreys, Paul. 1985. «Why propensities cannot be probabilities». *Philosophical Review* 94, pp. 557-570.

Hunt, Shelby D. 2003. *Controvesy in Marketing Theory: For Reason, Realism, Truth, and Objectivity*. Armonk, NY, M.E. Sharpe.

Husserl, Edmund. 1929. «Phenomenology». En *Encyclopaedia Britannica*, 14ª ed. Reimpreso en Chisholm (ed.), 1960, pp. 118-128.

—. 1931 [1913]. *Ideas: General Introduction to Pure Phenomenology*. Londres, Allen & Unwin.

—. 1960 [1931]. *Cartesian Meditations: An Introduction to Phenomenology*. La Haya, Martinus Nijhoff.

—. 1970 [1936]. *The Crisis of European Sciences and Transcendental Phenomenology*. Evanston, IL, Northwestern University Press.

Ingenieros, José. 1917. *Hacia una moral sin dogmas*. Buenos Aires, L. J. Rosso y Cía.

Jacob, François. 1976. *The Logic of Life*. Nueva York, Vintage Books.

James, Patrick. 2002. *International Relations and Scientific Progress: Structural Realism Reconsidered*. Columbus, Ohio State University Press.

Jammer, Max. 1966. *The Conceptual Development of Quantum Mechanics*. Nueva York, McGraw-Hill.

Jeffreys, Harold. 1975. *Scientific Inference*. 3ra ed. Cambridge, Cambridge University Press.

Kahneman, Daniel, Jack L. Knetsch y Richard H. Thaler. 1986. «Fairness and the assumptions of economics». *Journal of Business* 59, pp. S285-S300.

Kahneman, Daniel, Paul Slovic y Amos Tversky (eds.). 1982. *Judgment under Uncertainty: Heuristics and Biases*. Cambridge, UK, Cambridge University Press.

Kaila, Eino. 1979. *Reality and Experience: Four Philosophical Essays*. Dordrecht, Boston, Reidel.

Kandel, Eric R., James H. Schwartz y Thomas M. Jessell (eds.) 2000. *Principles of Neural Science*. Nueva York, McGraw Hill.

Kant, Immanuel. 1787. *Kritik der reinen Vernunft*. 2ª ed. [B]. Hamburgo, Felix Meiner, 1952.

—. 1913. *Briefwechsel*. 3 vols. H. E. Fischer (ed.). Múnich, George Miiller.

—. 2002 [1783]. *Prolegomena to any Future Metaphysics*. En *Theoretical Philosophy after 1781, The Cambridge Edition of the Works of Immanuel Kant*. Cambridge, Cambridge University Press.

Kaplan, Edward H. y Amold Barnett. 2003. «A new approach to estimating the probability of winning the presidency». *Operations Research* 51, pp. 32-40.

Kary, Michael y Martin Mahner. 2002. «How would you know if you synthesized a thinking thing?», *Minds and Machines* 12, pp. 61-86.

Kasarda, John y Morris Janowitz. 1974. «Community Attachment in Mass Society». *American Sociological Review* 39, pp. 328-39.

Keuth, Herbert. 1978. *Realität und Wahrheit*. Tübingen, J.C.B. Mohr (Paul Siebeck).

Keynes, John Maynard. 1957 [1921]. *A Treatise on Probability*. Londres, MacMillan.

—. 1973 [1936]. *The General Theory of Employment, Interest and Money*, en *Collected Writings*, vol. VII. Londres, Macmillan y Cambridge University Press.

Kim, Jaegwon. 1998 [1976]. «Events as property exemplifications». En Laurence y Macdonald (eds.), pp. 310-326.

Kirchhoff, Gustav Robert. 1883. *Vorlesungen über mathematische Physik: Mechanik*. Leipzig, Teubner.

Kitcher, Philip y Wesley Sa1mon (eds.). 1989. *Scientific Explanation*. Minneapolis, University of Minnesota Press.

Knorr-Cetina, Karen D. 1981. *The Manufacture of Knowledge: An Essay on the Constructivist and Contextual Nature of Science*. Oxford, Pergamon Press.

—. 1983. «The ethnographic study of scientific work: Towards a constructivist interpretation of science». En Knorr-Cetina y Mulkay (eds.), pp. 115-39.

Knorr-Cetina, Karen D. y Michael Mulkay (eds.). 1983. *Science Observed: Perspectives on the Social Study of Science*. Londres, Sage.

Kolmogorov, A[lexander]. N. 1956 [1933]. *Foundations of he Theory of Probability*. Nueva York, Chelsea Publ. Co.

Kotarbinski, Tadeusz. 1965. *Praxiology: An Introduction to the Sciences of Efficient Action*. Oxford, Pergamon Press.

Koza, John R., Martin A. Keane y Matthew J. Streeter. 2003. «Evolving Inventions». *Scientific American* 288 (2), pp. 52-9.

Kraft, Julius. 1957. *Von Husserl zu Heidegger: Kritik der phiinomenologischen Philosophie*. 2ª ed. Frankfurt am Main, Oeffentliches Leben.

Kraft, Victor. 1953. *The Vienna Circle: The Origin of Neo-Positivism*. Nueva York, Philosophical Library.

Krechevsky, I. 1932. «"Hypotheses" versus "Chance" in the pre-solution period in sensory discrimination learning». *University of California Publications in Psychology*, vol. 6, n° 3.

Kripke, Saul A. 1980. *Naming and Necessity*. Cambridge, MA, Harvard University Press.

Kulp, Christopher B. (ed.) 1997. *Realism Antirealism and Epistemology*. Lanham, MD, Rowman & Littlefield.

Kurtz, Paul, ed. 2001. *Skeptical Odysseys*. Amherst, NY, Prometheus Books.

Lakatos, Imre. 1978. *Mathematics, Science and Epistemology*. Cambridge, Cambridge University Press.

Lalande, André (ed.) 1938. *Vocabulaire technique et critique de la philosophie*. 3 vols. París, Librairie Félix Alcan.

Lambek, Joachim. 1994. «Are the traditional philosophies of mathematics really incompatible?» *Mathematical Intelligencer* 16, pp. 56-62.

Lambert, Johann Heinrich. 1764. *Neues Organon*. 2 vols. Reimpreso en *Philosophische Schriften*, vols. 1 y 2. Hildesheim, Georg Olms, 1965.

Lanczos, Cornelius. 1949. *The Variational Priciples of Mechanics*. Toronto, University of Toronto Press.

Laszlo, Ervin. 1972. *Introduction to Systems Philosophy*. Nueva York, Gordon & Breach.

Latour, Bruno. 2004. «Why has critique run out of steam?». «http: www.ensmp. fr/latour/articles/article/089.html».

Latour, Bruno y Steve Woolgar. 1986. *Laboratory Life: The Construction of Scientific Facts*, ed. rev. Princeton, NJ, Princeton University Press.

Laudan, Larry. 1981. «A confutation of convergent realism.» *Philosophy of Science* 48, pp. 19-49.

Laurence, Stephen y Cynthia Macdonald (eds.). 1998. *Contemporary Readings in the Foundations of Metaphysics*. Oxford, Blackwell.

Lazarsfeld, Paul F. y Anthony R. Oberschall. 1965. «Max weber and empirical social research» *American Sociological Review* 30, pp. 185-199.

LeDoux, Joseph. 2003. *Synaptic Self*. Nueva York, Penguin.

Leibniz, Gottfried Wilhelm. 1703. *Nouveaux essays*. París, Flammarion.

—. 1956. *Philosophical Papers and Letters*. L. H. Loemke (ed.), 2 vols., Chicago, University of Chicago Press.

Lenin, V[ladimir] I[lich]. 1947 [1908]. *Materialism and Empirio-Criticism*. Moscú, Foreign Languages Publishing House.

Levins, Richard y Richard Lewontin. 1985. *The Dialectical Biologist*. Cambridge, MA, Harvard University Press.

Lewis, David. 1973. «Causation». *Journal of Philosophy* 70, pp. 556-567.

—. 1983. «New work for a theory of universals». Reimpreso en Laurence y Macdonald (eds.), pp. 163-197.

—. 1986. *On the Plurality of Worlds*. Oxford, Blackwell.

—. 2001 [1973]. *Counterfactuals*. Edición revisada. Oxford, Blackwell.

—. 2002 [1990]. «What experience teaches». En Block, Flanagan y Güzeldere (eds.), pp. 579-616.

Lindley, D.V. 1976. «Bayesian Statistics». En W.L. Harper y C.A. Hooker (eds.), *Foundations of Probability Theory, Statistical Inference, and Statistical Theories of Science*. Vol. 2, *Foundations and Philosophy of Statistical Inference*. Dordrecht, Boston, Reidel, pp. 353-62.

Lipset, Seymour Martin. 1959. «Political Sociology». En Robert K. Merton, Leonard Broom y Leonard S. Cottrell Jr. (eds.) *Sociology Today: Problems and Prospects*. Nueva York, Basic Books, pp. 81-114.

Locke, John. [1690.] *An Essay Concerning Human Understanding*. Londres, George Routledge & Sons.

Loptson, Peter. 2001. *Reality: Fundamental Topics in Metaphysics*. Toronto, University of Toronto Press.

Loux, Michael J. y Dean W. Zimmerman (eds.). 2003. *The Oxford Handbook of Metaphysics*. Oxford, Oxford University Press.

Lovinbond, Sabina. 1983. *Realism and Imagination in Ethics*. Minneapolis, University of Minnesota Press.

Lowe, E. J[onathan]. 2002. *A Survey of Metaphysics*. Oxford, Oxford University Press.

Luhmann, Niklas. 1984. *Soziale Systeme: Grundrisse einer allgemeinen Theorie*. Frankfurt, Suhrkamp.

Luria, A[lexander] R[omanovich]. 1979. *The Making of Mind: A Personal Account of Soviet Psychology*. Cambridge, MA, Harvard University Press.

Lycan, William G. 1998. «Possible worlds and possibilia». En Laurence y Macdonald (eds.), pp. 83-95.

Lyotard, Jean-François. 1980. *The Postmodem Condition*. Minneapolis, Minnesota University Press.

Mach, Ernst. 1910. *Populär-wissenschaftliche Vorlesungen*. Leipzig, Johann Ambrosius Barth.

—. 1914 [1900]. *The Analysis of Sensations and the Relation of the Physical to the Psychical*. Chicago, Open Court.

—. 1942 [1893]. *The Science of Mechanics*. La Salle, IL, Open Court.

Machamer, Peter K., Lindley Darden y Carl F. Craver. 2000. «Thinking about mechanisms». *Philosophy of Science* 67, pp. 1-25.

Machamer, Peter K., Rick Grush y Peter McLaughlin (eds.). 2001. *Theory and Method in the Neurosciences*. Pittsburgh, University of Pittsburgh Press.

Mac Lane, Saunders. 1986. *Mathematics: Form and Function*. Nueva York, Springer-Verlag.

Mahner, Martin (ed.). 2001. *Scientific Realism: Selected Essays by Mario Bunge*. Amherst, NY, Prometheus Books.

Mahner, Martin y Mario Bunge. 1997. *Foundations of Biophilosophy*. Nueva York, Springer-Verlag. [*Fundamentos de biofilosofía*. México, Siglo XXI Editores, 2000].

—. 2001. «Function and functionalism: A synthetic perspective». *Philosophy of Science* 68, pp. 75-94.

March, James G. y Herbert A. Simon. 1958. *Organizations*. Nueva York, John Wiley.

Marsicano, Giovanni, *et al.* 2002. «The endogenous cannabioid system controls extinction of aversive memories». *Nature* 418, pp. 530-534.

Massey, Douglas S. 2002. «A brief history of human society: The origin and role of emotion in social life». *American Sociological Review* 67, pp. 1-29.

Matthews, Michael (ed.). 1998. *Constructivism in Science Education: A Philosophical Examination*. Dordrecht, Kluwer Academic Publishers.

Maurin, J. 1975. *Simulation déterministe du hasard*. París, Masson.

McCall, Storrs. 1994. *A Model oft he Universe: Space-Time, Probability, and Decision*. Oxford, Clarendon Press.

McCloskey, Donald M. 1985. *The Rhetoric of Economics*. Madison, University of Wisconsin Press.

McCorrnick, Peter J. (ed.). 1996. *Starmaking: Realism, Anti-Realism, and Irrealism*. Cambridge, MA, MIT Press.

McGinn, Colin. 1985. *Ethics, Evil and Fiction*. Oxford, Oxford University Press.

Meinong, Alexius. 1960 [1904]. «The theory of objects.» En Chisholm (ed.), pp. 76-117.

Melia, Joseph. 2003. *Modality*. Montreal y Kingston, McGill-Queen's University Press.

Mellor, D.H. 1991. *Matters of Metaphysics*. Cambridge, Cambridge University Press.

Mermin, N. David. 1981. «Quantum Mysteries for Anyone». *Journal of Philosophy* 78, pp. 397-408

Merricks, Trenton. 2003. «The end of counterpart theory». *Journal of Philosophy* 100, pp. 521-549.

Merton, Robert K. 1936. «The Unanticipated Consequences of Purposive Social Action». *American Sociological Review* 1, pp. 894-904. Reimpreso en *Social Ambivalence and Other Essays*. Nueva York, Free Press, 1976, pp. 145-155.

—. 1968. *Social Theory and Social Structure*, 3ª ed. Nueva York, The Free Press. [*Teoría y Estructura Sociales*. México, Fondo de Cultura Económica, 1992.]

—. 1973. *The Sociology of Science: Theoretical and Empirical Investigations.* Chicago, University of Chicago Press. [*La Sociología de la Ciencia. Investigaciones Teóricas y Empíricas.* Madrid, Alianza, 2 vols., 1977.]

—. 1976. *Sociological Ambivalence and Other Essays.* Nueva York, The Free Press.

Merton, Robert K. y Elinor Barber. 2004. *The Travels and Adventures of Serendipity.* Princeton, NJ, Princeton University Press.

Meyerson, Émile. 1921. *De l'explication dans les sciences.* 2 vols. París, Payot.

Mills, C. Wright. 1959. *The Sociological Imagination.* Nueva York, Oxford University Press.

Monod, Jacques. 1970. *Le hasard et la nécessité.* París, Éditions du Seuil.

Mueller-Vollmer, Kurt (ed.) 1989. *The Hermeneutics Reader.* Nueva York, Continuum.

Murphy, Edmond A. 1997. *The Logic of Medicine,* 2ª ed. Baltimore y Londres, Johns Hopkins University Press.

Natorp, Paul. 1912. *Die logische Grundlagen der exakten Wissenschaften.* Leipzig, B.G. Teubner.

Newton, Isaac. 1947 [1687]. *Principles of Natural Philosophy.* F. Cajori (ed.), Berkeley, University of California Press.

Newton, Roger G. 1989. *Inverse Schrödinger Scattering in Three Dimensions.* Nueva York, Springer.

Newton-Smith, W. H. 1981. *The Rationality of Science.* Londres, Routledge & Kegan Paul.

Nicod, Jean. 1962 [1923]. *La géométrie dans le mondesensible.* Prefacio de Bertrand Russell. París, Presses Universitaires de France.

Niiniluoto, Ilkka. 1999. *Critical Scientific Realism.* Oxford, Oxford University Press.

Nino, Carlos S. 1985. *Ética y derechos humanos.* Buenos Aires, Paidós.

Novick. Peter. 1988. *That Noble Dream: The «Objectivity Question» and the Rise of the American Historical Profession.* Cambridge, Cambridge University Press.

Ochsner, Kevin N. y Matthew D. Lieberman. 2001. «The emergence of social cognitive neuroscience». *American Psychologist* 56, pp. 717-734.

Ockham [William]. 1957 [1320s]. *Philosophical Writings.* P. Boehner (ed.), Edinburgo, Nelson

Odling-Smee, F. John, Kevin N. Laland y Marcus W. Feldman. 2003. *Niche Construction.* Princeton, NJ, Princeton University Press.

Ostwald. Wilhelm. 1902. *Vorlesungen über Naturphilosophie.* Leipzig, Veit.

Pappus. 320? *Collection, The Treasury of Analysis.* En Ivor Thomas (ed.), *Greek Mathematics,* vol. 2. Londres, William Heinemann; Cambridge, MA, Harvard University Press, 1941.

Parsons, Talcott. 1951. *The Social System*. Nueva York, Free Press.

Pauli, Wolfgang. 1961. *Ausätze und Vorträge über Physik und Erkenntnistheorie*. Braunschweig, Friedrich Vieweg & Sohn.

Peirce, Charles S. 1934. Collected Papers. Vol. 5. Charles Hartshorne y Paul Weiss (eds.), Cambridge, MA, Harvard University Press.

—. 1935 [1898]. *Scientific Metaphysics*. En *Collected Papers*, vol. 6, Charles Hartshorne y Paul Weiss (eds.), Cambridge, MA, Harvard University Press.

—. 1986 [1878]. «The doctrine of chances». En *Writings of Charles Sanders Peirce*, 3. Bloomington, Indiana University Press. Pp. 276-89.

Pérez-Bergliaffa, S. E., G. E. Romero y H. Vucetich. 1993. «Axiomatic foundations of nonrelativistic quantum mechanics: A realistic approach». *International Journal of Theoretical Physics* 32, pp. 1.507-1.525.

—. 1996. «Axiomatic foundations of quantum mechanics revisited: The case for systems». *International Journal of Theoretical Physics* 35, pp. 1.805-1.819.

Pickel, Andreas. 2001. «Between social science and social technology». *Philosophy of the Social Sciences* 31, pp. 459-487.

Planck, Max. 1933. *Where is Science Going?* James Murphy (ed.). Prefacio de Albert Einstein. Londres, George Allen & Unwin.

Platt, John R. 1964. «Strong inference». *Science* 146, pp. 347-353.

Platt, Mark (ed.). 1979. *Ways of Meaning; An Introduction to a Philosophy of Language*. Londres, Boston, Routledge & Kegan Paul.

Poincaré, Henri. 1908. *Science et méthode*. París, Flammarion.

Polya, George. 1854. *Mathematics and Plausible Reasoning*, 2 vols. Princeton, Princeton University Press.

—. 1957 [1945]. *How to Solve It*. 2da ed. Garden City, NY, Doubleday Anchor Books.

Popper, Karl R. 1950. «Determinism in Quantum Physics and in Classical Physics». *British Journal for the Philosophy of Science* 1, pp. 117-133 y 173-195.

—. 1953. «A note on Berkeley as precursor of Mach». *British Journal for the Philosophy of Science* 4, pp. 26-36.

—. 1956. «Three views concerning human knowledge». Reimpreso en *Conjectures and Refutations* (1963), pp. 97-119.

—. 1957. «The propensity interpretation of the calculus of probability, and the quantum theory». En S. Körner (ed.) *Observation and Interpretation*, pp. 56-70 y 88-89.

—. 1959a. «The propensity interpretation of probability». *British Journal for the Philosophy of Science* 10, pp. 25-42.

—. 1959 [1935]. *The Logic of Scientific Discovery*. Londres, Heineman. [*La Lógica de la Investigación Científica*. Madrid, Tecnos, 1973.]

—. 1963. *Conjectures and Refutations: The Growth of Scientific Knowledge*. Nueva York, Basic Books.

—. 1972. *Objective Knowledge: An Evolutionary Approach*. Oxford, Oxford University Press.

—. 1974. «Autobiography». En P. A. Schilpp (ed.), *The Philosophy of Karl. Popper*, 1. La Salle, IL, Open Court, pp. 3-181.

Porter, Theodore M. 1986. *The Rise of Statistical Thinking; 1820-1900*. Princeton, NJ, Princeton University Press.

Premack, David y Guy Woodruff. 1978. «Does the chimpanzee have a theory of mind?». *Behavioral and Brain Sciences* 1, pp. 515-526.

Pylyshyn, Zenon. 1999. What's in your mind? En Lepore y Pylyshyn (eds.), pp. 1-25.

Preston, Stephanie D. y Frans B. M. de Waal. 2002. «Empathy: Its ultimate and proximate bases». *Behavioral and Brain Sciences* 25, pp. 1-20.

Prilepko, Aleksey I., Dmitry G. Orlovsky y Igor A. Vasin. 2000. *Methods for Solving Inverse Problems in Mathematical Physics*. Nueva York, Marcel Dekker.

Putnam, Hilary. 1975. *Philosophical Papers. Vol. 1: Mathematics, Matter and Method*. Cambridge, Cambridge University Press.

—. 1981. *Reason, Truth, and History*. Cambridge, Cambridge University Press.

—. 1990. *Realism with a Human Face*. Cambridge, MA, Harvard University Press.

—. 1994. «The Dewey Lectures». *Journal of Philosophy* 91, pp. 445-517.

Quadri, G[offredo]. 1947. *La philosophie arabe dans l'Europe médiévale*. París, Payot.

Quine, W[illard] V[an Orman]. 1949 [1936]. «Truth by convention». En H. Feigl y W. Sellars (eds.), *Readings in Philosophical Analysis*. Nueva York, Appleton-Century-Crofts, 1949, pp. 250-273.

—. 1953. *From a Logical Point of View*. Cambridge, MA, Harvard University Press.

—. 1969. *Ontological Relativity and Other Essays*. Nueva York, Columbia University Press.

Raffaelli, David. 2004. «How extinction patterns affect ecosystems». *Science* 306, pp. 1.141-1.142.

Ratner, Carl. 1997. *Cultural Psychology and Qualitative Methodology: Theoretical and Empirical Considerations*. Nueva York, Plenum Press.

Reichenbach, Hans. 1944. *Philosophic Foundations of Quantum Mechanics*. Berkeley y Los Angeles, University of California Press.

—. 1949. *The Theory of Probability*. Berkeley y Los Angeles, University of California Press.

—. 1951. *The Rise of Scientific Philosophy*. Berkeley y Los Angeles, University of California Press.

Rescher, Nicholas. 1987. *Scientifc Realism: A Critical Reappraisal*. Dordrecht, Reidel.

—. 1997. *Objectivity: The Obligations of Impersonal Reason.* Notre Dame, IN, Notre Dame University Press.

—. 2000. *Inquiry Dynamics.* New Brunswick, NJ, Transaction Publishers.

—. 2003. *Imagining Irreality: A Study of Unreal Possibilities.* Chicago, Open Court.

Restivo, Sal. 1992. *Mathematics in Society and History.* Dordrecht, Boston, Londres, Kluwer.

Revonsuo, Antti. 2001. «On the nature of explanation in the neurosciences». En Machamer, Grush y McLaughlin (eds.), pp. 45-69.

Ricoeur, Paul.1975. *La métaphore vive.* París, Éditions du Seuil. [*La metáfora viva.* Madrid, Trotta, 2001.]

Rilling, James K., David A. Gutman, Thorsten R. Zeh, Giuseppe Pagnoni, Gregory S. Berns y Clinton D. Kiets. 2002. «A neural basis for social cooperation». *Neuron* 35, pp. 395-405.

Rodríguez-Consuegra, Francisco. 1992. «Un inédito de Godel contra el convencionalismo: historia, análisis, contexto y traducción». *Arbor* 142 nos. 558-560, pp. 323-328.

Rorty, Richard. 1979. *Philosophy and the Mirror or Nature.* Princeton, Princeton University Press. [*La filosofía y el espejo de la naturaleza.* Madrid, Cátedra, 1995.]

Rosenfeld, Léon. 1953. «L'évidence de la complémentarité». En André George (ed.), *Louis de Broglie: Physicien et penseur.* París, Albin Michel, pp. 43-66.

Ross, James F. 1989. «The crash of modal metaphysics». *Review of Metaphysics* 43, pp. 251-279.

Rottschaefer, William. 1998. *The Biology and Psychology of Moral Agency.* Cambridge, Cambridge University Press.

Roughgarden, Jonathan. 1979. *Theory of Population Genetics and Evolutionary Ecology: An Introduction.* Nueva York, Macmillan; Londres, Collier MacMillan.

Routley, Richard.1980. *Exploring Meinong's Jungle and Beyond.* Interim edition. Canberra, Australian National University.

Rugg, Michaell D. (ed.). 1997. *Cognitive Neuroscience.* Hove, East Sussex, Psychology Press.

Russell, Bertrand. 1912. *The Problems of Philosophy.* Londres, William & Norgate.

Sageman, Marc. 2004. *Understanding Terror Networks.* Philadelphia, University of Pennsylvalnia Press.

Sampson, Robert J., Stephen W. Raudenbush y Felton Earls. 1997. «Neighborhoods and violent crime: A multilevel study of collective efficacy». *Science* 277, pp. 918-924.

Savage, Leonard J. 1954. *The Foundation of Statistics.* Nueva York, Wiley & Sons.

Schelling. Thomas C. 1978. *Micromotives and Macrobehavior*. Nueva York, W. W. Norton & Co.

Schlick, Moritz. 1959 [1932/3]. «Positivism and realism». En Ayer (ed.), pp. 82-107.

—. 1974 [1925]. *General Theory of Knowledge*. Trad. A. E. Blumberg y H. Feigl. Nueva York, Viena, Springer-Verlag.

Schönwandt, Walter L. 2002. *Planung in der Krise? Theoretische Orientierungen für Architektur, Stadt-und Raumplanung*. Stuttgart, W. Kohlhammer.

Schrödinger, Erwin. 1935. «Die gegenwärtige Situation in der Quantenmechanik». *Die Naturwissenschaften* 23, pp. 807-812, 823-828 y 844-889.

Schumpeter, Joseph A. 1950. *Capitalism, Socialism and Democracy*. 3ra ed. Nueva York, Harper & Row.

Scott, Theodore K. 1966. *Introduction to John Buridan's Sophisms on Meaning and Truth*. Nueva York, Appleton-Century-Crofts.

Searle, John R. 1980. «Minds, brains and programs». *Behavioral and Brain Sciences* 3, pp. 417 -424.

—. 1995. *The Construction of Social Reality*. Nueva York, Free Press.

—. 1997. *The Mystery of Consciousness*. Nueva York, Nueva York Review Books.

Sellars, Roy Wood. 1922. *Evolutionary Naturalism*. Chicago, Open Court.

Sellars, Wilfrid. 1961. *Science, Perception, and Reality*. Londres, Routledge & Kegan Paul.

Shorter, Edward. 1997. *A History of Psychiatry*. Nueva York, John Wiley & Sons.

Siegel, Harvey. 1987. *Relativism Refuted*. Dordrecht, Reidel.

Simmel, Georg. 1977 [1982]. *The Problems of the Philosophy of History*. Nueva York, Free Press.

Sklar, Lawrence. 1993. *Physics and Chance*. Carnbridge, Carnbridge University Press.

Smart, J[ohn]. J. C. 1968. *Between Science and Philosophy*. Nueva York, Random House.

Sober, Elliott y David Sloan Wilson. 1998. *Unto Others*. Cambridge, MA, Harvard University Press. [*El comportamiento altruista: evolución y psicología*. Madrid, Siglo XXI, 2000.]

Sokal, Alan, y Jean Bricmont. 1998. *Fashionable Nonsense: Postmodern Intellectuals' Abuse of Science*. Nueva York, Picador USA. [*Imposturas intelectuales*. Barcelona, Paidós, 1998.]

Spencer, Herbert. 1937 [1900]. *First Principles*. 6ta ed., Londres, Watts & Co.

Squire, Larry R. y Stephen M. Kosslyn (eds.). 1998. *Findings and Current Opinion in Cognitive Neuroscience*. Cambridge, MA, MIT Press.

Stove, David. 1991. *The Plato Cult and Other Philosophical follies*. Oxford, Basil Blackwell.

Suppes, Patrick. 1970. *A Probabilistic Theory of Causality. Acta Philosophica Fennica* XXIV. Ámsterdam, North Holland.

Suskind, Ron. 2004. «Without a doubt». *New York Times Magazine*, 17 octubre, pp. 45-51, 64, 102, 106.

Sztompka, Piotr. 1979. *Sociological Dilemmas: Toward a Dialectic Paradigm.* Nueva York, Academic Press.

Taton, R[ené]. 1955. *Causalités et accidents de la découverte scientifique.* París, Masson.

Tegmark, Max. 2004. «Parallel universes». En John D. Barrow, Paul C.W. Davies y Charles L. Harper (eds.), pp. 459-491.

Teller, Paul. 1995. *An Interpretive Introduction to Quantum Field Theory.* Princeton, NJ, Princeton University Press.

Thagard, Paul. 1978. «The best explanation: Criteria for theory choice». *Journal of Philosophy* 75, pp. 76-92.

Thomas, Ivor (ed.). 1941. *Selections Illustrating the History of Greek Mathematics. Vol. 2: From Aristarchus to Pappus.* Londres, Heinemann; Cambridge, MA, Harvard University Press.

Tilley, Christopher. 1999. *Metaphor and Material Culture.* Oxford, Blackwell.

Tilly, Charles. 1998. *Durable Inequality.* Berkeley, University of California Press.

—. 2001. «Mechanisms in political processes». *Annual Reviews of Political Science* 4, pp. 21-41.

Tocqueville, Alexis de. 1985. *Selected Letters on Politics and Society.* Roger Boesche (ed.). Berkeley, University of California Press.

Torretti, Roberto. 1967. *Manuel Kant: Estudio sobre los fundamentos de la filosofía crítica.* Santiago, Ediciones de la Universidad de Chile.

Trigg, Roger. 1980. *Reality at Risk: A Defence of Realism in Philosophy and the Sciences.* Brighton, Harvester Press.

Trigger, Bruce. 2003a. *Artifacts & Ideas: Essays in Archaeology.* Nueva Brunswick, NJ, Transaction Publishers.

—. 2003b. *Understanding Early Civilizations.* Cambridge, Cambridge University Press.

Uhlmann, Gunther. 2003. *Inside Out: Inverse Problems and Applications.* Cambridge, Cambridge University Press.

Vacher, Laurent-Michel. 1991. *La passion du réel.* Montreal, Liber.

—. 2004. *Le crépuscule d'une idole: Nietzsche et la pensée fasciste.* Montreal, Liber.

Vaihinger, Hans. 1920. *Die Philosophie des als ob.* 4ª ed. Leipzig, Meiner.

Van Fraassen, Bas C. 1980. *The Scientific Image.* Oxford, Oxford University Press. [*La imagen científica.* México, Paidós, 1996).

Van Inwagen, Peter. 2003. «Existence, ontological commitment, and fictional entities». En Loux y Zimmerrnan (eds.), pp. 131-157.

Venn, John. 1962 [1866]. *The Logic of Chance*. Nueva York, Chelsea Publishing Co.

Ville, Jean. 1939. *Étude critique de la notion de collectif*. París, Gauthier-Villars.

Vitzthum, Richard C. 1995. *Materialism: An Affirmative History and Definition*. Amherst, NY, Prometheus Books.

Volchan, Sérgio B. 2002. «What is a random sequence?» *American Mathematical Monthly* 109, pp. 46-62.

Von Glasersfeld, Ernst. 1995. *Radical Constructivism: A Way of Knowing and Learning*. Londres, Falmer Press.

Von Mises, Ludwig. 1966 [1949]. *Human Action: A Treatise on Economics*. Chicago, Henry Regnery.

Von Mises, Richard. 1926. *Probability, Statistics, and Truth*. Londres, Allen and Unwin.

Von Weizsacker, Carl-F. 1951. *Zum Weltbild der Physik*. 5ª ed. Stuttgart, Hirzel.

Waal, Frans B. M. de. 1996. *Good Natured: The Origins of Right and Good in Humans and Other Animals*. Cambridge, MA, Harvard University Press.

Waddington, Conrad Hall. 1960. *The Ethical Animal*. Londres, Allen and Unwin.

Weber, Max. 1906. «Kritische Studien auf dem Gebiet der kulturwissenschatlichen Logik». En Weber 1988a, pp. 215-290.

—. 1988a. *Gesammelte Aufsätze zur Wissenschaftslehre*. Tubinga, J.C. Mohr (Paul Siebeck).

—. 1988b [1904] «Die "Objektivität" sozialwissenschaflicher und sozialpolitischer Erkenntnis». En Weber 1988a, pp. 146-214.

Weinberg, Steven. 1992. *Dreams of a Final Theory*. Nueva York, Random House. [*El sueño de una teoría final*. Barcelona, Grijalbo Mondadori, 1994.]

West, Stuart A., Ido Pen y Ashleigh S. Griffin. 2002. «Cooperation and competition between relatives». *Science* 296, pp. 72-75.

Wheeler, John A. 1996. *At Home in the Universe*. Nueva York, Springer-Verlag.

Whewell, William. 1847. *The Philosophy of the Inductive Sciences*, ed. rev., 2 vols. Londres, John W. Parker. Reimpreso en Londres, Frank Cass, 1967.

White, Hayden. 1978. *Tropics of Discourse*. Baltimore, MD, Johns Hopkins University Press.

Whitehead, Alfred North. 1919. *An Inquiry Concerning the Principles of Natural Knowledge*. Cambridge, Cambridge University Press.

Whiten, Andrew. 1997. «The Machiavellian mindreader». En *Machiavellian Intelligence II: Extensions and Evaluations*. Cambridge, Cambridge University Press. Pp. 144-173.

Wiener, Norbert. 1994. *Invention: The Care and Feeding of Ideas*. Cambridge, MA, MIT Press.

Wiggins, David. 1976. «Truth, invention and the meaning of life». *Proceedings of the British Academy* 62, pp. 331-378.

Wikström, Per-Olof H. y Robert J. Sampson. 2003. «Social mechanisms of community influences on crime and pathways in crirninality». En Benjamin B. Lahey, Terrie E. Moffitt y Avshalom Caspi (eds.), *Causes of Conduct Disorder and Juvenile Delinquency*. Nueva York, Guilford Press, pp. 118-148.

Wilkins, Adam S. 2002. *The Evolution of Developmental Pathways*. Sunderland, MA, Sinauer Associates.

Wittgenstein, Ludwig. 1922. *Tractatus Logico-Philosophicus*. Londres, Routledge & Kegan Paul. [*Tractatus logico-philosophicus*. Madrid, Tecnos, 2002]

—. 1978. *Remarks on the Foundations of Mathematics*. Oxford, Blackwell.

Wolin, Sheldon S. 2004. *Politics and Vision: Continuity and Innovation in Western Political Thought*. Princeton, NJ, Princeton University Press.

Wolpert, Lewis. 1992. *The Unnatural Nature of Science*. Londres, Faber & Faber. [*La Naturaleza No Natural de la Ciencia*. Madrid, Acento, 1994.]

Woodbury, Keith A. 2003a. *Inverse Engineering Handbook*. Boca Raton, FL, CRC Press.

—. 2003b. «Sequential function specification method using futuretimes for function estimation». En Woodbury, 2003a, pp. 41-101.

Woodger, Joseph Henry. 1952. «Science without properties». *British Journal for the Philosophy of Science* 2, pp. 193-216.

Woods, John. 1974. *The Logic of Fiction*. La Haya, Mouton.

Woolgar, Steve. 1988. *Science: The Very Idea*. Chichester, Ellis Horwood. [*Ciencia: abriendo la caja negra*. Barcelona, Anthropos, 1991].

Wulff, Henrik R. 1981. *Rational Diagnosis and Treatment*, 2ª ed. Oxford, Blackwell.

Yaglom, A. M. y I. M. Yaglom. 1983. *Probability and Information*. Dordrecht y Boston, D. Reidel.

Yamazaki, Kazuo. 2002. «100 years: Wemer Heisenberg -works and impact». En D. Papenfuss, D. Lüst y W. P. Schleich (eds.), *100 Years Werner Heisenberg: Works and Impact*. Weinheim, Wiley-VCH.

Zajariev, Boris N. y Boris M. Chabanov. 1997. «New situation in quantum mechanics (wonderful potentials from the inverse problem)». *Inverse Problems* 13, pp. R47-R79.

Zeki, Semir. 1999. *Inner Vision: An Exploration of Art and the Brain*. Oxford, Oxford University Press.

Zimmer, Carl. 2004. *Soul Made Flesh: The Discovery of the Brain and How lt Changed the World*. Nueva York, Free Press.

Índice de nombres

Índice temático

causal, principio, 140
causalidad, 135-143, 173, 339; análisis contrafáctico de la, 327; como transferencia de energía, 138; criterio de, 142-143; teoría probabilística de la, 141
CESM, modelo de un sistema, 184
ciencia, 58-59; biosocial, 362; cultural, 93-94; fáctica, 270; formal, 270; social, 102-103, 245-251, 305
cientificismo, 59, 361, 381
clase, 308-312. *Véase también* especie
clasicismo en física cuántica, 109-110
cobertura legal, modelo de, 28, 201. *Véase también* subsunción
cognición, 51
cohesión social, 202-203
como si, 263, 283. *Véase también* ficcionismo
composición de un sistema, 184
compromiso ontológico, 279-282
computacionismo, 204-206
condicional, 325
conjeturar, 198-200. *Véase también* abducción, inferencia a la mejor explicación, teoría de la mente
conocedor, 47-51. *Véase también* sujeto
conocimiento, 51; por descripción, 121; por familiaridad, 121
consistencia externa, 239
construcción social, 122
constructivismo ontológico, 76-81, 105, 347-348, 385-386. *Véase también* subjetivismo pedagógico, 81, 129; psicológico, 47; social, 80-81
constructivismo-relativismo, 26, 93, 105, 268
constructo, 31, 263-265, 272
contingencia. *Véase también* accidente
contrafáctico, 293-294, 325-328; análisis de la causalidad, 141-142, 327; historia, 142, 326; pregunta, 326
contrailustración, 183
contranorma, 365

contraparte, teoría de la, 317
Contrarrevolución científica, 76-89. *Véase también* Berkeley, Hume, Kant
convención, 394
convencionalismo, 223, 265, 267, 287
cooperación, 198-199
Copenhague, interpretación de, 19, 25, 68, 79, 97
correlación estadística, 180-181
correspondencia, teoría de la verdad como, 356-357
cosa, 32-34, 54-55, 68-70, 98 ; para nosotros, 49. *Véase también* fenómeno; cosa en sí, 49, 98; noúmenos
creencia, 166
criterio, 142, 333-334
cuántica, mecánica, 52-53, 106-113, 136, 147, 156, 160-161, 226, 291, 332
cuántica, química, 192
cuantón, 207
cuantos, 114-120

datación por radiocarbono, 227
datos, 44-45
deducción, 238
definición, 287
delincuencia, 251
democracia, 179, 189
demostración, 277
denotación. *Véase también* referencia
descriptivismo, 89-90, 204-206. *Véase también* positivismo
descubrimiento, 210, 282-283
designación, 285
desinterés, 61
desorden, 144-145, 156. *Véase también* azar
determinismo, 135-136, 150
diagnóstico médico, 241-242
difracción, 224-225
diseño experimental, 168-169
disposición, 295, 328-334; condicional, 332; incondicional, 332

intuición, 248
intuicionismo: axiológico, 363; ético, 365; filosófico, 59, 187-188; matemático, 289-290, 298
invariancia, 345, 399-400
invención, 149, 211, 240, 252-256, 282
invertibilidad, 227-231, 260-261
investigación, 195, 209
irrealismo, 65; *véase también* antirrealismo
Islam, 189

Jaina, Escuela, 304
juego de azar, 145, 153, 172

legalidad, 82-83, 197-198, 306-307, 398, 409
ley, 38, 86-87, 195-198, 236, 302-303, 306-307, 323
libertad, 340-341
libre albedrío, 338-341
libre mercado, 178-179, 351
lingüística, 121, 126, 263-264
lógica: deductiva, 96, 274-275, 281; dinámica, 281; inductiva, 166-167, 209; libre, 299; modal, 44, 292-293, 312; no clásica, 299

macropropiedad, 197
matemática, 199, 214-222, 263-300
materia, 34-35, 188
material, 33-35, 54, 188
materialismo 53-55; emergentista, 55; histórico, 90; sistémico, 182; vulgar, 53. *Véase también* fisicismo
mecánica, 84
mecanicista, cosmovisión, 74, 76, 82-83
mecanísmica, 202
mecanismo, 28, 175-208, 184, 241; causal, 191; esencial, 190; estocástico, 150-156, 191-192; latente, 193; manifiesto, 193; paralelo, 190, 237; social, 179, 191, 249-251
medicina, 188, 241-242

medición, teoría de la, 152
medida, 108-111, 258
meliorismo, 59, 349-350
mente, teoría de la, 200
mercado, 278, 251
mereología, 47
metafísica. *Véase también* ontología
método científico, 284, 362
microeconomía, 278-279, 249
micropropiedad, 197
microrreduccionismo, 120
milagro, 83, 359
modelo: probabilístico, 151; teorético, 256, 280-281
modelos, teoría de, 151
monismo: metodológico, 361-362; ontológico. *Véase también* idealismo, materialismo
múltiples mundos: interpretación de la mecánica quántica, 147, 291; metafísica de los, 290-297; semántica de los, 293-294
mundo, 47, 104-105; paralelo, 147-148, 237, 290-297, 312-324
mundos, hacer, 101-106. *Véase también* subjetivismo
mutabilidad, 33, 53, 188. *Véase también* energía, material

natural, teoría de la ley, 368-369
naturalismo, 366. *Véase también* materialismo
necesidad nómica, 151, 239
negativismo, 150
neodeterminismo, 157
neokantismo, 86, 93-94
neurociencia cognitiva, 241, 242-244, 261-262
nicho, construcción del, 148
nihilismo, 133
nivel de organización, 146
no referencial, 352
nombrar, 263-265, 305-306

nominalismo, 263, 287-288, 302-308
norma, 196, 365-372, 372-376
noúmenos, 67. *Véase también* cosa en
   sí
novedad. *Véase también* emergencia

objetivo, 191
objetividad, 61-62, 350-351
objetivismo. *Véase también* realismo
observable, 114
observación, 107
ondas largas, 188-189
ontología, 27, 63, 97, 293, 327-328,
   345
operacionismo, 68, 79
opinión, 157-158, 170
ordenador, 204, 254-255, 264

palabra, 302-303
parapsicología, 177-178
particulares, 305-306
patear, 348-349
Pauli, principio de exclusión de, 395
pauta. *Véase también* ley
percepción: psicológica, 116-117, 122-
   125; social, 122-125
pirronismo, 267, 352
planeamiento, 227-228
Platón, alegoría de la caverna de, 71
platonismo, 267, 277, 282, 298, 307,
   231. *Véase también* idealismo objetivo
plausibilidad, 172
plausible, razonamiento, 289. *Véase*
   también abducción, analogía, inducción
políticas, ciencias, 379-380
posibilidad, 291-297, 312-328; conceptual, 312-315; real, 44, 312-313
posibles, mundos: metafísica de los,
   44, 292-297, 316-328; semántica de
   los, 294-297, 352
positivismo, 59, 223-224; clásico, 94;
   lógico, 94-101

posmodernismo, 343
pragmatismo, 267, 298
praxiología, 377-380
predicado, 50, 272-275, 302, 386-387.
   Véase también propiedad
probabilidad (*likelihood*), 163
probabilidad, 28, 150-173; condicional, 141, 152, 166; de las causas,
   231; de proposiciones, 157-162,
   164-165; inversa, 231-232; objetiva,
   150-157, 333; previa, 152; subjetiva.
   Véase también bayesianismo
problema, 209-233; de demostrar, 219-
   220; de encontrar, 219-220; de
   Hume, 233; de Newton, 209-210,
   233; directo o hacia delante, 215; insoluble, 230; inverso o hacia atrás,
   28-29, 209-233, 260-262; mal planteado, 220-221. *Véase también* inverso
proceso, 42, 398-401
pronóstico, 228
propensión, 154
propiedad, 34-37, 50-51, 302-306, 386-
   390; absoluta, *véase* Invariante; accidental, 36; básica, 131; condicional, 332; derivada, 13; difusa, 109,
   332; disposicional, 328, *véase tam-*
   bién Disposición; efectiva, 328;
   esencial, 36; fenoménica, 66-67; general, 388-389; individual, 389-390;
   invariante, 36, 38; manifiesta, 328;
   paquetes o haces, 38; precisa, 109,
   332; primaria, 36, 68-70, 74, 131;
   secundaria, 36, 68-70, 74, 13, *véase*
   también Quale
proposición, 263-265, 269-270, 325-
   326; transformación en una, 371
prueba, 80, 113-114, 357-358
prueba indirecta, 210-211, 220
psicoanálisis, 181
psicología, 227, 164; cultural, 117;
   evolucionista, 244; *folk*, 247
psiquiatría, 122